學術論文集叢書

# 第二屆《群書治要》國際學術研討會論文集

黃聖松　主編

主辦單位：國立成功大學中國文學系
合辦單位：香港中文大學中國語言及文學系、
財團法人台南市至善教育基金會

# 目次

「楊伯峻《春秋左傳注》訂補」研究計劃工作報告………………… 單周堯 1
《左傳》成書新論（一）——仲尼（1）……………………………… 劉文強 27
論兩漢史書所見《左傳》義之致用
——以治獄、災異為範圍……………………………………… 吳智雄 53
漢代《左傳》學的發展與漢注研究………………………………… 郭院林 77
關於清華簡《趙簡子》中的晉國君主……………………………… 小寺敦 93
《十一家注孫子》引《左傳》研究
——《孫子兵法》注者眼中的《左傳》………………………… 潘銘基 113
《左傳》飲食敘事…………………………………………………… 蔡妙真 141
帆足萬里（1788-1852）《左傳標註》之《春秋》《左傳》學觀與
解經法 ………………………………………………………………… 宋惠如 169
考古材料斠訂楊伯峻《春秋左傳注》文詞五則…………………… 陳炫瑋 195
南宋永嘉學派《春秋》學研究
——以薛季宣、陳傅良、葉適為中心…………………………… 李衛軍 239
從幾則「大事紀年」思索《左傳》之取材與編纂問題…………… 蔡瑩瑩 257
《春秋》經傳所見郳國及其周邊交通路線考論…………………… 黃聖松 289

# 「楊伯峻《春秋左傳注》訂補」研究計劃工作報告*

單周堯

（香港）香港能仁專上學院文學院院長及中文系主任、
香港大學中文學院榮譽教授。

## 摘要

楊伯峻先生（1909-1992）的《春秋左傳注》（簡稱《楊注》），共四冊，凡1736頁，是迄今最佳的《左傳》注本。除對前人研究成果加以選擇取捨外，楊伯峻先生還提出與前人不同的意見和自己的心得。《楊注》這種詳稽博辨的精神、鉤玄提要的功力，均遠非其他新注所能及。

但千慮一失，賢者難免，因此出現了不少商榷《楊注》的論文。不過，這些論文沒有提到而需要修訂之處甚夥，本研究之目的，是對楊注作出全面的斠正，為研究《春秋》、《左傳》者提供可靠的依據。

此外，現代電腦科技日進，可將古文字字形掃描入注中，以加深讀者對傳文之理解。例如《左傳》僖公三十三年載：晉襄公敗狄於箕。是役也，先軫免冑入於狄師，死焉。狄人歸其元於晉，面如生。《杜注》、《楊注》皆訓「元」為「首」。元何以有「首」義？案：元作父戊卣之金文「元」字作  ，象人形而其首特巨，若將此字形掃描入注中，則「元」之本義為「首」，昭然可見。

本研究項目之另一重要任務，乃指出《楊注》所遺漏之通假字，透過闡釋文字間之通假關係，以加深讀者對《左傳》之理解。關於通假之語音條件，有些學者的要求極其嚴格，認為有通假關係的字需同音（包括聲母和韻母的每一個部分）。不過，古籍的通假字，事實上不一定跟本字完全同音（即聲母和韻母每一部分都相同）。例如《左傳》隱公元年之「闕地及泉」，意思是掘地直至泉水出現。「闕」很明顯是「掘」的通假字，可是「闕」與「掘」雖然有語音關係，但聲母和韻母都不相同。本研究項目將透過闡釋《左傳》之通假字，重新檢視通假之語音條件。這與所有古籍通假字之研究均有莫大關係，其影響誠為既鉅且遠。

---

* 本論文為「楊伯峻《春秋左傳注》訂補」研究計劃部份成果，計劃得到香港政府研究資助局優配研究金資助（編號：UGC/FDS22/H01/17），謹此誌謝。

20世紀後半葉至今，簡帛文獻大量出土，其中有可供研究《春秋》、《左傳》者不少，本文謹舉「蹶子家之棺」一例，加以說明。

學者亦有以人類學、民族學方法研究《春秋》、《左傳》個別章節者，如《春秋》隱公五年「公矢魚于棠」，《左傳》釋「矢」為「陳」，陳槃（1905-1999）、李宗侗（1895-1974）則根據人類學、民族學謂「矢魚」即射魚，其說是否可信，亦可細加研究。

根據本計劃研究者之估計，《春秋左傳注》一書需訂補之處當逾二千。總之，《楊注》這樣一套嘉惠士林、津逮經苑的佳作，如能依照本計劃那樣認真加以修訂，實在功德無量。

**關鍵詞：**楊伯峻、《春秋左傳注》、古文字、通假字、簡帛文獻

# Report on the Research Project of "Supplement to Yang Bojun's *Chunqiu zuozhuan zhu*"

Sin Chow Yiu

Dean of Arts and Head, Department of Chinese, Hong Kong Nang Yan College of Higher Education; Honorary Professor, School of Chinese, The University of Hong Kong

## Abstract

Yang Bojun's 楊伯峻 (1909-1992) *Chunqiu zuozhuan zhu* 春秋左傳注 (Glosses on the Zuozhuan), which comprises 4 volumns and 1736 pages, has received critical acclaim from the academia since its inception. It is thus far the best exegesis on the study of the *Zuozhuan* 左傳. Besides drawing from the best of previous research, Yang also put forward his own original contributions. *Chunqiu zuozhuan zhu* is therefore unmatched by later exegeses.

But even the best minds cannot be exempted from errors, so there appear many articles raising issues in the Chunqiu zuozhuan zhu. Yet these articles still leave many issues untouched. The present research project attempts to produce a comprehensive corrigendum of Yang's book that can provide reliable reference for *Chunqiu* 春秋 and *Zuozhuan* researchers.

Furthermore, advance in computer technology allows the insertion of scanned archaic characters into footnotes. This helps readers to better understanding the text. The present project suggests to apply such a method to the study of the *Zuozhuan*.

Another important task of this project is to identify loanwords that have escaped Yang's attention, and through expounding the phonetic relations among characters, it can enhance readers' understanding of the *Zuozhuan*. The present project attempts to re-examine the phonetic conditions for loanwords through examples in the *Zuozhuan*. This has great importance for the study of all classical texts.

Many silk and bamboo scripts have been excavated since the latter half of the 20th century, and a number of them provide useful references to the study of the *Zuozhuan*.

New attempts to understand *Zuozhuan* passages through anthropology and ethnology have also been proposed, and they are thoroughly examined in the present study.

According to our preliminary estimate, the number of amendments necessary for the *Chunqiu zuozhuan zhu* exceeds two thousand. Our proposed erratum for this classic is therefore a meaningful contribution to the field.

**Keywords:** Yang Bojun, *Chunqiu zuozhuan zhu,* archaic characters, loanwords, silk and bamboo scripts

2017年2月，筆者向香港政府研究資助局提交了一個關於楊伯峻《春秋左傳注》訂補的研究計劃，計劃詳情如下：

## 一

楊伯峻先生（1909-1992）的《春秋左傳注》（簡稱楊注），是迄今最佳的《左傳》注本。除對前人研究成果加以選擇取捨外，楊伯峻先生還提出與前人不同的意見和自己心得。楊注這種詳稽博辨的精神、鉤玄提要的功力，均遠非其他新注所能及。沈玉成先生（1932-1995）《春秋左傳學史稿》說：

> 使用現代的治學方法對《左傳》進行注釋整理，以楊伯峻先生的《春秋左傳注》成績最為突出……這是「五・四」以來對《左傳》經傳全文作校勘、新注的唯一著作。作者為完成此書，前後歷時二十餘年。作者在青年時代受學於叔父楊樹達先生，對經史、諸子、小學均有很深的功底，中年則從事古漢語語法的研究。五十歲以後集中精力整理《左傳》，大量參閱了已有的文獻材料，其所利用和徵引的約在四百種以上，包括原始資料，前人的研究專著和筆記，現代學者、國外學者的研究論文以及考古發掘和金甲文的整理成果。此書的出版，從一個側面體現了本世紀中整理《春秋左傳》的成績。[1]

不過，千慮一失，在所難免，因此出現了不少商榷《楊注》的論文，如陳茂同《〈左傳〉的作者及其成書的年代問題——兼與楊伯峻商榷》、孫玄常《對楊伯峻先生〈春秋左傳注〉的幾點商榷》、劉秀梅《關於〈春秋左轉注〉中一條注釋的不同看法》、汪貞幹《楊伯峻〈左傳注〉獻疑八則》、《〈春秋左傳注〉十則異議》、《楊伯峻〈左傳注〉獻疑（續）》、董德志《「所」字結構中「所」後動詞可省嗎？——兼談〈春秋左傳注〉對幾個「……無所」的解釋》、陳延嘉《關於〈春秋左傳注〉的幾個問題》、李學勤《讀〈春秋左傳注・前言〉記》、王振中、潘民中《對〈春秋左傳注〉有關方城釋解的質疑》、潘民中、王振中《對〈春秋左傳注〉一些注釋的質疑》、許子濱《楊伯峻〈春秋左傳注〉禮說斠正》、王衛峰《〈春秋左傳注〉語詞札記》、喻華《楊伯峻〈春秋左傳注〉標點商榷一則》、蕭旭《〈左傳〉〈楊注〉商補》、陳恩林《〈春秋左傳注〉注文商榷五則》、詹紹維《〈春秋左傳注〉商榷》、李衡眉《〈春秋左傳注〉中關於「昭穆」的兩條互相抵牾的注釋》、徐朝暉《楊伯峻〈春秋左傳注〉商榷》、蕭旭《〈左傳〉〈楊注〉商兑（一）》、《〈左傳〉〈楊注〉商兑（二）》、《〈左傳〉〈楊注〉商兑（三）》、《〈左傳〉〈楊注〉商兑（四）》、《〈左傳〉〈楊注〉商兑（五）》、李智耕《楊伯峻〈春秋左傳注〉商榷五則》、徐

1　沈玉成、劉寧：《春秋左傳學史稿》（南京：江蘇古籍出版社，1992年），頁409。

朝暉《楊伯峻〈春秋左傳注〉商榷（續）》、馬啟俊《〈春秋左傳注〉標點自亂其例辨正》、陳筱芳《〈春秋左傳注〉考辨》、馬啟俊《〈春秋左傳注〉注釋商補》、夏維新《楊伯峻〈春秋左傳注〉商榷十一則》、《楊伯峻〈春秋左傳注〉商補》、陳恩林《〈春秋左傳注〉辨正六則》、張淑一《〈春秋左傳注〉勘誤四則》、趙宗乙《〈春秋左傳注〉商兌二則》、陳再文、馬啟俊《〈春秋左傳注〉標點商榷》、劉衛寧《楊伯峻〈春秋左傳注〉商榷三則》、陳恩林《關於〈春秋左傳注〉中〈春秋〉名稱的辨正》、劉衛寧《楊伯峻〈春秋左傳注〉時間判斷商補二則》等。

《楊注》初版於1981年，再版於1990年。再版時力求掃除訛脫，其有誤注者，力求改正；如有新意或新資料，則盡可能補入。惟限於紙型，修訂未能盡如作者之意。

《楊注》出版之後，有不少新注本陸續出版，如王守謙等譯注之《左傳全譯》、李夢生撰寫之《左傳譯注》、吳兆基編譯之《春秋左傳》、李維琦等注釋之《左傳》、陳克炯注譯之《左傳譯注》、郁賢皓等注譯之《新譯左傳讀本》、陳戍國撰述之《春秋左傳校注》、葉農等注譯之《左傳注譯》、趙生群撰著之《春秋左傳新注》等，但其深度都遠遠比不上《楊注》。《楊注》廣參博采，研精究微，楊伯峻先生在《春秋左傳注．前言》中說：「在注解中，搜集並且考慮了前人成果，有所取捨，有所增補，或者提不同意見和自己心得，以供讀者參考……。」[2]沈玉成先生《春秋左傳學史稿》指出，《楊注》「對浩瀚的材料作出選擇取舍，從中就見出了功力和識力」[3]。李學勤先生（1933-2019）於《春秋左氏傳舊注疏證續．序》中，也盛讚《楊注》「功力深厚，博采前說而又能善作裁斷，裨益後學實非淺顯」。[4]沈玉成先生以《春秋》第一句「元年春王正月」為例，指出如果搜集歷來注家的成說，足可編成一本專集，但《楊注》關於這一條的注釋只有一千字左右，所釋內容卻毫不膚泛而極見充實，包括了「元年」之稱的起源、經傳記時之異、三正說等好幾個問題，而且一一具引所據，所以實際上是相當壓縮、精鍊的一條注釋。[5]沈玉成先生又指出，在《楊注》中，如果同一史事，在《左傳》以外其他先秦古籍或漢代古籍中也有記載，則比較其異同，加以按斷，這可使史事脈絡更為清楚，並且互為補充，而讀者通過比較異同，對《左傳》記事的特點也就可以加深體會。[6]沈玉成先生還指出，《楊注》在禮制、服飾方面，多引「三禮」印證，而以《左傳》本身為主，既能融會旁通，又避免喧賓奪主；對職官的闡釋，除參酌《周禮》外，還利用其他先秦典籍和銅器銘文的材料，根據時代和國別的差異加以說明；在天文曆法方面，《楊

2 楊伯峻：《春秋左傳注．前言（修訂本）》（北京：中華書局，1990年），頁55。

3 沈玉成、劉寧：《春秋左傳學史稿》（南京：江蘇古籍出版社，1992年），頁409-410。

4 李學勤：《春秋左氏傳舊注疏證續．序》，見吳靜安：《春秋左氏傳舊注疏證續》（長春：東北師範大學出版社，2005年），序頁3。

5 沈玉成、劉寧：《春秋左傳學史稿》，頁410。

6 同上注。

注》運用了現代天文學的知識，對歷來一些不大容易解釋的問題作扼要說明。[7]除對前人研究成果加以選擇取捨外，楊伯峻先生還提出與前人不同的意見和自己的心得。《楊注》這種詳稽博辨的精神、鉤玄提要的功力，均遠非其他新注所能及。這樣一套嘉惠士林、津逮經苑的佳作，如能加以修訂，為之拾遺補闕，實在功德無量。

## 二

正如上文所說，《楊注》雖然是迄今最佳的《左傳》注本，但千慮一失，在所難免，因此有訂正的需要。茲舉例如下：

（一）楊注前言認為孔子（前552-前479）未曾修或作《春秋》[8]，此說實有待商榷。蓋《孟子》〈滕文公下〉及〈離婁下〉、《公羊傳》昭公十二年及哀公十四年、《史記》〈孔子世家〉及〈十二諸侯年表・序〉，均謂《春秋》成於孔子；惟楊注前言則認為孔子未嘗修或作《春秋》，其理由如下：

一、根據《史記・孔子世家》，孔子是在哀公十四年西狩獲麟以後作《春秋》的，而孔子於二年後即病逝。楊注前言認為，以古代簡策的繁重，筆寫刀削，成二百四十二年的史書，過了七十歲的老翁，僅用兩年時間（若根據《春秋說》，更只用了半年時間），未必能完成此一艱巨任務。

二、《史記・十二諸侯年表・序》說：「是以孔子明王道，干七十餘君，莫能用，故西觀周室，論史記舊聞，興於魯而次《春秋》。」根據這一段話，則孔子次《春秋》，是在觀書周室之後，而非西狩獲麟之後。楊注前言指出，根據《史記・孔子世家》，孔子往周室，是在孔子三十歲以前，其後即未嘗再去周室。孔子三十歲以前，乃魯昭公之世，當時如何能作《春秋》至哀公之世？

三、《論語》是專記孔子及其弟子言行的書，但卻完全沒有提及《春秋》，更未嘗提及孔子修《春秋》或作《春秋》。《論語》中記載孔子讀《易》，以及其引用《詩》、《書》，並記載孔子自己說：「吾自衛反魯，然後樂正，《雅》、《頌》各得其所。」（《子罕》）孔子若真的曾修或作《春秋》，其貢獻比整理《雅》、《頌》還大，為甚麼孔子及其弟子在《論語》中卻隻字不提呢？

四、《春秋》以魯國史書作根據，魯史書不曉得經過多少史官的手筆。如果孔子真的修或作《春秋》，為甚麼不把文風統一，不把體例統一？

以上反對孔子曾修或作《春秋》的理由，都有學者予以反駁，相反，孔子修《春

---

7 同上注。

8 詳參楊伯峻《春秋左傳注》（修訂本），頁6-16。

秋》之說，卻有不少證據支持[9]。因此，沈玉成先生與劉寧女史合著的《春秋左傳學史稿》，以及趙生群先生的《〈春秋〉經傳研究》，都認為維持孔子修《春秋》這一傳統說法比較合理。楊注前言認為孔子未嘗修或作《春秋》之說既有可商，故需修訂。

（二）楊注前言認為《左傳》作者非左丘明，此說也需商榷。《左傳》的作者問題，眾說紛紜，莫衷一是。《春秋・序》孔穎達（574-648）疏引沈文阿[10]（503-563）曰：

> 《嚴氏春秋》引《觀周篇》云：「孔子將脩《春秋》，與左丘明乘，如周，觀書於周史，歸而脩《春秋》之《經》，丘明為之《傳》，共為表裏。」[11]

《觀周篇》是西漢本《孔子家語》中的一篇，如果上述文獻可靠，那麼，這就是最早提到《左傳》作者的記載了。此外，司馬遷（前145-前86）《史記・十二諸侯年表》也說：

> ……是以孔子明王道，干七十餘君，莫能用，故西觀周室，論史記舊聞，興於魯而次《春秋》，上記隱，下至哀之獲麟，約其文辭，去其煩重，以制義法。王道備，人事浹。七十子之徒，口受其傳指，為有所刺譏褒諱挹損之文辭，不可以書見也。魯君子左丘明，懼弟子人人異端，各安其意，失其真，故因孔子史記，具論其語，成《左氏春秋》。[12]

「左丘明」一名，見於《論語》，《論語・公冶長》說：

> 子曰：「巧言令色足恭，左丘明恥之，丘亦恥之；匿怨而友其人，左丘明恥之，丘亦恥之。」[13]

楊注前言道：

> 孔丘說話，引左丘明以自重，可見左丘明不是孔子學生，所以司馬遷稱他為「魯君子」，〈仲尼弟子列傳〉也沒有他的名字。那麼，他至少是孔丘同時人，年歲也不至小於孔丘。唐人陸淳《春秋集傳纂例・趙氏損益例》甚至說：「夫子（孔

9 參沈玉成、劉寧：《春秋左傳學史稿》，頁25-38；趙生群：《〈春秋〉經傳研究》（上海：上海古籍出版社，2000年），頁1-26。

10 《春秋正義・序》作「沈文何」。見晉・杜預集解，唐・孔穎達正義：《春秋左傳注疏》（臺北：藝文印書館，2001年，據清嘉慶二十年（1815）江西南昌府學版影印），總頁4。《隋書・經籍志》作「沈文阿」見唐・魏徵等撰：《隋書》（北京：中華書局，1973年8月），頁930。今從《隋書・經籍志》。

11 《春秋左傳注疏》，卷1，頁11上。

12 《史記》，頁509-510。

13 魏・何晏注，北宋・邢昺疏：《論語注疏》，阮元等校：《十三經注疏：附校勘記》，第8冊，卷5，頁46上。

> 丘）自比，皆引往人，故曰『竊比於我老彭』。又說伯夷等六人云：『我則異於是。』並非同時人也。丘明者，蓋夫子以前賢人，如史佚、遲任之流，見稱於當時爾。」這樣，把左丘明的生存年代提到孔子以前若干年，便是否定左丘明曾經作過左氏傳。[14]

楊注前言更說：

> 無論左丘明是孔丘以前人或同時人，但《左傳》作者不可能是《論語》中的左丘明。《左傳》最後記載到魯哀二十七年，而且還附加一段，說明智伯之被滅，還稱趙無恤為襄子。智伯被滅在紀元前四五三年，距孔丘之死已二十六年，趙襄子之死距孔丘死已五十三年。左丘明若和孔丘同時，不至於孔丘死後五十三年還能著書。[15]

其實，宋代葉夢得（1077-1148）《春秋考・統論》也有類似說法[16]。對於此一問題，胡念貽（1924-1982）在《文史》第十一輯有一篇長文，題為〈左傳的真偽和寫作時代問題考辨〉[17]，對《左傳》的寫作時代有詳細、深入的研究。胡氏認為《左傳》作於春秋末年，後人雖有竄入，但它基本上保存了原來面目。他認為反對左丘明作《左傳》的人，其實都提不出確鑿的證據，無法把舊說真正推翻。上文所述楊注〈前言〉及葉夢得對左丘明作《左傳》的質疑，胡氏已加以辨明。他認為《左傳》敘事，止於魯哀公二十七年。哀公二十七年《左傳》末段云：「悼之四年，晉荀瑤帥師圍鄭。……知伯謂趙孟：『入之！』對曰：『主在此。』知伯曰：『惡而無勇，何以為子！』對曰：『以能忍恥，庶無害趙宗乎！』知伯不悛。趙襄子由是惎知伯，遂喪之。知伯貪而愎，故韓魏反而喪之。」[18]這段文字提到趙襄子謚，提到韓、魏、趙「喪知伯」等戰國人才能夠知道的謚號和史實，楊注〈前言〉及葉夢得等遂據以懷疑左氏乃六國人。不過，胡氏指出，這段文字很可能是後人所加，因為：一、它記載的是魯哀公兒子魯悼公四年發生的事情，不可能是《左傳》正文，正文已在哀公二十七年結束；二、它寫韓、魏、趙滅知氏之事，此事上距「悼之四年」又已十年，書中草草帶過，不似《左傳》作者手筆；三、「趙孟」這一名字，在《左傳》出現多次，趙襄子這一謚號，則僅於此出現一次，可見《左傳》作者和趙孟是同時人，此段所舉趙襄子謚是後人所加。[19]

---

14 《春秋左傳注・前言》（修訂本），頁32。

15 同上注，頁34。……

16 參宋・葉夢得：《春秋考》，收入《武英殿聚珍版叢書》，第60冊，卷3，頁20上。

17 原載《文史》第十一輯頁1-33，後收入胡氏所著《中國古代文學論稿》（上海：上海古籍出版社，1987年10月）頁21-76。

18 《春秋左傳注疏》，卷60，頁1054下。

19 參《中國古代文學論稿》，頁50-51。

除謚號外，《左傳》中所載某些官爵制度、學術思想與戰具，比較晚出，似乎是與孔子同時或在孔子之前的左丘明所不應該知道的，而《左傳》所載卜筮，有不少預言戰國時事，而又大都應驗，因此，頗有人懷疑《左傳》作者是戰國時人，在這些歷史事件發生以後，才從後傅合，把這些卜筮編造出來。[20]胡氏對此都一一加以辨明。最後，胡念貽總結說：「從先秦到西漢，典籍的流傳有一種特殊情況，就是往往有人增入篇章或竄入一些文字。……由於這種原因，人們總可以從《左傳》中找到個別的例子企圖證明它是戰國時人或漢人所作……然而找來找去只能找到個別的例子。如果從整個作品來看，無論如何不能令人相信它是戰國時人所作，更不要說漢人了。」[21]胡氏理由如下[22]：

一、《左傳》寫到哀公二十七年為止，可見作者為春秋末年人。如果是戰國人，他會繼續寫下去，寫到戰國時代。戰國西漢時人寫史都是寫到當代為止。魏襄王時的《竹書紀年》和漢代司馬遷的《史記》都是如此，《左傳》不會例外。

二、《左傳》敘事以魯國為中心，因此，《左傳》應該是魯國人的作品。

三、《左傳》裏面有一些預言，到戰國時代並沒有應驗。《左傳》如果產生在戰國，不應該在書中出現一些這樣不驗的預言。

四、《左傳》多用「于」字，保存了一種較古的用字習慣。此外，《左傳》不用「與」字作疑問語尾。用「與」字作疑問語尾，起源較晚，《論語》以前文獻不曾用過。這可以證明《左傳》產生於戰國以前。

五、《左傳》開始將神話傳說中的人物和金木水火土五行配合，但無戰國時興起的「五德終始」之說。

六、《左傳》寫騎馬只出現一次，而且是接近春秋末年。可見《左傳》寫於春秋末年，當時尚未有戰國時代「騎萬匹」的情況出現。

七、《左傳》的行人辭令和《戰國策》的游說之辭，時代色彩不同，可見《左傳》和《戰國策》是不同時代的產物。

趙生群先生《春秋經傳研究》，亦認為《左傳》當為左丘明所作，其理由如下[23]：

一、從《春秋》、《左傳》的實際情況來看，兩書的作者只能是同時並且關係非常密切的人。例如《春秋》「不書」的事件，內容相當廣泛，情況相當複雜，《左傳》作者面對時間古今懸隔而又千頭萬緒、錯綜複雜的歷史事件，卻能一一指出那些事件是當時曾經發生過而《春秋》作者沒有採錄的，並能對《春秋》不載的這些歷史事件作出補充說明，甚至還能分別各種不同的具體情況，一一揭示《春秋》所以「不書」的原因，這決不是一件輕而易舉的事。《左傳》的作者必須具備兩個條件：一是手中握有孔子作《春

---

20 參拙著：《左傳學論集》（臺北：文史哲出版社，2000年），頁5-10。

21 參《中國古代文學論稿》，頁67。

22 參《中國古代文學論稿》，頁68-70。

23 參《春秋經傳研究》（上海：上海古籍出版社，2000年），頁73-78。

秋》時所用的藍本，了解《春秋》史料的取捨範圍，另外，還必須對《春秋》的體例瞭如指掌。這兩個條件，如果不是與孔子同時並且關係親密的人，是很難具備的。

二、《左傳》作者深通《春秋》書例，書中歸納《春秋》凡例之處數以百計，而這些凡例的準確性，甚至遠遠超過《公羊》、《穀梁》。《公》、《穀》兩傳出自孔門傳授，《左傳》居然能與它們鼎足而三，甚至超越於兩傳之上，這絕非出於偶然。

三、《左傳》中有50次提及孔子，其中約有30次引用孔子的話補充、解釋經文。孔子的這些言論，都不見於《公羊》、《穀梁》兩傳，為《左傳》所獨有，可見《左傳》作者與孔子的關係非常密切。

趙先生的結論是：《左傳》為左丘明所作，應屬可信。

沈玉成先生與劉寧女史合著的《春秋左傳學史稿》，在比較了古今學者的研究成果以後，也採用司馬遷說，認為《左傳》始傳於春秋末的左丘明。[24]因此，楊注前言認為《左傳》作者不可能是左丘明，此說實有待商榷。

對於楊注前言認為孔子未嘗修或作《春秋》及《左傳》作者不可能是左丘明二說，筆者〈楊伯峻先生《春秋左傳注・前言》訂正〉一文[25]，已詳加商榷。

（三）楊注立說，有異於杜注、孔疏，而實不如杜、孔者，如《春秋》成公十四年：「秋，叔孫僑如如齊逆女」[26]，又曰：「九月，僑如以夫人婦姜氏至自齊」[27]。《左傳》曰：「秋，宣伯如齊逆女，稱族，尊君命也。」[28]又曰：「九月，僑如以夫人婦姜氏至自齊，舍族，尊夫人也。」[29]杜注曰：「舍族，謂不稱叔孫。」[30]《春秋經傳集解序》孔疏曰：

> 叔孫，是其族也。褒賞稱其族，貶責去其氏。銜君命出使，稱其族，所以為榮；與夫人俱還，去其氏，所以為辱。出稱叔孫，舉其榮名，所以尊君命也；入舍叔孫，替其尊稱，所以尊夫人也。族自卿家之族，稱舍別有所尊，是文見於此，而起義在彼。[31]

「族自卿家之族，稱舍別有所尊」，「文見於此，而起義在彼」，故君子以「微而顯」讚譽《春秋》。《左傳》於「九月，僑如以夫人婦姜氏至自齊，舍族，尊夫人也」下云：「故君子曰：『《春秋》之稱，微而顯，志而晦，婉而成章，盡而不汙，懲惡而勸

---

24 參沈玉成、劉寧：《春秋左傳學史稿》，頁382-399。

25 載《能仁學報》第16期，頁1-16。

26 《左傳注疏》卷27，頁17。

27 《左傳注疏》卷27，頁18。

28 同上注，頁19。

29 同上注。

30 同上注。

31 同上注，卷1，頁16。

善，非聖人誰能脩之！』」[32]楊注釋「微而顯」曰：

> 言辭不多而意義顯豁。[33]

竹添光鴻（1842-1917）亦以「文字希少」釋「微」[34]，高本漢（1889-1978）則釋「微而顯」曰：「（微－微小＝）簡潔但是卻明白。」[35]楊注與二家之說略同。按：三家之說，似有可商。《說文．彳部》：「微，隱行也。」[36]雷浚（1814-1893）《說文引經例釋》於「隱行也」下曰：「引伸為凡隱匿之稱。」[37]又《說文．人部》有「䊟」字，段玉裁《說文解字注》曰：「䊟，眇也。」又云：「眇，各本作妙。……凡古言䊟眇者，即今之微妙字。眇者，小也。引伸為凡細之偁。」[38]細小，故微隱，其義相因。杜注釋「微而顯」曰：「辭微而義顯。」[39]昭公三十一年孔疏曰：「微而顯者，據文雖微隱，而義理顯著。」[40]孔疏以「微隱」釋「微」，可謂得之。董仲舒（前176-前104）《春秋繁露》云：「《春秋》記天下之得失，而見所以然之故，甚幽而明。」[41]「幽而明」，殆即「微而顯」之意。「幽」、「微」未必與「文字希少」、「言辭不多」、「簡潔」全同也。

以上辨正，筆者準備發表於《能仁學報》第17或第18期。

（四）又如《左傳》隱公元年：「不言出奔，難之也。」[42]楊注：

> 襄二十九年《經》云：「齊高止出奔北燕。」《傳》云：「書曰『出奔』，罪高止也。」昭三年《經》亦云：「北燕伯欵出奔齊。」《傳》：「書曰『北燕伯欵出奔齊』，罪之也。」則出奔為有罪之詞。此若書段出奔共，則有專罪叔段之嫌；其實莊公亦有罪，若言出奔，則難於下筆，故云難之也。

周堯按：段恃寵驕盈，既命西鄙、北鄙貳於己，又收貳以為己邑，後更謀襲鄭，其罪甚顯，且實出奔，《傳》書段出奔共，何以竟難於下筆！楊注兼罪莊公之說，似頗牽強。杜注云：「段實出奔，而以『克』為文，明鄭伯志在於殺，難言其奔。」孔疏釋杜注曰：「注又申解《傳》意，言鄭伯志在於殺，心欲其克，難言其奔，故仲尼書『克』，不

---

32 同上注，卷27，頁19。

33 《春秋左傳注》（修訂本），頁870。

34 《左氏會箋》（臺北：古亭書屋，1969年12月），卷13頁22。

35 高本漢：《高本漢左傳注釋》（臺北：中華叢書編審委員會，1972年2月），頁340。

36 《說文解字詁林》頁816a。

37 同上注，頁816b。

38 同上注，頁3548b。

39 《左傳注疏》卷27，頁19。

40 同上注，卷53，頁20。

41 見漢．董仲舒：《春秋繁露》（臺北：臺灣商務印書館景印《文淵閣四庫全書》第181冊，1983年），卷2頁5。

42 《春秋左傳注》（修訂本），頁14。

書奔，如鄭伯之志為文，所以惡鄭伯也。」是杜、孔之意，皆謂據鄭伯之志，則段之出奔甚難，而非如楊注之「難於下筆」。相較之下，似以杜、孔之說為長。

以上辨正，可參筆者〈楊伯峻先生《春秋左傳注》隱公元年經傳訂補〉一文。[43]

（五）本計劃之訂補，有涉及文字學者，如《左傳》隱公元年：「仲子生而有文在其手，曰為魯夫人，故仲子歸于我。」[44]楊注：

> 文即字，而先秦書未有言字者。《周禮・外史》、《儀禮・聘禮》皆言名，《左傳》、《論語》、《中庸》並言文。以字為文，始於《史記・秦始皇瑯邪臺石刻》曰「同書文字」。詳顧炎武《日知錄》及段玉裁《說文解字・敘》注。手，手掌。《論衡・雷虛篇》、〈紀妖篇〉並改作「文在掌」可證。〈自然篇〉仍作「手」，則用《左傳》原文。疑《左傳》本作「曰魯夫人」，與於成季「有文在其手曰友」（閔公二年、昭公三十二年《傳》）、於唐叔「有文在其手曰虞」（昭元年《傳》）同例。……孔穎達疏云：「《石經》古文『虞』作『』，『魯』作『』，手文容或似之。」據孔說，不以其手掌真有文字為可信，蓋手紋有似「魯夫人」三字或似「虞」字者，當時人或後世人因而附會之。宋仲子之嫁於魯，蓋附會其手紋有似「魯夫人」三字耳。

周堯按：《石經》蓋借「旅」之古文為「魯」，「旅」、「魯」上古均為來紐魚部字也。《說文解字》卷7上㫃部：

> （旅），軍之五百人為旅。从㫃，从从；从，俱也。，古文旅。[45]

王筠（1784-1854）《說文釋例》曰：

> 旅之古文，《玉篇》在止部，非也。鐘鼎文作，即㫃之古文，不得以為止字，古文傳久，失其本形，遂不可解，率類此矣。[46]

按：《小徐本》旅之古文作。又旅字甲骨文作（佚735）、（佚971）、（鐵90.1）、（後2.43.9）、（前4.31.7）、（掇1.301）、（前6.18.1）、（甲929）、（甲2125）、（後2.4.8）、（掇1.277）、（前1.15.3）[47]，金文作（父乙卣）、（父辛卣）、（父辛觚）、（觚文）、（且丁甗）、（遇甗）、（王婦匜）、（㠱鼎）、（鬲弔盨）、（作父戊簋）、（弔咢父簋）、（伯正父匜）、

43 載《能仁學報》第16期，頁17-34。

44 《春秋左傳注》（修訂本），頁3。

45 丁福保：《說文解字詁林》（北京：中華書局，1988年），第8冊，頁6928上。

46 清・王筠：《說文釋例》（同治4年〔1865〕王彥侗刻本），卷6，頁25b。

47 中國科學院考古研究編輯：《甲骨文編》（香港：中華書局，1978年），頁290。

（鬲攸比鼎）、（旅虎簠）、（仲鑠盨）、（且辛爵）、（伯其父簠）、（陳公子甗）、（曾伯霥簠）諸形[48]。羅振玉（1866-1940）曰：

> 《說文解字》旅古文作，从。古金文皆从从，亦有从者（曾伯霥簠旅字作——羅氏原注），與許書畧近。其卜辭从从，許書从者，皆㫃之變形。……从，即之譌。[49]

羅說是也。《說文》旅字之古文所从之，殆㫃之變形。細究其演變之跡，可於上列金文弔咢父簋、伯正父匜、鬲攸比鼎、曾伯霥簠諸旅字求之，茲列其演變軌跡如下：

→ → → →

之末筆稍短，即成矣。金文偏旁㫃字作形者甚夥，如旂字作（㫚壺）、（頌壺）、（趩鼎）、（師咢父鼎）、（邾公釛鐘）、（齊侯敦）、（洹子孟姜壺）、（喬君鉦），游字作（曾仲斿父壺）、（蔡侯盤），旋字作（五年師旋簋），旓字作（郤郐王子旓鐘），旟字作（旟弔樊鼎），旛字作（伯公父匿）者皆是也。[50]

孔疏謂石經古文「『魯』作『』，手文容或似之」，蓋謂手紋似也。手紋似，而非似「魯夫人」三字，故《左傳》謂「生而有文在其手，曰為魯夫人」，而非「生而有文在其手，曰魯夫人」。楊注始終以「魯夫人」三字為說，似有可商。又：《說文》：「，錯畫也。象交文。」[51]段玉裁《說文解字注》曰：「像兩紋文互也。紋者，文之俗字。」[52]《左傳》謂「仲子生而有文在其手，曰為魯夫人」，猶謂「仲子生而有紋在其手，曰為魯夫人」，不用俗字而用本字耳。楊注廣徵博引，以研究「文」與「字」之關係，實可不必。

以上訂正，亦可參筆者〈楊伯峻先生《春秋左傳注》隱公元年經傳訂補〉一文。

（六）近年出土之簡帛文獻，亦頗有助於訂補楊注，如《左傳．宣公十年》：

> 鄭子家卒。鄭人討幽公之亂，斲子家之棺，而逐其族。[53]

「斲子家之棺」，杜注、孔疏均以為意即斲薄其棺。杜預（222-284）注：

---

48 容庚編著，張振林、馬國權摹補：《金文編》（北京：中華書局，1985年），頁464-467。

49 羅振玉：《增訂殷虛書契考釋》（北京：東方學會，1927年），卷中，頁20b-21a。

50 《金文編》，頁461-464、471-472。邱德修《說文解字古文釋形考述》（臺北：學生書局，1974年）頁687亦有是說，惟所引字形不盡可靠。

51 《說文解字詁林》，第10冊，頁8939下。

52 《說文解字詁林》，第10冊，頁8940上。

53 《左傳注疏》，第382頁。

以四年弒君故也。斲薄其棺，不使從卿禮。[54]

孔穎達（574-648）疏：

《喪大記》云：「君大棺八寸，屬六寸，椑四寸。上大夫大棺八寸，屬六寸。下大夫大棺六寸，屬四寸。士棺六寸。」然則子家上大夫，棺當八寸，今斲薄其棺，不使從卿禮耳。不知斲薄之使，從何禮也。[55]

楊注則謂其意為剖棺見尸。楊注曰：

斲棺，謂剖棺見尸也。《三國魏志・王凌傳》云：「朝議咸以為《春秋》之義，齊崔杼、鄭歸生皆加追戮，陳尸斲棺，載在方策，凌、愚罪宜如舊典。乃發凌、愚冢，剖棺暴尸於所近市三日。」……則魏晉六朝皆以斲棺為剖棺。杜注謂「斲薄其棺，不使從卿禮」，乃臆說也。[56]

兩種說法孰對孰錯？出土竹簡所載，有助解決此一問題。《上博七・鄭子家喪》有如下一段：

奠（鄭）人命㠯（以）子良為執命，囟（思—使）子𡩜（家）利（梨）木三䏊（寸），□（蘆）索㠯（以）紩（罩）。[57]

「梨木三䏊（寸）」，蓋指梨木製之三寸薄棺，其用意在不以禮葬子家，在當時被看作一種懲罰的措施。通過簡文「利（梨）木三䏊（寸）」與《左傳》「斲子家之棺」互相印證，我們可以知道，舊注中杜注孔疏之說可以信從，而楊注「剖棺見尸」的說法則不符合《左傳》本意。

上述據《上博七・鄭子家喪》訂補楊注一例，可參拙作〈古文字與楊伯峻《春秋左傳注》訂補〉一文[58]。此外，李詠健博士之〈據上博楚簡訂補楊伯峻《春秋左傳注》十則〉[59]，亦為本計劃中利用竹簡材料訂補楊注之著作。

54 《左傳注疏》，頁382下。

55 同上注。

56 《春秋左傳注》（修訂本），頁709。

57 參馬承源：《上海博物館藏戰國楚竹書（七）》（上海：上海古籍出版社，2008），頁37《鄭子家喪》（甲本）圖版及第177頁之釋文。筆者根據復旦大學出土文獻與古文字研究中心研究生讀書會之《〈上博七・鄭子家喪〉校讀》，將釋文之「�」與「紩」改讀為「蘆」及「罩」。參劉釗主編：《出土文獻與古文字研究》第三輯（上海：復旦大學出版社，2010年7月），頁289。

58 載於《中國經學》第二十四輯（2019年8月），頁217-223。

59 載於《人文中國學報》第二十九期（2020年1月），頁1-25。

（七）訂補楊注，有涉及通假者，如《春秋經》隱公五年：「公矢魚于棠。」[60]《左傳》曰：

> 五年春，公將如棠觀魚者。臧僖伯諫曰：「凡物不足以講大事，其材不足以備器用，則君不舉焉。君，將納民於軌物者也。故講事以度軌量謂之軌，取材以章物采謂之物。不軌不物謂之亂政。亂政亟行，所以敗也。故春蒐夏苗、秋獮冬狩，皆於農隙以講事也。三年而治兵，入而振旅，歸而飲至，以數軍實。昭文章，明貴賤，辨等列，順少長，習威儀也。鳥獸之肉不登於俎，皮革齒牙、骨角毛羽不登於器，則公不射，古之制也。若夫山林川澤之實，器用之資，皁隸之事，官司之守，非君所及也。」公曰：「吾將略地焉。」遂往，陳魚而觀之，僖伯稱疾不從。書曰：「公矢魚于棠」，非禮也，且言遠地也。

經文下楊注云：

> 「矢」，《穀梁》作「觀」，《公羊》作「矢」，或作「觀」。矢，陳也。孔《疏》云：「陳魚者，獸獵之類，謂使捕魚之人，陳設取魚之備，觀其取魚以為戲樂。」朱熹《語類》、俞成《螢雪叢說》、邢凱《坦齋通編》、黃仲炎《春秋通說》、葉夢得《春秋考》、王應麟《困學紀聞》卷六上以及毛奇齡《簡書刊誤》、趙翼《陔餘叢考》卷二據《傳》「則公不射」之文，又據他書射魚之事，因謂矢魚為射魚，《靜簋》云：「射于大池」尤可證。但《傳》文明云：「陳魚而觀之」，則矢仍當訓陳。周祖謨《問學集·審母古讀考》亦謂「矢，古與陳聲相近。」《傳》云「則公不射」之文，只屬上文「鳥獸之肉」而言，與矢魚無關。《公羊》、《穀梁》「矢魚」作「觀魚」。臧壽恭《左傳古義》云：「陳魚、觀魚事本相因，故《經》文雖異，而傳說則同。」《史記·魯世家》作「觀漁于棠」，「魚」作「漁」，蓋以漁解魚，魚為動詞。《詩·小雅·采綠》「其釣維何？維魴及鱮。維魴及鱮，薄言觀者」，亦見古有觀魚事。[61]

從楊注可知，古代學者頗有以「矢魚」為射魚者。近代陳槃（1905-1999）、陳夢家（1911-1966）、孫玄常（1914-1996）諸位先生皆主「射魚說」，其中對學術界最具影響者為陳槃先生，陳先生不斷鑽研此一題目，歷五十餘年，前後三易其稿，其有關「射魚說」之著述包括：〈《春秋》隱公矢魚于棠說〉（初稿載《中央研究院歷史語言研究所專刊》，上海：商務印書館，1947）、〈古社會田狩與祭祀之關係〉（《中央研究院歷史研究所集刊》第21冊）；重訂本《左氏春秋義例辨》（臺北：臺灣商務印書館，1993）；〈三訂

60 《春秋左傳注》（修訂本），頁39。

61 《春秋左傳注》（修訂本），頁39。

「春秋隱公矢魚于棠說」贅記〉(《大陸雜誌》,第80卷第2期)、〈《春秋》「公矢魚于棠」〉(三訂本)(見陳槃:《舊學舊史說叢》,臺北:國立編譯館,1993)。近人引用陳槃先生之說者,有陳新雄先生(1935-2012)〈春秋異文考〉[62]、周法高先生(1915-1994)《金文詁林補》[63]、黃然偉先生《殷周青銅器賞賜銘文研究》[64]、李宗桐先生《左傳今註今譯》[65]等。經過陳槃先生等申述,「矢魚」為「射魚」幾成定論。近人這些看法,楊伯峻先生似乎沒有看到,楊注中全付闕如。按《左傳》經文作「矢魚」,《公》、《穀》經文作「觀魚」,是「矢魚」即「觀魚」。《左傳》釋「矢魚」為「陳魚而觀之」,則《春秋》「公矢魚于棠」,據《左傳》當讀作「公……陳魚而觀之」,未免有增字解經之嫌;且捕魚者陳設漁具進行捕魚而公觀之,亦與《左傳》「公……陳魚而觀之」稍異。抑「矢」借為「視」,「公矢魚于棠」,即「公視魚于棠」,謂隱公視察捕魚于棠,猶《公》、《穀》之「公觀魚于棠」也。「視」古音禪紐脂部,「矢」書紐脂部,就音理而言,應可通假。兩漢畫像石中,有幾幅觀魚圖,足為古有觀魚事之佐證。(參看濟南兩城山漢畫像,見陳槃:《左氏春秋義例辨》,卷7,頁16;及漢畫像捕魚圖,見《魯迅藏漢畫象(二)》,上海:上海人民美術出版社,1991,圖200;以及王仁湘:《釣者靜之——畫像石所見漢代捕魚方法》,《文物天地》,1993年第3期,頁11。)[66]

(八)《左傳》隱公十一年:「寡人之使吾子處此,不唯許國之為,亦聊以固吾圉也。[67]」楊注:「聊,姑且。」[68]周堯按:「聊」訓「姑且」,頗覺不辭。疑「聊」借為「賴」,「聊」字上古來紐幽部,賴字來紐月部,二字雙聲假借。「聊以固吾圉」者,「賴以固吾圉」也。《荀子・子道》:「古之人有言曰:『衣與繆與不女聊。』」楊倞注:「聊,賴也。」[69]《戰國策・秦策一》:「百姓不足,上下相愁,民無所聊。」[70]高誘注:「愁則民無所聊賴者也。」[71]《漢書・賈誼傳》:「一二指搐,身慮亡聊。」顏師古(581-645)注:「聊,賴也。」[72]皆「聊」借為「賴」之證。

以上二則,筆者準備刊於《能仁學報》第17期。

62 陳新雄:《春秋異文考》,載《臺灣師範大學國文研究院集刊》,1963年,冊7。

63 周法高:《金文詁林補》(香港:香港中文大學,1975年),頁3453。

64 黃然偉:《殷周青銅器賞賜銘文研究》,載《殷周史料論集》(香港:三聯書店,1995年),頁191。

65 李宗桐:《左傳今註今譯》(新北市:臺灣商務印書館,1972年),頁25。

66 參許子濱:《楊伯峻《春秋左傳注》禮說斠正》(香港:中華書局,2017年),頁72-85。

67 《左傳注疏》卷4頁23a。

68 《春秋左傳注》(修訂本)頁75。

69 《荀子集解》(北京:中華書局,1988年9月)頁530。

70 漢・劉向集錄,范祥雍箋證,范邦瑾協校:《戰國策箋證》(上海:上海古籍出版社,2006年12月)頁141-142。

71 同上,頁153。

72 漢・班固:《漢書》(北京:中華書局,1965年5月)頁2239。

# 三

以上所述，為楊注有待訂正之處。至於補充方面，由於電腦科技日進，可把古文字字形掃描入注中，透過文字的初形，有助加深讀者對《傳》文的理解，以補楊注的不足。茲舉例如下：

（九）《左傳》僖公三十三年，晉敗秦師於殽，《傳》文謂：「秦伯素服郊次，鄉師而哭」，杜預「鄉」下無注[73]；楊注曰：「鄉同今向字。」[74]然則「鄉」何以同今「向」字？堯按：甲骨文「鄉」字作[75]，羅振玉謂「象饗食時賓主相嚮之狀」[76]，故有「向」義。

（十）《左傳》隱公元年載：「鄭武公夫人武姜生鄭莊公及共叔段。莊公逆生，武姜受驚，遂惡之而愛共叔段，欲立叔段為太子，屢請於武公，武公弗許。及莊公即位，武姜求封叔段於制。莊公曰：『制乃巖險之邑，昔日虢叔死於此地，不宜以之封段。其他都邑，則唯命是聽。』武姜求封叔段於京，遂使居之，並稱之為京城大叔。祭仲謂莊公曰：『都邑之城牆超逾三百丈，將為害國都。先王之制度：大之都邑不得超逾國都三分之一，中等之都邑不得超逾國都五分之一，小之都邑不得超逾國都九分之一。今京城不合於制，國君將不堪其擾。』」《傳》文於此復曰：「既而大叔命西鄙、北鄙貳於己。」杜預於「既而」之下無注[77]；楊注則曰：「既而，猶言不久」[78]。「既而」何以有「不久」義？堯按：甲骨文「既」字作、諸形[79]，羅振玉曰：「既象人食既。」[80]李孝定（1918-1997）曰：「栔文象人食已顧左右而將去之也。」[81]甲文「既」象食畢，引申為凡畢之稱。此處謂祭仲向莊公進諫既畢，大叔又命西鄙、北鄙貳於己。二事相距不遠，故楊注謂「猶言不久」。

（十一）《左傳》僖公二十七年載：晉文公返國後，即教導其民。越二年，欲用之，子犯曰：「民未知義，未安其居。」文公於是安定周襄王之位，又於晉國之內致力利民，於是民安其生。文公又欲用之，子犯曰：「民未知信，仍未明信之作用。」文公於是伐原以示之信。民易資者，不再求謀取厚利，而求明徵其辭。文公曰：「可用矣乎？」子犯曰：「民未知禮，未生其恭。」《左傳》原文作「未生其共」。杜預於「共」

---

73 《左傳注疏》，頁290。

74 見《春秋左傳注》（修訂本），頁500。

75 見《甲骨文編》，頁281。

76 《增訂殷虛書契考釋》卷中，頁17a。

77 參《左傳注疏》，頁36下。

78 見《春秋左傳注》（修訂本），頁12。

79 見《甲骨文編》，頁234。

80 《增訂殷虛書契考釋》卷中，頁55a。

81 李孝定：《甲骨文字集釋》（臺北：中央研究院歷史語言研究所，1970年），頁1751-1752。

字無注[82]；楊注則曰：「共同恭，金澤文庫本作『恭』。」[83]然則「共」何以同「恭」？堯按：「共」字甲骨文作[84]，金文作、、、[85]，象雙手恭敬持物與人，故有恭敬義。清人王玉樹（生卒年不詳）《說文拈字》曰：「疑古文恭止作共，秦人始加心，古實無此字……今經典中如文十八年《傳》『兄友弟共』之類，作共者尚有。《檀弓》俗刻『恭世子』，《釋文》：『恭音共，本亦作共。』宋刻則作『共世子』，《釋文》亦互異，可見古文止作共也。」[86]其說是也。

（十二）《左傳》僖公三十三年載：晉襄公敗狄於箕。是役也，先軫免冑入於狄師，死焉。狄人歸其元於晉，面如生。杜注、楊注皆訓「元」為「首」[87]。元何以有「首」義？堯按：元作父戊卣「元」字作[88]，象人形而其首特巨，「元」之本義為「首」[89]，昭然可見。

（十三）《左傳》隱公十一年載：鄭莊公將伐許，五月甲辰，授兵於大宮。杜預於「兵」字無注[90]；楊注曰：「兵，武器。」[91]「兵」何以有「武器」義？堯按：《說文》：「，械也，从廾持斤。」[92]是「兵」之本義為兵器。甲骨文「兵」字作、[93]，結構與小篆同。

（十四）《左傳》宣公二年載：晉靈公不遵循為君之道，大夫趙盾屢諫，靈公惡之，使鉏麑賊之。杜預於「賊」字無注[94]；楊注曰：「《晉世家》云，『使鉏麑刺殺趙盾』，以刺釋賊。高誘（生卒年不詳）《呂氏春秋・注》亦云：『賊，殺也。』」[95]「賊」何以有「殺害」義？堯按：《說文》：「，敗也，从戈則聲。」[96]「賊」字从戈，戈為兵器，故「賊」有殺害義。金文「賊」字作[97]，結構與小篆相同。

以上六例，闡明如何透過甲骨文、金文、小篆之字形，加深讀者對《左傳》之理

82 《左傳注疏》，頁268上。
83 見《春秋左傳注》（修訂本），頁447。
84 見《甲骨文編》，頁104。
85 見《金文編》，頁164。
86 《說文解字詁林》，頁10316下。
87 參《左傳注疏》頁291上及楊伯峻《春秋左傳注》（修訂本）頁501。
88 見《金文編》，頁1。
89 參周法高等編：《金文詁林》，頁12-23。
90 參《左傳注疏》，頁80頁上。
91 見《春秋左傳注》（修訂本），頁72。
92 漢・許慎：《說文解字》（香港：中華書局，1972年），頁59。
93 見《甲骨文編》，頁101。
94 參《左傳注疏》，頁364下。
95 見《春秋左傳注》（修訂本），頁658。
96 漢・許慎：《說文解字》，頁266。
97 見《金文編》，頁824。

解。此六例可見於拙作〈古文字與楊伯峻《春秋左傳注》訂補〉一文。[98]

以下一例，亦涉及文字學：

（十五）《左傳》隱公元年：「公曰：『多行不義，必自斃，子姑待之。』」[99]楊注：「斃，踣也，猶言跌跤，失敗。」[100]周堯按：斃於《說文》正篆作，《說文》：「（獘），頓仆也。从犬，敝聲。《春秋傳》曰：『與犬，犬獘。』，獘或从死。」[101]《段注》於「頓仆也」下云：「人部曰：『仆者，頓也。』謂前覆也。人前仆若頓首然，故曰頓仆。」[102]是獘（或體作斃）本謂象磕頭般前仆也。王筠《說文句讀》於「，獘或从死」下曰：

> 案從死偏枯，故以為或體。經典斃字，有死有不死，如鞌之戰：『射其右，斃于車中。』又曰：『韓厥俛定其右。』若其已死，何定之云！哀二年傳：『鄭人擊簡子中肩，斃于車中。』下文固曉然不死也。[103]

此處之「多行不義，必自斃」，亦不死者也，故楊注云：「斃，踣也，猶言跌跤，失敗。」

以上一例，可見拙文〈楊伯峻先生《春秋左傳注》隱公元年經傳訂補〉一文[104]。以下三例，則涉及通假：

（十六）桓公六年《左傳》記載，楚武王侵伐隨國，先派薳章到隨國講和，並把軍隊駐紮在瑕地等待結果。隨人派少師主持和談，《左傳》原文是：「隨人使少師董成。」杜注訓「董」為「正」[105]，楊注則曰：「董，猶今言主持，近代『董事』之『董』，正取此義」[106]。周堯按：「董」本來是一種植物，似蒲而細[107]，朱駿聲《說文通訓定聲》謂「隨人使少師董成」之「董」實借為「督」[108]。按：「董」字端紐東部，「督」字端紐覺部，二字端紐雙聲，東覺二部則旁對轉。[109]

（十七）僖公四年《左傳》記載，齊桓公率領諸侯的軍隊侵伐蔡國，蔡軍潰敗。桓公又攻打楚國，楚成王派使者，對桓公說：「您住在北方，我住在南方，即使牛馬發情

98 載《中國經學》第24輯，頁217-223。

99 《春秋左傳注》（修訂本），頁12。

100 同上注。

101 《說文解字詁林》，第11冊，頁9795上。

102 《說文解字詁林》，第11冊，頁9795下。

103 《說文解字詁林》，第11冊，頁9796上。

104 載《能仁學報》第16期，頁17-34。

105 參《春秋左傳注疏》，卷6頁，16b，總頁109。

106 見楊伯峻：《春秋左傳注》，頁110。

107 參《說文解字詁林》，頁321b。

108 參《說文解字詁林》，頁322a。

109 參陳新雄：《古音學發微》（臺北：文史哲出版社，1975年12月再版），頁1088。

追逐也不會走到一起。沒想到您竟然踏入我們楚國的土地，這是甚麼緣故？」使者的最後兩句話，《左傳》原文是：「不虞君之涉吾地也，何故？」杜注「虞」字無注[110]；楊注則曰：「虞，度也」[111]。周堯按：「虞」於此借為「慮」。二字上古同屬魚部。

（十八）《左傳》僖公三十年載鄭文公派燭之武見秦穆公曰：

> 秦、晉圍鄭，鄭既知亡矣。若亡鄭而有益於君，敢以煩執事。越國以鄙遠，君知其難也，焉用亡鄭以陪[112]鄰？鄰之厚，君之薄也。若舍鄭以為東道主，行李之往來，共其乏困，君亦無所害……[113]

杜注：「行李，使人。」[114]楊注：「行李，古代專用司外交之官，行人之官也，亦作行理。」[115]然則司外交之官何以稱「行李」？楊注未詳。周堯按：孔疏曰：「《國語》：『行理以節逆之。』賈逵云：『理，吏也，小行人也。』孔晁注《國語》，其本亦作李字，注云：『行李，行人之官也。』然則兩字通用，本多作理，訓之為吏，故為行人、使也。」[116]據孔疏，知「行李」之「李」，實為「吏」之假借。「李」、「吏」古音皆來紐之部，故可通假。

以上三則，筆者準備發表於《能仁學報》第17或第18期。

透過闡釋引申義，亦有助加深讀者對《傳》文之理解，可補楊注之不足。茲舉例如下：

（十九）莊公二十八年《左傳》記載，晉獻公與其父武公之妾齊姜發生不尋常關係。《左傳》原文是：「烝於齊姜。」杜注「烝」字無注[117]；楊注曰：「上淫曰烝。」[118]然則上淫何以曰烝？堯案：《說文》：「烝，火氣上行也。从火，丞聲。」[119]徐灝（1810-1879）《說文解字注箋》曰：「凡烝物火氣上行，則水氣上升淫淫然，故謂『上淫曰烝』。」[120]由此可見，透過闡釋字詞的引申義，可加深讀者的理解。

（二十）僖公二十二年《左傳》記載子魚跟宋襄公分析戰爭的道理說：「強大的敵人由於地形阻隘無法布陣，是上天幫助我們。乘著險阻鳴鼓進攻，不也是可以的嗎？即

110 參《春秋左傳注疏》，卷12，頁10b，總頁201。
111 見楊伯峻：《春秋左傳注》，頁289。
112 按：《十三經注疏》本《左傳注疏》作「倍」，今據阮元《校勘記》改作「陪」。
113 《左傳注疏》，卷17，頁5a。
114 同上注。
115 《春秋左傳注》（修訂本），頁480。
116 《左傳注疏》，卷17，頁5a。
117 參《春秋左傳注疏》，卷10，頁13a，總頁177。
118 見楊伯峻：《春秋左傳注》，頁239。
119 《說文解字詁林》，頁4458b。
120 《說文解字詁林》，頁4458b。

使如此，還擔心不能取勝呢。更何況現在面對的強者，都是我們的敵人。即使是老人，能夠俘獲就抓回來，對頭髮花白的人憐惜甚麼？……」《左傳》原文是：「雖及胡耇，獲則取之，何有於二毛？」孔疏：「胡是老之稱也。」[121]楊注：「胡，壽也。」[122]然則「胡」何以是老之稱？堯案：《說文》：「胡，牛顄垂也。从肉，古聲。」[123]張舜徽先生（1911-1992）《說文解字約注》曰：「頤下下垂者為胡，人亦有之，惟至耄耋始見。……人與物皆有胡，許獨舉牛言者，以牛之胡為最大而顯見也。」[124]「胡」是牛頷下的垂肉。由於上了年紀的人，頷下的皮膚會鬆弛下垂，故「胡」字有「老」義。

（二十一）僖公二十二年《左傳》記載宋襄公說：「君子不重傷。」意思是說：君子不傷害已經受傷的人。子魚則認為：「明恥教戰，求殺敵也。傷未及死，如何勿重？若愛重傷，則如勿傷。」杜注只說大意：「言苟不欲傷殺敵人，則本可不須鬬。」[125]楊注則謂「愛」字意為「憐惜」[126]。堯案：「憐惜」為「愛」之引申義。

（二十二）僖公二十三年《左傳》記晉軍到蒲城討伐重耳，蒲城人想要迎戰，重耳不同意，原因是依靠君父的命令才享受到養生的俸祿。原文是：「保君父之命而享其生祿。」[127]「保」字為甚麼有「依靠」義？堯案：金文「保」字有作[illegible]、[illegible]者，均象負子於背、予以保護之形。父保護子，則子靠其保護，故引申而有依靠義。

以上四則，筆者將刊於《能仁學報》第17或第18期。

## 四

訂補楊注之計劃，已於2018年1月開始，目前已出版《能仁學報》第16期，刊登了下列訂補楊注的文章：

一　單周堯：〈楊伯峻先生《春秋左傳注・前言》訂正〉

二　單周堯、蔡挺：〈楊伯峻先生《春秋左傳注》隱公元年經傳訂補〉

三　何振鏞：〈楊伯峻《春秋左傳注》隱公桓公條目訂補〉

四　姚　爛：〈楊伯峻《春秋左傳注》訂補九則〉

五　鄧卓然、吳國樑：〈楊伯峻先生《春秋左傳注》有關疾病之訂補六則〉

六　徐靖君、黃芷威：〈《春秋左傳注》地名訂補四則〉

121 見《春秋左傳注疏》，卷15，頁4a，總頁248。

122 見楊伯峻：《春秋左傳注》，頁398。

123 漢・許慎：《說文解字》，頁89。

124 見《說文解字約注》（鄭州：中州書畫社，1983年3月），卷8，頁45b。

125 見《春秋左傳注疏》卷15，頁4b，總頁248。

126 見楊伯峻：《春秋左傳注》，頁398。

127 見《春秋左傳注疏》卷15，頁8b，總頁250。

在其他學報發表的，則有下列文章：

一　單周堯：〈古文字與楊伯峻《春秋左傳注》訂補〉[128]
二　李雄溪：〈楊伯峻《春秋左傳注》訂補一則——兼論《詩經》中的「適」〉[129]
三　許子濱：〈從「衛侯出奔齊」看《春秋》書法——以楊伯峻說為討論中心〉[130]
四　李詠健：〈據上博楚簡訂補楊伯峻《春秋左傳注》十則〉[131]

《能仁學報》第17期，現正在編輯中，預計將在2021年4月出版，而第18期則預計在2021下半年出版，兩期共登載訂補楊注之文章十數篇。整個計劃訂補楊注逾二千條。

128 載於《中國經學》第二十四輯（2019年8月），頁217-223。
129 載於《經學研究論叢》第二十五輯（2020年6月），頁95-99。
130 《人文中國學報》已接受該稿，待刊。
131 載於《人文中國學報》第二十九期（2020年1月），頁1-25。

# 徵引文獻

## 一　原典文獻

漢・班　固：《漢書》，北京：中華書局，1965年。

漢・許　慎：《說文解字》，香港：中華書局，1972年。

漢・董仲舒：《春秋繁露》，收入《文淵閣四庫全書》第181冊，臺北：臺灣商務印書館，1983年。

漢・劉　向集錄，范祥雍箋證，范邦瑾協校：《戰國策箋證》，上海：上海古籍出版社，2006年。

魏・何　晏注，北宋・邢昺疏：《論語注疏》，收入阮元等校：《十三經注疏：附校勘記》，北京：中華書局，1980年。

晉・杜　預集解，唐・孔穎達正義：《春秋左傳注疏》，臺北：藝文印書館，2001年，（據清嘉慶二十年（1815）江西南昌府學版影印）。

唐・魏　徵等撰：《隋書》，北京：中華書局，1973年。

宋・葉夢得：《春秋考》，收入《武英殿聚珍版叢書》第60冊。

清・王　筠：《說文釋例》，北京：中華書局，1994年。

## 二　近人著作

丁福保：《說文解字詁林》，北京：中華書局，1988年。

中國科學院考古研究編輯：《甲骨文編》，香港：中華書局，1978年。

王先謙：《荀子集解》，北京：中華書局，1988年。

李孝定：《甲骨文字集釋》，臺北：中央研究院歷史語言研究所，1970年。

李宗桐：《左傳今註今譯》，新北市：臺灣商務印書館，1972年。

李學勤：《春秋左氏傳舊注疏證續・序》，收入吳靜安：《春秋左氏傳舊注疏證續》，長春：東北師範大學出版社，2005年。

沈玉成、劉寧：《春秋左傳學史稿》，南京：江蘇古籍出版社，1992年。

周法高：《金文詁林補》，香港：香港中文大學，1975年。

邱德修：《說文解字古文釋形考述》，臺北：學生書局，1974年。

胡念貽：《中國古代文學論稿》，上海：上海古籍出版社，1987年。

容　庚編著，張振林、馬國權摹補：《金文編》，北京：中華書局，1985年。

馬承源：《上海博物館藏戰國楚竹書（七）》，上海：上海古籍出版社，2008年。

許子濱：《楊伯峻《春秋左傳注》禮說斠正》，香港：中華書局，2017年。
陳新雄：《春秋異文考》，收入《臺灣師範大學國文研究院集刊》冊7，1963年。
陳新雄《古音學發微》，臺北：文史哲出版社，1975年。
單周堯：《左傳學論集》，臺北：文史哲出版社，2000年。
黃然偉：《殷周青銅器賞賜銘文研究》，收入《殷周史料論集》，香港：三聯書店，1995年。
楊伯峻：《春秋左傳注（修訂本）》，北京：中華書局，1990年。
趙生群：《〈春秋〉經傳研究》，上海：上海古籍出版社，2000年。
劉　釗主編：《出土文獻與古文字研究》第三輯，上海：復旦大學出版社，2010年。
羅振玉：《增訂殷虛書契考釋》，北京：東方學會，1927年。
日・竹添光鴻：《左氏會箋》，臺北：古亭書屋，1969年。
瑞典・高本漢：《高本漢左傳注釋》，臺北：中華叢書編審委員會，1972年。

## 三　單篇論文

單周堯：〈古文字與楊伯峻《春秋左傳注》訂補〉，《中國經學》第二十四輯，2019年8月。
李詠健：〈據上博楚簡訂補楊伯峻《春秋左傳注》十則〉，《人文中國學報》第二十九期，2020年1月。
單周堯：〈楊伯峻先生《春秋左傳注》隱公元年經傳訂補〉，《能仁學報》第16期，2017年。

# 《左傳》成書新論（一）——仲尼（1）

劉文強

中山大學中國文學系教授

## 摘要

本篇討論《左傳》成書的問題，利用數位工具及方法進行研究，從各個特定的關鍵詞，如「孔子」、「孔丘」（丘）和「仲尼」著手，先分析《左傳》中上述詞例各自記載的特色；再確定「孔子」、「孔丘」（丘）、「仲尼」等稱謂之所以然，檢視其為通稱，或是專稱；而後總結歸納「孔子」、「孔丘」、「丘」、「仲尼」各種記載的背景，據以推論《左傳》成書的各種可能情形。

**關鍵詞：**《左傳》、仲尼、子貢、數位人文、巨量文本、精準判斷、大數據、暗數據

# A new viewpointon: How *Tso-chuan* was written

Liu Wen-chiang

Professor,Department of Chinese Literature, National Sun Yat-sen University

## Abstract

This article takes defense in the Tso-chuan as an example to expound how to use digital instruments to conduct research, how the problems may come up, what kind of problems will come up, and how to solve those problems that has come up. The purpose of this article is not only to propose the explanation of the character defense, but to show the different layers of meaning of the character and further display the variety and structure of the problems. Finally, at this kind full scale inspection, this article hopes to integrate different concepts and, as a result, take the integration as the basis of further studies.

**Keywords:** *Tsou-chuan* (左傳), Chung-ni (仲尼), Tsi-kung (子貢), Digital Humanity (數位人文), Quantity Text (巨量文本), Precision Ascertain (精準判斷), Big Data (大數據), Dark Data (暗數據)

# 一　前言

長久以來，研究經典，已有毛傳鄭箋、杜註孔疏、兩宋元明、乾嘉民國等傳箋疏論；今日中文學門，不論是專書著作，還是博碩單篇，率皆通過對上述傳箋疏解的認識，以為取捨，以為依據。雖然，上述各種研究經典的著作，不論作者為誰，不論成就多高，都無法迴避其內在本質性的問題：在使用材料方面，除了最早出現少數的傳箋之外，其餘者，一旦面對經典原始文獻，皆不免為二手材料。尤有甚者：在方法方面，除了極少數仍有其重要及實用性，如二重證據法，[1]絕大多數，皆陳舊過時。昔日或為芳草，今日已成蕭艾，猶如獸力曾經重要，而今終為機械取代，此人類發展趨勢，無從逆之也。

如今，在科技之下，數位人文（Digital Humanity）帶來的數位新法，諸如巨量文本法（Quantity Text）、精準判斷法（Precision Ascertain）等等。[2]數位新法帶來方便與

1　二重證據法起源甚早，至少可上溯至西漢，時張敞已利用出土銅器與傳世文獻（《詩經》）相互比對，見《漢書．郊祀志下》。漢．班固著，唐．顏師古注：《漢書》（臺北：宏業書局，1974年），頁320。北宋趙明誠，為中繼之著名者；清末民國，則王國維最為今世稱道。二重證據法所用出土及傳世，皆一手材料；歷經長期使用經驗，累積大量寶貴資料，已具有大數據（Big Data）之精神。雖然歷久，絕未中衰，焉得捨棄？

2　巨量文本法自大數據而來，與目前其他學門所常用的數位方法，無本質上的不同，例如：卡方檢定（Chi-Squared Test）卡方檢定是一種以卡方統計量為基礎之檢定方法。這種方法可以應用在許多不同類型的檢定中，尤其是用以檢定不同機率模型的合適性。一般而言，卡方檢定經常用於適合度（goodness of fit）、獨立性（independence）或同質性（homogeneity）等方面的檢定，所涉及的統計變項通常是間斷變項。理論上，卡方檢定經由實際發生次數與理論發生次數的差異程度，藉以推論上述各方面的檢定結果是否拒絕虛無假設。）、齊夫定律（Zipf's Law）（主要應用於統計標引法，確定有效詞的頻值，從而可通過電腦確定有效詞。）等。在方法方面，例如：文本情感分析（Sentiment Analysis）（文本情感分析的一個基本步驟是對文本中的某段已知文字的兩極性進行分類，這個分類可能是在句子級、功能級。分類的作用就是判斷出此文字中表述的觀點是積極的、消極的、還是中性的情緒。更高級的「超出兩極性」的情感分析還會尋找更複雜的情緒狀態，比如「生氣」、「悲傷」、「快樂」等等。）、語意分析（Semantic Analysis）技術，是指將一長串的文字或內容，從其中分析出該個段落的摘要以及大意，甚至更進一步，將整篇文章的文意整理出來。此項技術可以應用在解讀影片、音訊等檔案，使得搜尋引擎能夠搜尋到文字以外的物件，方便使用者省去大量時間觀看影片、聆聽音訊，同時也可以幫助使用者提前了解影片與音訊的內容。）、價值分析法（Value Analysis Method）價值分析主要在區分兩個概念：價值標準（value criterion）與價值原則（value principle）：前者將價值賦予某一類情境，給予事實一個價碼（valence）決定某一事實是否有正或負評價，評價者必須權衡諸事實再作決定，所以評價者的判斷可能隱含某些原則，這些複雜原則在做決定過程中浮現出來，反映價值分析的結果，而非其決斷的歷程。所以真正進入價值判斷之脈絡中者，是價值標準而非價值原則，每一價值標準提供了價值對象之一方面的評價基礎，給予正或負的價碼。價值原則則用於價值對象的整體，原則權衡各個衝突標準之指訴，但只有在作了價值決定且已給予理由之後，才意識到價值原則。價值分析具有六個基本程序：（1）確認並澄清價值問題；（2）蒐集有關的事實；（3）評估事實的真實性；（4）澄清事實的關聯性；（5）達成初步的

效率，重視創新，更重視資料的存量有無與多少，所謂：資料為王（Data is king）。除資料存量之外，資料之原始性，即一手或二手，亦為關鍵因素。在此方面，二重證據法及數位新法都特別重視一手材料，尤其是原始經典文獻；至於相關之傳箋疏論，則皆視為二手材料，[3]僅依需要而引用，不再是立論依據，甚至成為被檢驗的對象。這個堪稱殘酷的現實，使得多數人在初次面對時，難以立即接受，多方排斥，抗拒；其甚者，乃至誓死不從。但是面對數位新法所展現的優勢：資料客觀，數據完整，分析精細，推論合理，傳箋疏論顯得毫無招架之力，其仍有價值者，尚可做為補充說明的資料；無法自立者，只能被捨棄，直到以傳箋疏論為研究主體時，才得以重見天日。

當然，新、舊方法之差別，不止上述，茲條列如下，以為整體之比對：

一、在觀念方面：舊法著重承襲，不重更新，難以開創新說；新法者重發現，重視更新，據以開創新說。

---

價值決定；(6) 考驗所作決策所隱含的價值原則。)( 以上皆引自國家教育研究院《教育大辭書》2000年12月。上引之外，其它方法猶多，為省篇幅，暫不贅舉)。上述工具及方法，旨在處理大量數據，所利在於現象呈現，用於其他學門，已大顯身手；惟針對人文學門經典文獻之精微探究，則限於專業，尚顯粗疏，須改良適配。至於人文學門，在標註文本，設定參數方面，也應加快腳步，搭配數位方法，創作適用程式，必可相輔相成，有功學術。另外，目前新出的深度神經網絡學習（Deep Neural Network），此種深度學習方法，同樣適用於人文學門，且效果更佳，期能跨域合作，以開展未來。綜合上述，目前本篇所用方法暫命為：精準判斷法（Precision Ascertain），設定多項參數，以為判斷之基，面相多元，整合全面，結構清晰，結果精準，與上述所引，內在精神完全相符；與目前醫學界所使用的精準醫療（Precision Medicine），有異曲同工之妙（本校應用數學系郭美惠教授云）。當然，數位方法並非萬無一失，有所長者，必有所短，例如極少（或單一）案例，在數位方法之下，往往不受重視，甚者直皆排除，不予討論。但是在人文學門，單一（或極少）案例，往往意味最為特殊事件，必有可觀，必須深究。所以有此差異者，則以追尋方向正好相反：數位方法著重致致廣大，人文傳統著重盡精微。雖然，互用所長，以補所短，當可兩得其利也。總之，此方法於本學門新用，不敢遽言完美，尚祈方家指正；尤其集思可以廣益，眾志必能成城，是所至盼者。

3 傳箋疏論等二手材料，若針對其本身進行研究，則轉為一手材料，有資料庫之性質，自另當別論；若不然，則不宜遽引以為論述之據。惟若謂本人輕視傳箋疏論，以為無所用處，則未免誤解過深，必須澄清。首先，本人絕非視傳箋疏論為無物，而是在使用順序上，有所先後；且縱為一手材料，仍須有所分辨抉擇，不可貿然盡信；否則，孟子就不必感慨：「盡信《書》，不如無《書》」。(《孟子・盡心下》，收入《孟子注疏》(臺北：藝文出版社，2007年)，頁249。其次，傳箋疏解等著述，既有時代限制，又難免個人主觀，審慎用之，可；焉得即以之為依據？反倒視經典本身為無物？此舉何異乎買櫝還珠？且前人已有：「寧道孔聖誤，諱言服、鄭非」之歎（《新唐書・儒學列傳・下》元澹（行沖）引王邵語，引自《中國哲學電子書計畫》)，輕者迷信權威，甚者個人崇拜，全失學術客觀之義，今日何需重蹈覆轍？所有傳箋疏論之著述皆有其功能，惟在使用時，要注意適用範圍，要瞭解時空背景，要掌握語境情況，要析解異同之故，勿視為權威，勿迷信崇拜。若不能做到上述，則難免有以偏概全，任意發揮之虞，輕者誤導後人，曲解經義；甚且喧賓奪主，乃至「六經皆我注腳」，則全失客觀論學之義矣。

二、在視野方面：舊法視野侷限，自我設限，難逃窠臼；新法視野開放，自由拓展，海闊天空。

三、在方法方面：舊法因循以往，墨守先人法古無過；新法前瞻開創，隨時前進日新又新。

四、在目的方面：舊法預設問題，以追求「正確」答案為職志；[4]新法呈現現象，以建構多元面相為依歸。

五、在問題方面，舊法根據主觀設定，提出特定問題；新法根據客觀現象，發掘可能問題。[5]

六、在步驟方面：舊法為：1.預設問題→2.文獻溯源→3.分析異同→4.證成己見→5.提出結論。新法為：1.設關鍵詞，蒐集資料→2.列表分析，呈現現象→3.依據現象，提出問題→4.設定指標，討論問題→5.形成架構，識其流變。

七、在分析方面：舊法引用成說，無所分析，比對成說異同；新法引用資料，分析數據，說明所以異同。

八、在判斷方面：舊法不重情境背景，不識整合研究，未立參考指標，無從精準判斷；新法重視情境背景，強調整合研究，設立參考指標，如：關係（遠、近，好、壞）、位階（高、低，平行）、位置（前、後，淺、深）、形勢（強、弱，先、後）、情緒（正、負，強、弱）、價值（正、負，是、非）、效果（正、負，長、短）、過程（先、後，繁、簡）等等，進行精準判斷（Precision Ascertain）。

九、在效率方面：舊法仰賴個人智能，受限於人力，研究效率低下；新法借重電腦科技，受惠於工具，處理效率陡升。

十、在效果方面：舊法經論述之後，證成唯一、正確答案；新法在析辨過程中，呈現問題多元現象，及流變過程。

---

4 研究目的，或許是更值得關切的問題。傳統上研究經典的目的，往往是為了找到「唯一、正確」的答案；至於何謂「唯一、正確」，又每多牽涉利益問題，致使學者之間往往各執一辭，互不相讓。於是個人意氣既興，門戶之見遂起，最終造成互不相讓，乃至敵對的學派；最不幸的結果，還造成壟斷性的學閥。自西漢以來，今古文之爭、鄭王之爭、南學北學、宋學清學、舊新儒家，何時不陷於紛擾？或許就學術史研究而言，這些紛擾有其意義；惟就經典文獻研究而言，卻是治絲益棼，徒增不必要的困擾。總而言之，學者非不用力，惟所提出之「唯一、正確」答案，因不夠客觀，故禁不起重複的驗證。究其所以，觀念的侷限，方法的缺失，門戶的意氣，利祿的作祟。種種原因，都使得這些著述成果受到不必要的限制，未能盡如人意。

5 依據本人的經驗，所有首次面對有關數位方法問題者，其回答皆是：「這個問題，我以前（從來）沒想過。」初聞此語，或以為問題過深；及次數既多，且絕無例外，方意識到此為普遍現象。這並非對任何人有所輕視，事實上，本人最初的反應亦是如此。可見面對新的方法，因而出現的新問題，驟視之下，皆無經驗可據，因而「以前（從來）沒想過」，此人之常情也。反過來看，數位方法所提出的問題，既為學者所初聞，自然無答案可應對，有待全新探索也。

十一、在整合方面：舊法資料有限，適合個人操作，無從整合研究；新法資料巨量，適合群體操作，重視整合研究。

十二、在跨域方面：舊法問題單一，著重專業單一，不重跨域研究；新法問題多元，需要專業多元，重視跨域研究。

十三、在潛力方面：舊法受限於資料量少，囿於個人能力，困於單一專業，發揮有限；新法受惠於資料豐沛，強調群體整合，重視跨域研究，潛力無窮。

十四、在規範方面：舊法據學者成說，因以立論；縱有一、二精到之處，亦不能改變其為二手材料之本質；新法據文獻一手材料，分析以立論，與現行學術規範不謀而合。

簡而言之，數位新法排除主觀好惡，但據客觀資料，分析相應問題，進行精準判斷，展現多元架構。對於人文學門的學術研究而言，雖是全新的模式，卻禁得起最嚴格的檢驗。十餘年來，在實踐的過程中，所得的經驗是：學術背景越堅實的學者，越能發揮數位方法的功效；豈祇相得益彰，甚且如虎添翼。這是最令人欣慰之處，也是最值得我們奔赴的原因。

本篇討論《左傳》成書問題，即使用方法為衍生自大數據的巨量文本方法，儘可能地呈現《左傳》成書的各種現象，解釋現象之背景因素，所謂大數據（Big Data）；更重視暗數據（Dark Data），從反面、負面、為人所視而不見等角度，對比已知的現象，探討整體的面相。所使用之電子資料庫為《寒泉古典文獻全文檢索資料庫》（簡稱《寒泉》）、《中國哲學電子書計劃》（簡稱《電子書》），校訂以相關傳世文獻如《左傳注疏》、《國語》、《論語注疏》等，[6]為省篇幅，頁碼隨附列表引文之後，不再加註。

## 二　「仲尼」

為了便於討論，我們先將《左傳》中所有「仲尼」的記載，列表於下，以為討論的基礎。

6　晉・杜預注，唐・孔穎達正義：《春秋左傳注疏》（臺北：藝文印書館，2001年，據清嘉慶二十年江西南昌府學版影印）、《公羊傳注疏》（臺北：藝文印書館，2001年，據清嘉慶二十年江西南昌府學版影印）、《禮記注疏》（臺北：藝文印書館，2001年，據清嘉慶二十年江西南昌府學版影印）、魏・何晏集解，宋・邢昺疏《論語正義》（臺北：藝文印書館，2001年，據清嘉慶二十年江西南昌府學版影印）、漢・趙岐注，宋・孫奭疏：《孟子正義》（臺北：藝文印書館，2001年，據清嘉慶二十年江西南昌府學版影印）、題周・左丘明著，三國吳・韋昭注：《國語》（臺北：宏業書局，1980年）、楊朝明：《孔子家語通解》（臺北：萬卷樓圖書股份有限公司，2005年）。

| 編號 | 出處 | 內容 | 備註 |
| --- | --- | --- | --- |
| 1 | 僖二八 | 冬，會于溫，討不服也。……是會也，晉侯召王，以諸侯見，且使王狩，**仲尼曰**：「以臣召君，不可以訓」，故書，曰：「天王狩于河陽」，言：「非其地」也，且「明德」也。（頁276）<br>（又見《孔子家語．曲禮子貢問．4》） | （仲尼曰，晉事）<br>仲尼曰之後附《春秋經》文及解《經》之語<br>（字數：8） |
| 2 | 文二 | 秋八月丁卯，大事於太廟，躋僖公，逆祀也！於是夏父弗忌為宗伯，尊僖公，且明見，曰：「吾見：『新鬼大，故鬼小。』先大，後小，順也；躋聖、賢，明也；明，順，禮也！」君子以為：「失禮！禮，無不順。祀，國之大事也，而逆之，可謂：『禮』乎？子雖齊聖，不先父食，久矣！故禹不先鯀，湯不先契，文、武不先不窋。宋祖帝乙，鄭祖厲王，猶上祖也！是以《魯頌》曰：『春秋匪解，享祀不忒，皇皇后帝，皇祖后稷。』」君子曰：「《禮》，謂：『其后稷親，而先帝』也。」《詩》曰：「問我諸姑，遂及伯姊。」君子曰：「《禮》，謂：『其姊親，而先姑』也。」**仲尼曰**：「臧文仲其『不仁』者，三；『不知』者，三。下展禽，廢六關，妾織蒲，三『不仁』也；作虛器，縱逆祀，祀爰居，三『不知』也。」（頁302-303）<br>（又見《孔子家語．顏回．4》） | （仲尼曰，魯事）<br>君子以為、君子曰、君子曰在前，皆論魯人失禮，並引魯頌以證；<br>仲尼曰貶臧文仲不仁不知六事（字數：37）<br>《論語．公冶長．18》：子曰：「**臧文仲**居蔡，山節、藻梲，何如其『知』也？」<br>《論語．衛靈公．14》：子曰：「臧文仲其竊位者與？知柳下惠之賢，而不與立也。」<br>「祀爰居、下展禽」見魯語上9 |
| 3 | 成二 | **仲尼**聞之，曰：「惜也！不如多與之邑。唯器與名，不可以假人，君之所司也！」（頁422）<br>（又見《孔子家語．正論解．20》） | （仲尼曰，衛事）<br>昭三二史墨亦云<br>（字數：22） |
| 4 | 成十七 | 秋七月壬寅，刖鮑牽，而逐高無咎。……**仲尼曰**：「鮑莊子之知不如葵。葵，猶能衛其足。」（頁482）<br>（《孔子家語．正論解．22》） | （仲尼曰，齊事）<br>（莊十六君子謂強鉏不能衛其足）<br>（字數：14） |
| 5 | 襄十 | 師歸，孟獻子以秦堇父為右，生秦丕茲，事**仲尼**。（頁540）<br>（秦丕茲見《孔子家語．七十二弟子解．28》） | （仲尼，魯事） |
| 6 | 襄二三 | **仲尼曰**：「知之難也！有臧武仲之知，而不容於魯國，抑有由也！作不順，而施不恕也！《夏書》曰：『念茲，在茲。』『順事，恕施』也！」 | （仲尼曰，魯事）<br>論臧武仲，引《夏書》以證（3歲） |

| 編號 | 出處 | 內容 | 備註 |
|---|---|---|---|
| | | （頁608）<br>（又見《孔子家語・顏回・4》） | （字數：40） |
| 7 | 襄二五 | **仲尼曰**：「《志》有之：『言，以足志；文，以足言。』不言，誰知其志？言之，無文；行，而不遠。晉為伯、鄭入陳，非文辭，不為功，慎辭也。」（頁623）<br>（又見《孔子家語・正論解・6》） | 仲尼曰，晉、鄭事<br>重文辭引志以證（子貢最擅文辭）（5歲）<br>（字數：40） |
| 8 | 襄二七 | **仲尼**使舉是〈禮〉也，以為：「多文辭」。（頁645）<br>（無對應文獻） | 仲尼，魯事<br>多文辭（子貢最擅文辭）<br>（7歲）<br>（字數：3） |
| 9 | 襄三一 | 鄭人游于鄉校，以論執政，然明謂子產，曰：「毀鄉校，何如？」子產曰：「何為？……」**仲尼**聞是〈語〉也，曰：「以是觀之，人謂：『子產不仁』，吾不信也。」（頁688-689）<br>（又見《孔子家語・正論解・10》） | 仲尼，鄭事<br>（鄭《語》？子產之《語》？）<br>美子產仁（11歲）<br>（字數：14） |
| 10 | 昭五 | **仲尼曰**：「叔孫昭子之不勞，不可能也！周任有言，曰：『為政者，不賞私勞，不罰私怨。』《詩》云：『有覺德行，四國順之。』」（頁743）<br>（又見《孔子家語・正論解・8》） | 仲尼曰，魯事<br>美叔孫昭子不勞，並引詩以證；（以墮郈之怨，故叔孫武叔毀仲尼）<br>（16歲）<br>（字數：37） |
| 11 | 昭七 | 故孟懿子與南宮敬叔師事**仲尼**。**仲尼**曰：「能補過者，君子也！《詩》曰：『君子是則，是效』，孟僖子可則、效已矣！」（頁766）<br>（又見《孔子家語・本姓解・2》、《孔子家語・正論解・3》） | 仲尼曰，魯事<br>美孟僖子能補過，並引詩以證（孟孫氏世有恩於孔氏，惟陽虎惡孔子）<br>（18歲）<br>（字數：23） |
| 12 | 昭十二 | **仲尼曰**：「古也有《志》：『克己復禮，仁也！』信善哉！楚靈王若能如是，豈其辱於乾谿？」（頁795）<br>（又見《孔子家語・正論解・7》） | 仲尼曰，楚事<br>責楚靈王，並引志以證<br>（23歲）<br>（字數：26） |
| 13 | 昭十三 | **仲尼**謂：「子產於是行」也，「足以為國基矣！《詩》曰：『樂只君子，邦家之基。』子產，君 | （仲尼謂、且曰，鄭事）<br>美子產，並引詩以證 |

| 編號 | 出處 | 內容 | 備註 |
|---|---|---|---|
| | | 子之求樂者也！」且曰：「合諸侯，藝貢事，禮也。」（頁813）<br>（又見《孔子家語・正論解・11》） | （24歲）<br>（2次字數：30、8） |
| 14 | 昭十四 | **仲尼曰**：「叔向，古之遺直也！治國，制刑，不隱於親。三數叔魚之惡，不為末減」，曰：「義也夫！可謂：『直』矣！平丘之會，數其『賄』也！以寬衛國，晉不為暴；歸魯季孫，稱其『詐』也！以寬魯國，晉不為虐；邢侯之獄，言其『貪』也，以正《刑書》，晉不為頗。三言，而除三惡，加三利。殺親，益榮，猶義也夫！」（頁821）<br>（又見《孔子家語・正論解・9》） | （仲尼曰，晉事）<br>美叔向（25歲）<br>（字數：98） |
| 15 | 昭十七 | **仲尼**聞之，見於郯子，而學之；既，而告人，曰：「吾聞之：『天子失官，學在四夷』，猶信。」（頁838）<br>（又見《孔子家語・辯物・4》） | （仲尼聞之～曰，郯事）<br>（28歲）<br>（字數：13） |
| 16 | 昭二十 | 琴張聞：「宗魯死」，將往弔之，**仲尼曰**：「齊豹之『盜』，而孟縶之『賊』。女，何弔焉？君子不食姦，不受亂，不為利疚於回，不以回待人。不蓋不義，不犯非禮。」（頁855-856）<br>（又見《孔子家語・子夏問・18》） | （仲尼曰，魯事）<br>（31歲）<br>（字數：40） |
| 17 | 昭二十 | 十二月，齊侯田于沛，招虞人以弓，不進，公使執之，辭，曰：「昔我先君之田也：旃，以招大夫；弓，以招士；皮冠，以招虞人。臣不見皮冠，故不敢進。」乃舍之。**仲尼曰**：「守道，不如守官。」君子韙之。（頁858）<br>（又見《孔子家語・正論解・1》） | （仲尼曰，齊事）<br>美齊虞人，君子大是仲尼之美（31歲）<br>（字數：6） |
| 18 | 昭二十 | **仲尼曰**：「善哉！政寬，則民慢；慢，則糾之以猛。猛，則民殘；殘，則施之以寬。寬以濟猛，猛以濟寬，政是以和，《詩》曰：『民亦勞之，汔可小康，惠此中國，以綏四方』，施之以寬也；『毋從詭隨，以謹無良，式遏寇虐，慘不畏明』，糾之以猛也；『柔遠能邇，以定我王』，平之以和也！又曰：『不競不絿，不剛不柔，布政優優，百祿是遒』，和之至也！」及子產卒，**仲** | （仲尼曰，鄭事；<br>仲尼聞之～曰，鄭事）<br>仲尼美鄭子太叔，並三引詩以證<br>仲尼聞之～曰美鄭子產<br>（31歲）<br>（2次字數：112、5） |

| 編號 | 出處 | 內容 | 備註 |
|---|---|---|---|
| | | **尼聞之**，出涕，曰：「古之遺愛也！」（頁861-862）<br>（又見《孔子家語・正論解・12》） | |
| 19 | 昭二八 | **仲尼**聞魏子之：「舉」也，以為「義」，曰：「近，不失親；遠，不失舉，可謂：『義』矣！」又聞其命：「賈辛」也，以為「忠」，「《詩》曰：『永言配命，自求多福』，忠也！魏子之舉也『義』，其命也『忠』，其長有後於晉國乎！」（頁914-915）<br>（又見《孔子家語・正論解・14》） | 仲尼聞～以為～曰<br>又聞～以為～（曰），晉事）<br>仲尼美魏子之舉、命，並三引詩以證<br>（39歲）<br>（2次字數：12、30） |
| 20 | 昭二九 | **仲尼曰**：「晉其亡乎！失其度矣！夫晉國，將守唐叔之所受法度，以經緯其民，卿大夫以序守之。民是以能尊其貴，貴是以能守其業；貴、賤不愆，所謂：『度』也！文公是以作《執秩之官》，為《被廬之法》，以為盟主。今棄是『度』也，而為刑鼎。民在鼎矣，何以尊貴？貴，何業之守？貴、賤無序，何以為國？且夫宣子之《刑》，夷之蒐也！晉國之亂制也！若之何以為法？」（頁926）<br>（又見《孔子家語・正論解・15》） | （仲尼曰，晉事）<br>下有蔡史墨曰論范、中行、趙氏，以趙氏為不得已（40歲）<br>（字數：124） |
| 21 | 定九 | 齊侯執陽虎，將東之，陽虎願：「東」，乃囚諸西鄙。盡借邑人之車，鍥其軸，麻約，而歸之，載蔥靈，寢於其中，而逃；追，而得之，囚於齊，又以蔥靈逃；奔宋，遂奔晉，適趙氏。**仲尼曰**：「趙氏其世有亂乎！」（頁968）<br>（又見《孔子家語・辯物・7》） | （仲尼曰，晉事）<br>（52歲）<br>（字數：7） |
| 22 | 定十二 | 仲由為季氏宰，將墮三都，於是叔孫氏墮郈。季氏將墮費，公山不狃、叔孫輒帥費人以襲魯，公與三子入于季氏之宮，登武子之臺。費人攻之，弗克；入，及公側，**仲尼**命申句須、樂頎：「下，伐之。」費人北，國人追之，敗諸姑蔑；二子奔齊，遂墮費。（頁980）<br>（又見《孔子家語・相魯・3》） | （仲尼命，魯事）<br>《左傳》行文所及，**無論事之語**（55歲） |
| 23 | 定十五 | 十五年春，邾隱公來朝，子貢觀焉。邾子執玉高，其容仰；公受玉卑，其容俯。子貢曰：「以 | （仲尼曰，魯事）<br>預言子貢將多言，**非論己** |

| 編號 | 出處 | 內容 | 備註 |
|---|---|---|---|
| | | 禮觀之，二君者皆有死、亡焉。夫禮，死生、存亡之體也！將左右周旋。進，退，俯，仰，於是乎取之；朝，祀，喪，戎，於是乎觀之。今正月相朝，而皆不度，心巳亡矣！嘉事不體，何以能久？高仰，驕也；卑俯，替也！驕，近亂；替，近疾。君為主，其先亡乎！」……夏五月壬申，公薨，**仲尼曰**：「賜不幸，言，而中，是『使賜多言』者也。」（頁985）<br>（又見《孔子家語・辯物・5》） | **成之事**<br>（邾隱公為越人執，在哀公二十四年，距孔子卒八年）（58歲）<br>（字數：13） |
| 24 | 哀十一 | 冬，衛大叔疾出奔宋。初，疾娶于宋子朝，其娣嬖。子朝出，孔文子使疾出其妻，而妻之；疾使侍人誘其初妻之娣，寘於犂，而為之一宮，如二妻。文子怒，欲攻之，**仲尼**止之，遂奪其妻；或淫于外州，外州人奪之軒，以獻。恥是二者，故出。（頁1018）<br>（又見《孔子家語・正論解・17》） | （仲尼止之，衛事）<br>《左傳》行文所及，**無論事之語**（68歲） |
| 25 | 哀十一 | 孔文子之將攻大叔也，訪於**仲尼**，**仲尼曰**：「胡簋之事，則嘗學之矣！甲兵之事，未之聞也。」退，命駕，而行，曰：「鳥則擇木，木豈能擇鳥？」文子遽止之，曰：「圉豈敢度其私，訪衛國之難也！」退，命駕，而行，曰：「鳥，則擇木；木，豈能擇鳥？」文子遽止之，曰：「圉豈敢度其私，訪衛國之難也！」將止，魯人以幣召之，乃歸。（頁1019）<br>（又見《孔子家語・正論解・17》） | （仲尼曰，衛事）<br>《左傳》行文所及**非論已成之事，與上條為同一事**（68歲）<br>（字數：17、9） |
| 26 | 哀十一 | 季孫欲：「以田賦」，使冉有訪諸**仲尼**，**仲尼曰**：「丘，不識也！」三發，卒，曰：「子為國老，待子，而行。若之何，子之不言也？」**仲尼**不對，而私於冉有，曰：「君子之行也，度於禮：『施，取其厚；事，舉其中；斂，從其薄。』如是，則『以丘』亦足矣！若不度於禮，而貪冒無厭，則雖『以田賦』，將又不足。且子季孫若欲行而法，則周公之典在；若欲苟而行，又何訪焉？」弗聽。（頁1019）<br>（又見《孔子家語・正論解・23》） | （仲尼曰，魯事）<br>《左傳》行文所及，**非論已成之事**（68歲）<br>（2次字數：4、71）<br>〈用田賦〉：《國語・魯語下・二一》、《公羊傳》、《穀梁傳》哀公十二年 |

| 編號 | 出處 | 內容 | 備註 |
|---|---|---|---|
| 27 | 哀十二 | 冬十二月，螽。季孫問諸**仲尼**，**仲尼曰**：「丘聞之：『火伏，而後蟄者畢。』今火猶西流，司厤過也！」（頁1027）<br>（又見《孔子家語·辯物·8》） | （仲尼曰，魯事）<br>《左傳》行文所及，博聞辯物（69歲）<br>（字數：19） |
| 28 | 哀十四 | 十四年春，西狩于大野，叔孫氏之車子鉏商獲麟，以為不祥，以賜虞人；**仲尼觀**之，曰：「麟也！」然後取之。（頁1031）<br>（又見《孔子家語·辯物·10》） | （仲尼觀之曰，魯事）<br>《左傳》行文所及，博聞辯物（71歲）<br>（字數：2） |

## 三　析論

根據上表，可有如下析論：

一、所有「仲尼」共計28條34次，惟第18條以省文之故，實有2次，故應視為35次。

二、「仲尼」主動有所作為，而無論述者，共計3條3次：8（仲尼使舉是禮）、22（仲尼命申句須樂頎下伐費人）、24（文子怒欲攻之仲尼止之）。

三、「仲尼」被動受「事」、「師事」，而無後續論述「仲尼曰」者，共計2條2次：5、（秦丕茲事仲尼）、11（孟懿子南宮敬叔師事仲尼）。

四、「仲尼」被動受「訪」、「問」，其後繼以「仲尼曰」論述者，共計3條4次：25（孔文子訪於仲尼仲尼曰）、26（2次，季孫使冉有訪諸仲尼仲尼曰、仲尼不對而私於冉有曰）、27（季孫問諸仲尼仲尼曰）。

五、凡所「訪」者皆要事：25（孔文子訪以甲兵）、26（季康子訪以田賦），所「問」者則非關緊要：27（季康子問十二月螽）。

六、「訪」者之例，為有求者事尚未定，以仲尼足智多謀來「訪」，而仲尼拒絕其請求；「問」者之例，為其事問者不知，仲尼知之而答，見其博學多聞。

七、合計上述「仲尼」詞例，共計8條9次。

八、「仲尼曰」一詞共計18條22次：1（責晉文公以臣召君）、2（責魯臧文仲三不仁三不知）、4（責齊鮑莊子知不如葵）、6（責魯臧武仲作不順施不恕）、7（2次，美晉、鄭以辭成事）、10（美魯叔孫昭子不勞）、11（美魯孟僖子能補過）、12（責楚靈王未克己復禮）、14（美晉叔向古之遺直）、16（責衛宗魯使人盜賊）、17（美齊虞人守官）、18（2次，美鄭子大叔）、20（責晉其亡乎）、21（責晉趙氏其有亂）、23（責魯子貢多言）、25（2次，責衛孔文子甲兵事）、26（2次，責魯用田賦）、27（責魯司厤再失閏）。

九、「仲尼謂」一詞共計1條2次：13（美鄭子產君子之求樂者、合諸侯藝貢事禮也）。

十、綜合上述「仲尼曰」、「仲尼謂」相關記載，又可細分為兩部分，一，在第23條之前，皆針對事件人物之作為而發之論述，且皆在事件之末，為仲尼對事件之讀後感或總評；若不加入，不影響《左傳》行文。二，自第25-28條則為與他人互動而發之論述，且皆在《左傳》事件行文之中；因為在事件中，有其必要性，若不加入，嚴重影響《左傳》行文。

十一、「仲尼聞之曰」一詞共計1條1次：3（甲（衛人）因乙（仲叔于奚）之故，而有所行事，仲尼因其行事責難甲）。

十二、「仲尼聞是語曰」一詞共計1條1次：9（甲（子產）對乙（然明）有所辭語，而無行事，仲尼因之稱美甲）。

十三、「仲尼聞之～曰」一詞共計2條2次：15（甲（郯子）對乙（叔孫昭子）有所行事與辭語（昭子問，郯子述其祖事），其後仲尼聞其辭語而有所行事（從學於甲），因之稱美甲（天子失官學在四夷）、18（甲（子產）對乙（子太叔）有所行事與辭語（告其為政之道），其後仲尼聞其卒而稱美甲（古之遺愛）。

十四、「仲尼聞～以為～曰」共計1條2次：19（2次，甲（魏子）對乙（成鱄）有所行事與辭語，仲尼因之稱美甲（以為忠）；甲（魏子）與乙（賈辛）有所行事與辭語，仲尼因之稱美甲（以為義））。

十五、以上數條，與第10點之一相同，皆針對事件人物之作為而發之論述，且皆在事件之末，為仲尼對事件之讀後感或總評；若不加入，不影響《左傳》行文。其不同處，在彼，純為「仲尼曰」；此，則為「仲尼聞（之、是語、以為、曰）」。何以有此不同，目前難以判斷。

十六、「仲尼觀之～曰」共計1條1次：28（甲（麟）為乙（魯人）獲，未見辭語，仲尼但觀之而已）。此魯國事，而無辭語可聞，故不以「聞之」為辭。此外，此條為客觀辯物之記載，未見主觀寄託之深意。

十七、綜合上述「仲尼聞之、聞是語、聞之～曰、聞～以為～曰、仲尼觀之～曰」相關記載，被評論者皆有與他人有所行事或辭語，故以「聞」形式書之；若無所辭語可聞，則無從書「聞之」，但書「觀之」而已。

十八、「吾、丘聞之」魯事2條2次：15（吾聞之天子失官學在四夷）、27（丘聞之火伏而後蟄者畢），皆仲尼自述之語，皆以自身立場「吾、丘聞之」而有所言論；所言內容皆甲乙互動之事，與「仲尼聞之曰」形式相同。

十九、第23條子貢預言二事，其一，魯定公於當年薨，孔子得親聞見其事；其二，邾隱公於哀公二十四年為越人所執，時孔子已過世八年。子貢之預言，孔子僅得驗其一；邾隱公之事，當為子貢親身聞見，而載於《左傳》。此二事雖驗，惟非至關緊要，屬可載、不可載之間，而《左傳》載之。然則書之者，必與仲尼、子貢有關。

二十、第27「冬螽」、第28「觀麟」條，與其他條「仲尼曰」形式相，惟在內容上屬客觀辯物，而非主觀評論。此二事又見《孔子家語．辯物（8、10）》，惟皆作「孔子曰」，且其內容較《左傳》為豐富。與上條相同，此二事非至關緊要，屬可載、不可載之間，(《左傳》「冬螽」共計3次：文公八年、哀公十二年、哀公十三年，以論歷之故，猶可曰有其重要性；「觀麟」之事，但曰「麟也」二字，都無它論，似此乃無關緊要之事；反倒是其他典籍有所發揮，亦可怪也。)而《左傳》載之。

廿一、上表中所有「仲尼」事蹟，除了第8條之外，皆可在《孔子家語》中找到幾乎完全對應之處：1（曲禮子貢問4）、2（顏回4）、3（正論解20）、4（正論解22）、5（七十二弟子解28）、6（顏回4）、7（正論解6）、8（無對應）、9（正論解10）、10（正論解8）、11（正論解3）、12（正論解7）、13（正論解11）、14（正論解9）、15（辯物4）、16（子夏問18）、17（正論解1）、18（正論解12）、19（正論解14）、20（正論解15）、21（辯物7）、22（相魯3）、23（辯物5）、24（正論解17）、25（正論解17）、26（正論解23）、27（辯物8）、28（辯物10）。

廿二、據上條，所有對應中以〈正論解〉次數最多，共計11條12次：(20、22、6、10、8、3、7、11、9、17（2次）、23)，〈辯物〉次之，共計5條5次：(4、7、5、8、10)，〈顏回〉又次之，共計1條2次：(4（2次))，〈曲禮子貢問〉1條1次：(4)，〈相魯〉1條1次：(3)。

廿三、據上條，所有對應中，大致而言，《左傳》較詳，《家語》較略；惟《家語》於細節處每有《左傳》所無，且多為弟子問於孔子，如1（子貢問孔子，夫子作春秋）、2（顏回問臧文仲、臧武仲）、3（子路仕衛，見其政，問孔子）、4（樊遲問孔子鮑牽刖足）、5（秦不慈以力聞）、6（顏回問臧文仲、臧武仲）、7（省略《左傳》前半所述）、8（家語無）、9（幾與《左傳》全同）、10（省略《左傳》前半所述）、11（多出南宮說仲孫何忌之辭）、12（省略《左傳》前半所述，又以左史倚相非良史）、13（省略《左傳》前半所述）、14（幾與《左傳》全同）、15（省略《左傳》前半，又節略郯子所述）、16（幾與《左傳》全同）、17（幾與《左傳》全同）、18（幾與《左傳》全同）、19（省略《左傳》前半所述）、20（幾與《左傳》全同）、21（幾與《左傳》全同，有子路問）、22（幾與《左傳》全同，多出孔子引古制）、23（幾與《左傳》全同，）、24（主角太叔疾事蹟幾與《左傳》全同）、25（幾與《左傳》全同，多出冉有稱孔子）、26（幾與《左傳》全同，而以用田賦為一井田出法賦）、27（幾與《左傳》全同，多出再失閏之語）、28（論麟事，詳於《左傳》，有子貢問）。

廿四、每條字數及孔子之對應年歲，亦值得探究，限於篇幅，當另為文。

# 四　綜論

## （一）形式

所有「仲尼」相關的形式，可有如下：或單獨以「仲尼」出現，或以「仲尼曰」、「仲尼～曰」等論述形式呈現；其中「仲尼～曰」又有「仲尼謂～且曰」、「仲尼不對～，曰」、「仲尼聞之，曰」、「仲尼聞～，曰」、「仲尼聞～以為～，曰」、「仲尼觀之曰」等形式上的細微差別。這些同中有異的現象，是否反應了「仲尼」（孔子）在論述這些事件時，仍有若干細節上的差異，因此才會出現如此不盡一致的情形。由於資料甚多，難以一時盡述，為省篇幅，以下僅就形式部分，析其所以，明其所由，重點討論各種現象。

### 1 仲尼

單獨出現之「仲尼」，或受他人「事」、「師事」，或受他人「訪」、「問」。其受人「事」之者，如5、（秦丕茲事仲尼），其受人「師事」之者，如11（孟懿子南宮敬叔師事仲尼）；其受人「訪」、「問」者共計3條4次：25（孔文子訪於仲尼）、26（2次，季孫使冉有訪諸仲尼）、27（季孫問諸仲尼）。凡此數例之「仲尼」，皆因受訪問，故其後以「仲尼（～）曰」續之。第24（文子怒欲攻之仲尼止之）雖無「事」、「師事」、「訪」、「問」之事，實與第25（孔文子訪於仲尼仲尼曰）為一事，宜合併觀之。綜而言之，受「事」、「師事」之例者，皆先載「事」、「師事」者誰，其事即止；受「訪」、「問」之例者，則繼之以「仲尼曰」、「仲尼不對，而～曰」，因而有所論述。凡此之例，不論是受他人「事」、「師事」者，或是受他人「訪」、「問」者，皆處事件之中，為《左傳》敘事行文之一部分，而下文所述非行文中之「仲尼曰」皆處文末，其位置有所不同，可為比對。

### 2 仲尼曰

「仲尼曰」次數最多（18條21次），可視為標準模式；就性質而言，可分為兩類：

一、在某事件結束後，為總結之評論，因而出現的位置必在文末，合計共15條17次：1（論晉文公以臣召君）、2（論臧文仲三不仁不知）、4（論鮑莊子之知）、6（論臧武仲不容於魯）、7（2次，論文辭之功）、10（論叔孫昭子不勞）、11（論孟僖子可則效）、12（論楚靈王辱於乾谿）、14（論叔向為古之遺直）、16（論宗魯使人盜、賊）、17（論齊虞人守官）、18（2次，論子太叔剛猛相濟）、20（論晉其亡）、21（論趙氏（鞅）其世有亂）、23（論子貢多言）。其中1（論晉文公以臣召君）的位置較為特殊，與其他各條同中有異，原因在於其他各條之「仲尼曰」除必在文末之外，同時也自成一段，非附屬者；1（論晉文公以臣召君）的位置則是在「是會也，晉侯召王，以諸侯見，且使王狩」釋《傳》之文之後，為釋《傳》者所引用，以為釋《傳》者之佐證。其他各條之「仲尼曰」則為仲尼自釋《傳》事，非被引用者。

二、在某件事尚未施行，「仲尼曰」為回應他人之「訪」、「問」而有所說明。由於此類事例非總結性評論已發生事件，而是針對性地當場回應他人之「訪」、「問」，因而出現的位置皆在事件行文之中，惟其中仍有差別，宜有區分：第25、26條為問仲尼未來之事，仲尼因而對答；第27條為問仲尼已存在之事，仲尼非對答此事，而是答以主事者之過。在形式上與「仲尼曰」相同或有關；在實質上，則有所區別。另外，第28條「仲尼觀之曰」亦為仲尼主動觀已存在之物，惟此物無主事者，故仲尼無對象可答，但自云以明其何物，在形式似與「仲尼曰」有不同，實則為「仲尼曰」之變形，說見下。

## 3 仲尼謂

「仲尼謂」1條2次，即第13條（2次，謂子產為求樂者、且曰合諸侯藝貢事禮也）。「謂」字具有認定、不容致疑、判斷（「甲謂乙，曰」）、（品評（「甲謂乙」）等義涵。由於「謂」字具有上述性質，所以多為上對下之言，具倫理之性質；下對上時，則「謂」字以提問形式呈現在問句中，而非「乙謂甲」。2021.04.25補）等義涵，表達說者堅持的意志。在討論與之相關的文句時，必須特別注意此點，以免誤判，乃至失真。此條為「仲尼」對子產的論述之一，且用「仲尼謂」，以見其立論至為堅持，不容他人懷疑。[7]

## 4 仲尼聞之曰

「仲尼聞之曰」1條1次：3（論名器不可假人），此條有「事」無「語」，仲尼聞「事」發論，而無其「語」可說，故以「聞之」為辭。[8]

---

7 當然，僅以《左傳》此條，或不足以充分證明孔子對子產的稱美，惟一旦配合其《左傳》他條中「仲尼」對子產的相關論述，則知「仲尼」對子產的尊崇，遠超乎當時所有人物；何況《論語》中亦多載孔子稱美子產之語，如〈公冶長16〉：子謂子產「有君子之道四」焉：「其行己也，恭；其事上也，敬；其養民也，惠；其使民也，義。」（頁44）〈憲問8〉：子曰：「為命：『裨諶草創之，世叔討論之，行人子羽脩飾之，東里子產潤色之。』」（頁124）〈憲問9〉：或問：「子產」，子曰：「惠人也。」（頁124）當然，亦有不盡稱美之記載，如《荀子．大略》：子謂子家駒：「續然大夫，不如晏子」；晏子：「功用之臣也，不如子產」；子產：「惠人也，不如管仲」；「管仲之為人，力功，不力義；力知，不力仁，野人也！不可為天子大夫。」此後人觀點，不足以代表孔子當日對子產的評價。

8 「唯名與器，不可以假人」，（杜《注》：器：「車、服、名、爵、號。」頁422）此名句，傳誦千古。惟發為此語者不止仲尼，亦有他人，《左傳．昭公三十二年》：趙簡子問於史墨，曰：「季氏出其君，而民服焉，諸侯與之。君死於外，而莫之或罪也。」史墨曰：「……魯文公薨，而東門遂殺適立庶，魯君於是乎失國，政在季氏。於此君也，四公矣！民不知君，何以得國？是以為君：『慎器與名，不可以假人。』」（杜《注》：器：「車、服、名、爵、號。」頁943）「仲尼~曰」此語「唯名與器，不可以假人」，與史墨「慎器與名，不可以假人」，幾乎完全相同，杜預不惜兩為之注，且所注內容完全相同，絲毫不嫌重複，竟不知其故。惟《左傳》既一再記載此語，顯然在當時已是重

## 5 仲尼聞之～，曰

此項下有2條2次，15（仲尼聞之見於郯子而學之既而告人曰天子失官學在四夷），郯子先與昭子有所對話，仲尼聞之，遂從郯子學，而後發「天子失官學在四夷」之論，故知此「聞之」為針對郯子對叔孫昭之問而來。惟其後之論述，則非為昭子、郯子二人之問對而發，而是仲尼從郯子學之後，有所心得，發為論述。昭子、郯子二人之問對與仲尼從郯子學，此自二事，不宜混同，故知此條「仲尼聞之～，曰」實為「仲尼曰」之變形，可歸納為同一組。

18（子產卒仲尼聞之出涕曰），仲尼聞子產卒，針對其事，而有論述，宜以「聞之」為辭；惟仲尼心情沈痛，故加「出涕」為補語，以顯示其沈痛之狀況。此與上述第15條「聞之」與發論為二事者不同，本條「聞之」與「出涕」在同一情境之中，不得分別看待。因此在形式上雖亦為「仲尼聞之～曰」，實則為「仲尼聞之曰」之變形，亦為「仲尼曰」之變形，可歸納為同一組。

## 6 仲尼聞是語曰

「仲尼聞是語曰」亦僅有1條1次：9（仲尼聞是語曰人謂子產不仁吾不信也），此條無事，以「語」為主，故書曰「聞是語」，與第3條有事無語，書曰「聞之」，恰為對比。此條子產先有不廢鄉校之語，而後仲尼不信其不仁，非直接論述鄉校之事，而是因子產不廢鄉校之語而發論。仲尼所聞之事與所論之事無直接關聯，所聞之事乃為引發論述之觸媒，非直接針對某事有所論述，與第15條情形相同亦為「仲尼曰」之變形，可歸納為同一組。

---

大問題，故有不同人物，發出相同觀點。為此語者，其心同，其理同，此易理解；至於孰先孰後，則會產生誰為引用的問題，由是遂與《左傳》的成書、作者有關。以此條而言，昭公三十二年，孔子四十一歲，尚未登庸，名已揚，而位未顯。《左傳》直載此論，未說明原委，而事件已了，置之文末，為補述之論；《孔子家語．正論解．20》載孔子所以發為此論，乃子路見衛政，問孔子，孔子曰云云，頗能補足《左傳》。（子路死於哀公十五年，孔子於哀公十一年冬自衛反魯，則其告孔子之語之最晚時間可推測也。）惟終以非在敘事行文之中，故為補充之性質。史墨之語則不然，史墨既能答趙簡子問，見其名位已著；又因其為答問之語，故《左傳》錄其所述，遂在敘事行文之中，其位置亦在文末，與孔子條明顯有別。推其所以，豈二者作於不同時間？史墨之言當出《晉志》，而為《左傳》作者所載；仲尼所言，豈以子貢之故，因而載於《左傳》？惟既已有史墨「唯名與器，不可以假人」之名句，何以復載仲尼之言？豈以子貢與「仲尼」特殊的關係？豈以作者與孔門關係密切歟？惟一事兩出，又不止上述，還出現在季文子身上。季文子「妾不衣帛，馬不食粟」，《左傳》兩載其獲「可不謂忠乎」之稱。按：「忠」，必有外在對象。今以巨量文本法蒐檢《左傳》，「忠」之對象有國、君、社稷、人民、鬼神，此皆外在對象，故得為「忠」之對象。季文子之事，不過其個人行為，稱之曰「儉」，或可；稱之曰「忠」，其個人行為耳，如何得為「忠」之對象？《左傳》先載此言者，范文子（成十六），亦徇其私而已；後又載「君子」之語（襄五），安知其非求媚於季氏子孫者？

## 7 仲尼聞～以為～，曰

「仲尼聞～以為～，曰」1條2次：19（2次，仲尼聞魏子之舉以為義曰、又聞其命賈辛也以為忠，（曰））皆魏子之行事，代詞「之」字因「魏子之舉」、「命賈辛」而無存在必要。若改書，則為「魏子之舉仲尼聞之曰、魏子命賈辛仲尼聞之曰」形式，蓋書寫模式有所變易，若無「以為」二字，其實亦「聞之」之變形也。惟正以其有「以為」二字，在語義強度上產生質變，[9]非如上述直為「聞之」形式；下文第（9）「仲尼～以為」，形式稍異，其說則同。

以上為所有「仲尼聞」之案例分析，既有形同實異者，亦有形異實同者。在討論《左傳》相關問題時，宜仔細分別，究其異同。

## 8 仲尼觀之曰

「仲尼觀之曰」共有1條1次，28（仲尼觀之曰麟也）。此無事可論，故不用「仲尼曰」；[10]非他人行事，無辭語，故不用「聞之曰」；麟為物，觀而辨之，故用「觀之曰」。[11]

---

9 《左傳》中，凡有「以為」之事者，皆為個人主觀之私志，非群體客觀之公義，例如齊景公以子尾為「忠」，則以子尾受邑而稍致之；鄭子皮以子產為「忠」，以子產為子皮個人利益著想；孔子以魏獻子為「忠」，則以魏子有表面上的公正。深究數例，子尾致邑於君，多不過謂之「貞」；子產之「忠」，以其終身行事，而非此一端；魏子者，既自知其以公掩私，何得謂之「忠」？學者或以為《左傳》求媚於魏氏，以上述及本條觀之，其求媚者，何止魏氏一家而已？《史記・魏世家・16》：文侯受子夏經藝，客段干木，過其閭，未嘗不軾也。子夏與《春秋經》與《左傳》的關係見下文，若《左傳》有媚魏氏之文，則為之者誰也？

10 按：此條亦無「事」、「師事」、「訪」、「問」者，惟以《孔子家語・辯物・10》所載比對，其事為叔孫使人告孔子獲麟，實則問也，孔子因往觀之，故仍可視為「問」者。有不識之物，而使人問孔子者，尚有《國語・魯語下》：仲尼在陳，有隼極于陳侯之庭，而死；楛矢貫之，石砮其長尺有咫，陳惠公使人以隼如仲尼之館聞之。（頁214-215）既曰「陳惠公使人以隼如仲尼之館聞之」，然則仲尼得聞此隼，乃因陳侯使人告知此事，所重在告知，故以「聞之」為詞。《孔子家語・辯物》則作：惠公使人持隼，如孔子館，而問焉。所重在問，故以「問焉」為詞。對比之下，「仲尼觀之」，乃仲尼親自前往麟處以觀，非人持麟使「聞之」也。《孔子家語・辯物・10》則作：叔孫氏之車士，曰：「子鉏商」，採薪於大野，獲麟焉；折其前左足，載，以歸。叔孫以為：「不祥」，棄之於郭外，使人告孔子，曰：「有『麇，而角』者，何也？」孔子往，觀之，曰……。（頁212）據《孔子家語・辯物》所載，有人告知獲麟之事，故孔子往觀之，較合情理；惟告知者乃叔孫武叔，則甚有可疑。蓋武叔既毀仲尼，其非能善仲尼者；以不知之物告孔子，其實問也，豈善意邪？故《左傳》亦不載告知者歟？此外，叔孫武叔毀仲尼，子貢則善言疏導，然則觀麟事之始末，其與子貢有關歟？〈孔子世家〉只作：西狩獲麟，而無「告者」之事，蓋混糊其辭；《公羊傳・哀公十四年》：有以告者，曰：「有麇，而角者。」（頁356）雖有「告者」，亦不言「告者」為誰；《穀梁傳》甚且連告者都無，與《史記》同。然則此事或有隱情，惟難詳知耳。除此之外，還有一處令人難解者，有人（叔孫）告（問）孔子「麇，而角」之物，孔子「往」，卻不「視之」，而只「觀之」，即判斷其物為麟，然後便大加感傷，此亦甚不近情理。若麟乃時人所不識，為罕見之物，孔子縱博學多聞，至少也應近看（「視之」），甚至觸摸，以便確定；而非遠看（「觀之」），知其何物，即止。果如《左傳》所載，面對如此重要聖王象徵之物，孔子卻以不甚嚴謹的態度應對，其作為令人費解。

### 9 仲尼～以為

「仲尼～以為」共有1條1次：7「仲尼～以為」，此無事可論，故不用「仲尼曰」；非他人行事，無辭語，故不用「聞之曰」；此「仲尼」實際行事，有所旨意，即重視該事（禮），要求弟子「舉」之，原因是「多文辭」。此條反映「仲尼」對文辭的重視，而弟子之中最擅文辭，且稱孔子為「仲尼」者，唯有子貢，此種關聯性，特別值得玩味，說見「論〈《論語》篇〉」。

以上與「仲尼」有關的各種形式，除了在字面上的差異之外，就其所呈現語氣強弱的現象，仍有可以比較之處。首先，語氣最為堅決的當屬「仲尼謂」，原因已如上述；其次是「仲尼曰」，包括「仲尼不對～曰」、「仲尼聞之～曰」、「仲尼聞是語曰」、「仲尼觀之曰」，此為平述句，就事而論，無特定因素取捨；再其次是「仲尼～以為」、「仲尼聞～以為～，曰」，用「以為」，顯示其有特定因素或立場，取此一端以充數，非此事盡為美善，在所有「仲尼（曰）」詞例之中，其可信程度也相對最低。因此，在討論「仲尼（曰）」時，可以此為據，以見其可信程度；在討論《左傳》成書時，亦可做為比對條件之一。

## （二）位置

上節論形式，本節論「仲尼曰」在敘事行文中所居位置，大致可以分為兩種情形：一為左傳之敘事已了，而為總結式之評論；另一則為處行文之中，縱有論述，亦屬行文敘事之一部分。屬於前一種的「仲尼曰」為數較多，自2-23，皆為前一種（1最為特殊，又與春秋書法有關，另有說明）。屬於後一種的，為數較少，而且相對集中於後段例證，包括24、25、26，以及27、28。至於所處位置的異同，將有何差別？我們可以如是推斷幾種可能：

若為前一種，處於事件之末，為總結式之主觀評論者，則著《左傳》為一人，書此類「仲尼曰」者為另一人；且在《左傳》著成之後，「仲尼曰」作者又將所述加入，成為《左傳》新的內容。

以「名器不可假人」條而言，若家語之說可信，則「仲尼曰」作者與左傳作依然為二人，惟左傳成者將此「仲尼曰」書於事件之末，為總結之評論，成為《左傳》行文之一部分。

11 此條「叔孫氏之車子鉏商獲麟」，杜注：「車子，微者；鉏商，名。」（頁1031）上引《孔子家語・辯物・10》則作「叔孫氏之車士，曰：『子鉏商』」。按：蒐檢文獻，先秦無「車子」一詞，知杜預之認說可疑。《家語》作「車士」，亦戰國、兩漢晚出之詞，惟或合情理。《史記・孔子世家》作「叔孫氏車子鉏商獲獸，以為不祥」，與《左傳》同，顯示二者同源，而與《家語》異。《史記》著成時代明確，可做為《左傳》的參考點；同理，《家語》此條異於二者，或為異源，或時代相異邪？

若為後一種，「仲尼曰」為《左傳》行文的一部分，那就意味《左傳》作者在書寫時，將這些「仲尼曰」書寫為事件內容的一部分，也就是「仲尼曰」的書寫者即為《左傳》作者。此現象集中出現於24、25、26（篇幅較長，論述較多），以及27、28（篇幅較短，論述精簡），呈現一致性與規律性，顯然非突發而至。

不論是那一種，都會引發相同的問題，即《左傳》作者稱「仲尼」的必要性。我們既知「仲尼」為子貢對孔子專有之尊稱，惟《左傳》作者何以亦使用「仲尼（曰）」一辭？因此，可能性一：豈此部分《左傳》為子貢所作？可能性二：或是出自子貢手筆，而為《左傳》作者採用？可能性三：或是《左傳》作者亦稱孔子為「仲尼」？

根據上述三種可能性，分別析論如下，見其能否成立：

可能性一：有「仲尼曰」之《左傳》為子貢所作。

按：若此部分《左傳》為子貢所作，則難以解釋《左傳》其他部分如何完成。

可能性二：有「仲尼曰」之《左傳》為子貢所作，而為《左傳》作者採用。

按：若如此論，《左傳》成書當於子貢之後，至少當完成於子貢書寫之後。

可能性三：《左傳》作者亦稱孔子為「仲尼」。

按：若《左傳》作者亦稱孔子為「仲尼」，或許易於說明，惟無法證明《左傳》作者之尊敬孔子一如子貢。

位置的所在，對於後世人閱讀《左傳》，並不構成問題；但是對於《左傳》的著成，卻是一項重要的判斷因素。蓋以竹簡書寫為主的當時，於文末加上一段，是較為可行的做法；反之，既書之後，想要在敘事之中安插一段，並非易事，甚且根本不可行。因此，就所有的「仲尼（曰）」而言，24、25、26三條皆為完整的一段事件，且皆處《左傳》行文之中，因此在撰寫時，必須是第一時間寫成，無從在之後加入；27、28雖有小異，實則相同。自2-23為數最多的例證，由於皆處文末，相較之下，其書寫可在第一時間，亦可在其後加上。至於1，其位置最為特殊，留特下節討論。

綜合上述，不論是形式，還是位置，「仲尼」一詞都是重要參考因素，有助我們討論《左傳》書寫的時間、順序等等問題。雖然，僅憑此項因素，仍嫌不足，得進行更全面性的思考，找出更多其他的可能，才能更加全面地探討《左傳》這個複雜的問題。

## （三）書法

以上討論形式與位置的問題，對於各條例證，大致已能概括；雖未能盡釋所疑，至少已有初步的看法。惟所有例證之中，還有尚未論及的第1條，情形最為特別；除了在位置上與各例有所差別之外，此條還是所有例證中，唯一與《春秋》「書法」有關者，以下分別說明。

就位置問題而言，第1條屬前一種，位處事件之末，為總結性之評論，似與其他相關各條無異；所異者在於，其他相關各條的「仲尼曰」基本上都是完整的一段論述，第1條卻只有摘錄性地引用「仲尼曰」八個字：「以臣召君，不可以訓」；不止於此，第1條的「仲尼曰」非仲尼主動論述某事，而是被申論此事者所引用，目的是討論《春秋》書法。因此，它的位置雖亦處行文之中，但是與其他處行文之中的「仲尼曰」在性質上有所不同。簡而言之，第1條的「仲尼曰」為《左傳》作者所摘錄引用，為總結式的評論，其主旨為討論《春秋》書法；[12] 2-23的「仲尼曰」為《左傳》作者所整體引用，為總結式的評論，與《春秋》書法無關。至於24～28的「仲尼曰」為《左傳》之事件內容，為《左傳》作者所書，其中24-26為孔子行事與論制度，27、28為孔子博學辯物，雖形式相同，內容有別，而皆與《春秋》書法無關。

由於第1條的「仲尼曰」是唯一與《春秋經》有關者，特別有必要加以探討。我們先將相關的《春秋經》文條列於下，以與相關《傳》文相互比對，《春秋經．僖公二十八年》：

> 1　冬，公會晉侯、齊侯、宋公、蔡侯、鄭伯、陳子、莒子、邾人、秦人于溫。
>
> 2　天王狩于河陽。
>
> 3　壬申，公朝于王所。
>
> 4　晉人執衛侯歸之于京師
>
> 5　衛元咺自晉復歸于衛。
>
> 6　諸侯遂圍許。
>
> 7　曹伯襄復歸于曹，遂會諸侯圍許。

《左傳．僖公二十八年》：

> 冬，會于溫，討不服也。（春秋經1：冬，公會晉侯、齊侯、宋公、蔡侯、鄭伯、陳子、莒子、邾人、秦人于溫。）
>
> 衛侯與元咺訟，甯武子為輔，鍼莊子為坐，士榮為大士。衛侯不勝，殺士榮，刖鍼莊子，謂甯俞：「忠」，而免之；執衛侯，歸之于京師，寘諸深室，甯子職納槖饘焉。（春秋經4：晉人執衛侯歸之于京師。）
>
> 元咺歸于衛，立公子瑕。（春秋經5：衛元咺自晉復歸于衛。）

---

12 據《左傳》所載，自「冬，會于溫，討不服也」為會始，至「元咺歸于衛，立公子瑕」為會終，也就是說：有關溫之會的原始記載至此結束。然而《左傳》接著就是一段釋《經》之文：是會也，晉侯召王，以諸侯見，且使王狩。仲尼曰：「以臣召君，不可以訓。」故書，曰：「天王狩于河陽」，言：「非其地」也，且：「明德」也。既是釋《經》之文，則其非原始《左傳》之文，而是出自《左傳》作者另加之文。由是觀之，即使《左傳》，也有原始《左傳》，以及作者《左傳》之雙重內容也。

是會也，晉侯召王，以諸侯見，且使王狩，仲尼曰：「以臣召君，不可以訓。」故書，曰：「天王狩于河陽」，言：「非其地」也，且「明德」也。（春秋經2：天王狩于河陽。）

壬申，公朝于王所（春秋經3：壬申，公朝于王所。）

丁丑，諸侯圍許。（春秋經6：諸侯遂圍許。）

晉侯有疾，曹伯之豎侯獳貨筮史，使曰：「以曹為解。齊桓公為會，而封異姓；今君為會，而滅同姓。曹叔振鐸，文之昭也；先君唐叔，武之穆也。且合諸侯，而滅兄弟，非『禮』也；與衛偕命，而不與偕復，非『信』也；同罪，異罰，非『刑』也！禮，以行義；信，以守禮；刑，以正邪。舍此三者，君將若之何？」公說，復曹伯，遂會諸侯于許。（春秋經7：曹伯襄復歸于曹，遂會諸侯圍許。）

比對之下，可以發現《春秋經》的順序與《左傳》的順序不盡相同，其相同者為上引《春秋經》1（會于溫）、6（諸侯圍許）、7（曹伯復歸）等3條；其不同者，則在第1條之後，《左傳》即接以《春秋經》4（晉人執衛侯）、《春秋經》5（衛元咺自晉歸于衛），然後才是《春秋經》2（天王狩于河陽）、《春秋經》3（壬申公朝于王所）。針對《春秋經》2（天王狩于河陽），《左傳》除了自身說明之外，另引「仲尼曰」以為加強的依據。因為《左傳》如是行文，造成此處「仲尼曰」的位置頗為尷尬，說它在事件末，則溫之會猶在進行；說他在事件中，則王狩之事已了。對比其他在事件之末的「仲尼曰」，皆獨樹一幟，無此上下不接的窘境，可知此條「仲尼曰」出現的位置實有可疑。除此之外，其他「仲尼曰」皆為總結性的評論，1則為摘錄性的引用。因此，就性質而言，1也與其他例證截然不同。因此，若《左傳》果為釋《春秋經》而作，則行文敘事，當一如《公羊傳》之唯《春秋經》亦步亦趨；反觀《左傳》此處，雖亦有釋《經》之文，惟並非絕對遵從《春秋經》記載的順序，而是按照《左傳》作者的意志敘事行文，然後又有論《春秋》旨意者附之於此，於是本該以《經》為主，而出現如下的形式：

冬，會于溫，討不服也。（春秋經1：冬，公會晉侯、齊侯、宋公、蔡侯、鄭伯、陳子、莒子、邾人、秦人于溫。）是會也，晉侯召王，以諸侯見，且使王狩，仲尼曰：「以臣召君，不可以訓」，故書，曰：「天王狩于河陽」，言：「非其地」也，且「明德」也。（春秋經2：天王狩于河陽。）壬申，公朝于王所（春秋經3：壬申，公朝于王所。）

衛侯與元咺訟，甯武子為輔，鍼莊子為坐，士榮為大士。衛侯不勝，殺士榮，刖鍼莊子，謂甯俞：「忠」，而免之；執衛侯，歸之于京師，寘諸深室，甯子職納橐饘焉。（春秋經4：晉人執衛侯歸之于京師。）

元咺歸于衛，立公子瑕。（春秋經5：衛元咺自晉復歸于衛。）

變成了以《左傳》為主，呈現如下的形式：

冬，會于溫，討不服也。（春秋經1：冬，公會晉侯、齊侯、宋公、蔡侯、鄭伯、陳子、莒子、邾人、秦人于溫。）

衛侯與元咺訟，甯武子為輔，鍼莊子為坐，士榮為大士。衛侯不勝，殺士榮，刖鍼莊子，謂甯俞：「忠」，而免之；執衛侯，歸之于京師，寘諸深室，甯子職納橐饘焉。（春秋經4：晉人執衛侯歸之于京師。）

元咺歸于衛，立公子瑕。（春秋經5：衛元咺自晉復歸于衛。）

是會也，晉侯召王，以諸侯見，且使王狩，仲尼曰：「以臣召君，不可以訓。」故書，曰：「天王狩于河陽」，言：「非其地」也，且「明德」也。（春秋經2：天王狩于河陽。）

壬申，公朝于王所（春秋經3：壬申，公朝于王所。）

將衛侯、甯武子、元咺等衛國之事，置於釋《經》之語「以臣召君」之前，或許可凸顯衛國之事的重要性，[13]卻不得不調整事件敘述的順序。如是處理方式，既造成《經》、《傳》敘事順序不一致，也使得「仲尼曰」被摘錄性地引用在《左傳》評論之中，且其後還有一段釋《經》之語。

《左傳》此段既欲釋《經》，卻又不遵從《經》文順序，反而割裂《經》文，強從《傳》文；為了申明己見，又牽引「仲尼曰」以為證佐，見其有所本源。所以如此，不知是《左傳》作者不甚重視釋《春秋經》，故僅此一引「仲尼曰」為助；還是此條「仲尼曰」實屬例外，乃是在偶發（被迫？）的狀況下，最終成為《左傳》內容的一部分。這兩種不同的狀況，將引發不同的思考途徑，呈現不同的論述。但不論如何，對於討論《左傳》成書的問題而言，都具有嶄新的意義，以及迴異以往的觀念和結論，值得學者認真對待。

13 溫之會並非對所有的諸侯國都有重大意義，例如魯國，赴會，朝王，其事便了。最重視此會的實為衛、曹二國，其為君者皆與晉文公有隙，先是衛文公不禮公子重耳，致使重耳乏食五鹿，一如孔子厄於陳、蔡；其子衛成公乃至完全不顧披髮左衽之譏，竟與楚聯姻以抗晉。曹共公亦無禮，乃偷窺重耳入浴。城濮戰後，衛成公被執，由元咺代理攝位；曹共公於城濮之戰前已被執，此時行貨使計，以復曹共公。

# 五　結論

總結上述，我們知道「仲尼（曰）」現於《左傳》的形式及語氣等各種面相。值得注意的是，就《左傳》事件的行文而言，多數的「仲尼（曰）」位處事件之末，為總結性的評論，若省略此部分，對《左傳》的事件及行文並無影響；少數的「仲尼（曰）」身在事件之中，為事件的一部分，不得省略，否則將嚴重影響《左傳》的事件及行文。面對這些現象，可使我們重新思索《左傳》成書的過程是一次性，或是多次性；其作者是一人，還是二人以上。因為，除了「仲尼（曰）」之外，還有下文將討論的「孔子（曰）」，以及本篇未及討論的「君子（曰）」。這些相關的問題，都必須納入考慮，才有可能進行更廣泛及深入的探討，因而呈現更完整的面相。總之，經由上述的討論，在面對《左傳》成書、作者等問題時，必須加入「仲尼」，以及子貢等等因素，已是不可迴避之事。

## 後記

承蒙兩位審查專家提供意見，甚為敬佩，謹致謝忱。其中有立即可處理者，已經修訂；有關方法觀念者，亦當說明。

1. 結論部分，由於撰寫當時所據分析有限，故所得有限。

2. 結論部分，不宜再有論證，故附於後記中說明。

3. 首位審查專家曰：「實則大作主體內容已有更確切答案，唯作者或因謹慎、或因謙遜而未能於末節之結語大鳴大放。建議作者或能增加結語篇幅，使大作成果益得彰顯突破傳統陳說之貢獻。」承蒙審查專家不棄，以本篇所據資料甚多，而析論內容不足以盡述，故節論有限。惟本人的確另有相關之論述，包括如下數點：

（1）《左傳》與《春秋經》之作同步進行。

（2）《左傳》與《春秋經》為一體之兩面，最初總稱之曰「《春秋》」（《孟子》所見者），後世遭強分為《春秋經》與《左氏春秋》（後曰《左傳》）。

（3）據上述，而今日可為例者，曰：「整合型研究計畫」；比對之下，《左傳》與《春秋經》則可謂：「整合型著作計畫」，同為團隊合作模式。由總計畫主持人（孔子）設定著作概念（義、書法）與範疇（《春秋經》），由子計畫主持人（左丘明？、子貢？、君子？……？）執行撰述（《左傳》）。總、子主持人必須時時協調、商議執行進度，討論各種可能問題，確定整體計畫圓滿完成。

（4）惟孔子卒於哀公十六年，故《春秋經》亦止於十六年；《經》止獲麟（哀十四），為《公羊》之說，不足據，以子夏非上述著作團隊成員，多不過道聽側聞而已。

（5）若有他例足以為比對者，《資治通鑑》是也。（司馬光總體督導、定稿；劉邠、劉恕、范祖禹分工撰述）

（6）再以《史記》、《漢書》為例，亦非盡出一人之手，與「《春秋》（原版，《孟子》所見者）」、《資治通鑑》相同；惟其非同步撰述，亦非整合性創作，則與「《春秋》（原版，《孟子》所見者）」、《資治通鑑》相異。

除上述之外，《孟子》所言「孔子懼，作《春秋》」，其中有關「《春秋》」的作者、背景、目的、效果、時間、起迄、性質、內容、書寫特色、標準、判準、地點、孟子稱《春秋》的背景、《魯春秋》的類似著作等等，皆已論述，敬請期待。

# 徵引文獻

## 一　原典文獻


題周・左丘明著，三國吳・韋昭注：《國語》，臺北：宏業書局，1980年。

漢・何　休解詁，唐・徐彥疏：《公羊傳注疏》，臺北：藝文印書館，2001年，據清嘉慶二十年江西南昌府學版影印。

漢・班　固著，唐・顏師古注：《漢書》，臺北：宏業書局，1974年。

漢・趙　岐注，宋・孫奭疏：《孟子正義》，臺北：藝文印書館，2001年，據清嘉慶二十年江西南昌府學版影印

漢・鄭　玄注，唐・孔穎達正義：《禮記注疏》，臺北：藝文印書館，2001年，據清嘉慶二十年江西南昌府學版影印。

魏・何　晏集解，宋・邢昺疏：《論語正義》，臺北：藝文印書館，2001年，據清嘉慶二十年江西南昌府學版影印。

晉・杜　預注，唐・孔穎達正義：《春秋左傳注疏》，臺北：藝文印書館，2001年，據清嘉慶二十年江西南昌府學版影印。

清・劉寶楠《論語正義》，臺北：文史哲出版社，1990年。

清・焦　循《孟子正義》，北京：中華書局，1987年。


## 二　近人著作


梁啟雄：《荀子注釋》，臺北：華聯出版社，1967年。

楊朝明：《孔子家語通解》，臺北：萬卷樓圖書股份有限公司，2005年。


## 三　資料庫


《寒泉古典文獻全文檢索資料庫》，網址：skqs.lib.ntnu.edu.tw/dragon。

《中國哲學電子書計畫》，網址：ctext.org/instructions/zh。

# 論兩漢史書所見《左傳》義之致用
## ——以治獄、災異為範圍

吳智雄

臺灣海洋大學共同教育中心語文教育組特聘教授；
海洋文化研究所、海洋文創設計產業學士學位學程合聘特聘教授

**摘要**

本文在爬梳《史記》、《漢書》、《後漢書》三書後，以史書中所載《左傳》義應用在治獄、災異的十二種傳義為範圍，分從「評治獄依據」與「解災異意涵」兩個角度，先探討漢人應用《左傳》義的情形，再從傳義的引出方式、傳義的詮釋類型、傳義應用者的背景、各帝朝引用次數與《左傳》流傳大勢、問題屬性與《左傳》義的徵引效用等五個面向，逐項分析其中所呈現的意義。《左傳》義的引出方式，以稱《春秋》或「傳」為多；《左傳》義的詮釋則有三種類型，凡《左傳》史文所載皆被視為《左傳》義；而傳義徵引應用次數的多寡與徵引者是否具有相關學術背景呈現正相關關係。至於東漢徵引次數遠多於西漢的現象，則相當符合左傳學在兩漢的發展大勢；而在傳義的應用效度上，有效與無效的次數基本相當，顯示可能因《左傳》在兩漢的經典權威地位未見突出，以致應用的效度似乎無法充分顯現。

**關鍵詞：**《左傳》、漢代、治獄、災異

# The Application of the Ideological Content and Artistic Expressions of *Zuo Zhuan* as found in the Historical Books of the Han Dynasty

## ——Within the Scope of Interrogation Processing and Unusual Disasters

Wu, Chih-Hsiung

Distinguished Professor, General Education Center, Institute of Oceanic Culture, Bachelor Degree Program in Oceanic Cultural Creative Design Industries, National Taiwan Ocean University

### Abstract

After reviewing the *Records of the Grand Historian* 史記, the *Book of Han* 漢書, and the *Book of Later Han* 後漢書, this paper defined the 12 types of citations of *Zuo Zhuan* 左傳 in terms of interrogation processing and unusual disasters contained in the historical books as its scope. From the perspectives of "the basis of interrogation processing" and "interpreting unusual disasters," the paper first discusses the application of the ideological contents and artistic expressions of *Zuo Zhuan* by the Han people and then analyzes the meanings presented in each of them from five perspectives: the way they were cited, the types of interpretations, the background of those who applied them, the number of citations in each imperial dynasty, and the general trend of the circulation of *Zuo Zhuan*, as well as the attributes of the questions and the usefulness of the ideological contents and artistic expressions of *Zuo Zhuan*. Among them, the most common way to cite *Zuo Zhuan* is to call it "*Chunqiu*" 春秋 or "*Zhuan* 傳." There are three types of interpretations of the ideological content and artistic expressions of *Zuo Zhuan*, and all its historical texts are regarded a part of the content and expressions of *Zuo Zhuan*. The number of citations of *Zuo Zhuan's* ideology and expressions is positively correlated to the relevant academic background of the persons quoting from it. As for the fact that it was cited more in the Eastern Han Dynasty than in the Western Han Dynasty, this is quite consistent with the development of *Zuo Zhuan* studies in the two Han Dynasties. In terms of the validity of the application of *Zuo Zhuan*, the number of valid and invalid citations is approximately the same, indicating that it was perhaps because of its non-prominence as a classical authority in the Han Dynasties that the validity of the application of *Zuo Zhuan* seems to be unable to be fully revealed.

**Keywords:** *Zuo Zhuan,* Han dynasty, the scope of interrogation processing, unusual disasters

# 一 前言

兩漢是經學昌明與極盛的時代，[1]這種昌明與極盛的情形，除了呈現在經學傳習的熱絡外，更重要的應該還是在各種經學致用的表現上，[2]如皮錫瑞所云「以〈禹貢〉治河，以〈洪範〉察變，以《春秋》決獄，以三百五篇當諫書，治一經得一經之益」[3]，即是其中具代表性的說法。而與經學致用有關的各種面向，諸如致用的事件、參與的人物、中間的過程、最後的效用……等等，大都反映並記錄在兩漢的史書上，其中又以政治相關活動的記載為大宗。在這些記載中，經學的致用主要以詔令與奏議兩種形式來展現。詔令是帝王意志與權力的載體，奏議則是臣子試圖實現政治理想的憑藉。兩者的性質與目的雖有不同，但常會見到一個共同的現象——都會徵引「經義」以為自身論點的權威認證，如錢穆（1895-1990）所云：「漢廷議政論事，往往攀援經義以自堅。而經術遂益為朝廷所重。樸屬不學者無以伸其意。而公卿彬彬，多嚮文學矣。」[4]此「攀援經義以自堅」的現象，一方面在歷史意義上證明了兩漢經學昌盛的學術判準，另一方面則顯示了經義在當時政治活動中所具有的某種特殊的高階效力。這種特殊效力的位階，徐復觀（1903-1982）曾以「漢代憲法」一說比擬之，徐氏云：「經傳在詔令奏議中的作用，也就是當時常常說到的『經義』的作用，有如今日政治中決定大是大非的法制乃至憲法。」[5]雖然，在實際應用上，經義未必盡如現代憲法般地擁有絕對的效力，但其高位階的權威性仍是不可忽視。因此，分析史書所載詔令奏議乃至他種形式中的經義徵引情形，必當是考察漢代經學發展面貌的適當側面。

在漢代五經中，《春秋》為最受注目且引起論爭最多的一部經典。不僅幾次爭立學官的經學史事件都與《春秋》直接相關，或為《公》、《穀》之辯，或是今（《公》、《穀》）、古（《左》）之爭；就連兩漢唯二召開且由皇帝親自「稱制臨決」的經學會議——石渠閣（西漢宣帝甘露三年，前51）、白虎觀（東漢章帝建初四年，79）——其開議之因不僅皆緣於五經中的《春秋》經，開議的重要目的更是為了解決《春秋》學派

---

1 皮錫瑞稱漢代為經學昌明與極盛時代。詳見皮錫瑞：《經學歷史》（臺北：藝文印書館，1987年），頁62、98。

2 經學與政治之間的關係自是雙向互動而非單向影響，如林聰舜所云：「西漢經學的昌盛是空前的，『通經致用』更是經學家追求的目標，他們希望能透過經學影響政治，甚至改造政治。然而，不但經學影響政治，政治也反過來制約經學發展的方向，其間的互動相當細緻、微妙。」見林聰舜，《漢代儒學別裁——帝國意識形態的形成與發展》（臺北：國立臺灣大學出版中心，2013年），頁183。

3 皮錫瑞：《經學歷史》，頁85。

4 錢穆：《秦漢史》（臺北：東大圖書公司，1957年），頁188。

5 徐復觀：《中國經學史的基礎》（臺北：臺灣學生書局，1982年），頁226。

博士官設立的爭端。[6]而在《春秋》三傳中，《左傳》直到西漢末年的哀帝朝（前6-前1），因劉歆的一篇〈移書讓太常博士〉，左傳學爭立學官之路才正式浮上中央的政治檯面；即使如此，左傳學也僅曾在西漢平帝（前1-6）及東漢光武帝（25-57）兩帝朝時立為學官，但旋即復廢，時間極短。[7]換言之，相較於公羊學早在西漢景帝朝（前156-前141）及穀梁學於西漢宣帝朝（前73-前49）分立博士官而言，左傳學直至西漢末年的平帝朝才始立博士官，是《春秋》三傳中最晚正式站上中央政治舞臺的經典；[8]同時，對比於公羊學長期於兩漢近四百年間皆立學官，以及穀梁學自宣帝朝至西漢末約六十年立學官且曾盛極一時來看，左傳學僅於西漢平帝及東漢光武帝兩朝短暫立為學官，也是《春秋》三傳中立學官時間最短的經典。在時間既晚、時期又短的發展狀況下，可以說終兩漢之世，左傳學始終未居兩漢官學的主流；雖然如此，其發展的趨勢卻日益向上，熱度也日漸增強，有漸次取代《公》、《穀》二傳之勢。[9]到了東漢末年靈帝朝（168-188）時，鄭玄（127-200）起而駁辯何休（129-182）《公羊墨守》、《穀梁廢疾》、《左氏膏肓》三書後，「古學遂明」[10]的歷史發展階段終於展開，左傳學便即將在下個朝代中正式散發它的光與熱。

左傳學在漢代爭立博士官的結局雖然以失敗收尾，但一時的輸場並非就是永遠的輸家。就左傳學普遍在後來各朝各代極盛的歷史長河來看，漢代其實只是左傳學熱潮爆發前的潛藏時期；若再就經學昌盛的兩漢時代來看，左傳學雖未能完全且實際地參與官學的運作，但經師的傳承、經書的研習、傳義的應用，其實皆未曾中斷過；至於政治活動的參與，在儒生士人的努力下，也試圖在其間發揮傳義的影響力。只是在未獲中央官學承認的時代氛圍與政治現實下，儒生士人會在哪些問題與事件中應用《左傳》義？傳義

6 如程元敏曾云：「（石渠閣）大會之得以召集，係由積累十餘年之《公》、《穀》爭義引起，故參爭人士人獨多，得十人。」又云：「白虎講議，徧及五經同異，夷考其實，爭《公羊》、《左氏》優劣，乃此會之最要課題。」見程元敏：《漢經學史》（臺北：臺灣商務印書館，2018年），頁155、334。

7 《後漢書》云：「（光武帝）時議欲立《左氏傳》博士，范升奏以為《左氏》淺末，不宜立。元聞之，乃詣闕上疏。……書奏，下其議，范升復與元相辯難，凡十餘上。帝卒立《左氏》學，太常選博士四人，元為第一。帝以元新忿爭，乃用其次司隸從事李封，於是諸儒以《左氏》之立，論議讙譁，自公卿以下，數廷爭之。會封病卒，《左氏》復廢。」見劉宋・范曄：〈鄭范陳賈張列傳〉，《後漢書》（北京：中華書局，1965年），卷36，頁1230-1233。

8 《漢書》云：「（河間）獻王所得書皆古文先秦舊書……。其學舉六藝，立《毛氏詩》、《左氏春秋》博士。」見漢・班固：〈景十三王傳〉，《漢書》（北京：中華書局，1962年），卷53，頁2410。河間獻王劉德曾於武帝朝（前140-前87）立《左傳》博士，是為地方官學。

9 如清人鍾文烝（1818-1877）云：「漢世，三傳並行，大約宣、元以前則《公羊》盛，明、章以後則《左氏》興，而《穀梁》之學頗微。」見清・鍾文烝撰，駢宇騫、郝淑慧點校：《春秋穀梁經傳補注》（北京：中華書局，十三經清人注疏本，1996年），頁2。

10 《後漢書》云：「初，中興之後，范升、陳元、李育、賈逵之徒爭論古今學，後馬融荅北地太守劉瓌及玄荅何休，義據通深，由是古學遂明。」見劉宋・范曄：〈張曹鄭列傳〉，《後漢書》，卷35，頁1208。

應用者又有哪些人？其學術與政治背景如何？所應用的傳義效力與結果如何？而這些傳義的應用又呈現了什麼樣的特徵與現象？其與左傳學在兩漢的發展大勢是否相關？諸多問題，皆有賴於學者從兩漢史書的記載中探究一二，方能得其面貌。以此，筆者不揣淺陋，乃在爬梳《史記》、《漢書》、《後漢書》三書後，據史書中所載的《左傳》義，暫以治獄、災異等兩類共計十二事件、十二傳義為範圍，作此文以探之，尚祈方家指正。

## 二　評治獄依據

「《春秋》決獄」一說，向來為《春秋》大義在漢代通經致用的最典型代表，三傳皆可見及，其中雖以《公羊》的應用最多，且以「君親無將，將而（必）誅焉」[11]的誅心論為大宗，但也不乏《左》、《穀》之義的應用。[12]其中以《左傳》義為評論治獄依據者，計有以下六義。

### (一)「有善愛之，不善誅之」之義

西漢成帝元延年間（前12-前9），皇太后姊子侍中衛尉定陵侯淳于長有罪，成帝以太后緣故，僅予免官而未治罪。有司奏請遣淳于長就國，淳于長賄賂成帝舅紅陽候劉立為其關說，劉立遂上封事為淳于長求情。其後，淳于長事發下獄，宰相翟方進上書彈劾紅陽侯劉立，成帝因其為帝舅而不忍致法，翟方進遂復奏劾劉立的黨友——後將軍朱博、鉅鹿太守孫閎、故光祿大夫陳咸三人。其奏議中先引孔子「人而不仁如禮何！人而不仁如樂何」之語，即「言不仁之人，亡所施用；不仁而多材，國之患也」；其後再引季孫行父之言曰：「昔季孫行父有言曰：『見有善於君者愛之，若孝子之養父母也；見不善者誅之，若鷹鸇之逐鳥爵也。』」[13]主張朱博等三人應免官歸郡，「以銷姦雄之黨，絕群邪之望」。

翟方進奏議中所引季孫行文（即季文子）之言，見《左傳・文公十八年》季文子使大史克對文公曰：「先大夫臧文仲教行父事君之禮，行父奉以周旋，弗敢失隊，曰：『見有禮於其君者，事之如孝子之養父母也；見無禮於其君者，誅之如鷹鸇之逐鳥雀

11 漢・何休解詁，唐・徐彥疏：《春秋公羊傳注疏》，收入李學勤主編：《十三經注疏整理本》（北京：北京大學出版社，2000年），冊20，卷9，頁217；卷22，頁545。

12 關於《春秋》義與《穀梁傳》義的政治應用，可詳參拙著：〈論《穀梁》傳義在漢代的政治應用〉，《政大中文學報》，第16期（2011年12月），頁167-200；〈論春秋學在漢代的政治應用〉，《經學研究集刊》，特刊一（2009年12月），頁191-216。

13 漢・班固：〈翟方進傳〉，《漢書》，卷84，頁3420。

也。』」[14]知翟方進所引實為季文子述臧文仲之語，為史實記載，而非《左傳》作者的史家評語，翟方進乃以《左傳》史文為《春秋》之義。[15]奏議的結果，最後獲得成帝的同意，傳義至此發揮效用。若探究翟方進「奏可」的原因，實際上雖有可能是成帝為紅陽侯一案找代罪羔羊，設立停損，以杜悠悠之口；但奏議中所引孔子之言及《左傳》傳義，恐亦有推波助瀾、權威背書之效。

## （二）「《春秋》之誅，不避親戚」之義

東漢光武帝建元年間（25-56），高山侯太中大夫梁統「以為法令既輕，下姦不勝，宜重刑罰，以遵舊典」，乃數上疏，其疏中有言：「《春秋》之誅，不避親戚，所以防患救亂，全安眾庶，豈無仁愛之恩，貴絕殘賊之路也？」[16]梁統所引「《春秋》之誅，不避親戚」之義，李賢等人所注認為出自《左傳・隱公四年》：「君子曰：石碏，純臣也，惡州吁而厚與焉，大義滅親，其是之謂乎！」[17]以及〈昭公元年〉：「周公殺管叔而蔡蔡叔，夫豈不愛？王室故也。」[18]前者為《左傳》「君子曰」的主張，後者為鄭人游吉答子產之語，可知梁統所引乃概撮其兩義而來，用意在尋求經典中對其嚴刑峻法以治姦邪主張的肯定。梁統所疏，先遭三公、廷尉的反對，再與尚書對問，最終「議上，遂寢不報」，而未獲採納，傳義於此未見其效。

---

14 周・左丘明傳，晉・杜預注，唐・孔穎達正義：《春秋左傳正義》，收入李學勤主編：《十三經注疏整理本》（北京：北京大學出版社，2000年），冊17，卷20，頁662。另，《左傳》文中「奉以周旋，弗敢失隊」之語，亦見於東漢光武帝時鄭興之言，見劉宋・范曄：〈鄭范陳賈張列傳〉，《後漢書》，卷36，頁1219。此外，《左傳・襄公二十五年》亦載子產類似之言曰：「視民如子，見不仁者誅之，如鷹鸇之逐鳥雀也。」可知以鷹鸇逐鳥雀喻誅不仁不善無禮者，或為春秋時代習用之熟語。

15 錢鍾書曾云：「《左傳》記言而實乃擬言、代言。」見錢鍾書：《管錐編（一）下卷》，收入《錢鍾書集》（北京：生活・讀書・新知三聯書店，2001年），頁318。錢氏之論，蓋就史家敘事記言之「歷史想像」的角度，論《左傳》中之記言對話，或可視為後世小說、院本中的對話賓白之「椎輪草創」。其說可藉以解釋史實故事與小說情節之虛實關係，然若據此便盡謂《左傳》中的記言皆《左傳》作者之擬言或代言，或可再行斟酌。

16 劉宋・范曄：〈梁統列傳〉，《後漢書》，卷34，頁1168。

17 周・左丘明傳，晉・杜預注，唐・孔穎達正義：《春秋左傳正義》，收入李學勤主編：《十三經注疏整理本》，冊16，卷3，頁101。張端穗云：「大夫不僅要盡力勸諫君王實踐道德，遇到公室利益受損時，也應盡力維護。……石碏在這樁事中，顯然立了大功，他犧牲了自己的兒子以維護公室的利益。《左傳》作者不僅記載了這段史實，還把君子對石碏的批評也附錄於後。」張端穗：《左傳思想探微》（臺北：學海出版社，1987年），頁100-101。

18 周・左丘明傳，晉・杜預注，唐・孔穎達正義：《春秋左傳正義》，收入李學勤主編：《十三經注疏整理本》，冊18，卷41，頁1326。

## (三)「《春秋》採善書惡，聖主不罪芻蕘」之義

東漢順帝即位，「時清河趙騰上言災變，譏刺朝政，章下有司，收騰繫考，所引黨輩八十餘人，皆以誹謗當伏重法」。司空張晧上疏諫曰：「臣聞堯舜立敢諫之鼓，三王樹誹謗之木，《春秋》採善書惡，聖主不罪芻蕘。騰等雖干上犯法，所言本欲盡忠正諫。如當誅戮，天下杜口，塞諫爭之源，非所以昭德示後也。」[19]

張晧奏疏中所引《春秋》之義，李賢等人所注認為出自《左傳．成公十四年》君子曰：「《春秋》之稱微而顯，志而晦，婉而成章，盡而不汙，懲惡而勸善，非聖人，誰能脩之。」[20]可知為《左傳》史評主張，張晧乃概取「君子曰」之語，再化而為自己所詮釋的《春秋》之義。其用意在藉《左傳》「懲惡勸善」之義，申明帝王應有察納諫言的胸懷，不可杜塞言論之路，方可昭德以示後。張晧上疏奏諫後，史載「帝乃悟，減騰死罪一等，餘皆司寇」，傳義於此顯其效用。

## (四)「賞不僭溢，刑不淫濫」之義

東漢順帝永和四年（139），中常侍張逵、蘧政等人譖害大將軍梁商及中常侍曹騰、孟賁欲圖廢立，順帝不信，張逵等人遂矯詔收縛曹騰、孟賁。順帝聽聞後震怒，除急放曹騰、孟賁二人，並誅殺張逵等人之外，同時擴大治罪所有可能牽連的人。大將軍梁商深恐冤枉無辜之人，遂上疏主張：「大獄一起，無辜者眾，死囚久繫，纖微成大，非所以順迎和氣，平政成化也。宜早訖竟，以止逮捕之煩。」[21]

梁商在疏中有引「《春秋》之義，功在元帥，罪止首惡。故賞不僭溢，刑不淫濫，五帝、三王所以同致康乂也」之語，其中「功在元帥，罪止首惡」的「首惡」之說，出自《公》、《穀》二傳，主張治罪應治首惡，不宜牽連過廣；[22]而「賞不僭溢，刑不淫

---

19 劉宋．范曄：〈張王种陳列傳〉，《後漢書》，卷56，頁1816。另，張晧疏末所云「塞諫爭之源，非所以昭德示後也」數語，與《左傳．桓公二年》所載臧哀伯「君人者將昭德塞違，以臨照百官，猶懼或失之，故昭令德以示子孫」之語相似，張晧之疏語或當本於此。然「昭德」一詞，可見於先秦典籍如《尚書》、《國語》中，漢人用詞中亦可見及，且依文意，張晧直引《春秋》之義似止於「聖主不罪芻蕘」一語。以此，本文暫未將張晧「昭德示後」之語視為引用《左傳》之義。

20 周．左丘明傳，晉．杜預注，唐．孔穎達正義：《春秋左傳正義》，收入李學勤主編：《十三經注疏整理本》，冊18，卷27，頁879。

21 劉宋．范曄：〈梁統列傳〉，《後漢書》，卷34，頁1176。

22 《公羊傳》經云：「虞師、晉師滅夏陽。」傳云：「虞，微國也，曷為序乎大國之上？使虞首惡也。曷為使虞首惡？虞受賂，假滅國者道，以取亡焉。」見漢．何休解詁，唐．徐彥疏：《春秋公羊傳注疏》，收入李學勤主編：《十三經注疏整理本》，冊20，卷10，頁241。《穀梁傳》經云：「天王殺其弟佞夫。」傳云：「傳曰『諸侯且不首惡，況於天子乎』。君無忍親之義，天子諸侯所親者，唯長子母弟耳。」見晉．范甯集解，唐．楊士勛疏：《春秋穀梁傳注疏》，收入李學勤主編：《十三經注疏整理本》（北京：北京大學出版社，2000年），冊22，卷16，頁313。

濫」則出自《左傳．襄公二十六年》向戌曰：「歸生聞之：善為國者，賞不僭而刑不濫。賞僭，則懼及淫人；刑濫，則懼及善人。若不幸而過，寧僭，無濫。」[23]知梁商乃以《左傳》所載向戌之言為《春秋》之義，[24]主張刑賞須適度不過當，其引用方式或乃接續前引「首惡」之義而來；且可能由於梁商所引二義擴及三傳，故疏文中便逕以「《春秋》之義」統稱之。梁商上疏後，「帝乃納之，罪止坐者」。《春秋》三傳傳義，於此共同發揮了效用。

## （五）「人心不同，譬若其面」之義

順帝在位時，有人向大將軍梁商誣陷宋光，以其妄刊章文，致宋光「坐繫洛陽詔獄，掠考困極」。宋光外甥霍諝，時年十五，遂因此奏記於梁商，為宋光陳冤。其奏記中有云：「諝聞《春秋》之義，原情定過，赦事誅意，故許止雖弒君而不罪，趙盾以縱賊而見書。此仲尼所以垂王法，漢世所宜遵前脩也。《傳》曰：『人心不同，譬若其面。』」[25]記中所謂《春秋》「原情定過」之義，指「許止雖弒君而不罪」一事，許世子止進藥而致許悼公卒，然《公》、《穀》二傳不罪其弒君而不書弒；[26]至於「赦事誅意」的《春秋》之義，則指「趙盾以縱賊而見書」一事，晉趙穿弒君而趙盾不討賊，《公》、《穀》二傳因罪其弒君遂而書弒。[27]

以上所述，皆引《公》、《穀》二傳傳義以為證。其後更續以《左傳》「人心不同，譬若其面」傳文，說明「大小窳隆醜美之形，至於鼻目眾竅毛髮之狀，未有不然者也。情之異者，剛柔舒急倨敬之閒」之理。霍諝所引傳文，見《左傳．襄公三十一年》鄭子產謂子皮曰：「人心之不同，如其面焉，吾豈敢謂子面如吾面乎？」[28]知霍諝乃以《左

---

23 周．左丘明傳，晉．杜預注，唐．孔穎達正義：《春秋左傳正義》，收入李學勤主編：《十三經注疏整理本》，冊18，卷3，頁1199。

24 將《左傳》一書以《春秋》之名稱之，在《史記》中已可見及，惟「其引文皆屬史事史實」，「《史記》之於三傳實為『義主《公羊》，事採《左氏》』，故《史記》所言與所繼之《春秋》應為《公羊春秋》，這是確乎無可疑的」。詳見阮芝生：〈論史記中的孔子與春秋〉，《臺大歷史學報》，第23期（1999年6月），頁37、41。

25 劉宋．范曄：〈楊李翟應霍爰徐列傳〉，《後漢書》，卷48，頁1615。

26 文長不錄。詳見漢．何休解詁，唐．徐彥疏：《春秋公羊傳注疏》，收入李學勤主編：《十三經注疏整理本》，冊21，卷23，頁585-586。晉．范甯集解，唐．楊士勛疏：《春秋穀梁傳注疏》，收入李學勤主編：《十三經注疏整理本》，冊22，卷18，頁340-341。

27 文長不錄。詳見漢．何休解詁，唐．徐彥疏：《春秋公羊傳注疏》，收入李學勤主編：《十三經注疏整理本》，冊21，卷15，頁381-383。見晉．范甯集解，唐．楊士勛疏：《春秋穀梁傳注疏》，收入李學勤主編：《十三經注疏整理本》，冊22，卷12，頁218-219。

28 周．左丘明傳，晉．杜預注，唐．孔穎達正義：《春秋左傳正義》，收入李學勤主編：《十三經注疏整理本》，冊18，卷40，頁1303。

傳》所載鄭子產之言為傳義，主張人心各有不同，宜諒情論理為是。史載霍諝奏記後，梁商「高諝才志，即為奏原光罪」，三傳傳義效用，於此共同顯現。

### （六）「不誅黎比而魯多盜」之義

東漢桓帝延熹三年（160），河南尹楊秉補得濟陰太守單匡所賂刺殺兗州從事衛羽的刺客任方，將之囚繫洛陽。單匡恐楊秉窮究其事，遂密令任方突獄亡走，尚書因而詰責楊秉。楊秉對曰：「《春秋》不誅黎比而魯多盜。方等無狀，釁由單匡。刺執法之吏，害奉公之臣，復令逃竄，寬縱罪身，元惡大憝，終為國害。乞檻車徵匡考覈其事，則姦慝蹤緒，必可立得。」[29]楊秉認為若要追捕任方，只要扣緊事件主謀者單匡即可，所謂擒賊要擒王；且認為單匡為「元惡大憝」，若「寬縱罪身」，必「終為國害」。以此，遂於對詰中引「《春秋》不誅黎比而魯多盜」之義以為證。

楊秉所引《春秋》之義中的「魯多盜」之說，見《左傳・襄公二十一年》：「邾庶其以漆、閭丘來奔，季武子以公姑姊妻之，皆有賜於其從者，于是魯多盜。」傳文所載魯多盜之因，乃季武子以襄公姑母妻邾大夫庶其，且賞賜其從者，如臧武仲對季武子所云：「庶其竊邑于邾以來，子以姬氏妻之而與之邑，其從者皆有賜焉。若大盜禮焉以君之姑姊與其大邑，其次皁牧輿馬，其小者衣裳劍帶，是賞盜也。賞而去之，其或難焉。」[30]然而楊秉所云魯多盜之因乃「不誅黎比」，與《左傳》所載者不同，故而《後漢書》李賢等注云：「黎比，莒國之君，恐別有所據也。」查黎比即犂比，為莒國國君，曾於魯襄公十六年（前557）為晉國所執，襄公三十一年（前542）為公子展輿所弒。拙意以為，此或楊秉所記有差，遂誤庶其為黎比，其意主為治賊須治本，方可得效，不論庶其或是黎比，當不影響其意。只是楊秉的主張未獲尚書認可，最後「坐輸作左校，以久旱赦出」，傳義效力未得發揮。

由上述所引六義，可知在治獄相關事件中，當漢人欲申明刑賞得當、公私分明、酌情量理、治盜在誅兇等主張時，《左傳》傳義即可為漢人所取資。

## 三　解災異意涵

《春秋》詳錄災異，故而《春秋》三傳的解經自然會涉及災異事件；而這些解經內容，往往會被漢人附會於當時的人事作為，進而產生漢人對天人之間感知感應的一套詮

29 劉宋・范曄：〈楊震列傳〉，《後漢書》，卷54，頁1771。

30 周・左丘明傳，晉・杜預注，唐・孔穎達正義：《春秋左傳正義》，收入李學勤主編：《十三經注疏整理本》，冊18，卷34，頁1113。

釋模式。[31]在這套模式中，應用《左傳》義者有下列六義五例（「亂則妖災生」與「避（位）移時」兩義合併為一例）。

## （一）「國有大災，則哭以厭之」之義

新朝王莽地皇四年（漢更始帝元年，23），析人鄧曄、于匡起兵南鄉百餘人，析宰請降，鄧曄、于匡盡得其兵數千，遂拔析、丹水，進攻武關，再西拔湖縣。王莽愈憂，「不知所出」，時大司空崔發向王莽言曰：「《周禮》及《春秋左氏》，國有大災，則哭以厭之。故《易》稱『先號咷而後笑』，宜呼嗟告天以求救。」[32]王莽自知將敗，於是「率群臣至南郊，陳其符命本末」，仰天而告曰：「皇天既命授臣莽，何不殄滅眾賊？即令臣莽非是，願下雷霆誅臣莽！」[33]其後又作告天策，自陳功勞千餘言，並為諸生小民會旦夕哭者設飧粥，其甚悲哀及能誦策文者則除以為郎，多至五千餘人。由王莽的一連串作為，可知崔發所引《春秋左氏》「國有大災，則哭以厭之」之義，深為王莽所信服而有其效用。

崔發所引「國有大災，則哭以厭之」之義，出自《周禮》及《左傳》。《漢書》顏師古注曰：「《周禮》春官之屬女巫氏之職曰：『凡邦之大災，歌哭而請。』哭者所以告哀也。《春秋左氏傳・宣十二年》『楚子圍鄭，旬有七日，鄭人卜行成，不吉；卜臨于太宮，且巷出車，吉。國人大臨，守陴者皆哭。』故發引之以為言也。」[34]其中，出自《左傳》者見宣公十二年（前597）「楚子圍鄭」，鄭人卜和，不吉；卜戰，吉。國人遂於太廟哭，守城戰士則於城上哭，後楚人果退師。崔發引此義，蓋有藉哭師以退曄、匡兵禍之意。王莽本因劉歆而好《左傳》等古文學，又有鄭人因哭師而退楚人的歷史事件，雖然楚人退師後仍再攻鄭而克之，但最後還是接受了鄭人的求和條件，故而使王莽信而效法之。

---

31 漢人因災異而建立的天人感應之論，可以董仲舒為代表，如董氏所云：「凡災異之本，盡生於國家之失。國家之失乃始萌芽，而天出災害以譴告之；譴告之而不知變，乃見怪異以驚駭之；驚駭之尚不知畏恐，其殃咎乃至。以此見天意之仁而不欲陷人也。謹案災異以見天意，天意有欲也，有不欲也。所欲所不欲者，人內以自省，宜有懲於心，外以觀其事，宜有驗於國。故見天意者之於災異也，畏之而不惡也，以為天欲振吾過，救吾失，故以此報我也。……《春秋》之法，上變古易常，應是而有天災者，謂幸國。……天災之應過而至也，異之顯明可畏也。此乃天之所欲救也，《春秋》之所獨幸也。」見蘇輿撰，鍾哲點校：《春秋繁露義證》（北京：中華書局，1992年），卷8，〈必仁且智〉，頁259-261。

32 漢・班固：〈王莽傳下〉，《漢書》，卷99下，頁4187。

33 漢・班固：〈王莽傳下〉，《漢書》，卷99下，頁4187-4188。

34 漢・班固：〈王莽傳下〉，《漢書》，卷99下，頁4188。

## (二)「亂則妖灾生」與「避(位)移時」之義

東漢光武帝建武七年(31)三月,晦,日食,太中大夫鄭興因而上疏曰:「《春秋》以『天反時為灾,地反物為妖,人反德為亂,亂則妖灾生』。往年以來,讁咎連見,意者執事頗有闕焉。案《春秋》『昭公十七年夏六月甲戌朔,日有食之』。《傳》曰:『日過分而未至,三辰有灾,於是百官降物,君不舉,避移時,樂奏鼓,祝用幣,史用辭。』今孟夏,純乾用事,陰氣未作,其灾尤重。夫國無善政,則讁見日月,變咎之來,不可不慎。」[35]鄭興於奏疏一開頭即引《春秋》關於天地妖灾乃由人事反德而生之說,證明當時讁咎連見乃「執事頗有闕焉」所致。其後再引魯昭公十七年(前525)夏六月發生日食時的《春秋》記載,說明朝廷在儀式上該有的因應措施。但妖灾之生既由人事之反德,其根本仍在於擇人處位以使國有善政,所以鄭興提出「願陛下上師唐、虞,下覽齊、晉,以成屈己從眾之德,以濟群臣讓善之功」,以及「留思柔剋之政,垂意〈洪範〉之法,博採廣謀,納群下之策」的建言。史載鄭興書奏後,上「多有所納」,可見奏疏中所引《左傳》說災異之義在漢代有其效用。

鄭興所引《左傳》義分見兩處:一是《左傳·宣公十五年》載晉伯宗言潞氏酆舒有五罪可伐,其中有言曰:「天反時為灾,地反物為妖,民反德為亂,亂則妖灾生。」伯宗所言重點為酆舒反德為亂而可伐,而鄭興則將其中對災、妖的說法引以解釋當時的日食現象,是藉《左傳》史文以為經典意義之憑藉。另一義為《左傳·昭公十七年》「夏,六月甲戌,朔,日有食之」,魯太史答季平子關於日食之禮,其言曰:「日過分而未至,三辰有災,於是乎百官降物,君不舉,辟移時,樂奏鼓,祝用幣,史用辭。故《夏書》曰『辰不集于房,瞽奏鼓,嗇夫馳,庶人走』,此月朔之謂也。當夏四月,是謂孟夏。」[36]魯太史之言在反對季平子認為只有正月朔的日食才有伐鼓用幣之禮,鄭興引之以為晦日的日食之禮,雖於時序上有所不同,但並未逸出日食之禮的範疇。鄭興奏疏中兩處所引者皆是原典照錄,未有語言涵義或文字形式的變動,且都是《左傳》所載人物之言,是為以《左傳》史文為《左傳》義之例。

在上述鄭興引日食「避移時」之《左傳》義的一百多年後,東漢靈帝光和元年(178)也發生了日食之異,當時的尚書盧植上封事以諫,其中有言曰:「《春秋傳》曰『天子避位移時』,言其相掩不過移時。」[37]盧植亦引《左傳·昭公十七年》魯太史之言以說日食之異,只是將原文的「避移時」改為「避位移時」,而以「相掩不過移時」

35 劉宋·范曄:〈鄭范陳賈張列傳〉,《後漢書》,卷36,頁1221。

36 周·左丘明傳,晉·杜預注,唐·孔穎達正義:《春秋左傳正義》,收入李學勤主編:《十三經注疏整理本》,冊19,卷48,頁1564-1566。

37 劉宋·范曄:〈吳延史盧趙列傳〉,《後漢書》,卷64,頁2117。

釋之，意為日食時間不長。據杜預注曰：「辟正寢，過日食時。」則指國君避離正寢以待日食之過。顯示漢人於應用《左傳》傳義時，乃採增字另解的方式，而形成與原傳文解釋不同的情形。盧植在解釋日食之異後，提出八事可「消禦災凶」之道，然書奏後，史載「帝不省」，經義於此遂未能發揮其效用。

## （三）「禍福無門，唯人所召」之義

東漢桓帝（147-167在位）即位後，微時私過幸河南尹梁胤府舍，當日適見大風拔樹，白晝如昏，尚書楊秉因而上疏諫曰：「臣聞瑞由德至，灾應事生。《傳》曰：『禍福無門，唯人所召。』天不言語，以灾異譴告，是以孔子迅雷風烈必有變動。……王者至尊，出入有常，警蹕而行，靜室而止，自非郊廟之事，則鑾旗不駕。……諸侯如臣之家，《春秋》尚列其誡，況以先王法服而私出槃游！降亂尊卑，等威無序，侍衛守空宮，紱璽委女妾，設有非常之變，任章之謀，上負先帝，下悔靡及。」[38]楊秉於奏疏中主要強調天象的祥瑞災異乃決定於人事的作為，今桓帝微服私幸臣子之家，不符「出入有常，警蹕而行，靜室而止，自非郊廟之事，則鑾旗不駕」等王者之禮的要求，所以天以大風拔樹、白晝如昏的災異以譴告人君。楊秉此種從人事作為解釋災異現象的產生之因及其禍福預示，並賦予災異以規諫之義的詮釋手法，基本上與漢人看待災異的路數是一致的。

楊秉於上述奏疏中所引經義出自《春秋》經傳者，共有「禍福無門，唯人所召」與「諸侯如臣之家，《春秋》尚列其誡」二義。楊秉以「《傳》曰」一語引出「禍福無門，唯人所召」一義，而所謂「《傳》曰」，其實出自《左傳》襄公二十三年（前550）閔子馬之言。《左傳》載曰：「季氏以公鉏為馬正，慍而不出。閔子馬見之，曰：『子無然。禍福無門，唯人所召。為人子者患不孝，不患無所。敬共父命，何常之有？若能孝敬，富倍季氏可也；姦回不軌，禍倍下民可也。』公鉏然之，敬共朝夕，恪居官次。季孫喜，使飲己酒，而以具往，盡舍旃。故公鉏氏富，又出為公左宰。」[39]當中「禍福無門，唯人所召」一句，本為閔子馬規勸公鉏勿因其父立悼子而喪意失志之語，勉其當自立自強以得其父季孫之喜。楊秉取其涵義以解釋當時的災異現象，強調禍福由人的主張，乃以《左傳》所載人物言語為經義之類型。

至於「諸侯如臣之家，《春秋》尚列其誡」一義，據《後漢書》注曰：「《左傳》，齊莊公如崔杼之家，為杼所殺也。」[40]指襄公二十五年（前548），齊莊公至崔杼之家而被

---

38 劉宋・范曄：〈楊震列傳〉，《後漢書》，卷54，頁1769-1770。

39 周・左丘明傳，晉・杜預注，唐・孔穎達正義：《春秋左傳正義》，收入李學勤主編：《十三經注疏整理本》，冊18，卷37，頁1141-1142。

40 劉宋・范曄：〈楊震列傳〉，《後漢書》，卷54，頁1770。

崔杼所弒一事，楊秉認為《春秋》對此事有表達其誡慎之義。據《春秋》經傳文所示，經文對此事以「夏，五月乙亥，齊崔杼弒其君光」書之，《左傳》詳載齊莊公至崔杼家以致被弒之始末，[41]《公羊》未發傳，《穀梁》則有「莊公失言，淫于崔氏」之傳文。據《穀梁．襄公二十五年》范注云：「放言將淫崔氏，為此見弒也。」范注又引邵曰：「淫，過也，言莊公言語失漏，有過於崔子，而崔子弒之。」[42]清人俞樾（1821-1907）《群經平議．春秋穀梁傳》則云：「失言，猶失道也。」[43]周何先生（1932-2003）認為：「依俞氏說則『莊公失道淫于崔氏』，重在淫于崔氏，為失道致死之由。是則與《左傳》所載通于崔氏之妻之事實相符，不必故為別異也，今從之。」[44]依此，《穀梁》所發「莊公失言，淫于崔氏」之傳文，便寓有誡齊莊公失道之意。所以，若就《春秋》經傳文而言，楊秉奏疏中所謂「諸侯如臣之家，《春秋》尚列其誡」之說，應指《穀梁》所發「失言」傳義之誡。

史載楊秉書奏後，「帝不納。秉以病乞退，出為右扶風。太尉黃瓊惜其去朝廷，上秉勸講帷幄，不宜外遷，留拜光祿大夫。是時大將軍梁冀用權，秉稱病」[45]，經義效用於此遂未得以發揮。

## （四）「或得神以昌，或得神以亡」之義

東漢靈帝光和元年（178），有虹蜺在白晝降於嘉德殿前，靈帝惡之，遂召光祿大夫楊賜、議郎蔡邕等人入金商門崇德署，使中常侍曹節、王甫問以祥異禍福之所在，於是光祿大夫楊賜乃書對曰：「臣聞之經傳，或得神以昌，或得神以亡。國家休明，則鑒其德；邪辟昏亂，則視其禍。今殿前之氣，應為虹蜺，皆妖邪所生，不正之象，詩人所謂蝃蝀者也。」認為當今「內多嬖倖，外任小臣，上下並怨，諠譁盈路」，所以才會屢見災異，前後不寧。因此，楊賜最後向靈帝提出「慎經典之誡，圖變復之道，斥遠佞巧之

41 《左傳》曰：「夏五月，莒為且于之役故，莒子朝于齊。甲戌，饗諸北郭，崔子稱疾不視事。乙亥，公問崔子，遂從姜氏。姜入于室，與崔子自側戶出。公拊楹而歌，侍人賈舉止眾從者而入，閉門。甲興，公登臺而請，弗許。請盟，弗許。請自刃於廟，勿許。皆曰：『君之臣杼疾病，不能聽命。近於公宮，陪臣干掫有淫者，不知二命。』公踰牆，又射之，中股，反隊，遂弒之。」見周．左丘明傳，晉．杜預注，唐．孔穎達正義：《春秋左傳正義》，收入李學勤主編：《十三經注疏整理本》，冊18，卷36，頁1164-1165。

42 晉．范甯集解，唐．楊士勛疏：《春秋穀梁傳注疏》，收入李學勤主編：《十三經注疏整理本》，冊22，卷16，頁305。

43 清．俞樾：〈春秋穀梁傳〉，《群經平議》，收入清．王先謙編刊：《皇清經解續編》（臺北：漢京文化事業公司，出版年不詳），卷24，頁15237。

44 周何：《新譯春秋穀梁傳》（臺北：三民書局，2000年），頁886。

45 劉宋．范曄：〈楊震列傳〉，《後漢書》，卷54，頁1770。

臣，速徵鶴鳴之士。內親張仲，外任山甫，斷絕尺一，抑止槃遊，留思庶政」[46]等改正之道。

楊賜奏疏中所引「臣聞之經傳，或得神以昌，或得神以亡。國家休明，則鑒其德；邪辟昏亂，則視其禍」之經傳義，見《左傳・莊公三十二年》：「秋，七月，有神降于莘。惠王問諸內史過曰：『是何故也？』對曰：『國之將興，明神降之，監其德也；將亡，神又降之，觀其惡也。故有得神以興，亦有以亡，虞、夏、商、周皆有之。』」[47]文中乃周內史過解釋神靈降臨之意，或興或亡，端看國之德惡如何而定。楊賜引以釋靈帝朝的虹蜺現象，先對異象皆有可能致禍或取福的中性之意，再判定虹蜺為妖術所生，其後便從「或得神以亡」的角度提出救亡之道。楊賜的引用乃直接以《左傳》史文為義，史載其書奏後，「甚忤曹節等。蔡邕坐直對抵罪，徙朔方。賜以師傅之恩，故得免咎」，經典權威不敵現實力量，經義的效用遂未能發揮。

## （五）「訞由人興」之義

班固（32-92）於《漢書・藝文志・術數略》說「雜占者」時，曾引《春秋》之文以說妖，其云：「《春秋》之說訞也，曰：『人之所忌，其氣炎以取之，訞由人興也。人失常則訞興，人無釁焉，訞不自作。』故曰：『德勝不祥，義厭不惠。』桑穀共生，大戊以興；鴝雉登鼎，武丁為宗。然惑者不稽諸躬，而忌訞之見，是以《詩》刺『召彼故老，訊之占夢』，傷其舍本而憂末，不能勝凶咎也。」[48]班固認為雜占者流，在「紀百事之象，候善惡之徵」，其法乃經由占卜以考吉凶。凶則有妖，故班固引《春秋》之說，以申明「人失常則訞興，人無釁焉訞不自作」的「訞由人興」之義。

班固所引「訞由人興」之義，乃引自《左傳・莊公十四年》申繻答魯莊公之語，傳云：「初，內蛇與外蛇鬬於鄭南門中，內蛇死。六年，而厲公入。公聞之，問於申繻，曰：『猶有妖乎？』對曰：『人之所忌，其氣燄以取之，妖由人興也。人無釁焉，妖不自作；人棄常，則妖興，故有妖。』」[49]魯莊公（693-662在位）聽聞鄭國南門曾有內外二蛇相鬥，內蛇死，六年後鄭祭仲以厲公歸而立之。魯莊公遂就此事詢問大夫申繻，申繻乃有「妖由人興」之說。觀班固所引，僅語句順序不同及用字稍有差異，整體而言乃照錄申繻之言，屬以《左傳》史文為經義之類型。

---

46 以上引文，詳見劉宋・范曄：〈楊震列傳〉，《後漢書》，卷54，頁1779。

47 周・左丘明傳，晉・杜預注，唐・孔穎達正義：《春秋左傳正義》，收入李學勤主編：《十三經注疏整理本》，冊16，卷10，頁341。

48 漢・班固：〈藝文志〉，《漢書》，卷30，頁1773。

49 周・左丘明傳，晉・杜預注，唐・孔穎達正義：《春秋左傳正義・莊公十四年》，收入李學勤主編：《十三經注疏整理本》，冊16，卷37，頁287。

# 四　結論

經由上述文獻之爬梳與解說後，最後針對兩漢史書中所見《左傳》義運用於治獄、災異的情形，分就以下幾個面向進行論析。

## （一）《左傳》傳義的引出方式

漢人引出《左傳》義的方式，計有下列五種：

一、明標「《春秋左氏》、《左氏》、《左傳》」者，僅一例，即「《周禮》及《春秋左氏》，國有大災，則哭以厭之」（《漢書・王莽傳》）。

二、明標「《春秋》、《春秋傳》」者，計有六例，分為「《春秋》之誅，不避親戚」（《後漢書・梁統列傳》）、「《春秋》採善書惡，聖主不罪芻蕘」（《後漢書・張王种陳列傳》）、「《春秋》不誅黎比而魯多盜」（《後漢書・楊震列傳》）、「《春秋》以天反時為灾，地反物為妖，人反德為亂，亂則妖灾生」（《後漢書・鄭范陳賈張列傳》）、「《春秋傳》曰『天子避位移時』」（《後漢書・吳延史盧趙列傳》）、「《春秋》之說訞也，曰『人之所忌，其氣炎以取之，訞由人興也。人失常則訞興，人無釁焉，訞不自作』」（《漢書・藝文志》）。

三、標以「傳云、傳曰、經傳」者，計有四例，分為「《傳》曰『人心不同，譬若其面』」（《後漢書・楊李翟應霍爰徐列傳》）、「《傳》曰『日過分而未至，三辰有灾，於是百官降物，君不舉，避移時，樂奏鼓，祝用幣，史用辭』」（《後漢書・鄭范陳賈張列傳》）、「《傳》曰『禍福無門，唯人所召』」（《後漢書・楊震列傳》）、「臣聞之經傳，或得神以昌，或得神以亡」（《後漢書・楊震列傳》）。

四、標以「言該義之人物」者，僅一例，即「昔季孫行父有言曰：『見有善於君者愛之，若孝子之養父母也；見不善者誅之，若鷹鸇之逐鳥爵也』」（《漢書・翟方進傳》）。

五、「直接融入奏疏之言」者，僅一例，即「賞不僭溢，刑不淫濫」（《後漢書・梁統列傳》）。

在上述傳義引出方式中，僅一條明標《左傳》或《左氏》之名，其餘諸條，若非以《春秋》稱之，就是泛稱「傳」或直引《左傳》史文或傳義，此與《公羊》、《穀梁》之名被標舉較多的情形明顯不同，顯示因《左傳》在兩漢時代幾乎未立博士官，在沒有中央官學身分的加持下，標舉《左傳》之名，可能無助於或甚至減少傳義的權威性，故而改稱《春秋》、「傳」，或乾脆直引傳文。其次，《左傳》雖幾未立博士官，但漢人仍以《春秋》解經之作視之，而與立博士官的公羊學、穀梁學之地位相當，可見《左傳》仍有其一定的地位。其三，由漢人亦以《春秋》代稱《左傳》來看，可知漢人所謂的《春秋》，並非專指《公羊》或《穀梁》，而是包含了《左傳》；且亦視《左傳》為《春秋》

解經之傳，而非獨立於《春秋》經之外的史書著作。其四，漢人引用經傳義，大都會標出該經典之名或以「傳曰」、「傳云」等字眼帶出，此或有藉經典權威以認證引用者主張的考量。

## （二）《左傳》傳義的詮釋類型

漢人詮釋《左傳》義的類型，計有下列三類：

一、以《左傳》釋經或「君子曰」之語為義者，僅有一例，即「《春秋》採善書惡，聖主不罪芻蕘」之義

二、採《左傳》所載史文為義者，計有九例，分為：「有善愛之，不善誅之」（季孫行父之語）、「賞不僭溢，刑不淫濫」（向戌之語）、「人心不同，譬若其面」（子產之語）、「國有大災，則哭以厭之」（楚圍鄭，鄭人占卜之語）、「亂則妖災生」（伯宗之語）、「日過分而未至，三辰有災，於是百官降物，君不舉，避移時，樂奏鼓，祝用幣，史用辭」（魯太史之語）、「禍福無門，唯人所召」（閔子馬之語）、「國之將興，明神降之，監其德也；將亡，神又降之，觀其惡也。故有得神以興，亦有以亡」（周內史過之語）、「人之所忌，其氣炎以取之，訞由人興也。人失常則訞興，人無釁焉，訞不自作」（申繻之語）。

三、漢人所詮釋《左傳》之義者，計有三例，分為：「《春秋》之誅，不避親戚」（梁統詮釋石碏殺子、周公誅管蔡之義）、「不誅黎比而魯多盜」（楊秉詮釋庶其奔魯之義）、「天子避位移時」（盧植詮釋天子避位移時之義）。

由上述可知，凡載於《左傳》中的言論文字，在漢人眼中皆會視其為《左傳》義，所以都會被用來強化其論述效力，如趙伯雄所云：「不管是直接標舉『《春秋》之義，還是引《春秋》史事作為行為的參照，實質是一樣的，都是企圖從《春秋》經傳中尋求政治行為的規範和準則。」[50]只是，嚴格來講，第一類由《左傳》作者所述者，其實才可稱為《左傳》傳義；至於第二類為《左傳》所載史事人物之言義，不能代表《左傳》之義；而第三類則為漢人所詮釋的《左傳》義，則不必然與《左傳》原義相符。

## （三）《左傳》傳義應用者的背景

本文所論曾徵引《左傳》傳義者，依其學術或出身背景，可區分為以下三類：

一、專治《春秋》經傳學者，計有西漢．翟方進（？-前7）、東漢．鄭興二人。

西漢．翟方進，《漢書．儒林傳》云：「尹更始為諫大夫、長樂戶將，又受《左氏

---

50 趙伯雄：《春秋學史》（濟南：山東教育出版社，2004年），頁114。

傳》，取其變理合者以為章句，傳子咸及翟方進、琅邪房鳳。咸至大司農，方進丞相。」[51]《漢書．翟方進傳》云：「（翟方進）欲西至京師受經，母憐其幼，隨之長安，織屨以給方進讀，經博士受《春秋》。積十餘年，經學明習，徒眾日廣，諸儒稱之。」又云：「方進知能有餘，兼通文法吏事，以儒雅緣飭法律，號為通明相，天子甚器重之。……方進雖受《穀梁》，然好《左氏傳》、天文星曆。」[52]朱彝尊《經義考》引王應麟曰：「漢儒兼通《穀梁》、《左氏》，胡常、尹更始也。」[53]王國維（1877-1927）云：「胡常、翟方進雖兼傳《左氏》，而實為《穀梁》博士也。」[54]知翟方進之春秋學師承尹更始，[55]為《穀梁》博士，兼治左傳學。

東漢．鄭興，光武帝時任太中大夫，「少學《公羊春秋》，晚善《左氏傳》。遂積精深思，通達其旨，同學者皆師之」，「興數言政事，依經守義，文章溫雅」[56]，知鄭興兼通《公羊》、《左氏》二傳。

二、兼治《春秋》經傳、專治他經他家或泛言明經者，計有霍諝等五人。

東漢．霍諝，《後漢書》本傳載其「少為諸生，明經」[57]，未載所明何經。

東漢．楊秉，《後漢書》本傳載其「少傳父業，兼明《京氏易》，博通書傳，常隱居教授」。其父楊震，「少好學，受《歐陽尚書》於太常桓郁，明經博覽，無不窮究」。是以，楊秉兼通《易》、《書》二經，故於桓帝即位後，「以明《尚書》徵入勸講，拜太中大夫、左中郎將，遷侍中、尚書」。[58]

東漢．尚書盧植，「少與鄭玄俱事馬融，能通古今學，好研精而不守章句」，「作《尚書章句》、《三禮解詁」，桓帝時徵拜議郎，「與諫議大夫馬日磾、議郎蔡邕、楊彪、韓說等並在東觀，校中書五經記傳，補續《漢記》」，[59]知盧植專精《尚書》與三《禮》，並兼通五經。

東漢．楊賜，「少傳家學，篤志博聞」。其父即前述之楊秉，「少傳父業，兼明《京氏易》」。祖父楊震，「少好學，受《歐陽尚書》於太常桓郁，明經博覽」。曾祖楊寶，

---

51 漢．班固：〈儒林傳〉，《漢書》，卷88，頁3618。

52 漢．班固：〈翟方進傳〉，《漢書》，卷84，頁3411、3421。

53 清．朱彝尊：《經義考》（北京：中華書局，據中華書局1936年版《四部備要》縮印，1998年），卷171，頁886。

54 王國維：〈漢魏博士考〉，《觀堂集林（外二種）》（石家莊：河北教育出版社，2001年），卷4，頁113。

55 尹更始為漢代穀梁學第六期傳習學者，詳見拙著：〈政權、學官、經義的交結——論漢宣帝與穀梁學〉，《成大中文學報》，第37期（2012年6月），頁12。

56 本段引文，皆見劉宋．范曄：〈鄭范陳賈張列傳〉，《後漢書》，卷36，頁1217、1223。

57 劉宋．范曄：〈楊李翟應霍爰徐列傳〉，《後漢書》，卷48，頁1615。

58 本段引文，皆見劉宋．范曄：〈楊震列傳〉，《後漢書》，卷54，頁1769、1759、1769。

59 本段引文，皆見劉宋．范曄：〈吳延史盧趙列傳〉，《後漢書》，卷64，頁2113、2116、2117。

「習《歐陽尚書》」。[60]知楊賜通《書》、《易》二經之學，所治《書》學屬歐陽一系，為楊家四代家學，而《易》學則傳自其父楊秉。

東漢・班固（32-92），《後漢書》本傳載其「年九歲，能屬文誦詩賦，及長，遂博貫載籍，九流百家之言，無不窮究。所學無常師，不為章句，舉大義而已。性寬和容眾，不以才能高人，諸儒以此慕之」[61]。

三、政府官員或學術背景無可考者，計有崔發等四人。

西漢・崔發，王莽新朝時任大司空。

東漢・張晧，「少游學京師」，「雖非法家，而留心刑斷，數與尚書辯正疑獄，多以詳當見從」[62]。

東漢・梁商，「少以外戚拜郎中，遷黃門侍郎」，「（陽嘉）三年，以商為大將軍，固稱疾不起。四年，使太常桓焉奉策就第即拜，商乃詣闕受命」[63]。

東漢・梁統，「性剛毅而好法律」[64]。

上述第一、二類具學術背景者共計七人，第三類政府官員或學術背景無可考者共計四人，可知《左傳》義徵引應用次數之多寡，與徵引者是否具有相關學術背景，呈現正相關的情形，不論引用者是專治《春秋》經傳，或是兼通他經他家之學。

## （四）各帝朝引用次數與《左傳》流傳大勢

在本文所論十二傳義中，各帝朝的引用次數，計為：西漢成帝1次（翟方進）、新朝王莽1次（崔發）、光武帝2次（梁統、鄭興）、明帝1次（班固）、順帝3次（張晧、梁商、霍諝）、桓帝2次（楊秉二引）、靈帝2次（盧植、楊賜）。

若將新朝王莽的一次併入西漢來看，總計西漢時期所見《左傳》義共計2次，且所見最早的時間是在西漢末年的成帝時期，東漢時期則有10次。東漢時期的次數明顯多於西漢時期，且由西漢末年起逐漸遞增至東漢末年，此徵引現象十足符合了左傳學在漢代流傳盛衰的發展大勢。

## （五）問題屬性與《左傳》傳義的徵引效用

本文所論十二則《左傳》傳義的徵引應用及其效度表現，詳如下表所示。

60 本段引文，皆見劉宋・范曄：〈楊震列傳〉，《後漢書》，卷54，頁1775、1769、1759、1759。

61 劉宋・范曄：〈班彪列傳上〉，《後漢書》，卷40上，頁1330。

62 劉宋・范曄：〈張王种陳列傳〉，《後漢書》，卷56，頁1815。

63 劉宋・范曄：〈梁統列傳〉，《後漢書》，卷34，頁1175。

64 劉宋・范曄：〈梁統列傳〉，《後漢書》，卷34，頁1165。

| 屬性 | 帝朝 | 事件 | 《左傳》傳義 | 效度 | 徵引者 | 說明 |
|---|---|---|---|---|---|---|
| 治獄 | 成　帝 | 翟方進奏劾紅陽侯黨友後將軍朱博、鉅鹿太守孫閎、故光祿大夫陳咸三人。 | 見有善於君者愛之，若孝子之養父母也；見不善者誅之，若鷹鸇之逐鳥爵也。 | ○ | 翟方進／宰　相 | 奏可。 |
| | 光武帝 | 梁統上疏，主「下姦不勝，宜重刑罰」。 | 《春秋》之誅，不避親戚。 | × | 梁　統／太中大夫 | 議上，遂寢不報。 |
| | 順　帝 | 張晧疏諫，主趙騰等人不當因正諫而誅戮。 | 《春秋》採善書惡，聖主不罪芻蕘。 | ○ | 張　晧／司　空 | 帝乃悟，減騰死罪一等，餘皆司寇。 |
| | | 張逵等矯詔，悉伏誅，牽連諸人，梁商懼多侵枉，遂上疏諫。 | 賞不僭溢，刑不淫濫。 | ○ | 梁　商／大將軍 | 帝乃納之，罪止坐者。 |
| | | 霍諝奏記梁商，為其舅宋光申冤。 | 人心不同，譬若其面。 | ○ | 霍　諝／諸　生 | 高諝才志，即為奏原光罪。 |
| | 桓　帝 | 楊秉對尚書詰責刺客任方逃獄之語 | 《春秋》不誅黎比而魯多盜。 | × | 楊　秉／河南尹 | 秉竟坐輸作左校，以久旱赦出。 |
| 災異 | 新　朝 | 各地反抗勢力競起，王莽憂，不知所出。 | 國有大災，則哭以厭之。 | ○ | 崔　發／大司空 | 莽率群臣至南郊，陳其符命本末。 |
| | 光武帝 | 晦，日食。 | 天反時為災，地反物為妖，人反德為亂，亂則妖災生。<br>百官降物，君不舉，避移時，樂奏鼓，祝用幣，史用辭。 | ○ | 鄭　興／大中大夫 | 多有所納。 |
| | 桓　帝 | 帝微時私過幸河南尹梁胤府舍，是日大風拔樹，晝如昏。 | 禍福無門，唯人所召。 | × | 楊　秉／尚　書 | 帝不納。秉以病乞退，出為右扶風。 |
| | 靈　帝 | 日食 | 《春秋傳》曰「天子避位移時」。 | × | 盧　植／尚　書 | 帝不省。 |

| 屬性 | 帝朝 | 事件 | 《左傳》傳義 | 效度 | 徵引者 | 說明 |
|---|---|---|---|---|---|---|
| | | 有虹蜺晝降於嘉德殿前，靈帝惡之。 | 或得神以昌，或得神以亡。 | × | 楊　賜／光祿大夫 | 書奏，甚忤曹節等。……賜以師傅之恩，故得免咎。 |
| | -- | -- | 人之所忌，其氣炎以取之，祆由人興也。人失常則祆興，人無釁焉，祆不自作。 | -- | 班固 | -- |

在上述十一例（班固所引非政治應用，不計）《左傳》傳義的政治應用中，具效度者六例，無效度者五例，傳義的有、無效度情形基本相當，難分軒輊。此現象暫時顯示了《左傳》在兩漢時代的經典權威地位似乎未見突出，以致應用效度未能充分顯現。但本文所論僅限治獄、災異兩種屬性事件，兩漢史書所見《左傳》義致用之整體效度情形如何，尚待後續探討。

# 徵引文獻

## 一　原典文獻

周・左丘明傳，晉・杜預注，唐・孔穎達正義：《春秋左傳正義》，收入李學勤主編：《十三經注疏整理本》，北京：北京大學出版社，2000年。

漢・何　休解詁，唐・徐彥疏：《春秋公羊傳注疏》，收入李學勤主編：《十三經注疏整理本》，北京：北京大學出版社，2000年。

漢・班　固：《漢書》，北京：中華書局，1962年。

晉・范　甯集解，唐・楊士勛疏：《春秋穀梁傳注疏》，收入李學勤主編：《十三經注疏整理本》，北京：北京大學出版社，2000年。

劉宋・范　曄：《後漢書》，北京：中華書局，1965年。清・鍾文烝撰，駢宇騫、郝淑慧點校：《春秋穀梁經傳補注》，北京：中華書局，十三經清人注疏本，1996年。

清・朱彝尊：《經義考》，北京：中華書局，據中華書局1936年版《四部備要》縮印，1998年。

清・俞　樾：《群經平議》，卷24，〈春秋穀梁傳〉，收入清・王先謙編刊《皇清經解續編》，臺北：漢京文化事業公司，出版年不詳。

## 二　近人著作

王國維：《觀堂集林（外二種）》，石家莊：河北教育出版社，2001年。

皮錫瑞：《經學歷史》，臺北：藝文印書館，1987年。

周　何：《新譯春秋穀梁傳》，臺北：三民書局，2000年。

林聰舜，《漢代儒學別裁——帝國意識形態的形成與發展》，臺北：國立臺灣大學出版中心，2013年。

徐復觀：《中國經學史的基礎》，臺北：臺灣學生書局，1982年。

張端穗：《左傳思想探微》，臺北：學海出版社，1987年。

程元敏：《漢經學史》，臺北：臺灣商務印書館，2018年。

趙伯雄：《春秋學史》，濟南：山東教育出版社，2004年。

錢　穆：《秦漢史》，臺北：東大圖書公司，1957年。

錢鍾書：《管錐編（一）下卷》，收入《錢鍾書集》，北京：生活・讀書・新知三聯書店，2001年。

蘇　輿撰，鍾哲點校：《春秋繁露義證》，北京：中華書局，1992年。

## 三　單篇論文

吳智雄：〈政權、學官、經義的交結——論漢宣帝與穀梁學〉，《成大中文學報》，第37期，2012年6月。

吳智雄：〈論《穀梁》傳義在漢代的政治應用〉，《政大中文學報》，第16期，2011年12月，頁167-200

吳智雄：〈論春秋學在漢代的政治應用〉，《經學研究集刊》，特刊一，2009年12月，頁191-216。

阮芝生：〈論史記中的孔子與春秋〉，《臺大歷史學報》，第23期，1999年6月。

# 漢代《左傳》學的發展與漢注研究*

郭院林

（江蘇）揚州大學文學院教授

## 摘要

作為儒家的大經，《左傳》雖然晚出，但受到了漢代經學家們的廣泛關注。張蒼獻書開啟了西漢《左傳》學序幕，此後以劉歆、賈逵、服虔、穎容等為代表的古文經學家們為《左傳》注解，曾經風靡一時。隨著杜預《春秋左氏經傳集解》定為國學，《左傳》漢注大都散佚，但清人的輯佚著作保存了漢注主要內容和大致風貌。論文依據史傳材料粗線條考察《左傳》學在兩漢時期的傳承與發展，以及與杜注地位升降變化的學術史；同時以清人劉文淇等著作《春秋左氏傳舊注疏證》為依據，從具體注釋出發，分析《左傳》漢注的特點，歸納出《左傳》漢注重名物訓詁，事例之中見義理，以「禮」解經的學術特點以及尊王思想；同時指出漢代《左傳》學與社會政治相協調，在古今文交流融合中突顯出來。

**關鍵詞：**《左傳》、漢注、輯佚、古文經學、禮制

* 本文係江蘇省重大課題「清代儀徵劉氏經學研究」〔16ZD012〕、國家後期資助項目「《春秋左氏傳舊注疏證》整理」〔19FTQB007〕階段性成果。

# The Development of *Zuo Zhuan* Studies in the Han Dynasty and the Study of Annotations in the Han Dynasty on *Zuo Zhuan*

Guo Yuan Lin

Professor, College of Liberal Arts, Yangzhou University

## Abstract

As a great Confucian classic, *Zuo Zhuan* came out late, but it was widely concerned by Confucian scholars in Han Dynasty. Zhang Cang's offering of books opened the prelude to the study of *Zuo Zhuan* in the Western Han Dynasty.Since then, scholars of ancient confucian classics, such as Liu Xin, Jia Kui, Fu Qian and Ying Rong, have annotated *Zuo Zhuan*, which were once popular.With Du Yu's *Collection of Confucian classics and commentaries on Zuo Zhuan* designated as a national study, most of the notes about *Zuo Zhuan* in Han Dynasty were scattered.The Qing Dynasty's collections of lost works preserved the main contents and general style of notes in Han Dynasty. Based on the historical materials, this paper investigates the inheritance and development of *Zuo Zhuan* in the Han Dynasty and the academic history of the rise and fall of the position of annotation by Du Yu .Based on Liu Wen Qi and other works of Qing Dynasty, this paper analyzes the characteristics of Han Dynasty annotations on *Zuo Zhuan* from the specific annotations, and concludes that annotations in Han pay attention to the exegesis of objects, preserving justice in examples, academic characteristics of interpreting scriptures with "rites" and the thoughts of respecting king. At the same time, it is pointed out that the study of *Zuo Zhuan* in Han Dynasty is in harmony with social politics, and it stands out in the exchange and integration of ancient and modern confucian classics.

**Keywords:** *Zuo Zhuan*, Annotations in Han Dynasty, collections of lost works, ancient confucian classics, norm of etiquette

# 一　前言

《春秋》三傳中，《公羊傳》興起最早，從漢武帝尊儒開始便立於學官，確立了其作為儒家經典的正統地位。《穀梁傳》後來通過漢宣帝的大力扶持而得以興盛，與公羊學派分庭抗禮。作為古文經的《左傳》，由於晚出和師承不清，長期受到壓制，直至王莽新朝才在經學家劉歆的努力下進入官方視野，並由此出現東漢以賈逵、服虔等經學家為代表的「注左」學者。考察《左傳》學史，我們可以劉歆為分界點，將漢代《左傳》學分為前後兩個時期，前期不成系統且語焉不詳，後期才得以和今文經學分庭抗禮，留存下來的《左傳》注釋也基本形成於後期。

學術界論及漢代《春秋》學或者《左傳》學，往往依據史傳材料粗線條勾勒學術史軌跡，而對《左傳》漢注的研究不是很充分，主要原因是唐人孔穎達等編《五經正義》時，《左傳》注選取杜預的《春秋左氏經傳集解》(簡稱杜注)，致使以賈、服為代表的漢注基本散失，研究資料的缺乏嚴重制約了相關研究的展開。及至清代，學者開始輯佚杜注之外的舊注，《左傳》漢注在沉寂近兩千年後才進入學者研究視域。我們要真正瞭解漢注，則需要從清人既有漢注輯佚的文本出發，才能從具體案例看出特色。本文首先從史傳中勾畫漢代《左傳》學史並總結其學術特色，然後結合清人輯佚《左傳》漢注進行分析並總結其特色。

# 二　漢代《左傳》學傳承與特點

秦朝焚書之後，經學湮滅，今文經在秦末漢初比較快的興起，恰在於「時師傳傳讀而已」[1]，也就是說今文經憑著口耳相傳、師傳清晰從而得到肯定，不斷流傳。《左傳》在漢初不彰，「及魯恭王壞孔子宅，欲以為宫，而得古文於壞壁之中，《逸禮》有三十九篇，《書》十六篇。天漢之後，孔安國獻之，遭巫蠱倉卒之難，未及施行。及《春秋》左氏丘明所修，皆古文舊書，多者二十余通，臧于秘府，伏而未發。」[2]也就是說，《左傳》的出現是湮滅多年後突然發現的，與當時流行的今文隸書所寫的傳世經書相比，它屬於古文系統，相當於地下文獻，當時只是藏于秘府。在魯恭王劉餘（？-前128）發掘之後不久，司馬遷（前145年-？）對《左傳》身份進行了判定：「魯君子左丘明懼弟子人人異端，各安其意，失其真，故因孔子史記具論其語，成《左氏春秋》。」[3]儘管後人對此多有疑問，甚至對左丘明其人是否存在都爭論不休，但這稱得上是最早的關於《左傳》著作權的探討。

1　漢・班固：《漢書》(北京：中華書局，1962年)，頁1969。

2　漢・班固：《漢書》，頁1969。

3　漢・司馬遷：《史記》(北京：中華書局，1959年)，頁509-510。

直到漢成帝時，廣求遺書於天下，詔劉向父子讎校篇籍，劉歆極力推崇，《左傳》才引起學界關注。[4]關於先秦及漢初《左傳》學史，唐代孔穎達引劉向《七略別錄》云：「左丘明授曾申，申授吳起，起授其子期，期授楚人鐸椒。鐸椒作《抄撮》八卷，授虞卿；虞卿作《抄撮》九卷，授同郡荀卿；荀卿授武威張蒼。」[5]按照這個記載，漢代的《左傳》研究是從張蒼開始的。東漢許慎在《說文解字・序》中重複《漢書》關於古文經發現經過以及具體書目，同時提到張蒼獻古文《春秋左氏傳》，並且出土的鼎彝銘文與《左傳》相似。許慎師承漢代「注左」的重要人物賈逵，並與經學家馬融交好，因而他對《左傳》的傳承脈絡是有發言權的，這闡明了《左傳》作為古文經學的由來。可見張蒼的「獻書」對《左傳》的重現於世起到了重要作用，並且他開始利用出土金文驗證《左傳》。

《左傳》學經歷了一個從萌芽到興起的發展過程，歷經了幾代傳承者的努力，才最終發展成了一個專門的學問。《漢書・儒林傳》中詳細記載了西漢前期的一些《左傳》研究情況：「漢興，北平侯張蒼及梁大傅賈誼、京兆尹張敞、太中大夫劉公子皆修《春秋左氏傳》。誼為《左氏傳訓故》，授趙人貫公，為河間獻王博士，子長卿……授清河張禹長子，……（禹）授尹更始，更始傳子咸及翟方進、胡常。常授黎陽賈護季君……授蒼梧陳欽子佚，以《左氏》授王莽，至將軍。而劉歆從尹咸及翟方進受，由是言《左氏》者本之賈護、劉歆」。[6]《釋文序錄》另外記載張蒼傳賈誼，誼傳其孫賈嘉，嘉傳貫公，貫公傳其子長卿，長卿傳張敞、張禹，形成了一個較為完整的傳承譜系。

賈誼作《左氏傳訓詁》，早佚，但其學生貫公為河間獻王博士，可以推知其學說大致相同。史載河間獻王「修學好古，實事求是」。「好古」指「所得書皆古文先秦舊書」。依據顏師古注，「實事求是」的意思是：「務得事實，每求真是也」。因為六國文字與當時漢隸有很大差別，所以需要對舊書「求真是」，「留其正本」。[7]據此可以推測賈誼《左氏傳訓詁》在收集佚書與版本的基礎上，只在小學層面初步展開了針對《左傳》的研究。因為《左傳》多古字古言，傳訓詁是當時學者群體特點。及至劉歆，「引傳文以解經，轉相發明，由是章句義理備焉。」[8]劉歆是最早地對《左傳》進行系統研究的學者，他不僅明確《左傳》與《春秋》的關係，首次改名《春秋左氏傳》，使得《左傳》經學地位確立；更為重要的是，「引傳文以解經」，《春秋》經與左氏傳在學理上發生聯繫；他還在《公》《穀》之外另立《左傳》一派。他憑藉「校秘書」而得以博覽群書，獲得了豐富的研究素材，他打破門戶之見，融匯《公羊》《穀梁》二家的義理來解《左

4 漢・班固：《漢書》，頁1701。

5 晉・杜預注，唐・孔穎達疏：《春秋左傳正義》（北京：北京大學出版社，1999年），頁2。

6 漢・班固：《漢書》，頁3620。

7 漢・班固：《漢書》，頁2410。

8 漢・班固：《漢書》，頁1967。

傳》。史載「至向子歆治《左氏傳》，其《春秋》意亦已乖矣」[9]，所謂「乖」就是與《公》、《穀》背離的不同意見，這就將以《左傳》學為代表的古文經學從今文經學中分立出來，為東漢古文經學家的「注左」活動奠定了基礎。劉歆是《左傳》學發展史上的一個里程碑式的人物，《左傳》學至此正式形成。

據姚振宗《後漢藝文志》載，東漢時期研治《左傳》並有著述的學者有：鄭興、許淑、嘉徽、陳元、孔奇、鄭眾、賈逵、孔嘉、彭汪、延篤、劉陶、服虔、王玢、荀爽、鄭玄、潁容、謝該、宋衷十八家。[10]這一時期為《左傳》作注成為古文學家熱衷的研究方法，一方面，這是由於《左傳》自身的特點是偏重敘事，需要經學家們從事例中闡發經義；另一方面，《左傳》學方興未艾，相對於早經過官方承認、歷經百餘年發展的《公》《穀》兩家，《左傳》在注釋方面遠未達到完備情況，存留下了更多的注解空間。同時，少數學者對《左傳》條例與章句注意較多，已經從小學訓詁層面上升到文本義理。

這一時期最值得注意的經學家是賈逵和服虔，他們是該時期《左傳》學的代表性人物。二人的注釋留存相對豐富，是研究《左傳》漢注的基礎性資料。賈逵字景伯，扶風平陵人，其父賈徽師從劉歆，在父親的影響下，他「弱冠能誦《左氏傳》及《五經》本文」[11]，後來又研習過「毛詩」和古文《尚書》，接受了諸多古文經的薰陶，因此他對史事名物的解釋具有歷史價值。同時，他兼通五家《穀梁》，這使得他對《春秋》義理極為熟悉。所有這些都為他的「注《左》」工作打下了基礎，他撰寫了《左氏條例》二十一篇和《春秋左氏傳解詁》三十篇等著作。東漢章帝時期，賈逵奉命在云台等地講授《左傳》，並指出《左傳》在經義方面優於其他兩家，進一步將今文經學融入《左傳》研究中，提升了《左傳》的官方認同感。沈玉成、劉甯評價賈逵「標誌了東漢《左傳》學發展的一個標誌」[12]。《後漢書》中關於服虔的「注左」活動的記述較為簡略。服虔字子慎，河南滎陽人。他「以《左傳》駁何休之所駁漢事六十條」[13]，與今文學家進行論爭，並且形成了《春秋左氏傳解誼》三十一卷等研究成果。《世說新語》中提到，和服虔同時的東漢著名經學家鄭玄看見服虔的《左傳》注後，把自己未完成的《左傳》注全都送給了服虔。這至少說明，鄭玄與服虔關於《左傳》的許多觀點是不謀而合的，體現了服虔的相關觀點已經得到了當時大儒的認可。服注兼錄先儒注解，北朝特重之。

除賈、服二人之外，東漢的鄭興、鄭眾父子，馬融，鄭玄，潁容等大儒也有一定的《左傳》研究成果，鄭興曾跟隨劉歆習《左傳》，有《春秋難記條例》，鄭眾、馬融師從隱儒摯恂，有《三傳異同說》；鄭玄師從張恭祖、馬融，有《左氏膏肓》，自覺地融今文

---

9 漢・班固：《漢書》，頁1317。

10 程元敏：《春秋左氏經傳集解序疏證》（臺北：臺灣學生書局，1991年），頁59。

11 南朝宋・范曄：《後漢書》（北京：中華書局，1965年），頁1235。

12 沈玉成、劉寧：《春秋左傳學史稿》（南京：江蘇古籍出版社，1992年），頁120。

13 南朝宋・范曄：《後漢書》，頁2583。

學於古文學之中；穎容師從楊賜，有《春秋左氏條例》。但賈、服二人的的《左傳》注解無疑代表了東漢注「左」的較高水準，體現了《左傳》學發展的一個重要階段，他們二人的「注左」思想和特點體現了《左傳》漢注的總體風貌。

史傳所見兩漢《左傳》學代表及其著述表

| 人物 | 相關作品 | 內容特色 | 流傳狀況 |
| --- | --- | --- | --- |
| 張蒼、賈誼、尹鹹等 | 左氏傳訓詁 | 對古字古言訓詁 | 早佚。 |
| 劉歆 | 章句、條例二十卷 | 始改稱春秋左傳。引傳文以解經，轉相發明，由是章句、義理備焉。 | 散見《經典釋文》以及《玉函山房輯佚叢書》等書。 |
| 鄭興 | 春秋左氏條例訓詁、章句訓詁 | 與劉歆合注。 | 早佚。 |
| 鄭眾 | 春秋左氏條例章句 | （另有許淑《春秋左氏傳注》、賈徽《春秋左氏條例》） | 雖佚，但有輯本傳世。 |
| 賈逵 | 春秋左氏傳解詁 | 用《公》《穀》，今存四條。附會文致。 | 散佚，保留在《左傳正義》及清人輯佚成果中。 |
| 服虔 | 春秋左氏傳解誼 | 用《公》《穀》，各一條。 | 散佚，保留在《左傳正義》及清人輯佚成果中。 |
| 穎容 | 春秋左氏條例 | | 早佚，《玉函山房輯佚叢書》輯得二十七條。 |

## 三　清人輯佚《左傳》漢注的基本情況

晉代杜預成書《春秋左氏經傳集解》，之後關於《左傳》的注釋的研究就大致分成了兩個流派，一派遵從服虔為代表的漢注，另一派繼承了杜預的觀點和主張。發展到南北朝時期，「杜注」在南方佔據了主導地位，而「服注」則是盛行在北方，二者形成分庭抗禮的局面。隋朝劉炫著《春秋左傳述義》四十卷，是主要尊崇「杜注」的注解專著，也為孔穎達編《春秋左氏傳正義》的主要依據。作為唐代朝廷主持編訂的官方理論書籍，《春秋左氏傳正義》採用「杜注」，這就打破了兩種注釋之間的力量平衡。唐高宗時，《五經正義》成為官方指定的科舉參考書，這就基本斷絕了漢注的生存命脈。之後，《左傳》漢注基本散失，但賈、服二人的注解散見在後代的歷史典籍或類書和經學著述中。中唐、宋代之後，《春秋》學雖有重經輕傳的傾向，但《左傳》之事往往為學者所取，對於杜注也少有否定。及至明代才開始對《左傳》注疏開始懷疑，明陸粲《左傳附注》五卷「前三卷駁正杜預之《注》義，第二卷駁正孔穎達之《疏》文，第五卷駁正陸德明《左傳釋文》之音義」[14]。傅遜撰有《左傳注解辨誤》二卷，駁正杜預之解；《左傳屬事》二十卷「于杜氏《集解》之未安者，頗有更定。」[15]但杜注孔疏地位遠遠沒有動搖，即使到乾隆時期修《四庫全書》，紀曉嵐還認為：「然有《注》《疏》而後《左氏》之義明，《左氏》之義明而後二百四十二年內善惡之跡一一有徵。後儒妄作聰明、以私臆談褒貶者，猶得據《傳》文以知其謬。則漢晉以來藉《左氏》以知《經》義，宋元以後更藉《左氏》以杜臆說矣。《傳》與《注》、《疏》，均謂有大功於《春秋》可也。」[16]紀氏又肯定杜氏《春秋釋例》十五卷，謂「《左傳》以杜解為門徑，《集解》又以是書為羽翼」[17]。

清人對《左傳》漢注的研究是從對杜注的補闕開始的，從補缺到全盤否定，進而提出重新恢復杜預之前的舊注（包括漢注），以取代流行的杜注。顧炎武撰《左傳杜解補正》三卷「以杜預《左傳集解》時有闕失，賈逵、服虔之《注》、樂遜之《春秋序義》今又不傳，於是博稽載籍，作為此書。」[18]此後沿此思路的著述有朱鶴齡《讀左日鈔》、惠棟《左傳補注》，專門之學則有則有陳厚耀《春秋長曆》、江永《春秋地理考實》。及至乾嘉後期，學者普遍對宋代以來一家獨大的杜注不滿，沈欽韓甚至認為杜注是《左傳》學史上四大災難之一。[19]之所以如此，在於他們認為，《左傳》自劉歆創通義訓後，賈逵、服虔兩注盛行，自杜預剽竊成今注，而舊注盡廢；杜注錯謬甚多，其少有可觀者，皆是承襲承襲賈、服舊說。[20]這些學者耗費極大時間，對散佚的古書進行了考證，其中有許多關於《左傳》漢注的輯佚著作，主要作品有嚴蔚《春秋內傳古注輯存》、馬宗璉《春秋左傳補注》、李貽德《春秋左氏傳賈服注輯述》、洪亮吉《春秋左傳詁》、沈欽韓《春秋左氏傳補注》、沈豫《左傳服注存》、劉文淇等的《春秋左氏注舊注疏證》以及王謨《漢魏遺書鈔》、馬國翰《玉函山房輯佚書》、黃奭《漢學堂叢書》等人的輯佚叢書中的包含《左傳》漢注的部分。古文經學家們用訓詁方法校訂，彌補文字上的疏漏之處，旁徵博引，不僅還原了漢代《左傳》注釋的風貌，還在此基礎上有所補充和發展，希望借此尋找支撐自己觀點的證據，由漢注的發展則來窺見漢代儒者對《左

14 清・永瑢等撰：《四庫全書總目》（北京：中華書局，1965年），頁230。
15 清・永瑢等撰：《四庫全書總目》，頁232。
16 清・永瑢等撰：《四庫全書總目》，頁210。
17 清・永瑢等撰：《四庫全書總目》，頁212。
18 清・永瑢等撰：《四庫全書總目》，頁235。
19 郭院林：《清代儀徵劉氏《左傳》家學研究》，（北京：中華書局，2008年），頁155。
20 劉瑾輝：《焦循評傳》（揚州：廣陵書社，2005年），頁65。

傳》的接受軌跡，從而為辨明《左傳》的真偽提供一個新的角度，增加自己與今文學家們論爭的底氣和聲勢。

梁啟超將劉文淇等編纂的《春秋左氏傳舊注疏證》作為清代整理舊注與《左傳》新疏的代表作。[21]劉文淇（1789-1854），字孟瞻，經明行修，治學尤肆力《左傳》，成書《春秋左氏傳舊疏考正》，《春秋左氏傳舊注疏證》一書長編已具，而未能卒業。當時學人「病十三經舊疏多踳駁，欲仿江氏、孫氏《尚書》，邵氏、郝氏《爾雅》，焦氏《孟子》，別作疏義」[22]。劉文淇之前清人新疏有新作疏者有郝懿行《爾雅義疏》、邵晉涵《爾雅正義》、孫星衍《尚書今古文注疏》、洪亮吉《春秋左傳詁》、焦循《孟子正義》、陳奐《詩毛氏傳疏》。杜注對待前人「舊注」，有「排擊」「剿襲」「沿用」三大過失，劉文淇「歎左氏之義，為杜征南剝蝕已久」，於是決定編訂一本《春秋左傳舊注疏證》，他輯佚舊注的原則與方法是：「取左氏原文，依次排比，先取賈、服、鄭三君之注，疏通證明。凡杜氏所排擊者，糾正之；所剿襲者，表明之。其襲用韋氏者，亦一一疏記。他如《五經異義》所載左氏說，皆本左氏先師；《說文》所引《左傳》，亦是古文家說；《漢書・五行志》所載劉子駿說，皆左氏一家之學。又如《周禮》《禮記疏》所引《左傳注》，不載姓名而與杜注異者，亦是賈、服舊說。凡若此者，皆以為注而為之申明。……以矯元凱、沖遠襲取之失。」[23]劉文淇辨析「杜注」「孔疏」的相關內容，從中剔選出漢人「舊注」，並從《說文解字》《太平御覽》及各類經史典籍的注、疏中搜索漢人舊注，再輔以疏證和按語，形成了經文、傳文、注文都相當具體完備的《左傳》舊注的疏證。

古人論事，常引用典故或前代史事以喻明之，這樣不同時代的文獻就可以互相印證。劉文淇於《疏證》中引「《左傳》古說」而申論其說者，分別見於《韓非子》《呂氏春秋》《淮南子》《史記》等書中，尤以《史記》為多。劉文淇稱「《史記》多存《左氏》說，未可疑為謬」[24]。劉文淇廣泛徵引史籍中與《左傳》記載相近或相關事蹟，以印證《左傳》事義。因為他曾注《南北史》，所引魏晉南北朝史事居多。西漢《左傳》先師除張蒼、賈誼、尹咸、陳欽外，多無著述流傳，劉文淇據史傳和兩漢諸子採錄；漢注明載姓名者有劉歆、鄭眾、賈逵、許淑、潁容、馬融、鄭玄、服虔、王肅、欒信、京相蟠等。《史記》文字用詞與《左傳》記載常有差異，此應是依據資料不同，或者司馬遷改寫，可以看作《左傳》之補充。相對於清人的其他輯佚著作，劉氏家族的《疏證》雖是未完稿，但仍有以下三方面的優勢。第一，本書體大思精，疏證內容考證充分，極

21 清・梁啟超：《中國近三百年學術史》（北京：東方出版社，1996年），頁239。

22 清・陳立：《論語正義》（上海：上海古籍出版社，1993年）敘。

23 清・劉文淇著：《青溪舊屋文集》，吳平等整理：《儀徵劉氏集》（揚州：廣陵書社，2018年），頁29。

24 清・劉文淇等：《春秋左氏傳舊注疏證》（北京：科學出版社，1959年），頁308。

具清人治學特色，在《左傳》學史上具有總結性意義；第二，本書晚出，得以吸收眾家之長，又獨具特色；第三，其中收錄大量的賈、服注釋相對更值得信服，是研究《左傳》漢注的重要資料。沈玉成評價此書「對漢人舊注作了集大成式的總結，賈、服舊說收羅之完備，歸納之清晰都罕有其匹」[25]。因此，本文以劉氏《春秋左氏傳舊注疏證》為依據，考察《左傳》漢注的特點。

## 四 《左傳》漢注舉例與內容分析

劉氏《疏證》前「注例」說：「服虔。賈逵。賈、服以為。賈、服云。賈、服以。舊注。諸書引《左傳》注，不載姓名，而確非杜《注》。」[26]這就指出了輯錄歸納舊注的標誌，也表明該書主要收錄了賈逵、服虔二人的注釋，也涉及劉歆，穎容等人以及一些不明作者的漢代舊注。下麵以劉氏著述者所輯存《左傳》「隱西元年」漢注為例，來分析《左傳》漢注的基本情況：

1 〔傳〕孟子卒。〔注〕服虔云：「嫌與惠公俱卒，故重言之。」(本《疏》)。

2 繼室以聲子。〔注〕服虔云：「聲子之謚，非禮也。」(《通典》一百四引)。

3 是以隱公立而奉之。〔注〕賈逵云：「隱立桓為太子，奉以為君。」鄭眾云：「隱公攝立為君，奉桓為太子。」(本《疏》)。

4 〔經〕元年，春，王正月。〔注〕服虔云：「孔子作《春秋》，於春每月書王，以統三王之正。」(本《疏》)。

5 秋，七月，天王使宰咺來歸惠公仲子之賵。〔注〕賈逵云：「畿內稱王，諸夏稱天王，夷狄稱天子。」《谷梁》成九年《疏》服虔云：「咺，天子宰夫。《周禮・大行人疏》：『賵，覆也，天王所以覆被臣子。』」(本《疏》)。

6 〔傳〕不書即位，攝也。〔注〕賈、服云：「公實即位，孔子修經，乃有不書。不書即位，所以惡桓之篡。」(本《疏》)。

7 未王命，故不書爵。曰「儀父」，貴之也。〔注〕賈、服以為儀父嘉隱公有至孝謙讓之義，而與結好，故貴而字之。善其慕賢說讓。經《疏》服又云：「爵者，醮也。所以醮盡其材也。」

8 初，鄭武公娶于申。〔注〕賈云：「凡言初者，隔其年後，有禍福將終之，乃言初也。」(本《疏》)。

9 生莊公及共叔段。〔注〕賈、服以共為謚。(本《疏》)。

---

25 沈玉成、劉寧：《春秋左傳學史稿》，頁326。

26 清・劉文淇等：《春秋左氏傳舊注疏證》(北京：科學出版社，1959年)，卷首。

10　請京，使居之，請之京城大叔。〔注〕賈云：「京，鄭都邑。」（《史記・鄭世家集解》）。

11　都城過百雉。〔注〕賈云：「雉長三丈。」本《疏》服云：「天子城高九雉，隅高七雉。侯伯之城高三雉，隅高五雉。都城之高，皆如子男之城高。」（《周禮・考工記・匠疏》）。

12　無使之滋蔓！蔓，難圖也。〔注〕服云：「滋，益也；蔓，延也，謂無使其益延長也。」（《群經音義》）。

13　大叔完聚。〔注〕服云：「聚禾黍也。」

14　大叔出奔共〔注〕賈云：「共，國名。」（《鄭世家集解》）。

15　謂之鄭志〔注〕服云：「公本欲養成其惡而加誅，使不得生出。此鄭伯之志意也。」（本《疏》）。

16　遂寘姜氏於城潁而誓之曰：「不及黃泉，無相見也！」〔注〕賈云：「鄭地。」本《疏》服云：「天玄地黃，泉在地中，故曰黃泉。」（《鄭世家集解》）。

17　潁考叔為潁穀封人。〔注〕賈云：「潁穀，鄭地。」（《鄭世家集解》）。

18　未嘗君之羹……繄我獨無。〔注〕舊注：「肉有汁曰羹。」《御覽》八百六十一服云：「繄，發聲也。」（《僖五年正義》）。

19　若闕地及泉，隧而相見。〔注〕賈云：「闕地通路曰隧。」《國語注》舊注：「闕，穿也。隧，埏也。」（《御覽》四百十二）。

20　公從之。公入而賦：「大隧之中，其樂也融融！」薑出而賦：「大隧之外，其樂也泄泄。」〔注〕服云：「入言公，出言姜，明俱出入互相見。」（本《疏》）。

21　同軌畢至。〔注〕服云：「軌，車轍也。」（本《疏》）。

22　改葬惠公。〔注〕賈云：「改葬，改備禮也。葬，嗣君之事，公弗臨，言無恩。禮曰：改葬緦也。」（《御覽》五百五十三）。

23　惠公之薨也，有宋師。〔注〕服云：「宋師即黃之師也。是時，宋來伐魯，公自與戰。」本《疏》賈云：「言是以明禮闕故。」（《御覽》同上）。

24　公不與小斂。〔注〕賈云：「不與大斂，則不書卒。」（本《疏》）。[27]

從上引可以看出，服虔與賈逵注各12次，其中兩人共有（賈、服注）三次，舊注2次，鄭眾1次。賈、服除了注釋詞語與地名外，還疏通文意，講求義理。

《左傳》漢注偏重名物訓詁與制度解釋，其最大貢獻也在這部分內容，其中有些解釋還對理解《左傳》的相關情節有很大的作用，如上舉12／13／18／19／21條中的「滋、蔓、聚、羹、軌」等字，許多相關注解常常為杜預等所採用。對名物的說明：

27 清・劉文淇等：《春秋左氏傳舊注疏證》（北京：科學出版社，1959年），頁1-14。

「四年，春，王三月，楚武王荊尸，授師孑焉，以伐隨。〔注〕舊注：孑，句孑。」[28]《春秋》的記敘特色是講求「微言大義」，一字褒貶。賈、服注的一些名物訓詁中就自然而然涉及了義理的解讀。如：「公會齊侯於濼，遂及文姜如齊，齊侯通焉。〔注〕服云：旁淫曰通。」[29]通過對「通」的解釋揭露了齊侯魯夫人的不恥之事。在訓詁字義時，又結合歷史背景討論結果：「與其危身以速罪也。〔注〕服云：「速，召也，疾也。言太子不去自必危疾召罪。狐突知其難本既成，而太子拘于一節，不達至孝之義，與皋落雖戰勝而歸，猶不能免乎難，而使父有悖惑殺子之罪。故《傳》備載眾賢之言，以逆跡太子所以死也。《經》在僖五年，晉侯殺其太子申生。」[30]

《左傳》注《春秋》的長處在事例豐富，記敘生動，上面舉例有關歷史事實與地理名稱的就有3／6／9／14／16／17／23／24。再如說明人物關係的：「冬，鄭伯拜盟。宋華父督見孔父之妻于路。〔注〕服云：督，戴公之孫。」[31]介紹地理方位與歷史背景：「七年，春，穀伯、鄧侯來朝。名，賤之也。〔注〕服云：穀、鄧密邇于楚，不親仁善鄰以自固，卒為楚所滅，無同好之救桓又有弒賢兄之惡，故賤而名之。」[32]賈、服通過對事例更深層次細節和原因的分析，來臧否人物，闡發義理。除上述「隱公攝立為君」等解釋外，還例如：

（1）九月，公敗邾師於偃，虛丘之戍將歸者也。〔注〕服云：「虛丘魯邑，魯有亂。邾使兵戍虛丘，魯與邾無怨。因兵將還，要而敗之，所以惡僖公也。」[33]

（2）〔傳〕元年，春，不稱即位，文姜出故也。〔注〕服云：「文姜通于兄齊襄，與殺公而不及，父殺母出，隱痛深諱，期而中練，思慕少殺，念至於母。故經書三月夫人孫于齊。」[34]

例（1）服虔點出魯敗邾師以及虛丘「重歸」于魯背後的細節，這樣一個背信棄義的魯國君主形象就躍然紙上了。例（2）是闡述「父弒母出」對魯莊公「即位」之事的影響，從而體現義理。事例與義理的結合在一定程度上彌補了《左傳》在經義闡發上不夠充分的缺陷，為《左傳》學的進一步發展作出了貢獻。

《左傳》以「禮」見長，上面舉例中討論禮制的有2／4／5／11／22。賈逵在呈給漢章帝的奏章提到，「又《五經》家皆無以證圖讖明劉氏為堯後者，而《左氏》獨有明

28 清・劉文淇等：《春秋左氏傳舊注疏證》（北京：科學出版社，1959年），頁140。
29 清・劉文淇等：《春秋左氏傳舊注疏證》（北京：科學出版社，1959年），頁130。
30 清・劉文淇等：《春秋左氏傳舊注疏證》（北京：科學出版社，1959年），頁240。
31 清・劉文淇等：《春秋左氏傳舊注疏證》（北京：科學出版社，1959年），頁65。
32 清・劉文淇等：《春秋左氏傳舊注疏證》（北京：科學出版社，1959年），頁103。
33 清・劉文淇等：《春秋左氏傳舊注疏證》（北京：科學出版社，1959年），頁245。
34 清・劉文淇等：《春秋左氏傳舊注疏證》（北京：科學出版社，1959年），頁103。

文」，[35]試圖從道德禮制方面用《左傳》為漢朝的合法性提供解釋，而禮制的推廣也符合了當權者維持穩定的要求。因此，賈逵、服虔等人有意識地在注釋中將這一方面表現出來。再如：

（1）癸巳，葬蔡桓侯。〔注〕劉、賈、許曰：「桓卒而季歸，無臣子之辭也。」[36]

（2）三月，夫人孫于齊。不稱姜氏，絕不為親，禮也。〔注〕服云：「夫人有與殺桓之罪，絕不為親，得尊父之義。善莊公思大義，絕有罪。故曰禮也。」[37]

（3）割臂盟公，生子般焉。〔注〕賈云：「割其臂以與公盟。」[38]

（4）夏，許男新臣卒。〔注〕賈云：「不言于師，善會主加禮，若卒于國。」[39]

（5）秋，禘而致哀姜焉，非禮也。凡夫人不薨于寢，不殯於廟，不赴於同，不祔于姑，則弗致也。〔注〕服云：「不薨於寢，寢謂小寢；不殯於廟，廟謂殯宮。鬼神所在謂之廟。」[40]

賈、服等人在注釋中發展了《左傳》對於周朝禮制的記敘深度和廣度，例（1）中劉歆、賈逵、許慎等人體現了漢儒對於禮制的敏感和尊重，在漢儒看來，這裡稱蔡桓候是為了貶蔡國臣子「失禮」。例（2）中則展示了禮制對親情關係的約束，這也是薑氏因「殺桓之罪」而應接受得「禮」的懲罰。例（3）涉及了結盟之禮。例（4）通過對許國國君死亡記敘方式的探討來彰顯禮制。例（5）的服注就是對喪葬制度的記錄，又涉及了對祭祀所在「廟」的解析。再如：「夏，公及宋公遇於清。〔注〕劉、賈云：「遇者，用冬遇之禮，遇禮簡易。」割臂盟公，生子般焉。〔注〕賈云：「割其臂以與公盟」[41]，明確了所用禮制。「公既視朔，遂登觀台以望。而書，禮也。〔注〕服云：人君入太廟視朔，告朔。天子曰靈台，諸侯曰觀台。賈服云：靈台在太廟、廟堂之中。」[42]在注解「觀台」時，賈、服注意區分了對於天子和諸侯所登之台的不同看稱呼，鮮明地區分體現出了儒家禮制的等級，其後又點明「靈台」的所在地，更突顯出「靈台」高出一籌的地位。

解釋行文與用字，上面舉例中有1／7／8／15／20條。這些注釋都是從文法角度進行的揣測，有些是恰當的，比如特別提到「孟子」卒，提到「初」字預示後來結果等。

35 南朝宋・范曄：《後漢書》，頁1237。
36 清・劉文淇等：《春秋左氏傳舊注疏證》（北京：科學出版社，1959年），頁127。
37 清・劉文淇等：《春秋左氏傳舊注疏證》（北京：科學出版社，1959年），頁136。
38 清・劉文淇等：《春秋左氏傳舊注疏證》（北京：科學出版社，1959年），頁216。
39 清・劉文淇等：《春秋左氏傳舊注疏證》（北京：科學出版社，1959年），頁252。
40 清・劉文淇等：《春秋左氏傳舊注疏證》（北京：科學出版社，1959年），頁287。
41 清・劉文淇等：《春秋左氏傳舊注疏證》（北京：科學出版社，1959年），頁24。
42 清・劉文淇等：《春秋左氏傳舊注疏證》（北京：科學出版社，1959年），頁267。

再如「不書葬，不成喪也。〔注〕賈、潁云：君弒不書葬，賊不討也。」[43]注釋既是在探討君主的身後事，也是在強調君主的特殊地位，這無疑契合了三綱中的「君為臣綱」和「父為子綱」的倫理思想。但也有過度闡釋的，如「有年。〔注〕劉、賈、許以為經諸言有，皆不宜有之辭也。」[44]這就遭到後來很多學者的反對，「有年」是客觀敘述，如果此處是貶義，則于仁愛與民生觀念相違背。

## 五　結語

《春秋》三傳之中，《左傳》以事例和禮制見長，《左傳》漢注發展了《左傳》在這兩方面的優點，促進了《左傳》研究學的形成，還使得《左傳》能進入官方視野並佔據一席之地。另外，漢儒的「注左」活動相對來說距離《左傳》成書的年代更為接近。因此，在名物、訓詁、典章制度等方面具有更大的研究意義。但必須看到，《左傳》漢注也體現出強烈的義理，其中尊王思想尤其強烈。不同于《公羊傳》代表的今文經學家以魯公為王的思想傾向，東漢的賈、服等《左傳》學家更注重周天子的至高無上的地位。儘管《春秋》是以魯國為敘述主體，從魯國歷史出發，但在漢代古文經學家們看來，周天子尚在，「王」和「公」的分別必須要界限分明，否則就是違「禮」和僭越。賈逵不僅強調《左傳》「皆君臣之正義，父子之綱紀」，「義深于君父」，「崇君父，卑臣子，強幹弱枝」，[45]而他們也在對《左傳》的注解中體現了這一點，如：

> 〔經〕（隱公）元年，春，王正月。〔注〕服虔云：「孔子作《春秋》，於春每月書王，以統三王之正。」〔疏證〕《漢書・律曆志》引劉歆說：「《元典曆》始曰元。《傳》曰：『元者，善之長也。共養三德為善。』」又曰：「元，體之長也。合三體而為之元，故曰元。于春三月每月書王，元之三統也。三統合於一元，故因元一而九三之以為法，十一三而以為實。」又曰：「《經》，元一以統始，《易》大極之首也。《春秋》二以目歲，《易》兩儀之道也。于春每月書王，《易》三極之統也。於四時，雖亡事必書時月，《易》四象之節也。時月以建分、至、啟、閉之分，《易》八卦之位也。象事成敗，易吉凶之効也。朝聘會盟，《易》大業之本也。故《易》與《春秋》天人之道也。」[46]

劉文淇指出：「《公羊》隱元年《疏》引賈逵《正義》云：『《公羊》以魯隱公為受命之王，黜周為二王后。名不正則言不順，言不順則事不成。今隱公人臣，而虛稱以王，周

43 清・劉文淇等：《春秋左氏傳舊注疏證》（北京：科學出版社，1959年），頁72。

44 清・劉文淇等：《春秋左氏傳舊注疏證》（北京：科學出版社，1959年），頁82。

45 南朝宋・范曄：《後漢書》，頁1236-1237。

46 清・劉文淇等：《春秋左氏傳舊注疏證》（北京：科學出版社，1959年），頁3。

天子見在，而黜公侯，是非名正而言順也。如此何以笑子路率爾？何以為忠信？何以誨人？何以為法？何以全身？』按：《春秋》用周正，《左氏》云周正月，所以明《春秋》用周正也，王謂周王。《公羊》以隱公為受命之王，故賈氏駁之。」[47]從此可以看出，古文經學家也試圖將儒家經典與自然、社會秩序對應並系統化，再如：

（1）戊申，衛州吁弒其君完。〔注〕賈云：「不稱公子，弒君取國，故以國言之。」[48]

（2）冬，公子友如陳。〔注〕穎氏曰：「臣無境外之交，故去弟以貶季友。」[49]

（3）故曰塚子。君行則守，有守則從。〔注〕服云：「有代太子守則從之。」[50]

（4）齊師、宋師、曹伯次於聶北，救邢。〔注〕賈、服以為此言「次於聶北，救邢」，與襄二十三年叔孫豹「救晉，次於雍榆」，二事相反，此是君也，進止自由；彼是臣也，先通君命。[51]

例（1）中同樣是從對傳文「不稱公子」這一微小的細節的解析中揭露弒君的大罪。例（2）中潁容評價公子友並沒有遵從臣子的本分，僭越行使了只有國君才具有的「外交」大權，所以，經文中省去「弟」來諷刺季友不循孝悌之義。而長於義理的《公羊傳》《穀梁傳》不僅沒有傳文，何休等今文學家類似「內朝聘言如者，尊內也」等的注文也遠沒有潁容這一條注釋的批判意味。例（3）則是涉及了庶子和太子的區別。例（4）則是通過對事件敘述先後順序的不同，揭示了君臣之分。從這些漢注的內容分析中，我們可以看到，學術與思想的結合。

《春秋》學因為自身政治哲學的性質，故而闡釋《春秋》的三傳也就隨政治需求而升降。漢武帝時，國家大一統要求思想的大一統，董仲舒帶著《公羊》家的「《春秋》」登上了時代舞臺；漢宣帝時期，《穀梁傳》也應運西漢後期的改革而大為興盛；王莽新朝時期，在漢朝遭受了重大挫折的劉歆的《左傳》學借著王莽改革致力恢復周禮的春風，得以成為這一時期的官方指導思想。賈逵、服虔等人用自己的《左傳》注解突顯古文經學的優勢，在現實政治和哲學思想之間尋求一個平衡點，讓《左傳》學為當權者所接受。杜預謂先儒「大體轉相祖述，進不成為錯綜經文以盡其變，退不守丘明之傳，於丘明之傳有所不通，皆沒而不說，而更膚引《公羊》《穀梁》，適足自亂」[52]。他試圖建立《左傳》之例，歸納《凡例》，撰寫《釋例》，結果遭到了清代學者的攻擊。清人以為

47 清．劉文淇等：《春秋左氏傳舊注疏證》（北京：科學出版社，1959年），頁5。
48 清．劉文淇等：《春秋左氏傳舊注疏證》（北京：科學出版社，1959年），頁24。
49 清．劉文淇等：《春秋左氏傳舊注疏證》（北京：科學出版社，1959年），頁196。
50 清．劉文淇等：《春秋左氏傳舊注疏證》（北京：科學出版社，1959年），頁235。
51 清．劉文淇等：《春秋左氏傳舊注疏證》（北京：科學出版社，1959年），頁243。
52 程元敏：《春秋左氏經傳集解序疏證》，頁56。

兩漢《左傳》學者總是強調治經家法與師法，將兩漢以降的經說淪沒，歸罪於杜注或孔疏。其實後人「杜注補正」無法逾越杜預所集解的經傳。事實恰如皮錫瑞《經學通論》中「杜預《釋例》亦有功于左氏」所論：

> 左氏之例，始于鄭興、賈徽，其子鄭眾、賈逵，各傳家學，亦有條例，穎容已有釋例。在杜預之前，左氏傳本無日月例。孔《疏》曰：「《春秋》諸事皆不以日月為例，例其以日月為義例者，唯卿卒日食二事而已。……」錫瑞案：二條為後人附益，固無可疑，即五十凡，亦未知出自何人，然鄭、賈、穎已言例在前，則非杜預所創，特不當以舊例為周公所定耳。[53]

《左傳》學的發展有一個歷史過程，同時與當時社會政治密切相關。可以說，《左傳》學從一開始就是與今文經學緊密相連的。劉歆的老師尹咸、翟方進，他的父親劉向都是兼治《穀梁傳》和《左傳》的。到了東漢，這一情況同樣普遍，鄭興兼善《公羊》和《左傳》，賈逵致力古文經學的同時「兼通五家《穀梁》之說」[54]。因此，這些因素不能不導致他們注解《左傳》時，在保留古文經學自身特點的基礎上，對今文經學進行借鑒和吸收。賈逵在向漢章帝闡發《左傳》大義時提到「其餘同《公羊》者什有七八，或文簡小異，無害大體」[55]。這即是事實，也是一種策略，他先融合《公羊》，然後再突出《左傳》，成功地推進了《左傳》學的研究，同時也將今文與古文傳從對立走向融合。

53 皮錫瑞：《經學通論》（北京：中華書局，1954年），頁53。
54 南朝宋・范曄：《後漢書》，頁1235。
55 沈玉成、劉寧：《春秋左傳學史稿》，頁1236。

# 徵引文獻

## 一　原典文獻

漢・班　固：《漢書》，北京：中華書局，1962年。

漢・司馬遷：《史記》，北京：中華書局，1959年。

晉・杜　預注，唐・孔穎達疏：《春秋左傳正義》，北京：北京大學出版社，1999年。

南朝宋・范　曄：《後漢書》，北京：中華書局，1965年。

清・永　瑢等撰：《四庫全書總目》，北京：中華書局，1965年

清・梁啟超：《中國近三百年學術史》，北京：東方出版社，1996年。

清・陳　立：《論語正義》，上海：上海古籍出版社，1993年。

清・劉文淇著：《青溪舊屋文集》，吳平等整理：《儀徵劉氏集》，揚州：廣陵書社，2018年。

清・劉文淇等：《春秋左氏傳舊注疏證》，北京：科學出版社，1959年。

## 二　近人著作

皮錫瑞：《經學通論》，北京：中華書局，1954年。

沈玉成、劉寧：《春秋左傳學史稿》，南京：江蘇古籍出版社，1992年。

郭院林：《清代儀徵劉氏《左傳》家學研究》，北京：中華書局，2008年。

程元敏：《春秋左氏經傳集解序疏證》，臺北：臺灣學生書局，1991年。

劉瑾輝：《焦循評傳》，揚州：廣陵書社，2005年。

# 關於清華簡《趙簡子》中的晉國君主[*]

小寺敦

（日本）東京大學東洋文化研究所教授

## 摘要

本報告通過分析晉國的獻公、襄公、平公三位君主的評價，來試探清華簡《趙簡子》編纂者部分的歷史觀，故將清華簡《趙簡子》、《繫年》和《左傳》等傳世文獻綜合在一起來研討，從而考察清華簡總體所表現出的歷史認知。關於晉獻公，在《趙簡子》、《繫年》和傳世文獻中的評價差異都很大。《趙簡子》中晉獻公被作為奠定晉國發展基礎的名君，可是《繫年》卻沒有獻公對晉國發展貢獻的記載；而傳世文獻敘述了他發展了晉國的實力並加強了君權。關於晉襄公，《趙簡子》、傳世文獻中對其的評價本身基本相似，但是《趙簡子》僅高度評價了襄公一人。關於晉平公，《趙簡子》與其他文獻有些許不同之處。《趙簡子》認為平公由於大興土木而不修政事，最終失去了霸者的地位；在《繫年》中所見的平公時期並沒有這樣的現象。傳世文獻雖也沒有給予晉平公高度評價，其視平公時期為悼公復興晉國霸業後所達到的又一個頂點。歸根結柢，《趙簡子》不是以記錄晉國歷史本身為目的的文獻，這三位晉國君主只是用以講解齊國陳氏掌握權力的原因而引用的歷史實例。它以與傳世文獻不同方式評價了晉國君主，尤其此篇中針對晉獻公和晉襄公，比起傳世文獻給予了更高的評價。《趙簡子》以阻止楚國北進趨勢的幾位晉國君主的行動為典範，反而以與楚國進行停戰的君主作為「反面教材」。當到了離文獻成書比較遠的時代，這些文獻便不用考慮楚晉之間的關係，可以站在比較中立的立場來評價晉國君主。這也意味著包括中原的北方地區與楚國，在關於比較遙遠時代的歷史認知上有著共通之處。

**關鍵詞：**清華簡、《趙簡子》、晉國君主、歷史觀

[*] 本文為 JSPS 科研費18K00989支持的研究成果。

# A Study of the Monarchs in "Zhaojianzi" of the Qinghua Bamboo Slips

Kotera Atsushi

Professor, Institute for Advanced Studies on Asia, The University of Tokyo

**Abstract**

This article analyzing of three monarchs—Xiangong, Xianggong and Pinggong—of Jin state, finds out the author's historical viw of "Zhaojianz" of the Qinghua Bamboo Slips, and examining "Zhaojianzi", "Xinian" and Chinese classical literal materials such as "Zuozhuan", etc., gives careful consideration to what the manuscripts of the Qinghua Bamboo Slips express their historical viw. There is a big difference about their evaluations between in "Zhaojianzi", "Xinian" and in the classics. But there is no mention about Xiangong's contribution to the development of Jin state in "Xinian", and are such records in the classics. The evaluation to Xianggong in "Zhaojianzi" and the classics are alike, but "Zhaojianzi" only has a high opinion of him. About Pinggong, there are distinctions between "Zhaojianzi" and other texts. "Zhaojianzi" describes that Pinggong was absorbed in the construction and neglect political issues, at last lost the status of the leader of the lords. There is no mention of this matter in Pinggong's period of "Xinian". While the classics don't rate Pinggong highly, they regard his period as a heyday after Daogong restored Wengong's domination. "Zhaojianzi" isn't a text of recording history, and giving these three monarchs as historical examples, explains why Chen lineage took power of Qi state. "Zhaojianzi" assesses them by different point of view—especially about Xiangong and Xianggong—has more high opinion of them. "Zhaojianzi" regards monarchs who blocked Chu state's movement for north as role models, but a monarch who made a truce with it as a bad example. These texts don't take notice of the relationship of Chu and Jin in the period distant from their compilation, and take a neutral attitude to evaluate the monarchs of Jin state. This means there were a common historical views in northern region such as Zhongyuan and Chu state in ancient times.

**Keywords:** Qinghua Bamboo Slips , "Zhaojianzi" , monarchs of Jin, historical views

# 一　前言

由於其身居高位，君主經常作為國家和時代的象徵而被描寫。若要在中國歷史中列舉具有代表性的君主可能就要數周文王、武王、商帝辛（紂）等。他們代表了王朝的興起和滅亡，他們的行為亦被後世作為經驗教訓而總結。[1]而後世的所有君王雖不及他們那麼典型，卻也全都難免後人的品評。在這些評價君主的傳世文獻中，以《漢書・古今人表》最為典型，各類君主均被一一記載。因此通過對君主的評價，我們便可了解到史官們從中展現出的歷史觀。

清華簡中也含有評價君主的文獻。[2]報告書第7冊所收錄的《趙簡子》便是此類文獻之一。[3]本篇記錄了春秋時代晚期晉國趙簡子和范獻子、成鱄之間的問答。在問答中簡潔地敘述了過去晉國君主的事蹟和對他們的評價。這些君主都是出現在傳世文獻之中的有名人物。但是傳世文獻與《趙簡子》對這些君主的評價卻有所不同。

本報告將通過分析這些對君主的評價來試探《趙簡子》編纂者部分的歷史觀。上述的這些君主也被記錄在《趙簡子》之外的清華簡其他諸篇中。因此本報告便將這些文獻諸篇綜合在一起來研討，從而考察清華簡總體所表現出什麼樣的歷史認知。

---

1　沒有記載從某種意義而言也算是一種評價。

2　由於清華簡的竹簡及文字特徵，整理報告主張其年代為戰國後期，而且接近郭店簡、上博簡。參看《清華大學藏戰國竹簡・壹》，「前言」，頁3。李學勤、陳民鎮兩先生說不能由楚文字的字體直接推論清華簡是楚國人製作的。參看李學勤：《清華簡〈繫年〉及有關古史問題》，《文物》2011-3（北京：2011年3月）；陳民鎮：《〈繫年〉「故志」說——清華簡〈繫年〉性質及撰作背景芻議》，《邯鄲學院學報》22-2（邯鄲，2012年6月）。關於其書法，邢文先生說清華簡的書法有很多戰國楚簡的風格。參看邢文：《楚簡書法探論——清華簡〈繫年〉書法與手稿文化》（北京：中西書局，2015年10月），頁5。郭永秉先生等學者們指出在清華簡的文字中能看見三晉文字的影響。參看郭永秉：《清華簡《繫年》抄寫時代之估測》，李守奎主編：《清華簡〈繫年〉與古史新探》（上海：中西書局，2016年12月），頁324-325。蘇建洲先生說《繫年》的底本非來自楚國。參看蘇建洲、吳雯雯、賴怡璇：《清華二〈繫年〉集解》（臺北：萬卷樓，2013年12月），頁883。大西克也先生否定蘇建洲先生之說，而且根據《繫年》有非楚系用字，主張《繫年》是佯裝站在俯瞰的、客觀的上帝視角論述，為了教育讀者諸國興亡的由來而被編纂的，屬於故志類書籍。參看大西克也：《清華簡《繫年》の地域性に關する試論—文字學の視點から—》，《資料學の方法を探る》14（松山：2015年3月），頁43-44。

3　清華大學出土文獻研究與保護中心編，李學勤主編：《清華大學藏戰國竹簡・柒》（北京：中西書局，2017年4月）。福田哲之先生將這三篇分類為第I類B種。但是《趙簡子》的簡長和其他的不一樣。福田先生將清華簡報告書第7冊為止的篇章用書法分類。他將《楚居》分類為第I類E種，《繫年》為第I類F種，《鄭武夫人規孺子》、《鄭文公問於太伯・甲、乙》、《子儀》、《子犯子餘》、《晉文公入於晉》、《趙簡子》、《越公其事》為第I類B種，《管仲》為第I類C種，《子產》為第I類L種。參看福田哲之：《清華簡（壹）（陸）の字跡分類》，湯浅邦弘編：《清華簡研究》，汲古書院，東京：2017年9月）；同：《清華簡の字跡とその關係性：第I類A、B、C種を中心に》，《中國研究集刊》64（豐中：2018年6月）。

## 二　清華簡《趙簡子》的概略

清華簡《趙簡子》是由僅僅11枚竹簡組成的短篇。我們首先大致了解一下其記錄的相關情節。

在這篇開頭趙簡子榮升為偏將軍，[4]而後范獻子便向趙簡子進諫言。其內容闡述了趙簡子的過錯，而且規勸他必須為善。之後趙簡子又向成鱄詢問齊國國君失去實權而陳氏黨權的原因。成鱄並沒有直接回答這個問題，而是簡述了晉國先君獻公、襄公、平公的政策及其行為。

首先關於晉獻公，他因輔佐周室而得知諸侯之謀：

> 昔虐（吾）先君獻公是凥（居），掌又（有）二厇（宅）之室，以好士庶子，車䢃（甲）外（閑）[5]【簡7】，六賌（府）盜（盈）∟，宮中六䆜（竈）并六[6]祀，肰（然）則旻（得）補（輔）相周室，亦智（知）者（諸）侯之悬（謀）。

其次則為襄公，他因為輔佐周室而成為諸侯之霸：

> 亯（就）虐（吾）先君襄公，親冒䢃（甲）蟗（胄），以【簡8】紿（治）河淒（濟）之閯（間）之𤔔（亂）∟。各（冬）不裘，頣（夏）不張（帳）簐（箑）[7]，不飤（食）濡肉，宮中六䆜（竈）幷六祀，肰（然）則旻（得）補（輔）相周室，兼【簡9】敀（霸）者（諸）侯。

最後是平公，他最終失去了諸侯之霸的地位。

> 亯（就）虐（吾）先君坪（平）公，宮中卅=（三十）里，駝（馳）馬四百駟，簐[8]亓（其）衣尚（裳），孚（飽）亓（其）酓（飲）飤（食），宮中三臺（臺），是乃欽（侈）巳（已），肰（然）【簡10】則遳（失）敀（霸）者（諸）侯，不智（知）周室之（……缺字）。

其整體脈絡便是獻公奠定了晉國發展的基礎，並由襄公完成霸業，至平公時又使之崩潰。《趙簡子》有不少難以釋讀之處，若將晉國這三位君主的詳細事蹟稍作描述，則大

---

4 「偏」字的釋讀根據宮島和也先生的論點。參看宮島和也：《清華大學藏戰國竹簡（柒）《趙簡子》譯注》，《中国出土資料研究》22（東京：2018年7月），頁168-169。

5 整理者讀「如」字。宮島和也先生說簡文的「外」是「閯」字的省體，則釋讀為「閑」，而且根據研究班大西克也先生的意見訓為「熟悉」、「熟練」。參看宮島和也：《清華大學藏戰國竹簡（柒）《趙簡子》譯注》，《中国出土資料研究》22（東京：2018年7月），頁183。

6 只有這裏的字間距與其他地方不同，明顯「六」字是被插入的。

7 整理者釋讀為「箑」。

8 整理者認為這可能是「奢」的異體字。

致如下：獻公生活非常儉樸，儲備國力，並恰當地執行祭祀，因此能夠輔佐周室而了解諸侯之謀。襄公親自帥軍鎮壓黃河和濟水之間的叛亂，生活亦很儉樸，也恰當地執行祭祀，因此能輔佐周室而成為諸侯之霸。平公習慣於奢侈的生活，於是因此失去諸侯之霸的地位，也不能駕馭周室了。

他們也同樣被清華簡的其他篇和傳世文獻所記錄。接下來我們看一下清華簡的其他篇是如何描寫這些人物的。

## 三　清華簡《繫年》等所見的晉國君主評價

首先我們比較在清華簡其他諸篇和傳世文獻中三位晉國君主在描寫形式上的異同。現在已經公開的清華簡主篇之中，記述他們的文獻大部分均見於《繫年》篇。[9]其第六章中記錄了晉獻公之時，晉國發生了爭奪繼承權之亂。

> 晉獻公之婢妾曰驪姬，欲亓（其）子勬（奚）脀（齊）之為君也，乃讒（讒）大子龍（共）君而殺之，或讒（讒）【簡31】惠公及文＝公＝（文公。文公）奔翟（狄），惠公奔于梁。獻公卒（卒），……

關於晉獻公的記錄僅有這一文。往後則要到第八章才在敘述晉秦兩國關係惡化的部分才引出了襄公。

> 晉文公卒（卒），未葬（葬），襄公新（親）【簡47】銜（率）自（師）御（禦）秦自（師）于嶠（崤），大敗之。

關於晉襄公的記事則更少，僅在第九章開頭記載他的死亡。《繫年》更重視記錄襄公的父親晉文公的事蹟，第七章記載了文公帥領秦、齊、宋及群戎的聯軍在城濮擊敗楚軍，然後朝見周襄王，並在踐土與諸侯會盟。

關於莊平公（平公），在第十七章開頭有他即位的記載。

> 晉臧（莊）坪（平）公即立（位）兀（元）年，公會者（諸）侯於䀠（湨）梁，述（遂）以䙴（遷）鄦（許）於鄴（葉）而不果。自（師）造於方城，齊高厚【簡91】自自（師）逃歸（歸）。坪（平）公衒（率）自（師）會者（諸）侯，為坪（平）侌（陰）之自（師）以回（圍）齊，焚亓（其）四亭（郭），毆（驅）車至（至于）東畮（畝）。坪（平）公【簡92】立五年，晉亂（亂），鄕

9　清華大學出土文獻研究與保護中心編，李學勤主編：《清華大學藏戰國竹簡・貳》（北京：中西書局，2011年12月）。本報告中有關《繫年》內容的譯注。參看小寺敦：《清華簡《繫年》譯注・解題》，《東京大學東洋文化研究所紀要》170（東京：2016年3月）。

（欒）縕（盈）出奔齊＝（齊、齊）臧（莊）公光以遂（隨）𦅫＝縕＝（欒盈。欒盈）𩐨（襲）巷（絳）而不果，奔內（入）於曲夭（沃）。齊【簡93】臧（莊）公涉河𩐨（襲）朝訶（歌），以復（復）坪（平）侌（陰）之自（師）。晉人既殺𦅫（欒）縕（盈）于曲夭（沃），坪（平）公衛（率）自（師）會者（諸）侯，伐齊【簡94】，以復（復）朝訶（歌）之自（師）。齊蕞（崔）芓（杼）殺亓（其）君臧（莊）公，以為成於晉【簡95】。

而後記錄了晉莊平公與諸侯舉行會盟，企圖將許國遷移到葉，卻並未得逞。後他又聯合諸侯攻伐齊國，並最終打敗了它。

第十八章記錄晉莊平公與楚康王弭兵，在楚靈王、平王的記錄之間則記錄了莊平公的死亡。

晉臧（莊）坪（平）公立十又二年，楚康王立十又四年，命（令）尹子木會邻（趙）文子武及者（諸）侯之夫＝（大夫），明（盟）【簡96】于宋曰：「爾（弭）天下之䩡（甲）兵。」……晉臧（莊）坪（平）公即殜（世），卲（昭）公、同（頃）公𪉊（皆）【簡99】𣊟（早）殜（世），柬（簡）公即立（位）。

另外，在第十八章末尾記載了范氏、中行氏之禍，諸侯在鹹泉同盟而叛晉之事，以及齊國不服晉國且晉公權力也不斷變弱的史實。但是這些事件的發生並不在平公之時，而在簡公（傳世文獻作為定公）在位時。所以此篇中並沒有晉平公時晉國霸業崩潰的記載。

除了《繫年》以外，還含有這三位晉國君主記載的清華簡是《良臣》。《良臣》記錄了從黃帝至楚恭共王之間的諸多名臣，其中也包括了關於晉國的記載。[10]

晉文公又（有）【簡4】子𨍭（犯），又（有）子余（餘），又（有）咎𨍭（犯），𨒥（後）又（有）弔（叔）向。

此篇能看見叔向之名，但是沒有同時期的晉平公等晉國君主的名字。

如此可見，在《趙簡子》與《繫年》等清華簡諸篇之中，對於晉國三位君主的描寫方式可謂大相徑庭。筆者在其他文中曾討論過《繫年》記錄的晉國外交環境在晉文公時期達到極點——與楚國以外的諸侯各國均保持友好，然後便趨向下降。[11]但是我們要注意，文公以後晉國在軍事上依然保持基本優勢，《繫年》也並未將晉國外交環境的惡化直接歸咎於其國力的衰落。

10 清華大學出土文獻研究與保護中心編，李學勤主編：《清華大學藏戰國竹簡・參》（北京：中西書局，2012年12月）。

11 小寺敦：《楚からみた晉——清華簡《子犯子餘》を起點として—》，《日本秦漢史研究》20（京都：2019年11月）。

到此為止，我們了解了在作為出土文獻的清華簡中對晉國三位君主的評價。那麼在傳世文獻中對這些晉君的評價又是怎樣的呢？接下來我們便討論這個問題。

## 四　傳世文獻的晉國君主評價

本節討論在先秦時代的傳世文獻中對晉國君主——即在《趙簡子》所提及的晉獻公、襄公、平公三位晉君——的評價。[12]首先我們來看《左傳》。根據童書業先生的論述在《左傳》中記錄晉國歷史的概貌如下：

> 蓋晉獻時滅國甚多，晉始強大。
>
> 晉文返國後，未久即死，襄公繼之，稱霸先後凡十二年，遠不及齊桓稱霸之年數。晉襄卒後，晉國內亂，卿族趙氏日漸專橫，晉霸入於中衰時期。
>
> 平公即位，……晉師伐許，又伐楚，戰於湛阪，楚師敗績，晉師遂侵方城之外，復伐許而還。是為晉霸業之頂點，過此以往，晉霸漸衰矣。[13]

以下我們在確認這一說法的同時，也重新查看一下《左傳》等文獻的原始記錄。

晉獻公首次出現於《左傳·莊公十八年》。[14]從《同·莊公二十三年》至《同·莊公二十五年》之間的時間內他滅亡了桓、莊之族，[15]在《同·莊公二十六年》裡擢升士蔿成為大司空並修築了絳的城壁，[16]在從《同·莊公二十六年》、《同·莊公二十七年》、《同·僖公二年》至《同·僖公五年》的這段時間獻公又滅亡了虢國、虞國。[17]另一方

12 管見所及，在先秦文獻中鮮有使用「興起→強盛→衰退」這樣三段式的方式列舉三位君主的例子，反而經常將兩兩君主進行對照。即「興起→強盛」的兩段式，例如《詩·周頌·天作》中記載：「天作高山，大王荒之。彼作矣，文王康之。彼徂矣，岐有夷之行。子孫保之」，寫的便是大王建立周王朝的基礎，而文王在此之上創建了王朝。

13 童書業：《春秋左傳研究（校訂本）》（北京：中華書局，2006年8月），頁286、292、294。

14 《左傳·莊公十八年》：「十八年春，虢公、晉侯朝王。王饗醴，命之宥。皆賜玉五瑴，馬三匹，非禮也。王命諸侯，名位不同，禮亦異數，不以禮假人。虢公、晉侯、鄭伯使原莊公逆王后于陳。陳媯歸于京師，實惠后。」

15 《左傳·莊公二十三年》：「晉桓、莊之族偪，獻公患之。士蔿曰：『去富子，則群公子可謀也已。』公曰：『爾試其事。』士蔿與群公子謀，譖富子而去之。」《左傳·莊公二十四年》：「晉士蔿又與群公子謀，使殺游氏之二子。士蔿告晉侯曰：『可矣。不過二年，君必無患。』」《左傳·莊公二十五年》：「晉士蔿使群公子盡殺游氏之族，乃城聚而處之。冬，晉侯圍聚，盡殺群公子。」

16 《左傳·莊公二十六年》：「二十六年春，晉士蔿為大司空。夏，士蔿城絳，以深其宮。」

17 《左傳·莊公二十七年》：「晉侯將伐虢。士蔿曰：『不可。虢公驕，若驟得勝於我，必棄其民。無眾而後伐之，欲禦我，誰與。夫禮、樂、慈、愛，戰所畜也。夫民，讓事、樂和、愛親、哀喪，而後可用也。虢弗畜也，亟戰，將饑。』」《左傳·僖公五年》：「冬十二月丙子朔，晉滅虢。虢公醜奔京師。師還，館于虞，遂襲虞，滅之。執虞公及其大夫井伯，以媵秦穆姬，而修虞祀，且歸其職貢於王。」

面，從《同・莊公二十八年》至《同・僖公六年》之間還發生了太子申生之死和公子夷吾、公子重耳出奔之事。[18]《同・僖公八年》里克擊敗狄人，然而又被報復性地入侵。《同・僖公九年》晉獻公意欲前往葵丘參加齊桓公發起的會盟，卻中途返還。[19]當年獻公死亡，然後便發生了內亂，公子夷吾回到晉國後即位。[20]《左傳》雖沒有直接對晉獻公進行高度評價。卻描寫了他壓制群公子並加強自己的實權，又滅亡虞國、虢國，進攻戎、狄而極大地增強了晉國的國力。[21]

而在《國語》中，《國語・晉語一》、《同・晉語二》等篇章描寫了太子申生從晉獻公娶驪姬至其被殺害的所有經歷，相比《左傳》更為詳細，但大體的敘述基本相同。其中也有討伐翟柤和狄的記錄。在《同・晉語二》裡記載了獻公滅亡虢國、虞國，並要參加齊桓公的葵丘之會，但卻半路返回了。在《國語》中有關獻公的記錄也可以說有與《左傳》有類似的特徵。但是《同・晉語二》在記載獻公的死亡時寫道：

> 今晉侯不量齊德之豐否，不度諸侯之勢，釋其閉修，而輕於行道，失其心矣。

這一評價卻與《趙簡子》的觀點是相反的。[22]

---

18 《左傳・莊公二十八年》:「晉獻公娶于賈，無子。烝於齊姜，生秦穆夫人及大子申生。又娶二女於戎，大戎狐姬生重耳，小戎子生夷吾。晉伐驪戎，驪戎男女以驪姬，歸，生奚齊，其娣生卓子。驪姬嬖，欲立其子，賂外嬖梁五與東關嬖五，……晉侯說之。夏，使大子居曲沃，重耳居蒲城，夷吾居屈。群公子皆鄙。唯二姬之子在絳。二五卒與驪姬譖群公子而立奚齊，晉人謂之二五耦。」《左傳・閔公元年》:「晉侯作二軍，公將上軍，大子申生將下軍。趙夙御戎，畢萬為右。以滅耿、滅霍、滅魏。還，為大子城曲沃，賜趙夙耿，賜畢萬魏，以為大夫。」《左傳・僖公四年》:「大子曰:「君非姬氏，居不安，食不飽。我辭，姬必有罪。君老矣，吾又不樂。」……十二月戊申，縊于新城。姬遂譖二公子曰:『皆知之。』重耳奔蒲，夷吾奔屈。」

19 《左傳・僖公九年》:「秋，齊侯盟諸侯于葵丘，……宰孔先歸，遇晉侯，曰:『可無會也。齊侯不務德而勤遠略，故北伐山戎，南伐楚，西為此會也。東略之不知，西則否矣。其在亂乎。君務靖亂，無勤於行。』晉侯乃還。」

20 《左傳・僖公九年》:「九月，晉獻公卒。里克、丕鄭欲納文公，故以三公子之徒作亂。」

21 衛文選先生整理了被晉國所滅的有關國家。參看衛文選:《晉國滅國略考》,《晉陽學刊》1982-6，（太原：1982年12月）。童書業先生說晉獻公「平定內患以後，……漸漸向外發展」,「虞、虢既滅，晉國就更強大，再敗狄兵，開始想參與中原諸侯的盟會了」。參看童書業著，童教英校訂:《春秋史（修訂本）》（北京：中華書局，2006年8月），頁175-176。李隆獻先生說:「一面整頓內政，鞏固政權；一面兼併鄰國，擴張領土。在他的經營下，晉國漸漸成為一個中央集權制的強國，為晉文公建霸的偉業打下了穩固的根基。」參看李隆獻:《晉文公復國定霸考》（臺北：國立臺灣大學文學院，1988年6月），頁39。不少學者也討論過同樣的內容。參看李孟存、常金倉:《晉國史綱要》（太原：山西人民出版社，1988年8月）。李孟存、李尚師:《晉國史》（太原：山西古籍出版社，1999年9月）。馬保春先生從歷史地理學的觀點顯示了晉國的勢力圈在獻公時期開始發展，而後經過平公時期持續擴大的樣態。參看馬保春:《晉國歷史地理研究》（北京：文物出版社，2007年11月）。

22 《國語・晉語二》:「宰孔謂其御曰:『晉侯將死矣。景霍以為城，而汾、河、涑、澮以為渠，戎、狄之民實環之。汪是土也，苟違其違，誰能懼之。今晉侯不量齊德之豐否，不度諸侯之勢，釋其閉修，而輕於行道，失其心矣。君子失心，鮮不夭昏。』是歲也，獻公卒。」《韓非子・難二》:「行人

在《史記》中對於其生平內容的梗概也與《左傳》、《國語》沒有大的差別。由於驪姬的干預，申生被廢黜太子之位。進攻戎、狄，又滅亡虞、虢兩國。在獻公二十五年晉國被公認為強國。[23]而獻公死後內亂的敘述也與其他文獻的相同。

還有一例雖不是關於晉獻公的，卻也值得參考：《荀子・王霸》記載了包括晉文公在內的春秋五霸都是經過了「鄉方略，審勞佚，謹畜積，脩戰備」等一系列政策而最終成就了霸業。[24]

晉襄公在《同・僖公三十三年》中打敗秦國的時候首次出現，[25]並在同一年擊破狄。《同・文公元年》朝見周王，侵入衛國。在《同・文公二年》中，他再次打敗秦軍並率領諸侯鎮服衛國。[26]在《同・文公三年》中，他與秦、楚兩國交戰，並與魯文公再次締結盟約，然後在《同・文公四年》中攻擊秦國。其間《左傳》雖然對秦穆公給予了高度評價，[27]但是對晉襄公卻沒有。從《同・文公五年》至《同・文公六年》記載了趙盾成為執政，並敘述他政策的優點。[28]《同・文公六年》又記載了襄公的死亡。在《左傳》中，雖未對晉襄公直接給予高評價，但他被記載為一位繼承了上一代文公霸業的守成之主。[29]

《國語》中雖沒有記載晉襄公的事蹟。但是在《國語・晉語八》中借訾祏的話表達

---

燭過免胄而對曰：「……昔者吾先君獻公幷國十七，服國三十八，戰十有二勝，……」子居先生主張相比於傳世文獻《趙簡子》對晉獻公頗有過譽之處。參考子居：《清華簡七《趙簡子》解析》，中國先秦史：2017年9月23日，網址：http://xianqinshi.blogspot.com/2017/09/blog-post_48.html。宮島和也先生認為傳世文獻中的晉獻公積極地開展軍事行動，因而否定了子居的觀點。參看宮島和也：《清華大學藏戰國竹簡（柒）《趙簡子》譯注》，頁183。

23 《史記・晉世家》：「當此時，晉彊，西有河西，與秦接境，北邊翟，東至河內。」

24 《荀子・王霸》：「……五伯是也。非本政教也，非致隆高也，非綦文理也，非服人之心也，鄉方略，審勞佚，謹畜積，脩戰備，齺然上下相信，而天下莫之敢當也。故齊桓・晉文・楚莊・吳闔閭・越句踐，是皆僻陋之國也，威動天下，彊殆中國，無它故焉，略信也。是所謂信立而霸也。」

25 《左傳・僖公三十三年》：「遂發命，遽興姜戎。子，墨衰絰，梁弘御戎，萊駒為右。夏四月辛巳，敗秦師于殽，獲百里孟明視、西乞術、白乙丙，以歸。遂墨以葬文公，晉於是始墨。」

26 《左傳・文公二年》：「晉侯朝王于溫。先且居、胥臣伐衛。五月辛酉朔，晉師圍戚。六月戊戌，取之，獲孫昭子。……」

27 《左傳・文公三年》：「秦伯伐晉。……遂霸西戎。用孟明也。君子是以知秦穆公之為君也。舉人之周也。舉人之壹也。……」「（文公四年）楚人滅江。秦伯為之降服。出次。不舉。過數。大夫諫公曰：『同盟滅。雖不能救。敢不矜乎。』『吾自懼也。』君子曰：『詩云：『惟彼二國，其政不獲。惟此四國，爰究爰度。』其秦穆之謂矣。』」

28 《左傳・文公六年》：「六年春，晉蒐于夷，舍二軍。使狐射姑將中軍，趙盾佐之。陽處父至自溫，改蒐于董，易中軍，陽子成季之屬也。故黨於趙氏，且謂趙盾能，曰：『使能，國之利也，是以上之。』宣子於是乎始為國政。制事典、正法罪、辟刑獄、董逋逃、由質要。治舊洿、本秩禮、續常職、出滯淹。既成。以授大傅陽子。與大師賈佗。使行諸晉國。以為常法。」

29 童書業先生將晉文公以降的霸業皆歸結為文襄的霸業。參看童書業：《春秋史》，頁184-196。

了范武子輔佐文、襄二公而成霸業的歷史。[30]

《史記》也很少有晉襄公的記錄，只有他與秦國的幾次戰鬥。其他便是在襄公末年有趙盾成為執政的記錄。[31]

關於晉平公，《同・襄公十六年》有他的即位記錄。襄公的在位年數長達26年。在他在位的初期，《同・襄公十八年》、《同・襄公十九年》中記載了他聯合諸侯擊敗了齊國。[32]可是在從《同・襄公二十一年》至《同・襄公二十三年》中發生欒氏的叛亂。[33]在《同・襄公二十四年》中又借鄭國子產之口，警告晉國或將失去盟主的地位，晉國執政的范宣子不悅便削減了賜予鄭國的禮物。[34]在《同・襄公二十五年》中晉國威服於齊。[35]在同一年中記錄了趙文子成為晉國的執政，並預言將消弭戰事。[36]《同・襄公二十六年》中也有晉國公室衰落的預言。[37]《同・襄公二十七年》有諸侯轉變對晉採取友好態度的記載。[38]在同一年晉國、楚國在宋國舉行了弭兵儀式，並有范武子輔佐五代晉

30 《國語・晉語八》：「宣子問於訾祏，訾祏對曰：『……世及武子，佐文、襄為諸侯，諸侯無二心。……』」

31 《史記・晉世家》：「趙盾代趙衰執政。」子居先生指出在《趙簡子》中晉國公室的君權與趙氏的盛衰可能有關係。總之趙氏的執政從襄公末年以後開始，從獻公至襄公時期晉國君主權力很強，從靈公至景公初期趙氏的勢力很強，然後經過趙氏暫時衰弱，並在晉平公十二年以趙武成為正卿標誌著趙氏的復興。參看子居：《清華簡七《趙簡子》解析》。

32 《左傳・襄公十八年》：「冬十月，會于魯濟，尋溴梁之言，同伐齊。……齊侯見之，畏其眾也，乃脫歸。丙寅晦，齊師夜遁。……十二月戊戌，及秦周，伐雍門之萩。……甲辰，東侵及濰，南及沂。」《左傳・襄公十九年》：「十九年春，諸侯還自沂上，盟于督揚，曰：『大毋侵小。』」

33 《左傳・襄公二十一年》：「懷子為下卿，宣子使城著而遂逐之。秋，欒盈出奔楚。」《左傳・襄公二十三年》：「四月，欒盈帥曲沃之甲，因魏獻子，以晝入絳。……晉人克欒盈于曲沃，盡殺欒氏之族黨。欒魴出奔宋。」

34 《左傳・襄公二十四年》：「二月，鄭伯如晉，子產寓書於子西，以告宣子，曰：『子為晉國，四鄰諸侯不聞令德，而聞重幣，僑也惑之。僑聞君子長國家者，非無賄之患，而無令名之難。夫諸侯之賄聚於公室，則諸侯貳。若吾子賴之，則晉國貳。諸侯貳，則晉國壞；晉國貳，則子之家壞，何沒沒也。將焉用賄。……』」

35 《左傳・襄公二十五年》：「晉侯濟自泮，會于夷儀，伐齊，以報朝歌之役。齊人以莊公說，使隰鉏請成，慶封如師。男女以班。賂晉侯以宗器、樂器。自六正、五吏、三十帥、三軍之大夫、百官之正長、師旅及處守者皆有賂。晉侯許之。使叔向告於諸侯。」

36 《左傳・襄公二十五年》：「趙文子為政，令薄諸侯之幣，而重其禮。穆叔見之。謂穆叔曰：『自今以往，兵其少弭矣。齊崔、慶新得政，將求善於諸侯。武也知楚令尹。若敬行其禮，道之以文辭，以靖諸侯，兵可以弭。』」

37 《左傳・襄公二十六年》：「師曠曰：『公室懼卑。臣不心競而力爭，不務德而爭善，私欲已侈，能無卑乎。』」

38 《左傳・襄公二十七年》：「二十七年春，胥梁帶使諸喪邑者具車徒以受地，必周。使烏餘具車徒以受封。烏餘以眾出，使諸侯偽效烏餘之封者，而遂執之，盡獲之。皆取其邑，而歸諸侯。諸侯是以睦於晉。」

侯而成霸業的記錄,還提及楚國令尹子木說晉國能稱霸是理所當然。[39]在《同・襄公二十九年》中子大叔說晉國不顧姬姓諸侯同宗之親。[40]在同一年記錄了吳國季札預言晉國的政權將被韓、魏、趙三家掌握。[41]在《同・襄公三十年》中魯國季文子說因為晉國有趙孟執政,而執政以下皆為賢才,所以絕對不能輕視它。[42]在《同・襄公三十一年》中記錄趙文子死後晉國公室衰弱,而下一代執政的韓宣子已經不能駕馭諸侯。[43]在同一年鄭國子產說晉文公當盟主的時候宮室樸素反而諸侯的館舍豪華,然而現在卻截然相反,趙文子聽後表示歉意,熱情款待鄭簡公,並重建諸侯的館舍。[44]在《同・昭公元年》中祁午說趙文子成為執政以後晉國作為盟主長達七年。[45]在同一年又有預言說因晉平公耽溺於女色而將使良臣趙文子身亡。[46]在《同・昭公三年》中子大叔說在晉文、襄二公的時候不會給諸侯增加額外負擔,張趯則回答說晉國雖在極盛時期,然而不久便會失去諸侯的支持。[47]在同一年叔向預言說晉國公室即將衰微。[48]在《同・昭公四年》中子產對楚

39 《左傳・襄公二十七年》:「宋向戌善於趙文子,又善於令尹子木,欲弭諸侯之兵以為名。……子木問於趙孟曰:『范武子之德何如』對曰:『夫子之家事治,言於晉國無隱情,其祝史陳信於鬼神無愧辭。』子木歸以語王。王曰:『尚矣哉。能歆神、人,宜其光輔五君以為盟主也。』子木又語王曰:『宜晉之伯也,有叔向以佐其卿,楚無以當之,不可與爭。』」

40 《左傳・襄公二十九年》:「晉平公,杞出也,故治杞。六月,知悼子合諸侯之大夫以城杞,……子大叔曰:『若之何哉。晉國不恤周宗之闕,而夏肄是屏,其棄諸姬,亦可知也已。諸姬是棄,其誰歸之。吉也聞之,棄同、即異,是謂離德。詩曰:『協比其鄰,昏姻孔云。』晉不鄰矣,其誰云之。』」

41 《左傳・襄公二十九年》:「(吳公子札)適晉,說趙文子、韓宣子、魏獻子,曰:『晉國其萃於三族乎。』說叔向。將行,謂叔向曰:『吾子勉之。君侈而多良,大夫皆富,政將在家。吾子好直,必思自免於難。』」

42 《左傳・襄公三十年》:「季武子曰:『晉未可媮也。有趙孟以為大夫,有伯瑕以為佐,有史趙、師曠而咨度焉,有叔向、女齊以師保其君。其朝多君子,其庸可媮乎。勉事之而後可。』」

43 《左傳・襄公三十一年》:「及趙文子卒,晉公室卑,政在侈家。韓宣子為政,不能圖諸侯。魯不堪晉求,讒慝弘多,是以有平丘之會。」子居根據至《左傳・昭公四年》篇為止的內容,認為《趙簡子》中所說晉之「失霸諸侯」已成眾所共知的事實。參看子居:《清華簡七《趙簡子》解析》。

44 《左傳・襄公三十一年》:「(子產)對曰:『……僑聞文公之為盟主也,宮室卑庳,無觀臺榭,以崇大諸侯之館,館如公寢;……今銅鞮之宮數里,而諸侯舍於隸人,門不容車,而不可踰越;盜賊公行,而夭厲不戒。賓見無時,命不可知。……』……晉侯見鄭伯,有加禮,厚其宴、好而歸之。乃築諸侯之館。」

45 《左傳・昭公元年》:「祁午謂趙文子曰:『……子相晉國,以為盟主,於今七年矣。再合諸侯,三合大夫,服齊、狄,寧東夏,平秦亂,城淳于,師徒不頓,國家不罷,民無謗讟,諸侯無怨,天無大災,子之力也。……』」

46 《左傳・昭公元年》:「晉侯求醫於秦,秦伯使醫和視之,曰:『疾不可為也,是謂近女,室疾如蠱。非鬼非食,惑以喪志。良臣將死,天命不祐。』……趙孟曰:『誰當良臣。』對曰:『主是謂矣。主相晉國,於今八年,晉國無亂,諸侯無闕,可謂良矣。……』」

47 《左傳・昭公三年》:「子大叔曰:『將得已乎。昔文、襄之霸也,其務不煩諸侯,……』……張趯曰:『……此其極也,能無退乎。晉將失諸侯,諸侯求煩不獲。』」

靈王說晉君之志不在諸侯。[49]在《同・昭公五年》中范獻子說要以晉國作為盟主。[50]在《同・昭公七年》中子產也以晉國作為盟主。[51]在同一年晉國大夫說晉國為了孫林父而從衛國搶奪了邑，因此諸侯紛紛叛離晉國。[52]在《同・昭公八年》記載了中叔向預言在完成修建虒祁宮之後，諸侯將會背離晉國，而晉平公本身也會遭受災禍。[53]在《同・昭公九年》中叔向說自文公以後晉國歷代國君德行不斷衰微，輕蔑周室，因此諸侯均叛離晉國。[54]《同・昭公十年》最後記載了平公的死亡。

晉平公繼承了悼公的「復霸」，他治世開始的時候晉國的體制並沒有動搖。只因欒氏的「叛亂」而使其體制開始出現不穩定，而晉國和其公室衰落的預言也紛紛浮現，可是其盟主的地位暫時保持。正如昭公三年張趯所言那樣，晉平公時可視為晉國霸業的極盛時期。在接近平公在位末年的時候雖然經常出現暗示諸侯叛離晉國的記載，但晉國衰落的預言卻要等到下一代的昭公以後才真正實現。[55]

48 《左傳・昭公三年》:「叔向曰:『然。雖吾公室，今亦季世也。戎馬不駕，卿無軍行，公乘無人，卒列無長。庶民罷敝，而宮室滋侈。道殣相望，而女富溢尤。民聞公命，如逃寇讎。欒、郤、胥、原、狐、續、慶、伯降在皂隸，政在家門，民無所依。君日不悛，以樂慆憂。公室之卑，其何日之有。讒鼎之銘曰:『昧旦丕顯，後世猶怠。』況日不悛，其能久乎。』」《史記・晉世家》也有類似的內容記載，但篇幅要相對短很多。《韓非子・十過》:「晉平公觴之於施夷之臺，……乃召師涓，令坐師曠之旁。援琴鼓之。未終，師曠撫止之，曰:『此亡國之聲，不可遂也。』……公曰:『清徵可得而聞乎。』師曠曰:『不可。古之聽清徵者，皆有德義之君也。今吾君德薄、不足以聽。』……平公曰:『清角可得而聞乎。』師曠曰:『不可。……今主君德薄，不足聽之；聽之，將恐有敗。』平公曰:『寡人老矣，所好者音也，願遂聽之。』師曠不得已而鼓之。……平公恐懼，伏于廊室之間。晉國大旱，赤地三年。平公之身遂癃病。故曰:『不務聽治而好五音不已，則窮身之事也。』」在這裏將晉平公作為因喜歡音樂而淪為亡國之君的例子。

49 《左傳・昭公四年》:「(子產)對曰:『許君。晉君少安，不在諸侯。其大夫多求，莫匡其君。……』」

50 《左傳・昭公五年》:「范獻子曰:『不可。人朝而執之，誘也；討不以師，而誘以成之，惰也。為盟主而犯此二者，無乃不可乎。請歸之，間而以師討焉。』」

51 《左傳・昭公七年》:「(子產)對曰:『以君之明，子為大政，其何厲之有。昔堯殛鯀于羽山，其神化為黃熊，以入于羽淵，實為夏郊，三代祀之。晉為盟主，其或者未之祀也乎。』」

52 《左傳・昭公七年》:「秋八月，衛襄公卒。晉大夫言於范獻子曰:『衛事晉為睦，晉不禮焉，庇其賊人而取其地，故諸侯貳。……』」之後韓宣子便向衛國歸還了其田土。

53 《左傳・昭公八年》:「於是晉侯方築虒祁之宮，叔向曰:『……是宮也成，諸侯必叛，君必有咎，夫子知之矣。』」

54 《左傳・昭公九年》:「叔向謂宣子曰:『文之伯也。豈能改物。翼戴天子，而加之以共。自文以來，世有衰德，而暴滅宗周，以宣示其侈；諸侯之貳，不亦宜乎。……』」

55 《清華簡(陸)》，頁111:「晉平公即位之初，與楚國發生湛阪之戰，獲得勝利。前五五二年，同宋、衛等國結盟，再度恢復晉國的霸業。在位後期由於大興土木、不務政事，致使大權旁落至六卿。」童書業先生認為晉厲公、悼公時期是晉國的「復霸」時期。參看童書業:《春秋史》，頁216。同時他認為在晉平公時期，晉、楚之間的第二次弭兵標誌著諸侯間的關係趨於穩定而各國也進入關注內政的時期(同書，頁230)。他也認為晉平公後期的晉國「確已漸趨衰弱」(同書，頁256-257)。

《國語・晉語八》中記載了欒氏的叛亂。[56]欒氏滅亡以後，平公在世時便再也沒有發生過內亂。另外，在范宣子與和大夫爭奪田土的記錄中，祁午仍以晉國作為諸侯的盟主，[57]而訾祏也認為范武子輔佐文、襄二公而成霸業，同時因為范宣子也讓晉國的內憂外患暫時消弭。[58]因為平公好聽新聲，所以師曠預言晉國公室將衰微。[59]在其他諸條目中也有師曠類似的預言內容。[60]在宋之盟的記載中有「自是沒平公無楚患」的內容。在記錄了秦國的后子預言趙文子死亡的內容中，趙文子還是晉國的執政並掌管著諸侯之盟。[61]在趙文子、晉平公的死亡記載中，趙文子死後諸侯便叛離了晉國，[62]此處對應著《左傳・襄公三十一年》的記錄。鄭國使節訪問晉國的時候子產說晉國實際上繼承了周室的權力。[63]此處又與《左傳・昭公七年》的記錄對應。《國語》中也有類似於《左傳》的記載，其對於晉平公時期的歷史評價，大體傾向與《左傳》相同。

《史記》中記錄晉平公的事蹟實在不多，《晉世家》中只簡單地描述了其與齊國的戰鬥、欒氏的叛亂等事蹟。《晉世家》也記載了晉國會被韓、魏、趙三家瓜分的預言，[64]還敘述了平公開始大興土木並且不顧政事，因此晉國的政權逐漸被臣下所掌握。[65]

另外，針對晉國君主的相關評價，像《荀子・王霸》中記錄的那樣希望「臺謝甚高，園囿甚廣」實則是人之常情。由於這種慾望，君主們往往會大興土木而窮奢極慾，這些行為可能導致君權、國家的衰弱。[66]《墨子》、《韓非子》等嚴厲批評君主的這種行徑。[67]《墨子・七患》認為在城郭等防備不足的情況下反而還要去整修宮室，此乃國家

56 《國語・晉語八》:「范宣子以公入于襄公之宮，欒盈不克，出奔曲沃，遂刺欒盈，滅欒氏。是以沒平公之身無內亂也。」

57 《國語・晉語八》:「祁午見，曰:『晉為諸侯盟主，……』」

58 《國語・晉語八》:「宣子問於訾祏，訾祏對曰:『……世及武子，佐文、襄為諸侯，諸侯無二心。及為卿，以輔成、景，軍無敗政。及為成師，居太傅，端刑法，緝訓典，國無姦民，後之人可則，是以受隨、范。及文子成晉、荊之盟，豐兄弟之國，使無有閒隙，是以受郇、櫟。今吾子嗣位，於朝無姦行，於國無邪民，於是無四方之患，而無外內之憂，賴三子之功而饗其祿位。……』」

59 《國語・晉語八》:「平公說新聲，師曠曰:『公室其將卑乎。君之明兆於衰矣。……』」

60 《國語・晉語八》:「師曠侍，曰:『公室懼卑，其臣不心競而力爭。』」此處與《左傳・襄公二十六年》的記載類似。

61 《國語・晉語八》:「文子出，后子謂其徒曰:『……今趙孟相晉國，以主諸侯之盟，……』」

62 《國語・晉語八》:「是歲也，趙文子卒，諸侯叛晉，十年，平公薨。」

63 《國語・晉語八》:「子產曰:『……今周室少卑，晉實繼之，……』」

64 《史記・晉世家》:「十四年，吳延陵季子來使，與趙文子、韓宣子、魏獻子語，曰:『晉國之政，卒歸此三家矣。』」

65 《史記・晉世家》:「十九年，齊使晏嬰如晉，與叔嚮語。叔嚮曰:『晉，季世也。公厚賦為臺池而不恤政，政在私門，其可久乎。』晏子然之。」

66《荀子・王霸》:「重色而衣之，重味而食之，重財物而制之，合天下而君之，飲食甚厚，聲樂甚大，臺謝甚高，園囿甚廣，臣使諸侯，一天下，是又人情之所同欲也，而天下之禮制如是者也。」

67 《韓非子・說疑》:「燕君子噲，邵公奭之後也。地方數千里，持戟數十萬，不安子女之樂，不聽鍾

的災難之一。[68]《同・辭過》則認為以剝削民眾之財用以整修宮室會使國家難以統治。[69]《同・尚賢中》說國家安定，刑、法就正當施行；國庫豐盈，萬民就會富裕；「酒醴粢盛」齊備，就能祭祀鬼神。[70]而在《韓非子》中，《同・亡徵》篇也舉出愛好「宮室臺榭陂池」等會使民眾疲弊等例子，象徵著亡國之兆。[71]《同・喻老》描寫紂因為住在「廣室高臺」之中等行為最終毀了自己。[72]《同・說林上》說大興土木會招致外敵的侵犯。[73]《同・外儲說左上》記載了越國攻吳的藉口，即吳國修建「如皇之臺」且挖掘深池使民眾苦不堪言。[74]另外，在《晏子春秋》中記載，齊景公修葺豪華宮殿，大興土木等，重役欺民，為此晏子進諫景公。這樣的例子有很多。例如在《晏子春秋・內篇諫下第二》中晏子直接批評齊景公築豪華宮室。[75]在同一篇中，齊景公將要興建高大樓臺，而被晏子制止。[76]《晏子春秋》中還有幾則類似故事。[77]在《同・內篇問下第三》中晏

---

石之聲，內不堙污池臺榭，外不單弋田獵，又親操耒耨以修畎畝。子噲之苦身以憂民如此其甚也，雖古之所謂聖王明君者，其勤身而憂世不甚於此矣。然而子噲身死國亡，奪於子之，而天下笑之，此其何故也。」燕君子噲雖然「內不堙污池臺榭」，可是仍然「身死國亡」，這算是例外。

68 《墨子・七患》：「子墨子曰：『國有七患。七患者何。城郭溝池不可守，而治宮室，一患也。邊國至境，四鄰莫救，二患也。先盡民力無用之功，賞賜無能之人，民力盡於無用，財寶虛於待客，三患也。……』……故曰：……虛其府庫，以備車馬衣裘奇怪；苦其役徒，以治宮室觀樂。死又厚為棺槨，多為衣裘，生時治臺榭，死又脩墳墓。故民苦於外，府庫單於內，上不厭其樂，下不堪其苦。故國離寇敵則傷，民見凶饑則亡，此皆備不具之罪也。」

69 《墨子・辭過》：「當今之主，其為宮室則與此異矣。必厚作斂於百姓，暴奪民衣食之財，以為宮室臺榭曲直之望，青黃刻鏤之飾。為宮室若此，故左右皆法象之，是以其財不足以待凶饑，振孤寡，故國貧而民難治也。君實欲天下之治而惡其亂也，當為宮室不可不節。」

70 《墨子・尚賢中》：「故國家治則刑法正，官府實則萬民富。上有以絜為酒醴粢盛，以祭祀天鬼。」

71 《韓非子・亡徵》：「凡人主之國……好宮室臺榭陂池，事車服器玩好，罷露百姓，煎靡貨財者，可亡也。」

72 《韓非子・喻老》：「昔者紂為象箸而箕子怖。以為象箸必不加於土鉶，必將犀玉之杯；象箸玉杯，必不羹菽藿，則必旄象豹胎，旄象豹胎必不衣短褐而食於茅屋之下，則錦衣九重，廣室高臺。吾畏其卒，故怖其始。居五年，紂為肉圃，設炮烙，登糟邱，臨酒池，紂遂以亡。故箕子見象箸以知天下之禍。故曰：『見小曰明。』」類似故事也見於《韓非子・說林上》。

73 《韓非子・說林上》：「秦康公築臺三年，荊人起兵，將欲以兵攻齊。任妄曰：『饑召兵，疾召兵，勞召兵，亂召兵。君築臺三年，今荊人起兵，將攻齊，臣恐其攻齊為聲，而以襲秦為實也，不如備之。』戍東邊，荊人輟行。」

74 《韓非子・外儲說左上》：「越伐吳，乃先宣言曰，我聞吳王築如皇之臺，掘深池（《韓非子集解》作「掘淵泉之池」），罷苦百姓，煎靡財貨，以盡民力，余來為民誅之。」

75 《晏子春秋・內篇諫下第二》：「『明日早朝而復于公曰：「嬰聞之，窮民財力以供嗜欲謂之暴，崇玩好，威嚴擬乎君謂之逆，刑殺不辜（王念孫云：「按『不辜』本作『不稱』，此後人以意改也。）謂之賊。此三者，守國之大殃也。今君窮民財力，以美飲食之具，繁鍾鼓之樂，極宮室之觀，行暴之大者；……』」

76 《晏子春秋・內篇諫下第二》：「景公使國人起大臺之役，歲寒不已，凍餒之者鄉有焉，國人望晏子。……」

77 例如《晏子春秋・內篇諫下第二》：「晏子對曰：『……是故明堂之制，下之潤溼，不能及也；上之

子勸諫齊莊公不要攻擊作為「明（盟）主」的晉平公。[78]在《同・內篇問下第四》中，齊景公擴大宮室、修繕樓閣，晏子則認為其善不能福澤景公的子孫。[79]在《同・內篇雜下第六》中，晏子謝絕了齊景公所賜之邑，並勸說景公因為其愛好擴建豪華宮室，以至民眾疲弊。[80]《同・外篇第七》記載晏子阻止了齊景公興建池沼和樓閣，因而代表凶兆的彗星消失了。[81]這一彗星也替換著齊景公的疾病等內容，這類故事在《晏子春秋》中屢見不鮮。《管子》也與《晏子春秋》等記載了同樣故事。《管子・四稱第三十三》稱無道之君才會壯大宮室、高大樓臺。[82]《同・禁藏第五十三》主張節制宮室營造便會使國家富裕，且君王地位也會隨之尊貴。[83]《同・立政九敗解第六十五》主張傾注財力興建宮室臺池就是敗壞國家之道。《呂氏春秋》中也有類似的記錄。[84]《呂氏春秋・有始覽第十三聽言》說若君主經常對樓閣等進行擴建修繕，則相當於不停地剝奪人民的財產。[85]《同・恃君覽第二十驕恣》則對愛好宮室臺榭蘊藏著否定的評價。[86]

像上述例子，在《墨子》、《韓非子》、《晏子春秋》、《管子》等墨家和有法家傾向的傳世文獻中，均傾向於將勸誡君主喜歡奢靡之風置於特殊的地位。《墨子》中還有鬼神

寒暑，不能入也。土事不文，木事不鏤，示民知節也。及其衰也，衣服之侈過足以敬，宮室之美過避潤溼，用力甚多，用財甚費，與民為讎。今君欲法聖王之服，不法其制，法其節儉也，則雖未成治，庶其有益也。今君窮臺榭之高，極汙池之深而不止，務于刻鏤之巧，文章之觀而不厭，則亦與民為讎矣。若臣之慮，恐國之危，而公不平也。公乃願致諸侯，不亦難乎。公之言過矣。』」

78 《晏子春秋・內篇問下第三》：「莊公將伐晉，問于晏子，晏子對曰：『不可。君得合而欲多，養欲而意驕。得合而欲多者危，養欲而意驕者困。今君任勇力之士，以伐明主，若不濟，國之福也，不德而有功，憂必及君。』」

79 《晏子春秋・內篇問下第四》：「（晏子）對曰：『先君莊公不安靜處，樂節飲食，不好鐘鼓，好兵作武，與士同飢渴寒暑，君之彊，過人之量，有一過不能已焉，是以不免于難。今君大宮室，美臺榭，以辟飢渴寒暑，畏禍敬鬼神，君之善，足以沒身，不足以及子孫矣。』」

80 《晏子春秋・內篇雜下第六》：「晏子辭曰：『吾君好治宮室，民之力弊矣；又好盤遊翫好，以飭女子，民之財竭矣；又好興師，民之死近矣。弊其力，竭其財，近其死，下之疾其上甚矣。此嬰之所為不敢受也。』」

81 《晏子春秋・外篇第七》：「晏子曰：『君之行義回邪，無德于國，穿池沼，則欲其深以廣也；為臺榭，則欲其高且大也；賦斂如撝奪，誅僇如仇讎。自是觀之，茀又將出，彗星之出，庸可懼乎。』于是公懼，迺歸，窴池沼。廢臺榭，薄賦斂，緩刑罰，三十七日而彗星亡。」

82《管子・四稱第三十三》：「管子對曰：『夷吾聞之於徐伯曰：昔者無道之君，大其宮室，高其臺榭。良臣不使，讒賊是舍。……』」

83 《管子・禁藏第五十三》：「故聖人之制事也，能節宮室、適車輿以寶藏，則國必富，位必尊。」

84 《管子・立政九敗解第六十五》：「人君唯毋聽觀樂玩好則敗。凡觀樂者，宮室臺池，珠玉聲樂也。此皆費財盡力，傷國之道也。而以此事君者，皆姦人也。而人君聽之，焉得毋敗。」

85 《呂氏春秋・有始覽第十三聽言》：「世主多盛其歡樂，大其鐘鼓，侈其臺榭苑囿，以奪人財；……」

86 《同・恃君覽第二十驕恣》：「趙簡子沈鸞徼於河，曰：『吾嘗好聲色矣，而鸞徼致之。吾嘗好宮室臺榭矣，而鸞徼為之。……是長吾過而絀善也。』」

崇拜的因素，而《趙簡子》雖然記載應該正當地執行祭祀，但是這類內容也幾乎很少。因此我們可以推測《趙簡子》與《韓非子》、《晏子春秋》、《管子》等思想著作——即有法家傾向的理論——有一定的關連。

筆者現將在《趙簡子》、《左傳》、《國語》、《史記》中三個晉國君主的評價匯總如下：

關於晉獻公的評價，在《左傳》、《國語》中與《趙簡子》有很多不同地方。《趙簡子》的晉獻公是奠定晉國發展基礎的「名君」，[87]但是《左傳》、《國語》、《史記》中的獻公雖然有發展晉國國力和君權的政績，然而卻犯了導致晉國君位繼承混亂的錯誤。關於晉襄公的評價，傳世文獻與《趙簡子》之間並沒有矛盾，均認為他是繼承晉文公霸業的君主，但是《趙簡子》對晉襄公的評價，在傳世文獻中便成了對他父親文公的評價，而且在傳世文獻中對晉襄公的評價比起文公要不顯眼得多。關於晉平公的評價，《趙簡子》與傳世文獻之間有些許不同之處。在《左傳》、《國語》中雖也沒有高度評價晉平公，可是也不像《趙簡子》那樣稱其作為清平之君卻失去了霸者的地位。在這些傳世文獻中將下一代昭公時期以後，晉國的政權集中到韓、魏、趙三氏開始於平公。不僅如此，若如《左傳・昭公八年》所載，晉平公時期還被作為晉國霸業的極盛時期，與《趙簡子》的評價可謂大相徑庭。

在上述評價的背後，實則是批評君主熱中於大興土木又倦怠政治，而稱揚君主樸素生活的思想。這種思想主要見於墨家和與法家有關係的文獻中，《趙簡子》可以說受到了這種思想的影響。學者們已經指出過《晉文公入於晉》與《韓非子》有相似性，而《趙簡子》或許就展現了組成這些文獻故事背後的成立邏輯。

而在《趙簡子》中，則是通過詢問齊國君主失掉實權的原因，引出對三位晉國君主評價。在傳世文獻中直接解釋了其原因，就如《左傳・昭公三年》等所載那樣，將其歸咎於齊國君主的自身過失。但在《趙簡子》中，卻特地借用晉國君主的行為來解釋這個原因，這可能就意味著《趙簡子》成書於三晉地區，或者這篇原始文獻是被傳入楚地之後再進行重新編纂的。

## 五　結語——晉國君主評價差異的背景

本報告根據在清華簡《趙簡子》中對晉獻公、襄公、平公的評價，並結合有關清華簡其他篇以及傳世文獻的記載進行討論，比較在各個文獻中其評價的差異。

關於晉獻公，在《趙簡子》、《繫年》、和《左傳》等傳世文獻中的評價差異都很大。在《趙簡子》中晉獻公被作為奠定晉國發展基礎的名君。可是在《繫年》中他只在

87 《清華七《趙簡子》初讀》（簡帛網，簡帛研讀，2017年7月10日，網址：http://www.bsm.org.cn/forum/forum.php?mod=viewthread&tid=3459&extra=&page=7）第70樓的羅小虎（羅濤）先生認為獻公的「知諸侯之謀」與襄公「兼霸諸侯」有著明顯有遞進的關係，前者是比後者稍有不及的狀態。

所謂的「驪姬之亂」中出現，並沒有獻公對晉國發展貢獻的記載。從這一結果來看，他的出現只是為文公登場而做的鋪墊，也是導致晉國君位繼承混亂的原因。而《左傳》、《國語》、《史記》雖然也敘述了獻公導致了晉國的君位繼承混亂，然而他也發展了晉國的實力並加強了君權。尤其《史記》中更明確地記述了其在位時晉國成為了強國。

關於晉襄公，《趙簡子》、《左傳》、《國語》中對其的評價本身基本相似。但是《趙簡子》僅高度評價了襄公一人，而其他文獻的記載卻不然，如《左傳・昭公三年》所提及的「文、襄之霸」，在傳世文獻中往往將晉文公、晉襄公時期視為一體，二人共同促成晉國的霸業，其中的襄公一般被認為是一位繼承了晉文公霸業的君主。《繫年》中多有提及他父親文公的事蹟，然而很少記錄襄公的。《史記》也有與《繫年》同樣的傾向。傳世文獻對晉襄公的評價比起文公而言缺乏亮點，唯獨在《趙簡子》中對晉襄公的評價竟是特別的高。或者說在《趙簡子》描寫襄公之時，說不定本身就有以文、襄為一體的認識，對襄公的評價裡本身也包含對文公部分的評價。

關於晉平公，《趙簡子》與其他文獻有些許不同之處。《趙簡子》認為平公由於大興土木而不修政事，最終失去了霸者的地位。在《繫年》中所見的平公時期並沒有這樣的現象，而要到下一代的簡公（傳世文獻寫為「昭公」）時期以後晉國的霸業才開始動搖。《左傳》、《國語》、《史記》雖也沒有給予晉平公高度評價，但如《左傳・昭公八年》所載，其視平公時期為悼公復興晉國霸業後所達到的又一個頂點。而在此基礎之上，下一代的昭公時期以後晉國的政權慢慢集中到了韓、魏、趙三氏手中，而晉國霸業也逐漸崩潰了。

《趙簡子》不是以記錄晉國歷史本身為目的的文獻，這三位晉國君主只是用以講解齊國陳氏掌握權力的原因而引用的歷史實例，因此在此篇中並沒有針對每一位君主的詳細說明，只引用了比較傳統的評價。但是這樣的評價卻直率地表示了《趙簡子》編纂者的歷史認知。這一認知就是：晉國的霸業由獻公奠定其基礎，襄公完成霸業，平公使之崩潰。這不僅與傳世文獻描寫的晉國君主形象不太一致，而且與同一清華簡《繫年》的記載也有差別。在《趙簡子》中，相比起哪位君主實際上真正影響了晉國盛衰，更傾向於選擇與其討論觀點有關或恰好適合其觀點的君主事蹟來引述。晉國霸業的奠基君主應為獻公，在傳世、出土文獻中均可以看見他確實將晉國勢力向外拓展的事蹟，而認為襄公為霸業的完成者的理由則可能是在他的統治時期普遍被認為是安定的時期。最後，將平公作為葬送晉國霸業的君主的理由則可能是與他有大興土木有關。在《趙簡子》的末尾記錄著：「儉侈……侈之儉乎」，這裏也許就表達了應該重「儉」而戒「侈」的觀點。批評君主興建華麗宮殿等的內容也見於《墨子》、《韓非子》等傳世文獻，此處均為規勸君主需要以質樸為宗旨。

總之《趙簡子》的獨立性，使其以與傳世文獻不同方式評價了晉國君主，尤其是此篇中針對晉獻公和晉襄公，比起傳世文獻給予了更高的評價。

清華簡通常被推斷為楚地區出土的文獻，這一推測應該是正確的。[88]若是如此，則在最後便有必要討論一下當時楚地區的讀者是怎樣看待清華簡的。對楚國來說從晉獻公至襄公的這段時期，正好包括了楚成王與晉文公之間城濮之戰，正是楚國國勢發展受晉國阻撓的歷史階段。而晉平公時期則含有標誌著楚、晉之間關係進入和平期的弭兵之會，但其前後期間兩國大體均還處於戰爭的狀態。《趙簡子》以阻止楚國北進趨勢的幾位晉國君主的行動為典範，反而以與楚國進行停戰的君主作為「反面教材」。正如筆者之前對《子犯子餘》和《晉文公入於晉》做過的探討所言，說明當到了離文獻成書比較遠的時代，這些文獻便不用考慮楚晉之間的關係、可以以比較中立的立場來評價晉國君主。這也意味著包括中原的北方地區與楚國，在關於比較遙遠時代的歷史認知上有著共通之處。

88 從文字的問題來看，不少學者認為清華簡很多篇的來源是晉國。李松儒先生主張《趙簡子》與《越公其事》同抄於一卷，它們與《子犯子餘》、《晉文公入於晉》為同一書手。參看李松儒：〈清華七《子犯子餘》與《趙簡子》等篇字跡研究〉，《出土文獻》第15輯（上海：中西書局，2019年10月），頁177-192。王永昌先生認為《越公其事》的「敬」字應當也是受到了晉系文字的影響。參看王永昌：《清華簡文字與晉系文字對比研究》（長春：吉林大學博士論文，2018年），頁42。我關注在楚地域中《趙簡子》等清華簡的（再次）利用問題。雖然清華簡的不少原本在晉國成立，但是還有這些原本傳入於楚國以後被修改其內容的可能性，並且楚國地域的人利用這些篇的事情一定有合理的理由。

# 徵引文獻

## 一　近人著作


李孟存、李尚師：《晉國史》，太原：山西古籍出版社，1999年。

李孟存、常金倉：《晉國史綱要》，太原：山西人民出版社，1988年。

李隆獻：《晉文公復國定霸考》，臺北：臺灣大學文學院，1988年。

邢　文：《楚簡書法探論——清華簡〈繫年〉書法與手稿文化》，北京：中西書局，2015年。

馬保春：《晉國歷史地理研究》，北京：文物出版社，2007年。

清華大學出土文獻研究與保護中心編，李學勤主編：《清華大學藏戰國竹簡・壹》，北京：中西書局，2010年。

清華大學出土文獻研究與保護中心編，李學勤主編：《清華大學藏戰國竹簡・貳》，北京：中西書局，2011年。

清華大學出土文獻研究與保護中心編，李學勤主編：《清華大學藏戰國竹簡・參》，北京：中西書局，2012年。

清華大學出土文獻研究與保護中心編，李學勤主編：《清華大學藏戰國竹簡・柒》，北京：中西書局，2017年。

童書業：《春秋左傳研究（校訂本）》，北京：中華書局，2006年。

童書業著，童教英校訂：《春秋史（修訂本）》，北京：中華書局，2006年。

蘇建洲、吳雯雯、賴怡璇：《清華二〈繫年〉集解》，臺北：萬卷樓圖書公司，2013年。


## 二　單篇論文


王永昌：《清華簡文字與晉系文字對比研究》，長春：吉林大學博士論文，2018年。

李松儒：〈清華七《子犯子餘》與《趙簡子》等篇字跡研究〉，《出土文獻》第15輯，上海：中西書局，2019年10月。

李學勤：〈清華簡〈繫年〉及有關古史問題〉，《文物》2011-3，2011年3月。

郭永秉：〈清華簡《繫年》抄寫時代之估測〉，李守奎主編：《清華簡《繫年》與古史新探》，上海：中西書局，2016年。

陳民鎮：〈《繫年》「故志」說——清華簡〈繫年〉性質及撰作背景芻議〉，《邯鄲學院學報》22-2，2012年6月。

衛文選：〈晉國滅國略考〉，《晉陽學刊》1982-6，1982年12月。

大西克也：〈清華簡《繫年》の地域性に關する試論—文字學の視點から—〉，《資料學の方法を探る》14，2015年

小寺敦：〈清華簡《繫年》譯注・解題〉，《東京大學東洋文化研究所紀要》170，2016年。

小寺敦：〈楚からみた晉—清華簡《子犯子餘》を起點として—〉，《日本秦漢史研究》20，2019年。

宮島和也：〈清華大學藏戰國竹簡（柒）《趙簡子》譯注〉，《中国出土資料研究》22，2018年。

福田哲之：〈清華簡（壹）（陸）の字跡分類〉，湯浅邦弘編：《清華簡研究》，東京：汲古書院，2017年。

福田哲之：〈清華簡の字跡とその關係性：第Ⅰ類 A、B、C 種を中心に〉，《中國研究集刊》64，2018年。

## 三　網路資料

子　居：《清華簡七《趙簡子》解析》，中國先秦史網站，2017年9月23日，網址：http://xianqinshi.blogspot.com/2017/09/blog-post_48.html。

暮四郎：《清華七《趙簡子》初讀》，武漢大學簡帛研究網站，2017年7月10日，網址：http://www.bsm.org.cn/forum/forum.php?mod=viewthread&tid=3459&extra=&page=7。

# 《十一家注孫子》引《左傳》研究
## ──《孫子兵法》注者眼中的《左傳》

潘銘基

（香港）香港中文大學中國語言及文學系教授

### 摘要

《孫子兵法》，乃春秋末年齊人孫武所撰，全書共十三篇，為世界上最早之軍事著述，乃兵家之經典。《左傳》載事始自隱公元年，終於哀公二十七年，總計255年。春秋之時，諸侯國分立，戰爭頻仍，《左傳》記載了492場戰爭，此書乃了解春秋時代各國之戰爭狀況的重要讀物。《十一家注孫子》最早著錄於《遂初堂書目》，此中十一位注家包括：曹操、孟氏、李筌、賈林、杜佑、杜牧、陳皥、王皙、梅堯臣、何氏、張預。《左傳》因述春秋史事，故必及戰爭，因而載有大量戰事；《孫子兵法》乃行軍佈陣之理論，與戰爭亦關係密切。合而言之，《左傳》與《孫子兵法》有著共同關心之課題，前者乃事例，後者為理論。各家注解《孫子兵法》之時，引用《左傳》作為戰例之情況頗為常見，張高評以為《左傳》乃「古今兵學之大宗」，其說是也。

本篇之撰，首先陳述《孫子兵法》十一家舊注之概況，指出其各自之特色。然後，仔細分析《十一家注孫子》所引春秋戰爭與《左傳》之關係，以證《左傳》為《孫子兵法》注家提供史實之作用。最後，復以此說明《左傳》所載兵法謀略對古代兵書之重要性。

**關鍵詞：**孫子兵法、左傳、十一家注、注釋、互見文獻

# A Study on the Quotation of *Zuo Zhuan* from commentatories of *Sun Tzu's Art of War*:

## *Zuo Zhuan* in the eyes of the commentators of *Sun Tzu's Art of War*

Poon Ming Kay

Professor, Department of Chinese Language and Literature, The Chinese University of Hong Kong

### Abstract

*Sun Tzu's art of war* was written by Sun Wu of Qi at the end of the Spring and Autumn period. It has 13 chapters. It is the earliest military work in the world and a classic of strategists. *Zuo Zhuan* records the historical events of 255 years in the Spring and Autumn period, starting from the first year of Duke Lu Yin and ending in the 27th year of Duke Lu Ai. During the spring and Autumn period, the vassal states were divided and wars were frequent. *Zuo Zhuan* recorded 492 wars. This book is an important book to understand the war conditions of various countries in the Spring and Autumn period. *The eleven commentators' annotation of Sun Tzu's art of war* was first recorded in the *Bibliography of Suichu Tang* by You Kuang of the Southern Song Dynasty. The eleven annotated scholars include Cao Cao, Meng, Li Zhen, Jia Lin, du you, Du Mu, Chen Zhen, Wang Yi, Mei Yaochen, he Shi and Zhang Yu. Because *Zuo Zhuan* describes the historical events of the Spring and Autumn period, it must be related to the wars, so it contains many wars. *Sun Tzu's art of war* is the theory of marching arrangement, which is also closely related to war. Generally speaking, *Zuo Zhuan* and *Sun Tzu's art of war* have topics of common concern. The former is an example and the latter is a theory. When commenting on *Sun Tzu's art of war*, it is quite common for various commentators to cite *Zuo Zhuan* as a war example. Zhang Gaoping commented that *Zuo Zhuan* is "a large amount of ancient and modern military science".

This article first states the general situation of the 11 old notes in *Sun Tzu's art of war*, and points out their respective characteristics. Then, it carefully analyzes the relationship between the Spring and Autumn war and *Zuo Zhuan* cited in the eleven annotations of Sun

Tzu, in order to prove that *Zuo Zhuan* provides historical facts for the annotation of *Sun Tzu's art of war*. Finally, it explains the importance of the military strategy contained in *Zuo Zhuan* to the ancient military book.

**Keywords:** *Sun Tzu's art of war, Zuo Zhuan,* 11 old notes in *Sun Tzu's art of war,* Annotations, Parallel Passages

# 一　前言

《孫子兵法》，又稱《孫武兵法》、《吳孫子兵法》、《孫子兵書》、《孫武兵書》等，乃春秋末年齊人孫武所撰，全書共十三篇，計有以下篇目：〈計篇〉、〈作戰篇〉、〈謀攻篇〉、〈形篇〉、〈勢篇〉、〈虛實篇〉、〈軍爭篇〉、〈九變篇〉、〈行軍篇〉、〈地形篇〉、〈九地篇〉、〈火攻篇〉、〈用間篇〉。據《史記．孫子吳起列傳》云：「孫子武者，齊人也。以兵法見於吳王闔廬。闔廬曰：『子之十三篇，吾盡觀之矣，可以小試勒兵乎？』對曰：『可。』闔廬曰：『可試以婦人乎？』曰：『可。』」[1]據此所載，闔廬已為吳王，而孫武乃以兵法得見之，其時《孫子兵法》十三篇已成。又，據《史記．吳太伯世家》，公子光派遣專諸刺殺吳王僚，奪取吳國王位，是為吳王闔廬。及至闔廬三年，孫武已在吳國朝廷之上，則《孫子兵法》在此前已告成書，且因此而孫武得為吳王闔廬所用。

《孫子兵法》為世界上最早之軍事著述，乃兵家之經典。唐太宗李世民譽之為「觀諸兵書，無出孫武」。[2]李世民在馬上得天下，戰功甚多，其於兵書之中獨許《孫子兵法》，是此書之談兵，實在他書之上。至於《左傳》，其載事始自隱公元年，終於哀公二十七年，總計255年，與《春秋》關係密切，晉人王接云：「《左氏》辭義贍富，自是一家書，不主為經發。」[3]可知其書不主於解經，而是多有闡發，內容豐富。《孟子．盡心下》云：「春秋無義戰。」[4]乃春秋時代戰爭頻繁是最佳描述。春秋之時，諸侯國分立，戰爭頻仍，《左傳》記載了492場戰爭。[5]可以說，如要了解春秋時代各國之戰爭狀況，研讀《左傳》是唯一的不二法門。張高評云：「孫吳兵法所述，既玄乎理而寄於言，衡諸學術流變之情，皆先實後虛，先事實而後有理論，足證孫吳所著，必有所據而云然！」[6]所言誠為真知灼見。《孫子兵法》所言皆為理論，而理論乃實踐後所歸納之結果。因此，《左傳》可以為春秋戰爭提供例證，而《孫子兵法》則以例證而歸納結論，成為兵家經典。

本篇之撰，首先陳述《孫子兵法》十一家舊注之概況，指出其各自之特色。然後，仔細分析《十一家注孫子》所引春秋戰爭與《左傳》之關係，以證《左傳》為《孫子兵

1　漢．司馬遷：《史記》（北京：中華書局，1982年第2版），卷65，頁2161。

2　唐．李靖：《唐太宗李衛公問對》，載《武經七書》（明嘉靖時期刊本），卷中，頁12a。

3　唐．房玄齡：《晉書》（北京：中華書局，1974年），卷51，頁1435。

4　漢．趙岐注，宋．孫奭疏：《孟子注疏》，載《十三經注疏（整理本）》（北京：北京大學出版社，1999年），卷14上，頁448。

5　朱寶慶：《左氏兵法》（西安：陝西人民出版社，1991年），頁4。案：清人顧棟高《春秋大事表》以為春秋242年之中，各國交兵130場。范文瀾《中國通史簡編》指出列國戰爭483次。張端穗《左傳思想探微》則謂「魯史春秋」記載列國軍事行動483次。

6　張高評：〈左氏兵法評證〉，載《高雄工專學報》第十四期（1984），頁652。案：此文及後收入張高評：《左傳之武略》（高雄：麗文文化公司，1994年），題作「《左傳》兵法評證」。

法》注家提供史實之作用。最後，復以此說明《左傳》所載兵法謀略對古代兵書之重要性。

## 二　略論《孫子兵法》十一家注

《十一家注孫子》最早著錄於南宋尤袤《遂初堂書目》，只有存目，不錄十一家注者姓名。《宋史‧藝文志》載有吉天保《十家孫子會注》十五卷，[7]同樣沒有說明十家者誰孰。清人孫星衍云：「十家者：一魏武，二梁孟氏，三唐李筌，四杜牧，五陳皞，六賈林，七宋梅聖俞，八王皙，九何延錫，十張預也。」[8]據此知《孫子兵法》十家注者之姓名。余嘉錫《四庫提要辨證》云：「吉天保《十家孫子會注》十五卷，《提要》均未引及，蓋止約略言之，不暇詳考也。《天祿琳琅書目》後編卷五云：『《十一家注孫子》，周孫武撰。曹操、李筌、杜佑、杜牧、王皙、張預、賈林、梅堯臣、陳皞、孟氏、何氏注，書三卷十三篇，附錄孫子本傳。又《十家注孫子遺說并序》，鄭友賢撰，說三十則。蓋本有十家注，友賢輯且補之為十一家也。』今按自曹操至何氏，實十一家，鄭友賢謂之十家者，蓋注中引及杜佑，乃《通典》之說，佑本不注《孫子》，去佑不數，則只十家耳。」[9]據余說，所謂「十一家」者乃是在「十家注」之基礎上增加杜佑，惟因杜佑本無注解《孫子兵法》之作，杜佑注僅為《通典》裡之解說，孫說是也。李零同樣認為，「吉本原名《孫子十家會注》，應是去佑不數」，[10]李氏可謂知言。總之，十一家注即以下十一位注者：曹操、孟氏、李筌、賈林、杜佑、杜牧、陳皞、王皙、梅堯臣、何氏、張預。

十一家注之中，就其人之時代而言，魏武帝曹操時代最早，居於十一家之首。次為孟氏，其名字、籍貫等皆不詳，《隋志》、孫星衍皆以之為南朝梁人。[11]《舊唐書‧經籍志》、《新唐書‧藝文志》皆有著錄；宋代除了《通志略》當有所記載以外，其他書目俱無。褚良才以為孟氏「注釋雖簡略，但存有一些今已無見之佚文，亦具文獻史料價

---

7　元‧脫脫等：《宋史》（北京：中華書局，1977年），卷207，頁5284。

8　清‧孫星衍：〈孫子兵法序〉，載春秋‧孫武撰，魏‧曹操等注，楊丙安校理：《十一家注孫子校理》（北京：中華書局，1999年），頁332。

9　余嘉錫：《四庫提要辨證》（北京：中華書局，1980年），卷11，頁595-596。

10　李零：〈現存宋代《孫子》版本的形成及其優劣〉，載李零：《〈孫子〉十三篇綜合研究》（北京：中華書局，2006年），頁399。又，李氏云：「杜佑注非專注《孫子》，乃《通典‧兵部》的《孫子》引文之注。」（李零：〈現存宋代《孫子》版本的形成及其優劣〉，頁393。）

11　案：《隋書‧經籍志》「鈔《孫子兵法》一卷」條下，注：「魏太尉賈詡鈔。梁有《孫子兵法》二卷，孟氏解詁；《孫子兵法》二卷，吳處士沈友撰；又《孫子八陣圖》一卷。亡。」（唐‧魏徵：《隋書》（北京：中華書局，1973年），卷34，頁1012。）可見《隋志》以為「孟氏」乃梁朝人。又，孫星衍〈孫子兵法序〉謂「二梁孟氏」，同樣指出「孟氏」乃梁朝人。（孫星衍：〈孫子兵法序〉，載《十一家注孫子校理》，頁332。）

值」。[12]次為李筌，約為唐代開元、天寶間人。據晁公武《郡齋讀書志》所載，李筌以為「魏武所解多誤，約歷代史，依《遁甲》，注成三卷」。[13]相較曹操注而言，李注多引戰例，可補曹注之闕。明代焦竑《國史經籍志》仍有載錄李注，[14]惟明清史志、清人私目皆不見之，蓋亡佚於清。次為賈林，《宋史・藝文志》「五家注《孫子》三卷」條下有「賈隱林」，校勘記云：「《崇文總目》卷三、《新唐書》卷五九〈藝文志〉、《書錄解題》卷一二都作『賈林』。」[15]賈林乃唐德宗時人，李零以為其「事蹟不詳」。[16]杜佑本不注《孫子》，上文已述，此不贅言。次為杜牧，其注「多引戰史以為參證，對《孫子》本旨多有發明」。[17]杜牧注有自序，今見《樊川集》卷十。次為陳皥，晚唐人。歐陽修〈孫子後序〉稱曹操、杜牧、陳皥為「三家《孫子》」，其重要性可見一斑。又云：「三家之注，皥最後，其說時時攻牧之短。」[18]晁公武云：「皥以曹公注隱微，杜牧注闊疎，重為之注云。」[19]比合歐陽修、晁公武所論，可見陳氏自以為其書頗有勝書，可攻前人舊說。

宋代研究《孫子兵法》者亦眾，「鼎盛時期是北宋仁宗時」。[20]其中王晳、梅堯臣、何延錫、張預皆是宋仁宗時人。楊丙安以為「梅堯臣主要活動在慶曆時代」，「王晳就可能也是慶曆時代或稍早的天聖時代」。[21]晁公武《郡齋讀書志》先列梅堯臣注，復次王晳，[22]則是以為梅早於王。嚴靈峰《周秦漢魏諸子知見書目》以為王晳「原作『王哲』，但現存《孫子十家注》中作『王晳』，今從之」。[23]如果是王哲，則是宋真宗天禧年間人，早於梅堯臣。然《宋志》有載王哲《春秋通義》和《皇綱論》，卻無《孫子注》，則此說存疑。今存王晳注解頗多與前人舊注相同，或襲自前注，亦好引曹注後加評說。次為梅堯臣，其為歐陽修詩友，時代相若。歐陽修〈孫子後序〉對梅堯臣注推崇備至，朱熹則以為不如杜牧注。[24]褚良才以為梅堯臣注「少述己見而多引他注」。[25]次為

12 褚良才：〈宋刻本《十一家注孫子》匯考〉，載《浙江大學學報（人文社會科學版）》第30卷第4期（2000年8月），頁97。

13 宋・晁公武撰，孫猛校證：《郡齋讀書志校證》（上海：上海古籍出版社，1990年），卷14，頁633。

14 明・焦竑：《國史經籍志》（錢塘徐氏曼山館刊本），卷4下，頁18a。

15 元・脫脫等：《宋史》，卷207，頁5321。

16 李零：〈現存宋代《孫子》版本的形成及其優劣〉，頁393。

17 楊丙安：〈宋本十一家注孫子及其流變〉，載春秋・孫武撰，魏・曹操等注，楊丙安校理：《十一家注孫子校理》（北京：中華書局，1999年），頁13。

18 宋・歐陽修：〈孫子後序〉，載《十一家注孫子校理》，頁314。

19 宋・晁公武撰，孫猛校證：《郡齋讀書志校證》，卷14，頁633。

20 李零：〈現存宋代《孫子》版本的形成及其優劣〉，頁395。

21 楊丙安：〈宋本十一家注孫子及其流變〉，頁14。

22 宋・晁公武撰，孫猛校證：《郡齋讀書志校證》，卷14，頁634。

23 嚴靈峰：《周秦漢魏諸子知見書目》（臺北：正中書局，1975年），卷4，頁11。

24 黎靖德編：《朱子語類》（北京：中華書局，1994年），卷139，頁3313。案：《朱子語類》云：「歐公大段推許梅聖俞所注《孫子》，看得來如何得似杜牧注底好？以此見歐公有不公處。」

何氏注，晁公武《郡齋讀書志》只題作「何氏注《孫子》三卷」，云：「未詳其名，近代人也。」[26]《崇文總目》「《孫子》二卷」作「何延錫注」，[27]蓋即所言「何氏」也。因其注中嘗言「梅氏之說得之」，[28]孫星衍將其置於王晳與張預之間。楊丙安以為何注「過簡，無可說處」。[29]最後，乃張預注。南宋人，多引《尉繚子》，注文為十一家注之最夥者。褚良才以為其注「無一同前人之注，顯其注乃自具特色」。[30]楊丙安指出，張預注「徵引戰史而不繁蕪，辨微索隱而不詭譎，明易通達」。[31]

褚良才謂在題解、訓詁、校勘、引例四者之中，「十一家注對引例最勤」。[32]所謂引例，其中以「戰例」最為重要，大抵即《孫子兵法》與古今戰爭用計之相合情況，褚氏統計各注家所引戰例數量，今且具列如下：

1 曹操明引語例凡十，另六例為暗引。

2 孟氏引戰例僅二，另引《太公兵法》、《春秋》、《左傳》、《司馬法》、《新訓》、《六韜》六書語例。

3 李筌引戰例九十二，並引《太一遁甲》、《天一遁甲》、《周易》、《春秋》、《玉經》五書語例。

4 杜佑引戰例十八，另引《太公兵法》、《春秋》、《兵經》、《孟子》、《新序傳》五書語例。

5 杜牧引戰例一百四十二，另引《春秋》、《准星經》、《左傳》、《周易》、《司馬法》、《管子》、《太公兵法》、《尚書》、《風后握奇文》、《周禮》、《孫臏兵法》、《黃石公兵法》、《軍志》、《軍法》、《吳子兵法》、《三略》、《老子》、《尉繚子》、《軍讖》、《衛公兵法》二十書語例。

6 陳皞引戰例二十六，並引《左傳》、《春秋》、《兵經》、《孟子》、《新序傳》五書語例。

7 賈林引戰例僅一，另引《尚書》、《黃石公兵法》、《太公兵法》三書語例。

8 梅堯臣引戰例二，並引《司馬法》、《六韜》、《春秋》三書語例。

9 王晳引戰例二，另引《周易》、《太公兵法》、《吳子兵法》、《范蠡兵法》四書語例。

---

25 褚良才：〈宋刻本《十一家注孫子》匯考〉，頁98。

26 宋・晁公武撰，孫猛校證：《郡齋讀書志校證》，卷14，頁635。

27 宋・王堯臣等撰，清・錢東垣等輯釋，清・錢侗補遺：《崇文總目輯釋》（上海：上海古籍出版社據上海辭書出版社圖書館藏清嘉慶刻汗筠齋叢書本影印，1995年），卷3，頁41a。

28 春秋・孫武撰，魏・曹操等注，楊丙安校理：《十一家注孫子校理》，卷中，頁189。

29 楊丙安：〈宋本十一家注孫子及其流變〉，頁14。

30 褚良才：〈宋刻本《十一家注孫子》匯考〉，頁98。

31 楊丙安：〈宋本十一家注孫子及其流變〉，載《十一家注孫子校理》，頁15。

32 褚良才：〈宋刻本《十一家注孫子》匯考〉，頁96。

10 何氏引戰例一百十八，並引《尚書》、《軍志》、《司馬法》、《春秋》、《尉繚子》、《鄉導略》、《淮南子》、《吳略》、《衛公兵法》、《周禮》、《呂氏春秋》十一書語例。

11 張預引戰例一百八十一，並引《管子》、《周易》、《范蠡兵法》、《衛公兵法》、《尉繚子》、《太白陰經》、《太公兵法》、《春秋》、《李靖軍鏡》、《曹操新書》、《吳子兵法》、《孟子》、《軍政》、《詩經》、《荀子》、《三略》、《韓信兵法》、《刑法志》、《史記》、《六韜》、《周禮》、《李靖兵法》、《老子》二十三書語例。[33]

以上統計，粗略可見十一家注引用戰例說明之狀況。所謂「戰例」，部分出自《孫子兵法》以前的典籍，或為孫武下筆所本；又有部分戰例出自如楚漢相爭、唐朝統一戰爭等，時代較後，可以視為後世戰爭仿效《孫子兵法》戰略之用例。

宋人鄭友賢云：「學兵之徒，非十家之說，亦不能窺武之藩籬。尋流而之源，由徑而入戶，於武之法，不可謂無功矣。」[34]指出《孫子兵法》注釋能夠幫助讀者窺探此書，直溯源頭，仿如由小徑而得入人家，乃有益於《孫子兵法》者也。李零以為十一家注云：「這些注解雖然存在不少缺點，但它們年代較早，為我們保存了許多古本異文、校說和古代訓詁，具有不可替補的價值。」[35]指出十一家注各有弊端，然亦不可滅，具有重要價值。

## 三 《十一家注孫子》所引春秋戰爭與《左傳》

《左傳》記載春秋時期史事，乃編年體史書，後雖入經部，然不失其史學特質，描刻事件，多有聚焦。張高評指出《左傳》「以史解經」，[36]言簡意賅，揭示了《左傳》的本質。又云：「左氏著傳，本為經發，然以史傳經，藉行為之因果關係，作空言判斷之根據，遂成一完整之史學著作。」[37]作為史書，載事自然是最關鍵的事情。春秋時代，兼併戰爭頻仍，誠如上文所引，《左傳》所載戰爭多達492場。觀乎全書記魯隱公元年至哀公二十七年合共255年之史事，戰爭次數之多，敘寫戰事之豐富，可以想見。明人周立勳《左氏兵法測要．序》云：「昔之言兵者，皆本《左氏》。」[38]朱寶慶《左氏兵法》云：「《左傳》在歷史上第一次對戰爭現象作了全面深刻的反映。」[39]又，張高評〈左氏

33 參自褚良才：〈宋刻本《十一家注孫子》匯考〉，頁96-97。

34 鄭友賢：〈十家註孫子遺說并序〉，載《十一家注孫子校理》，頁316。

35 李零：《孫子譯注》（香港：中華書局，2010年），前言，頁 i-ii。

36 張高評：《左傳導讀》（臺北：文史哲出版社，1995年再版），自序，頁2。

37 張高評：《左傳導讀》，頁147。

38 周立勳：〈左氏兵法測要序〉，載明．宋徵璧：《左氏兵法測要》（明刻本），頁1a。

39 朱寶慶：《左氏兵法》（西安：陝西人民出版社，1991年），頁4。

兵法評證〉云：「世之言兵法者，類多祖《陰符》，師《韜》《略》，取則《孫》《吳》《司馬法》，以為舍比莫尚矣，而不知前乎此者，有《左氏傳》之兵法也。《左傳》喜談兵，敘兵事往往委曲詳盡，神情畢見。」[40]又，張高評以為「《左傳》擅長敘戰，工於談兵，其書實古今兵學之大宗，韜鈐得失之左券也。」[41]諸說並是。

孫武乃春秋末年時人，其著《孫子兵法》，蓋在《左傳》所記之春秋時代。春秋時代所發生的戰爭，正屬孫武之耳濡目染，甚或乃其親身經歷。諸家注釋《孫子兵法》，亦深明此理，故於注解之時，復多援引《左傳》戰例以釋。如取「春秋」、「左傳」、「左氏」、「傳曰」等字詞加以檢索，所得十一家注引《孫子》之頻次並不多；然而，倘細意翻檢全書，則可見諸家並多援引《左傳》所載戰例以為說，詳見下表：

**表一　《十一家注孫子》援引春秋史事總表**

| | 曹操 | 孟氏 | 李筌 | 賈林 | 杜佑 | 杜牧 | 陳皞 | 王晳 | 梅堯臣 | 何氏 | 張預 | 總數 |
|---|---|---|---|---|---|---|---|---|---|---|---|---|
| 計　篇 | 0 | 0 | 1 | 0 | 1 | 4 | 0 | 0 | 0 | 1 | 10 | 17 |
| 作戰篇 | 0 | 0 | 0 | 0 | 4 | 0 | 0 | 1 | 0 | 0 | 3 | 8 |
| 謀攻篇 | 0 | 3 | 1 | 0 | 2 | 1 | 1 | 1 | 0 | 1 | 15 | 25 |
| 形　篇 | 0 | 0 | 0 | 0 | 0 | 0 | 0 | 0 | 0 | 0 | 0 | 0 |
| 勢　篇 | 0 | 0 | 4 | 0 | 0 | 0 | 0 | 0 | 0 | 0 | 4 | 8 |
| 虛實篇 | 0 | 0 | 0 | 0 | 0 | 0 | 3 | 0 | 0 | 1 | 5 | 9 |
| 軍爭篇 | 0 | 0 | 0 | 0 | 2 | 2 | 0 | 0 | 0 | 0 | 7 | 11 |
| 九變篇 | 0 | 0 | 0 | 0 | 0 | 0 | 0 | 0 | 0 | 9 | 9 | 18 |
| 行軍篇 | 0 | 0 | 2 | 0 | 0 | 3 | 2 | 0 | 0 | 2 | 12 | 21 |
| 地形篇 | 0 | 0 | 1 | 0 | 0 | 1 | 0 | 0 | 0 | 0 | 4 | 6 |
| 九地篇 | 0 | 0 | 0 | 0 | 0 | 0 | 1 | 0 | 0 | 0 | 1 | 2 |
| 火攻篇 | 0 | 0 | 0 | 0 | 0 | 0 | 0 | 1 | 0 | 0 | 1 | 2 |
| 用間篇 | 0 | 0 | 0 | 0 | 0 | 0 | 3 | 0 | 0 | 2 | 2 | 7 |
| 總　數 | 0 | 3 | 9 | 0 | 9 | 11 | 10 | 3 | 0 | 16 | 73 | 134 |

準此所見，除曹操、賈林、梅堯臣等三家外，其餘八家，即孟氏、李筌、杜佑、杜牧、陳皞、王晳、何氏、張預俱嘗援引春秋史事作為戰例，可知《左傳》與《孫子兵法》關係密切。李元春《左氏兵法・序》云：

40 張高評：〈左氏兵法評證〉，頁651。

41 張高評：〈左氏兵法評證〉，頁651。

> 《左氏》喜談兵、敘兵事，往往委曲詳盡，使人如見其形勢計謀。故其為文不得不然，亦以兵事詭秘。如所謂軍志者，世不必有傳書，其傳者皆名將之所志，疆埸臨時之所用，故具書之以告後人。是又安見孫、吳所言非即據《左氏》，諸所述者以為藍本乎？今觀春秋二百餘年，其為將多矣，其紀戰亦不少矣。戰言兵，不必戰而亦言兵，於兵事何一不備，即《孫》、《吳》之所言何一不該。《孫》、《吳》所言，空言也；《左氏》所言，驗之於事者也。後人之善用兵者，皆知其出於《孫》、《吳》，烏知其實出於《左氏》？[42]

這裡指出《孫子兵法》與《吳子兵法》雖為兵家要籍，然其所論畢竟皆有空言，即理論也；而春秋二百餘年之戰爭，實皆可見於《左傳》。《左傳》所記戰爭之勝負，則是兵法之實踐，據此可知《左傳》實乃兵書之祖。張高評云：「考《左傳》之談兵，虛實變化，不可方物，安知孫武之論虛實，不祖法於《左傳》哉？」[43]指出《左傳》之兵法，對《孫子兵法》影響至鉅，誠為知言。

明代研究《左傳》兵法者眾多，李衛軍云：「明人之研討《左傳》兵法者，多有其現實之針對性。蓋明之中後期，內有農民起義，外有少數民族之威脅，而朝廷用兵屢屢不利，故希望為將者能從《左傳》學習用兵之道。」[44]如王世德《左氏兵法纂》（佚）、黎遂球《春秋兵法》（佚）、宋徵璧《左氏兵法測要》二十卷、陳禹謨《左氏兵略》三十二卷、吳從周《左傳兵法》（佚）等，俱屬明代專研《左傳》兵法之著作。明人韓範評點《左傳》云：「《左氏》者，談兵之書，定亂之書也。」[45]此明代《左傳》兵法研究特盛之因由。及至清代，受明人熱衷研讀《左傳》兵法所影響，魏禧〈兵謀〉與〈兵法〉全據左氏而論，前者更不用《左傳》之名，而通篇皆據《左傳》立說；後者則開宗明義云：「兵不法不立。魏子曰：《左氏》之兵，為法二十有二：曰先，曰潛，曰覆，曰誘，曰乘，曰衷，曰誤，曰瑕，曰援，曰分，曰嘗，曰險，曰整，曰暇，曰眾，曰簡，曰一，曰勸，曰死，曰物，曰變，曰將。」[46]以此二十二項為《左傳》兵法。魏禧〈兵謀〉與〈兵法〉對每一種兵謀、兵法稍作簡釋後，例舉《左傳》戰例細加說明。此外，李元春《左氏兵法》顯然亦是受到明代前修之影響。

準上所論，《左傳》因述春秋史事，故必及戰爭，因而載有大量戰事；《孫子兵法》乃行軍佈陣之理論，與戰爭亦關係密切。合而言之，《左傳》與《孫子兵法》有著共同關心之課題，前者乃事例，後者為理論。以下即略述各家注釋《孫子兵法》援引《左傳》所載春秋戰例：

---

42 李元春：《左氏兵法》（臺北：新文豐出版社，1989年），序，頁1。

43 張高評：〈左氏兵法評證〉，頁659。

44 李衛軍：〈明代《左傳》學概述〉，載《古籍整理研究學刊》第3期（2010年5月），頁40。

45 韓範：《春秋左傳》（光緒乙酉年五融經館刻本），卷首，自序。

46 清・魏禧：《魏叔子文集》（北京：中華書局，2003年），卷2，頁146。

## （一）孟氏

在《孫子兵法》中，孟氏注援引《左傳》戰例3次，俱在《孫子兵法·謀攻》。今舉例略言之。一為《孫子兵法·謀攻》云：「故善用兵者，屈人之兵而非戰也，拔人之城而非攻也，毀人之國而非久也。必以全爭於天下，故兵不頓而利可全，此謀攻之法也。」[47]此章強調以謀略爭勝而利益可全，其中「拔人之城而非攻也」句，指出奪取敵方城邑而不靠硬攻之辦法。孟氏注：「言以威刑服敵，不攻而取，若鄭伯肉袒以迎楚莊王之類。」[48]此言鄭伯肉袒之事，見《左傳·宣公十二年》。[49]當時，楚莊王圍困鄭國，歷時三月，竟克之。楚兵從皇城入門，到達大路，而鄭襄公光著上身牽著羊以迎接。楚圍城而已，並無強攻，結果鄭伯肉袒以迎，實乃威刑服敵，「拔人之城而非攻」，故孟氏注援引以釋之。

二為《孫子兵法·謀攻》云：「故用兵之法：十則圍之，五則攻之，倍則分之，敵則能戰之，少則能逃之，不若則能避之。故小敵之堅，大敵之擒也。」[50]此章論依據敵我兵力對比情況而採取之作戰方針。其中「故小敵之堅，大敵之擒也」句，謂弱小之軍隊如果固執堅持，就會成為強大敵人之俘虜。孟氏注：「小不能當大也，言小國不量其力，敢與大邦為讎，雖權時堅城固守，然後必見擒獲。《春秋傳》曰：『既不能強，又不能弱，所以敗也。』」[51]此所引《春秋傳》見《左傳·僖公七年》，[52]屬《十一家注孫子》明引《左傳》之例。今《左傳》「敗」作「斃」，與《孫子兵法》孟氏注所引稍有不同。僖公七年，齊國攻打鄭國，孔叔對鄭文公說，以為既不能強，又不能弱，才是導致死亡的原因。孟氏以為小國不應該不自量力，而與大國為讎；鄭國便不應該抗衡齊國。

## （二）李筌

在《孫子兵法》中，李筌注援引《左傳》戰例者共9次，其中〈計篇〉1次，〈謀攻篇〉1次，〈勢篇〉4次，〈行軍篇〉2次，〈地形篇〉1次。今舉例略言之。一為《孫子兵法·計篇》云：「兵者，詭道也。故能而示之不能，用而示之不用，近而示之遠，遠而示之近。利而誘之，亂而取之，實而備之，強而避之，怒而撓之，卑而驕之，佚而勞

47 春秋·孫武撰，魏·曹操等注，楊丙安校理：《十一家注孫子校理》，卷上，頁50-52。
48 春秋·孫武撰，魏·曹操等注，楊丙安校理：《十一家注孫子校理》，卷上，頁51。
49 楊伯峻：《春秋左傳注》（北京：中華書局，1990年第2版），宣公十二年，頁718-719。
50 春秋·孫武撰，魏·曹操等注，楊丙安校理：《十一家注孫子校理》，卷上，頁52-55。
51 春秋·孫武撰，魏·曹操等注，楊丙安校理：《十一家注孫子校理》，卷上，頁55-56。
52 楊伯峻：《春秋左傳注》，頁315-316。

之，親而離之。攻其無備，出其不意，此兵家之勝，不可先傳也。」[53]此章論詭道為用兵策略，列舉「示形」等類十二種戰法，提出「攻其無備，出其不意」的制勝要訣。其中有「強而避之」句，李筌注：

> 量力也。楚子伐隨，隨之臣季梁曰：「楚人上左，君必左，無與王遇；且攻其右，右無良焉，必敗。偏敗，眾乃攜矣。」少師曰：「不當王，非敵也。」不從。隨師敗績，隨侯逸。攻強之敗也。[54]

李注所引，見《左傳・桓公八年》。[55]李氏具引此文，及於對話，仍不以「左傳」二字出之。《孫子兵法》言「強而避之」，李筌以為即要量力而為也。楚國攻伐隨國，隨侯率軍抵禦楚軍。隨臣季梁以為楚人以左為尊，隨君一定在左軍之中，不要和楚王正面作戰，姑且攻擊楚之右軍。右軍沒有好指揮官，必然失敗。偏軍一敗，全軍自必離散。可是，隨國少師不聽季梁建議，以為隨軍不與楚王正面作戰，就表示隨、楚二國並不對等。結果，隨侯沒有聽從季梁的話，隨軍大敗，隨侯逃走。李筌指出這正是不攻人之弱，反而攻人之強的後果了。

二為《孫子兵法・謀攻篇》云：「故知勝有五：知可以戰與不可以戰者勝；識眾寡之用者勝；上下同欲者勝；以虞待不虞者勝；將能而君不御者勝。此五者，知勝之道也。」[56]此章提出預知戰爭勝利的五種方法。其中「將能而君不御者勝」句，意指將帥有才能而國君不加以牽制的就能取得勝利，李筌注：

> 將在外，君命有所不受者勝，真將軍也。吳伐楚，吳公子光弟夫槩王至，請擊楚子常，不許。夫槩曰：「所謂見義而行，不待命也。今日我死，楚可入也。」以其屬五千，先擊子常，敗之。審此，則將能而君不能御也。[57]

李筌以為將帥率兵作戰在外，對於國君之命，不一定全數接受，這才是真正的將軍；能以戰局放在首位，而非只視君命如山。李筌援引夫槩王之事，見《左傳・定公四年》，其文如下：

> 十一月庚午，二師陳于柏舉。闔盧之弟夫槩王晨請於闔盧曰：「楚瓦不仁，其臣莫有死志。先伐之，其卒必奔；而後大師繼之，必克。」弗許。夫槩王曰：「所謂『臣義而行，不待命』者，其此之謂也。今日我死，楚可入也。」以其屬五千

53 春秋・孫武撰，魏・曹操等注，楊丙安校理：《十一家注孫子校理》，卷上，頁12-19。

54 春秋・孫武撰，魏・曹操等注，楊丙安校理：《十一家注孫子校理》，卷上，頁15。

55 楊伯峻：《春秋左傳注》，頁122。

56 春秋・孫武撰，魏・曹操等注，楊丙安校理：《十一家注孫子校理》，卷上，頁59-62。

57 春秋・孫武撰，魏・曹操等注，楊丙安校理：《十一家注孫子校理》，卷上，頁61。

> 先擊子常之卒。子常之卒奔，楚師亂，吳師大敗之。[58]

夫槩乃吳王闔廬之弟，在柏舉之戰任吳軍先鋒。定公四年十一月十八日，吳楚兩軍在柏舉排陣。夫槩在早上向闔廬請示，謂楚國的令尹子常不仁，其部下沒有死戰的決心。吳軍當搶先進攻，楚軍必定奔逃，然後吳軍大部隊跟上去，必可得勝。可是，吳王闔廬並不答應。夫槩以為，臣下合於道義的就去做，不必等待上級的命令。因此，夫槩引領自己的部下五千人，搶先攻打令尹子常的隊伍。結果子常的士兵奔逃，楚軍大亂陣腳而戰敗。李筌援引此事，旨在說明「將能而君不能御」，所論有理。

## （三）杜佑

杜佑本不注《孫子兵法》，今所載杜佑注，乃其《通典》援引《孫子兵法》之注釋。杜佑注援引《左傳》戰例者共9次，其中〈計篇〉1次，〈作戰篇〉4次，〈謀攻篇〉2次，〈軍爭篇〉2次。今舉例略言之。一為《孫子兵法・作戰篇》云：「其用戰也勝，久則鈍兵挫銳，攻城則力屈，久暴師則國用不足。夫鈍兵挫銳，屈力殫貨，則諸侯乘其弊而起，雖有智者，不能善其後矣。故兵聞拙速，未睹巧之久也。夫兵久而國利者，未之有也。故不盡知用兵之害者，則不能盡知用兵之利也。」[59]此章主張爭取速勝的進攻戰，分析戰爭曠日持久的危害性。其中「故不盡知用兵之害者，則不能盡知用兵之利也」句，杜佑注：

> 言謀國、動軍、行師，不先慮危亡之禍，則不足取利也。若秦伯見襲鄭之利，不顧崤函之敗；吳王矜伐齊之功，而忘姑蘇之禍也。[60]

在這裡，杜佑指出在謀劃取得國家政權、動用軍隊、行軍之時，皆必先考慮帶來禍患的可能，否則的話，未見其利先見其弊。杜佑謂「秦伯見襲鄭之利，不顧崤函之敗」，事見《左傳・僖公三十二年》，其文如下：

> 杞子自鄭使告于秦曰：「鄭人使我掌其北門之管，若潛師以來，國可得也。」穆公訪諸蹇叔。蹇叔曰：「勞師以襲遠，非所聞也。師勞力竭，遠主備之，無乃不可乎？師之所為，鄭必知之，勤而無所，必有悖心。且行千里，其誰不知？」公辭焉。召孟明、西乞、白乙，使出師於東門之外。蹇叔哭之，曰：「孟子！吾見師之出而不見其入也！」公使謂之曰：「爾何知？中壽，爾墓之木拱矣。」蹇叔之子與師，哭而送之，曰：「晉人禦師必於殽，殽有二陵焉。」其南陵，夏后皋

58 楊伯峻：《春秋左傳注》，頁1544。

59 春秋・孫武撰，魏・曹操等注，楊丙安校理：《十一家注孫子校理》，卷上，頁30-32。

60 春秋・孫武撰，魏・曹操等注，楊丙安校理：《十一家注孫子校理》，卷上，頁33。

之墓也；其北陵，文王之所辟風雨也。必死是閒，余收爾骨焉！」秦師遂東。[61]

此言杞子從鄭國派人告訴秦國，謂鄭人使其掌管北門的鑰匙，如秦國偷偷進兵，可以佔領鄭都。於是，秦穆公詢問蹇叔襲鄭的可能。蹇叔分析，派遣軍隊侵襲相距遙遠的地方，只是勞師動眾之舉，成效存疑。軍隊疲勞，力量衰竭，遠地的國家已有防備，不容易取得成功。秦軍之所為，鄭必知之，費力而不討好，士卒便生悖亂之心。軍隊日行千里，無人不知。可是，秦穆公並不接受蹇叔的意見，仍然召見孟明、西乞、白乙等，使其出兵。此後，秦師在路上遇上鄭國商人弦高，其人犒賞秦軍，並通風報信，令鄭國有時間可以防備，終免卻鄭國覆亡之禍。及後，秦、晉兩軍於殽山遭遇並發生會戰，秦軍覆沒，孟明、西乞、白乙三位將軍亦遭晉軍俘虜，一切正如蹇叔所言。用兵襲鄭固有近利，然而秦國未審戰敗之風險，結果經此大敗，元氣大傷，精銳喪失，無法向東發展。

同條杜佑注又有「吳王矜伐齊之功，而忘姑蘇之禍也」之語，此則所據為《左傳・哀公九年》至〈十年〉之史事。[62]當時吳國大舉襲齊，使吳都姑蘇空虛，導致後來為越國所攻破。杜佑引用此事，旨在說明吳王夫差「不盡知用兵之害者」，沒有明白出師攻伐之壞處，及後更釀成覆亡之禍。

二為《孫子兵法・謀攻篇》云：「故知勝有五：知可以戰與不可以戰者勝；識眾寡之用者勝；上下同欲者勝；以虞待不虞者勝；將能而君不御者勝。此五者，知勝之道也。」[63]此章提出預知戰爭勝利的五種方法。其中「識眾寡之用者勝」句，重在說明懂得按照兵力多少而採用不同戰法，便能取得勝利。杜佑注：「言兵之形，有眾而不可擊寡，或可以弱制強，而能變之者勝也。故《春秋傳》曰：『師克在和，不在眾』是也。」[64]杜佑此注，指出能夠靈活變通才是致勝的關鍵。此處援引《春秋傳》者，即《左傳》也，事見《左傳・桓公十一年》。其文如下：

> 楚屈瑕將盟貳、軫。鄖人軍於蒲騷，將與隨、絞、州、蓼伐楚師。莫敖患之。鬬廉曰：「鄖人軍其郊，必不誡。且日虞四邑之至也。君次於郊郢，以禦四邑，我以銳師宵加於鄖。鄖有虞心而恃其城，莫有鬬志。若敗鄖師，四邑必離。」莫敖曰：「盍請濟師於王？」對曰：「師克在和，不在眾。商、周之不敵，君之所聞也。成軍以出，又何濟焉？」莫敖曰：「卜之？」對曰：「卜以決疑。不疑，何卜？」遂敗鄖師於蒲騷，卒盟而還。[65]

此言楚國屈瑕欲與貳、軫兩國結盟。鄖國人的軍隊駐紮在蒲騷，準備跟隨、絞、州、蓼

61 楊伯峻：《春秋左傳注》，頁489-491。

62 楊伯峻：《春秋左傳注》，頁1654-1656。

63 春秋・孫武撰，魏・曹操等注，楊丙安校理：《十一家注孫子校理》，卷上，頁59-62。

64 春秋・孫武撰，魏・曹操等注，楊丙安校理：《十一家注孫子校理》，卷上，頁59-60。

65 楊伯峻：《春秋左傳注》，頁130-131。

四國同攻楚軍。莫敖擔心此事。鬬廉以為鄖國軍隊駐紮在其郊區，必缺乏警戒，日望四方軍隊到來；莫敖駐守郊郢以抵禦四國，而自己則用精銳部隊夜攻鄖國。鄖國一心期盼四國軍隊，且又依仗城郭堅固，無人有戰意。如能打敗鄖軍，四國一定離散。莫敖指出，當向君王請求增兵；鬬廉不以為然，以為軍隊能夠獲勝，在於團結一致，不在於人之多寡。商之為周所滅，正是如此。整頓軍隊而出兵，實在不用增兵。莫敖嘗試以占卜之法以闕疑。鬬廉以為占卜是為了決斷疑惑，沒有疑惑，實在不用占卜。於是就在蒲騷打敗鄖國軍隊，並跟貳、軫兩國訂立了盟約而回國。這裡鬬廉所言，謂勝負之關鍵乃是「師克在和，不在眾」，正與《孫子兵法》所言「識眾寡之用者勝」遙相呼應，勝負不在於人之多寡。杜佑引之是矣，因此才有「能變之者勝也」的說法。

## （四）杜牧

在《孫子兵法》中，杜牧注援引《左傳》戰例者共11次，其中〈計篇〉4次，〈謀攻篇〉1次，〈軍爭篇〉2次，〈行軍篇〉3次，〈地形篇〉1次。今舉例略言之。一為《孫子兵法．計篇》云：「兵者，詭道也。故能而示之不能，用而示之不用，近而示之遠，遠而示之近。利而誘之，亂而取之，實而備之，強而避之，怒而撓之，卑而驕之，佚而勞之，親而離之。攻其無備，出其不意，此兵家之勝，不可先傳也。」[66]此章論詭道為用兵策略，列舉「示形」等類十二種戰法，提出「攻其無備，出其不意」的制勝要訣。其中有「佚而勞之」句，杜牧注：

> 吳公子光問伐楚於伍員，員曰：「可為三軍以肄焉。我一師至，彼必盡出；彼出，則歸，亟肄以疲之，多方以誤之，然後三師以繼之，必大克。」從之。於是子重一歲七奔命，於是乎始病吳，終入郢。[67]

所謂「佚而勞之」，意指如敵軍以安逸待我，應設法使其疲勞。杜牧注所引，見《左傳．昭公三十年》。[68]吳王闔廬問伍員有關攻伐楚國之事，伍員以為楚國執政的人多而不和，沒有人敢承擔責任。如果組織三支部隊突襲楚國而又迅速撤退，一支部隊到那裡，楚國定必全軍應戰。楚軍出來，我們就退回來；楚軍回去，我們就出動，楚軍必定在路上疲於奔命。屢次突襲快撤使其疲勞，用盡方法使其失誤。楚軍疲乏以後再派三軍繼續進攻，必定大勝。闔廬聽從了伍員的意見，楚軍果然疲乏困頓。吳國軍隊正是利用這種「佚而勞之」的戰術，使楚軍疲於奔命，最終在這場戰爭取得勝利。杜牧亦總之曰：「於是乎始病吳，終入郢。」吳國軍隊最後長驅直進，抵達楚國郢都。

---

66 春秋．孫武撰，魏．曹操等注，楊丙安校理：《十一家注孫子校理》，卷上，頁12-19。

67 春秋．孫武撰，魏．曹操等注，楊丙安校理：《十一家注孫子校理》，卷上，頁17。

68 楊伯峻：《春秋左傳注》，頁1509。

二為《孫子兵法・行軍篇》云:「鳥集者,虛也。」[69]此篇共列舉三十三種徵候,揭露敵人的各種情況。這裡的「鳥集者,虛也」,說明群鳥集中其上,則表示其下的營壘已空,駐守軍隊已經撤退。杜牧注:「設留形而遁。齊與晉相持,叔向曰:『鳥烏之聲樂,齊師其遁。』」[70]其所引叔向云云,見《左傳・襄公十八年》。其文如下:

> 齊侯登巫山以望晉師。晉人使司馬斥山澤之險,雖所不至,必旆而疏陳之。使乘車者左實右偽,以旆先,輿曳柴而從之。齊侯見之,畏其眾也,乃脫歸。丙寅晦,齊師夜遁。師曠告晉侯曰:「鳥烏之聲樂,齊師其遁。」邢伯告中行伯曰:「有班馬之聲,齊師其遁。」叔向告晉侯曰:「城上有烏,齊師其遁。」[71]

晉平公和其他諸侯國共攻齊,齊靈公負嵎頑抗。齊靈公登上巫山以觀望晉軍。晉人派司馬排除山林河澤的險阻,即使是軍隊不能到達的地方,仍然樹起大旗而疏落佈陣。晉軍戰車的左邊坐上真人而右邊放上偽裝的人,用大旗前導,戰車後面拖上木柴跟著走。齊靈公看到,害怕晉軍人數眾多,就離開軍隊脫身回去。到了二十九日,齊軍夜裡逃走。師曠告訴晉平公,以為烏鴉的聲音愉快,齊軍恐怕逃走了。此外,邢伯告訴中行獻子,以為有馬匹盤旋不進的聲音,齊軍恐怕已經逃走。叔向告訴晉平公,以為城上有烏鴉,齊軍恐怕已經逃走。叔向在此所言,指出「城上有烏,齊師其遁」,烏怕人類,如果城門之上有烏聚集,表示當地守軍已經撤退,空無一人,才有烏之聚集。《孫子兵法・行軍篇》所言「鳥集者,虛也」,正與杜牧所引《左傳・襄公十八年》此事同理。

## (五)陳皞

在《孫子兵法》中,陳皞注援引《左傳》戰例者共10次,其中〈謀攻篇〉1次,〈虛實篇〉3次,〈行軍篇〉2次,〈九地篇〉1次,〈用間篇〉3次。今舉例略言之。一為《孫子兵法・謀攻篇》云:「故君之所以患於軍者三:不知軍之不可以進,而謂之進;不知軍之不可以退,而謂之退,是謂縻軍。不知三軍之事,而同三軍之政者,則軍士惑矣。不知三軍之權,而同三軍之任,則軍士疑矣。三軍既惑且疑,則諸侯之難至矣,是謂亂軍引勝。」[72]此章指出國君牽制軍事指揮的危害所在。其中「不知三軍之事,而同三軍之政者,則軍士惑矣」句,陳皞注:「言不知三軍之事,違眾沮議。《左傳》稱晉彘季不從軍師之謀,而以偏師先進,終為楚之所敗也。」[73]此處《孫子兵法》所言,蓋指不懂

69 春秋・孫武撰,魏・曹操等注,楊丙安校理:《十一家注孫子校理》,卷中,頁198。
70 春秋・孫武撰,魏・曹操等注,楊丙安校理:《十一家注孫子校理》,卷中,頁198。
71 楊伯峻:《春秋左傳注》,頁1038-1039。
72 春秋・孫武撰,魏・曹操等注,楊丙安校理:《十一家注孫子校理》,卷上,頁57-59。
73 春秋・孫武撰,魏・曹操等注,楊丙安校理:《十一家注孫子校理》,卷上,頁58。

得軍隊的內部事務，而干預軍中行政，就會使將士迷惑。陳注以為不懂得三軍之事，就會與其他懂得軍事的人見解不同，並援引《左傳・宣公十二年》彘季不從軍師謀之事為例。[74]彘季即先縠，春秋時期晉國大夫，食封邑於彘，故又稱彘子、彘季。宣公十二年夏六月，中軍將荀林父、中軍佐先縠、上軍將士會、上軍佐郤克、下軍將趙朔、下軍佐欒書率領晉軍救鄭，荀林父因知鄭國已跟楚國求和，故欲返軍。彘季並不同意，堅持渡過黃河並與楚國決戰，如此方可保持晉國為霸主之地位。因此，彘季單獨領軍渡過黃河。荀林父無奈，只好隨之率領全軍渡河。彘季不聽他人所言，一意孤行。由於彘季與荀林父的矛盾，最終導致晉軍在邲之戰戰敗。朱寶慶云：「元帥無能，軍令無威，將帥各自為政，異己無謀之輩肆意橫行，使失敗成為必然。戰後免林父，殺彘子，才使戰役之敗沒有發展為戰略之敗。」[75]朱氏所言總結了晉軍戰敗之因由，其言是矣。

二為《孫子兵法・用間篇》云：「凡軍之所欲擊，城之所欲攻，人之所欲殺，必先知其守將、左右、謁者、門者、舍人之姓名，令吾間必索知之。」[76]此章指出用間以偵破敵情。陳皥注：

> 此言敵人左右姓名，必須我先知之。或敵使間來，我當使間去，若不知其左右姓名則不能成間者之說。……又宋華元夜登子反之床，以告宋病。若非素知門人、舍人、左右姓名，先使間導之，又何由得登其床也？[77]

陳皥指出，攻敵之前，必先知悉其左右親信的姓名，如果敵人使用間計，或者我使用間計，能夠了解敵人左右之姓名非常重要。如不能知之，間計便不能成功。陳氏續引華元夜登子反之床事，此見《左傳・宣公十五年》。其文如下：

> 夏五月，楚師將去宋，申犀稽首於王之馬前曰：「無畏知死而不敢廢王命，王棄言焉。」王不能答。申叔時僕，曰：「築室，反耕者，宋必聽命。」從之。宋人懼，使華元夜入楚師，登子反之牀，起之，曰：「寡君使元以病告，曰：『敝邑易子而食，析骸以爨。雖然，城下之盟，有以國斃，不能從也。去我三十里，唯命是聽。』」子反懼，與之盟，而告王。退三十里，宋及楚平。華元為質。盟曰：「我無爾詐，爾無我虞。」[78]

宣公十五年夏五月，楚軍準備離開宋國，楚人申犀在楚莊王馬前叩頭，說自己知道死而不敢廢棄君王的命令，可是君王卻丟掉自己的話了。楚莊王不能回答。申叔當時正為楚

74 楊伯峻：《春秋左傳注》，頁721-726。

75 朱寶慶：《左氏兵法》，頁212。

76 春秋・孫武撰，魏・曹操等注，楊丙安校理：《十一家注孫子校理》，卷下，頁298。

77 春秋・孫武撰，魏・曹操等注，楊丙安校理：《十一家注孫子校理》，卷下，頁298。

78 楊伯峻：《春秋左傳注》，頁760-761。

莊王駕車，以為建造房子，讓種田者回來，宋國必然能夠聽從命令。楚莊王聽從了。宋國人害怕，派華元夜潛楚軍軍營，登上楚國司馬子反的床，叫他起來，謂宋君派遣自己來將困難情況一一告知，可是宋國不可能無條件投降，寧可讓國家滅亡，也不會這樣做。華元請楚軍退兵三十里，宋國將唯命是聽。子反聽了華元的說法後，感到害怕，就和華元私自訂盟誓然後報告楚莊王。結果，楚軍退兵三十里，兩國講和。華元作為人質，訂立盟誓。陳皥明確指出，如非宋國華元早已知道楚軍「門人、舍人、左右姓名」，先行用間，華元安可直入楚國司馬子反之床。陳皥以《左傳》此例解釋《孫子兵法》此句，甚為有理。及後，張預解釋此句，亦取用此例，謂「若華元夜登子反之床，以告宋病」，[79]其識見一也。

## （六）王晢

在《孫子兵法》中，王晢注援引《左傳》戰例者並不多，只有3次，其中〈作戰篇〉1次，〈謀攻篇〉1次，〈火攻篇〉1次。今舉例略言之。一為《孫子兵法．作戰篇》云：「國之貧於師者遠輸，遠輸則百姓貧。近於師者貴賣，貴賣則百姓財竭。財竭則急於丘役。力屈、財殫，中原內虛於家。百姓之費，十去其七；公家之費，破車罷馬，甲胄矢弩，戟楯蔽櫓，丘牛大車，十去其六。」[80]此章言戰線過長、駐軍過多，致使後方運輸困難，世族財產消耗，國家財政衰竭。總之，旨在說明戰爭不宜拖得太長，宜速戰速決。其中「力屈、財殫，中原內虛於家。百姓之費，十去其七」句，王晢注：

> 急者，暴於常賦也。若魯成公作丘甲是也。如此，則民費太半矣。要見公費差減，故云十七。曹公曰：「丘，十六井。兵不解，則運糧盡力於原野。」[81]

《孫子兵法》指出由於國力消耗、財富枯竭，中原地方已出現家室空虛的情況。百姓世族的財產，耗去了十分之七。王晢此注，旨在說明百姓耗費太多，並援引魯成公作丘甲為例。魯成公作丘甲之事，見《左傳．成公元年》。《左傳》文字非常簡單，云：「為齊難故，作丘甲。」[82]丘甲，春秋時魯國徵發軍用品的制度。古代軍賦制度四丘為甸，每甸出甲士三人，步卒七十二人。魯成公因齊難，臨時增徵甲士，改為每丘出一人，稱為丘甲。楊伯峻《春秋左傳注》指出相關「丘甲」之具體說法眾說紛紜，最後援引范文瀾之說，云：

79 春秋．孫武撰，魏．曹操等注，楊丙安校理：《十一家注孫子校理》，卷下，頁299。
80 春秋．孫武撰，魏．曹操等注，楊丙安校理：《十一家注孫子校理》，卷上，頁34-35。
81 春秋．孫武撰，魏．曹操等注，楊丙安校理：《十一家注孫子校理》，卷上，頁35。
82 楊伯峻：《春秋左傳注》，頁783。

> 范文瀾《中國通史簡編》云：「就是一丘出一定數量的軍賦，丘中人各按所耕田數分攤，不同於公田制度農夫出同等的軍賦」，視之為軍賦改革，且與宣公十五年「初稅畝」聯繫，較為合理。[83]

總之，「丘甲」就是較諸過去多徵軍賦之制度，因而導致魯國民費大增。王晳引此，旨在說明《孫子兵法》裡所謂「內虛於家」，而且「百姓之費，十去其七」的情況。

二為《孫子兵法・火攻篇》云：「主不可以怒而興師，將不可以慍而致戰；合於利而動，不合於利而止；怒可以復喜，慍可以復悅，亡國不可以復存，死者不可以復生。故明君慎之，良將警之，此安國全軍之道也。」[84]此章提出不可以因為一時動氣而發動戰爭的告誡，要以「安國全軍」作為最高的作戰指導原則。其中「主不可以怒而興師」句，說明國君不可因一時惱怒而發動戰爭，王晳注：「不可但以怒也，若息侯伐鄭。」[85]息侯伐鄭之事，見《左傳・隱公十一年》，其文如下：

> 鄭、息有違言。息侯伐鄭，鄭伯與戰于竟，息師大敗而還。君子是以知息之將亡也：「不度德，不量力，不親親，不徵辭，不察有罪。犯五不韙，而以伐人，其喪師也，不亦宜乎？」[86]

鄭國和息國之間有些言論衝突，息侯決意討伐鄭國。鄭莊公和息侯在國境內作戰，息國軍隊大敗而回。君子因此而知道息國將要滅亡了，以為息國不衡量德行，不考慮力量，不親近親鄰，不分辨是非，不查察有罪。息國犯了這五種錯誤，還要去討伐別人，其喪失軍隊，實在是非常合宜。在春秋初期，鄭國實力強大，息國不過是小國而已，居然不自量力，因為君主一時惱怒而發動戰爭，攻伐強鄭，最終兵敗，自是非常合理。王晳引息侯之事為例，說明此理，言之誠是。同條張預注：「因怒興師，不亡者鮮。若息侯與鄭伯有違言而伐鄭，君子是以知息之將亡。」[87]與王晳注相同，同引《左傳・隱公十一年》息侯之事作為例子，加以說明。

## （七）何氏

在《孫子兵法》中，何氏注援引《左傳》戰例者13次，其中〈計篇〉1次，〈謀攻篇〉1次，〈虛實篇〉1次，〈九變篇〉6次，〈行軍篇〉2次，〈用間篇〉2次。今舉例略言之。一為《孫子兵法・九變篇》云：「故用兵之法：無恃其不來，恃吾有以待也；無恃

83 楊伯峻：《春秋左傳注》，頁784。

84 春秋・孫武撰，魏・曹操等注，楊丙安校理：《十一家注孫子校理》，卷下，頁283-284。

85 春秋・孫武撰，魏・曹操等注，楊丙安校理：《十一家注孫子校理》，卷下，頁283。

86 楊伯峻：《春秋左傳注》，頁78。

87 春秋・孫武撰，魏・曹操等注，楊丙安校理：《十一家注孫子校理》，卷下，頁283。

其不攻，恃吾有所不可攻也。」[88]此章提出積極的重戰思想，強調有備無患，反對僥倖心理。其中「無恃其不攻，恃吾有所不可攻也」句，以為不要指望敵人不進攻，而要依靠自己的實力，擁有使敵人無法進攻的條件。何氏注：

> 《吳略》曰：「君子當安平之世，刀劍不離身。」古諸侯相見，兵衛不徹警，蓋雖有文事，必有武備，況守邊固圉，交刃之際歟？凡兵所以勝者，謂擊其空虛，襲其懈怠；苟嚴整終事，則敵人不至。《傳》曰：「不備不虞，不可以師。」昔晉人御秦，深壘固軍以待之，秦師不能久。楚為陳，而吳人至，見有備而返。程不識將屯，正部曲行伍營陳，擊刁斗，吏治軍簿，虜不得犯。朱然為軍師，雖世無事，每朝夕嚴鼓兵，在營者咸行裝就隊，使敵不知所備，故出輒有功。是謂能外禦其侮者乎！常能居安思危，在治思亂，戒之於無形，防之於未然，斯善之善者也。其次莫如險其走集，明其伍候，慎固其封守，繕完其溝隍，或多調軍食，或益修戰械。故曰：物不素具，不可以應卒。又曰：惟事事乃其有備，有備無患。常使彼勞我佚，彼老我壯，亦可謂「先人有奪人之心」、「不戰而屈人之師」也。若夫莒以恃陋而潰，齊以狎敵而殲，虢以易晉而亡，魯以果邾而敗，莫敖小羅而無次，吳子入巢而自輕，斯皆可以作鑒也。故吾有以待、吾有所不可攻者，能豫備之之謂也。[89]

何氏此注，援引眾多事例，旨在說明安不可以忘危，要做足一切準備。其中如引《傳》曰「不備不虞，不可以師」，見《左傳・隱公五年》；[90]「昔晉人禦秦，深壘固軍以待之，秦師不能久」，見《左傳・文公十二年》；[91]「楚為陳，而吳人至，見有備而返」，見《左傳・襄公二十六年》；[92]「莒以恃陋而潰」，見《左傳・成公八年》；[93]「齊以狎敵而殲」，見《左傳・莊公十七年》；[94]「虢以易晉而亡」，見《左傳・僖公二年》；[95]魯以果邾而敗，見《左傳・僖公二十二年》；[96]「莫敖小羅而無次」，見《左傳・桓公十三年》；[97]「吳子入巢而自輕」，見《左傳・襄公二十五年》。[98]何氏此注舉例繁多，準此可

88 春秋・孫武撰，魏・曹操等注，楊丙安校理：《十一家注孫子校理》，卷中，頁175。

89 春秋・孫武撰，魏・曹操等注，楊丙安校理：《十一家注孫子校理》，卷中，頁175-176。

90 楊伯峻：《春秋左傳注》，頁45。

91 楊伯峻：《春秋左傳注》，頁590。

92 楊伯峻：《春秋左傳注》，頁1114。

93 楊伯峻：《春秋左傳注》，頁840。

94 楊伯峻：《春秋左傳注》，頁205。

95 楊伯峻：《春秋左傳注》，頁283-284。

96 楊伯峻：《春秋左傳注》，頁396。

97 楊伯峻：《春秋左傳注》，頁137-138。

98 楊伯峻：《春秋左傳注》，頁1108。

見戰前作好準備之重要性。例如「楚為陳，而吳人至，見有備而返」，《左傳・襄公二十六年》云：

> 楚子、秦人侵吳，及雩婁，聞吳有備而還。遂侵鄭。[99]

在襄公二十六年，楚王、秦人進攻吳國，到達雩婁，聽到吳國有了防備而退走，就乘機進攻鄭國。戰爭貴乎速戰速決，時間拖得太長，必然導致生靈塗炭，對雙方皆無好處。因此，當楚、秦聯軍得知吳國已經做好防備後，如果堅決作戰，一定會拖長戰線；不如還師而復侵鄭。又，何氏言「魯以果邾而敗」，事見《左傳・僖公二十二年》，其文如下：

> 邾人以須句故出師。公卑邾，不設備而禦之。臧文仲曰：「國無小，不可易也。無備，雖眾，不可恃也。《詩》曰：『戰戰兢兢，如臨深淵，如履薄冰。』又曰：『敬之敬之！天惟顯思，命不易哉！』先王之明德，猶無不難也，無不懼也，況我小國乎！君其無謂邾小，蜂蠆有毒，而況國乎！」弗聽。八月丁未，公及邾師戰于升陘，我師敗績。邾人獲公冑，縣諸魚門。[100]

邾乃小國，一直以來是魯國的附庸。邾人由於魯國幫助須句的緣故出兵攻打魯國。魯僖公輕視邾國，不作準備便欲以應戰。臧文仲告訴魯君，以為國家無所謂弱小，不能輕視。沒有準備，即使魯國人數佔優，還是不足依靠的。臧文仲引用《詩・小雅・小旻》與《周頌・敬之》之文，說明以先王的美德，還沒有不困難、沒有不戒懼的，何況魯國也還只是小國。魯君不要認為邾國弱小，就算黃蜂、蠍子都有毒，何況是一個國家呢？可惜，僖公不聽臧文仲的忠告。到了八月初八日，僖公率軍與邾軍在升陘作戰，魯軍大敗。邾軍獲得了魯僖公的頭盔，掛在邾國城門魚門之上。因為輕敵，沒有作好準備而戰敗，此乃何氏引《左傳》此例之因由。

## （八）張預

在《孫子兵法》中，張預注援引《左傳》戰例者73次，整體數量較諸其餘諸家的總和還多，在十一家注中的數量最夥。其中〈計篇〉10次，〈作戰篇〉3次，〈謀攻篇〉15次，〈勢篇〉4次，〈虛實篇〉5次，〈軍爭篇〉7次，〈九變篇〉9次，〈行軍篇〉12次，〈地形篇〉4次，〈九地篇〉1次，〈火攻篇〉1次，〈用間篇〉2次。楊丙安以為張預注「徵引戰史而不繁蕪，辨微索隱而不詭譎，明易通達」。[101]今舉例略言之。一為《孫子兵法・

99 楊伯峻：《春秋左傳注》，頁1114。

100 楊伯峻：《春秋左傳注》，頁395-396。

101 〈宋本十一家注孫子及其流變〉，載春秋・孫武撰，魏・曹操等注，楊丙安校理：《十一家注孫子校理》，頁15。

計篇》云：「故校之以計，而索其情。曰：主孰有道，將孰有能，天地孰得，法令孰行，兵眾孰強，士卒孰練，賞罰孰明，吾以此知勝負矣。將聽吾計，用之必勝，留之；將不聽吾計，用之必敗，去之。」[102]此章言要對敵我雙方優劣條件的估計作比較。其中「法令孰行」句，意指哪一方的法令能切實執行是勝負關鍵，張預注：「魏絳戮揚干，穰苴斬莊賈，呂蒙誅鄉人，臥龍刑馬謖，茲所謂『設而不犯，犯而必誅』，誰為如此？」[103]其中「魏絳戮揚干」一事，見《左傳・襄公三年》。其文如下：

> 晉侯之弟揚干亂行於曲梁，魏絳戮其僕。晉侯怒，謂羊舌赤曰：「合諸侯，以為榮也。揚干為戮，何辱如之？必殺魏絳，無失也！」對曰：「絳無貳志，事君不辟難，有罪不逃刑，其將來辭，何辱命焉？」言終，魏絳至，授僕人書，將伏劍。士魴、張老止之。公讀其書，曰：「日君乏使，使臣斯司馬。臣聞『師眾以順為武，軍事有死無犯為敬』。君合諸侯，臣敢不敬？君師不武，執事不敬，罪莫大焉。臣懼其死，以及揚干，無所逃罪。不能致訓，至於用鉞，臣之罪重，敢有不從以怒君心？請歸死於司寇。」公跣而出，曰：「寡人之言，親愛也；吾子之討，軍禮也。寡人有弟，弗能教訓，使干大命，寡人之過也。子無重寡人之過也，敢以為請。」晉侯以魏絳為能以刑佐民矣，反役，與之禮食，使佐新軍。張老為中軍司馬，士富為候奄。[104]

晉悼公的弟弟揚干在曲梁擾亂軍隊的行列，魏絳殺了他的駕車人。晉悼公發怒，跟羊舌赤說，以為會合諸侯，是以此為光榮。揚干卻受到侮辱，因此一定要殺掉魏絳。羊舌赤勸導悼公，指出魏絳一心為公，侍奉國君不避危難，有了罪過不逃避懲罰，大概會前來說明，何必勞動君王發布命令呢？話剛說完，魏絳便到，將信交給僕人，準備自刎。士魴、張老勸阻魏絳。晉悼公讀了魏絳的上書後，知道魏絳只是在執行軍紀軍法。魏絳以為，君王的軍隊不武，辦事的人不敬，這是最大的罪過。魏絳指出自己畏懼觸犯死罪，所以連累到揚干，罪責難逃；因此請求由司寇處死。晉悼公讀畢以後，趕緊走出來，指出自己的一番說話，是出於對兄弟的親愛；魏絳殺揚干，是按軍法從事。悼公謂自己有弟弟，沒有能夠教導他，而讓他觸犯了軍令，這是自己的過錯。悼公希望魏絳不要受死，這可避免加重悼公的過錯。及後，晉悼公以為魏絳能夠用刑罰來治理百姓了，從盟會回國後，在太廟設宴招待魏絳，派他為新軍副帥。張老做中軍司馬，士富做了偵察長。張預引用「魏絳戮揚干」此事，旨在說明「犯而必誅」，更是直接呼應了《孫子兵法》所言「法令孰行」的道理。

---

102 春秋・孫武撰，魏・曹操等注，楊丙安校理：《十一家注孫子校理》，卷上，頁8-11。

103 春秋・孫武撰，魏・曹操等注，楊丙安校理：《十一家注孫子校理》，卷上，頁10。

104 楊伯峻：《春秋左傳注》，頁928-930。

二為《孫子兵法・地形篇》云：「卒強吏弱，曰弛。」[105]此處在言軍隊失敗的情況有六種，分別是「走」、「弛」、「陷」、「崩」、「亂」、「北」。這些失敗並非天候地理方面的自然災害，而是將帥的過錯所造成。此中士卒強悍，將吏懦弱，致使軍紀鬆弛而失敗，叫做弛。張預注：

> 士卒豪悍，將吏懦弱，不能統轄約束，故軍政弛壞也。吳楚相攻，吳公子光曰：「楚軍多寵，政令不一；帥賤而不能整，無大威命。楚可敗。」果大敗楚師也。[106]

張預指出，士卒豪放強悍，將吏懦弱，如此則軍隊難以做到統轄和約束，軍政隨之而廢弛敗壞。張預援引《左傳・昭公二十三年》雞父之戰為例加以說明，其文如下：

> 吳人伐州來，楚薳越帥師及諸侯之師奔命救州來。吳人禦諸鍾離。子瑕卒，楚師熸。吳公子光曰：「諸侯從於楚者眾，而皆小國也，畏楚而不獲已，是以來。吾聞之曰：『作事威克其愛，雖小，必濟。』胡、沈之君幼而狂，陳大夫齧壯而頑，頓與許、蔡疾楚政。楚令尹死，其師熸。帥賤、多寵，政令不壹。七國同役而不同心，帥賤而不能整，無大威命，楚可敗也，若分師先以犯胡、沈與陳，必先奔。三國敗，諸侯之師乃搖心矣。諸侯乖亂，楚必大奔。請先者去備薄威，後者敦陳整旅。」吳子從之。戊辰晦，戰于雞父。吳子以罪人三千先犯胡、沈與陳，三國爭之。吳為三軍以繫於後，中軍從王，光帥右，掩餘帥左。吳之罪人或奔或止，三國亂，吳師擊之，三國敗，獲胡、沈之君及陳大夫。舍胡、沈之囚使奔許與蔡、頓，曰：「吾君死矣！」師譟而從之，三國奔，楚師大奔。[107]

吳人進攻州來，楚國的薳越率領楚國和諸侯的軍隊奉命奔赴救援州來，吳人在鐘離抵禦他們，令尹子瑕死，楚軍喪失戰鬥力。吳公子光以為，很多小國諸侯跟從楚國，都是因為害怕楚國而不得已前來。公子光指出做事情如果威嚴勝過感情，雖然弱小，必然成功。胡、沈、陳、頓、許等諸國各有問題，如今楚國令尹死了，聯軍失去戰鬥力，元帥地位低，而很受寵信，政令又不一致，七國同夥而不同心，元帥地位低而不能整齊號令，沒有重大的威信，楚國是可以打敗的。公子光接著分析，如果分兵先攻胡、沈、陳的軍隊，三國必定奔逃敗退，聯軍的軍心就動搖了，楚軍必然拼命奔逃。公子光建議可以讓先頭部隊放鬆戒備減少軍威，後繼部隊鞏固軍陣整頓師旅，以引誘敵人。吳王聽從公子光的意見。到了七月二十九日，在雞父作戰，吳王用三千名罪犯先攻胡、沈、陳的軍隊，三國軍隊爭著俘虜吳軍。吳國整編了三個軍緊跟在後，中軍跟隨吳王，公子光率領右軍，公子掩餘率領左軍，吳國的罪犯有的奔逃，有的停止，三國的軍陣亂了陣腳，

---

105 春秋・孫武撰，魏・曹操等注，楊丙安校理：《十一家注孫子校理》，卷下，頁222。

106 春秋・孫武撰，魏・曹操等注，楊丙安校理：《十一家注孫子校理》，卷下，頁223。

107 楊伯峻：《春秋左傳注》，頁1445-1446。

吳軍進攻，三國的軍隊敗退，吳軍俘虜了胡、沈兩國的國君和陳國的大夫。吳軍釋放胡國、沈國的浮虜，讓他們奔逃到許、蔡、頓國的軍隊裡。吳軍隨著跟上，三國的軍隊敗逃，楚軍拼命逃跑。在這場吳楚雞父大戰中，吳軍取得大勝。《孫子兵法・地形》所謂的「卒強吏弱，曰弛」，在這場戰爭得以充分體現。聯軍統帥本為楚國令尹子瑕，惜其在戰時去世，楚軍隨之士氣低落。聯軍各有問題，諸國「同役而不同心」，張預所說「士卒豪悍，將吏懦弱，不能統轄約束，故軍政弛壞也」，說的正是這個情況。

在《十一家注孫子》中，張預注篇幅最多，惜其所得評價並不高。褚良才云：「張預與何氏注文篇幅雖居十一家之一位、三位，然張注僅兩例校勘，且不確；何注竟無一例，可見兩人於此欠精。」[108]「張注雖洋洋萬言，卻多承襲前人之解，無多創見，可謂續貂之說。」[109]指出張預注與何氏注在篇幅而言，分別位居十一家之第一位和第三位，但二人並不精於校勘。此外，張注大多襲取前賢解說，發明並不多，成就有限。其實，注釋之方向眾多，校勘只是其中一環，不精於校勘，並不等同此注釋無參考價值。此外，觀乎本文統計，張預注援引《左傳》為說，數量遠超其餘各家，如就這個角度著眼，張注的貢獻乃是遠超乎他家。所謂「欲加之罪，何患無辭」，批評張注為「續貂之說」，其是之謂乎！

# 四　結語

《左傳》詳記春秋時代諸侯國之間的戰爭，前人論之頗詳。及至討論《左傳》之兵法，文獻足徵，勝義紛陳。本文所論，特從《十一家注孫子》為切入角度，舉例說明《孫子》各家注釋援引《左傳》之情況，可總之如下：

一、在《十一家注孫子》中，其中有八家皆有援引《左傳》事例。考之全書，除曹操、賈林、梅堯臣等三家外，其餘八家，即孟氏、李筌、杜佑、杜牧、陳皞、王晳、何氏、張預俱嘗援引春秋史事作為戰例，與《左傳》關係密切。

二、褚良才嘗謂在題解、訓詁、校勘、引例四者之中，「十一家注對引例最勤」。[110]指出曹操明引語例10次，孟氏引戰例2次，李筌引戰例92次，杜佑引戰例18次，杜牧引戰例142次，陳皞引戰例26次，賈林引戰例1次，梅堯臣引戰例2次，王晳引戰例2次，何氏引戰例118次，張預引戰例181次。其中包括春秋、戰國、楚漢相爭、三國時期、唐統一天下等不同時代的許多戰爭。然而，特就各注家所援引《左傳》之情況而細加論之，前賢似有未及，故本文嘗試補苴如上。

三、在《十一家注孫子》中，援引《左傳》為例加以說明者，以張預注引例最豐，

108 褚良才：〈宋刻本《十一家注孫子》匯考〉，頁96。

109 褚良才：〈宋刻本《十一家注孫子》匯考〉，頁98。

110 褚良才：〈宋刻本《十一家注孫子》匯考〉，頁96。

多達73次。其餘諸家之援引數量如下：孟氏3次，李筌9次，杜佑9次，杜牧11次，陳皞10次，王晳3次，何氏16次，加上張預的73次，合共134次。其中張預所引已超過總數之半，此可見其注解好引戰例的特色。本文礙於篇幅所限，於八家注解皆只能臚列二例略作說明，實屬迫不得已。具體援引《左傳》之數量請參上文「表一：《十一家注孫子》援引春秋史事總表」。

四、《左傳》所載戰爭材料豐富，《十一家注孫子》所採戰例，或言勝方何以得勝，或言敗方如何致敗，不盡相同，卻同樣可為後世參考。《孫子兵法》注家取《左傳》戰例作為參考材料，可以作為閱讀作戰雙方勝負之依據。細言之，《孫子兵法》成書於專諸刺吳王僚之後至闔閭三年孫武見吳王之間，乃孫武初次見面贈送給吳王的見面禮，時代在春秋末年。《左傳》載事至於魯哀公二十七年。《孫子兵法》所載為理論，《左傳》則為戰爭的實踐；軍事理論可以是指揮作戰的綱領，亦可是對戰爭勝敗之歸納。《左傳》與《孫子兵法》二書，關係密切，值得深入探討。

# 徵引文獻

## 一　原典文獻


春秋・孫　武撰，魏・曹操等注，楊丙安校理：《十一家注孫子校理》，北京：中華書局，1999年。

漢・司馬遷：《史記》，北京：中華書局，1982年。

唐・李　靖：《唐太宗李衛公問對》，載《武經七書》（明嘉靖時期刊本），北京：中華書局，2015年。

唐・房玄齡：《晉書》，北京：中華書局，1974年。

唐・魏　徵：《隋書》，北京：中華書局，1973年。

宋・王堯臣等撰，清・錢東垣等輯釋，清・錢侗補遺：《崇文總目輯釋》，上海：上海古籍出版社（據上海辭書出版社圖書館藏清嘉慶刻汗筠齋叢書本影印），1995年。

宋・晁公武撰，孫猛校證：《郡齋讀書志校證》，上海：上海古籍出版社，1990年。

元・脫　脫等：《宋史》，北京：中華書局，1977年。

明・宋徵璧：《左氏兵法測要》（明刻本）。

明・焦　竑：《國史經籍志》（錢塘徐氏曼山館刊本）。

清・魏　禧：《魏叔子文集》，北京：中華書局，2003年。


## 二　近人著作


朱寶慶：《左氏兵法》，西安：陝西人民出版社，1991年。

余嘉錫：《四庫提要辨證》，北京：中華書局，1980年。

李元春：《左氏兵法》，台北：新文豐出版社，1989年。

李　零：《〈孫子〉十三篇綜合研究》，北京：中華書局，2006年。

李　零：《孫子譯注》，香港：中華書局，2010年。

李學勤主編：《十三經注疏（整理本）》，北京：北京大學出版社，1999年。

張高評：《左傳之武略》，高雄：麗文文化公司，1994年。

張高評：《左傳導讀》，台北：文史哲出版社，1995年。

楊伯峻：《春秋左傳注》，北京：中華書局，1990年。

黎靖德編：《朱子語類》，北京：中華書局，1994年。

韓　范：《春秋左傳》（光緒乙酉年五融經館刻本），卷首，自序。

嚴靈峰：《周秦漢魏諸子知見書目》，台北：正中書局，1975年。

## 三　單篇論文

李衛軍：〈明代《左傳》學概述〉，載《古籍整理研究學刊》第3期，2010年5月。

褚良才：〈宋刻本《十一家注孫子》匯考〉，載《浙江大學學報（人文社會科學版）》第30卷第4期，2000年8月。

# 《左傳》飲食敘事

蔡妙真

中興大學中國文學系副教授

## 摘要

「飲食」之一事，上關乎敬神，下繫乎人倫禮教，故《左傳》言縉雲氏有不才子，首標其人「貪于飲食」，由微知著──「其人之不才，由放任口腹開始」，一句就扣緊孔子「克己復禮為仁」「為仁由己」的精神。《左傳》飲食敘事，除了是春秋時期飲食文明的重要史料，也呈現禮儀社會的具體內容，更記錄飲食與身心健康相關的進步醫學知識，衡視今日科學，完全不遜色。

以敘事學的角度來看，《左傳》裁用飲食敘事，主要有三功能：一是將飲食儀式由原始人類社會的族群認同，昇化為封建精神；二是透過飲食紀事宣導道德價值；三是利用飲食事件描繪人物形象與增加情節張力，以飲食開筆黏合議論，並串連因編年體而易零碎化的事件。

由「饗食祭神」、「食、禮一事」而至「醫食同源」，傳統文化這條飲食脈絡，在《左傳》屬辭比事手法之下，大顯儒家人文化成風貌。

**關鍵詞：**左傳、飲食、共圈、共睦態

# The diet narrative in *Zuo Zhuan*

Tsai Miao Chen

Associate Professor, Chinese Literature Department of National Chung Hsing University

## Abstract

From godliness to human relations and ethics, "diet" can be of great consequences. *Zuo Zhuan* connects "having no conscience" with overeating, which fastened Confucius' spirit of "To restrain one' s selfishness and comply with courtesy" is perfect virtue". The diet narrative in Zuo Zhuan is not only an important historical material of diet civilization in the Chun—Ciou period, but also presents the specific content of the etiquette society. It also records the advancement of medical knowledge related diet to physical and mental health.

From the perspective of narratology, *Zuo Zhuan* adopts diet as narrative materials for three main purposes. First, it sublimated the dietary ritual from the ethnic identity of primitive human societies to feudal system and focus on the spirit of courtesy. Second, it promotes moral values through the narrative about diet. Third, it is used to portray the image of characters and increase plot tension, and connect fragments of events from the chronology.

With serial concepts such as "sacrificing delicacy to the gods", "food and rituals", and "medicine and food are of the same origin", the traditional diet culture stands out from *Zuo Zhuan*. The core social functions of diet and Confucianism are demonstrated in it.

**Keywords:** *Zou Zhuan*, diet, anthropological, courtesy, in the zone, Communitas

# 一　緒論

馬斯洛金字塔以生理需求為根基，[1]往上才是心理境域的追求；古今中外超凡入聖的考驗或鍛鍊亦常從飲食開端：佛陀入苦行林忍飢苦；[2]耶穌在曠野禁食四十晝夜；[3]道教的修仙養生由辟穀始；[4]晉公子重耳流亡諸國的考驗亦從挨餓開始，[5]凡此皆指明境界的提升首在飲食關，則墮落往往也在飲食，君不見自古指責敗德必先由飲食無度說起：聖君堯帝時代，縉雲氏有貪于飲食之不才子「饕餮」，饕餮不過就是貪食的根源個性，卻抵上三凶族；[6]以馬斯洛需求金字塔來看這樣的思維，一個人如若耽溺於第一層需求，的確就無向上的動能；「昔者桀為酒池糟隄，縱靡靡之樂，而牛飲者三千」；[7]「紂為肉圃，設炮烙，登糟邱，臨酒池，紂遂以亡。」[8]「（紂）以酒為池，縣肉為林」；[9]這樣「饕餮」類型的人物當了在上位者，喪家敗國成了必然的結果，韓非子稱這樣的邏輯

---

1 社會心理學家馬斯洛（Abraham Harold Maslow, 1908-1970）提出需求五層次理論（Maslow's Hierarchy of Needs），將人類由生存需求到自我實現與滿足概分為五大層次：生理、安全、社會、尊重和自我實現五類。詳參亞伯拉罕・馬斯洛著，梁永安譯：《動機與人格：馬斯洛的心理學講堂（Motivation and Personality）》（臺北：商周出版社，2020年），第二章。

2 「爾時太子，調伏阿羅邏、迦蘭二仙人已，即便前進迦闍山苦行林中，是憍陳如等五人所止住處；即於尼連禪河側，靜坐思惟：『觀眾生根，宜應六年苦行，而以度之。』思惟是已，便修苦行；於是諸天，奉獻麻米。太子為求正真道故，淨心守戒，日食一麻一米；設有乞者，亦以施之。」大藏經刊行會編：《大正新脩大藏經・第3冊・本緣部（上）・198・過去現在因果經・卷3》（臺北：新文豐出版公司，1983），頁638。

3 《新約聖經・馬太福音・4：3-4》。

4 漢・班固等撰，唐・顏師古注，楊家駱主編：《新校本漢書・卷25（上）・郊祀志（上）》（臺北：鼎文書局，1995年）：「李少君亦以祠竈、穀道、卻老方見上。」李奇注曰：「穀道，辟穀不食之道也。」頁1216。又後晉・劉昫撰，楊家駱主編：《新校本舊唐書・列傳・卷44》載盧藏用「隱居終南山，學辟穀、練氣之術。」頁3000。本論文所引廿五史皆依此版本，為省篇幅，不再一一註明。

5 詳《左傳・僖公二十三年》：「過衛，衛文公不禮焉。出於五鹿，乞食於野人，野人與之塊。公子怒，欲鞭之。」頁251。以下凡引十三經，版本皆據清・阮元校刻《重刊宋本十三經注疏》（臺北：藝文印書館，1982年），為節省篇幅，不再一一注明。

6 《左傳・文公十八年》：「縉雲氏有不才子，貪于飲食，冒于貨賄；侵欲崇侈，不可盈厭；聚斂積實，不知紀極；不分孤寡，不恤窮匱。天下之民，以比三凶，謂之『饕餮』。舜臣堯，賓于四門，流四凶族：渾敦、窮奇、檮杌、饕餮，投諸四裔，以禦螭魅，是以堯崩而天下如一，同心戴舜，以為天子。以其舉十六相，去四凶也。」頁355。

7 漢・韓嬰：《韓詩外傳・卷2》，頁13。收入《四部叢刊初編》（上海：商務印書館，1936年）第46-47冊。

8 周・韓非子著，清・王先慎集解：《韓非子集解・卷7・喻老》（臺北：中華書局，1998年），頁182。

9 漢・司馬遷撰，劉宋・裴駰集解，唐・司馬貞索隱，唐・張守節正義：《新校本史記・卷3・殷本記》，頁105。

推衍為「見小曰明」。[10]《尚書・洪範》治民八政以食為首，[11]難怪政治家管仲要說：「倉廩實，則知禮節；衣食足，則知榮辱。」[12]

《左傳》是史書，是敘事文學，也是解釋《春秋》哲學的重要典籍，在二三百年成堆的史料、各國文書乃至傳聞中，《左傳》如何看待與「飲食」相關的材料呢？《左傳》成公十二年載晉郤至論饗宴之語云：「享以訓共儉，宴以示慈惠。共儉以行禮，而慈惠以布政。」[13]定公十年載孔子代國君拒絕齊景公不成禮儀的饗禮，理由是：「夫享，所以昭德也。不昭，不如其已。」[14]明顯可以看出《左傳》未將飲食一事純就進食來看，反而是政治禮常的實踐之一；國之大事為祀與戎，而祀與戎又何能離食而辦？因此，透過「飲食」敘事觀察《左傳》評騭人物、釋放價值宣導以及安置情節等，當可收「見小之明」。

## 二 《左傳》飲食紀事綜述

### （一）飲食與疾病

「飲食」關乎健康，因此《易》有需卦，細論「飲食之道」，專示「飲食之潤益於人，乃人之所需也；人之所需莫急於飲食也。」[15]《左傳》對飲食與健康關聯的論述不多，卻極其肯定飲食與身心狀態高度相關，《左傳》論國君染疾乃「出入飲食哀樂之事也」，昭公元年，子產聘晉，晉侯有疾，子產不僅否定傳統的神鬼致疾思想，還直指晉侯沉疾實來自飲食失節：「若君身，則亦出入飲食哀樂之事也。」[16]現存最早又影響深遠的中國醫經《黃帝內經》云：「飲食不節，故時有病也」、[17]「飲食自倍，腸胃乃傷。」[18]此等飲食致疾論皆證成《左傳》飲食與疾病相關論述的進步。

《左傳》論述飲食營養與健康關係的例子則如哀公十三年黃池之會，吳晉爭先歃血，司馬寅觀察吳王夫差後回報：「肉食者無墨，今吳王有墨，國勝乎？大子死乎？」[19]「肉

10 《韓非子集解・卷7・喻老》，頁181。

11 漢・孔安國傳，唐・孔穎達疏：《尚書正義・卷12・洪範》，頁171。

12 周・管仲著，唐・房玄齡注：《管子・卷1・牧民》，頁1。收入《四部叢刊初編》第344-347冊。

13 頁458-459。饗、享通用，本文行文一律作「饗」，引文則各從原文用字。

14 頁977。

15 宋・俞琰著：《周易集說・卷39・需》，頁5。收入清・紀昀等編：《景印文淵閣四庫全書・經部一・易類》第21冊（臺北：臺灣商務印書館，1986年）。

16 頁706-708。

17 唐・王冰注，宋・林億等校正：《重廣補注黃帝內經素問・卷3・腹中論》，頁5。收入《四部叢刊初編》第357-361冊。

18 同上，《重廣補注黃帝內經素問・卷12・痺論》，頁6。

19 頁1028。

食者無墨」即是說明飲食營養與健康氣色的關係。其他更進一步論飲食與身心密切相關的敘事，見於桓公九年曹太子在饗禮奏樂的歡快場合嘆氣：

> 冬，曹大子來朝，賓之以上卿，禮也。享曹太子，初獻樂，奏而歎。施父曰：「曹大子其有憂乎？非歎所也。」[20]

又，昭公二十五年，魯叔孫婼聘宋為季平子迎親，宋元公與叔孫昭子在宴飲之際對泣，被樂祁論斷兩人喪心必死：

> 宋公享昭子……明日宴，飲酒，樂，宋公使昭子右坐，語相泣也。樂祁佐，退而告人曰：「今茲君與叔孫其皆死乎。吾聞之：『哀樂而樂哀，皆喪心也。』心之精爽，是謂魂魄。魂魄去之，何以能久？」[21]

飲食能得身體飽足、心情愉悅，所謂「唯食忘憂」，[22]饗宴中有酒有樂相伴，在本該身心愉悅的情況下竟嘆氣或悲泣，除了禮節上的「不得體」，恐怕的確是內在健康有恙，神志渙散而致「憂知於色、神志俱悲」。[23]諸如以上《左傳》對「飲食與營衛」觀念的啟蒙，逐漸發展為傳統醫學一脈，專辨飲食、疾病與醫療的關係，洵至唐而有昝殷《食醫心鑑》。[24]

## （二）飲食與政禮

《史記》稱「《春秋》者，禮義之大宗」；[25]鄭玄〈六藝論〉云：「《左氏》善於禮」，[26]楊伯峻先生也認為透過《左傳》歸納《春秋》禮義更合史實：

> 《春秋》經傳，禮制最難……考校春秋禮制，《三禮》僅作參考，取其可合者。而於《左傳》、《國語》及其他可信史料，自行歸納，反而符合史實。[27]

---

20 頁120。

21 頁887。

22 《左傳》昭公二十八年，頁915。

23 《重廣補注黃帝內經素問・卷23・解精微論》：「夫心者，五藏之專精也；目者，其竅也；華色者，其榮也；是以人有德也，則氣和於目；有亡，憂知於色。是以悲哀則泣下，泣下水所由生夫水之精為志，火之精為神，水火相感，神志俱悲……是以俱悲則神氣傳於心，精上不傳於志，而志獨悲，故泣出也。」頁8。

24 唐代名醫昝殷著名食療著作。原書於宋時已早佚，今本係日本多紀元堅輯自朝鮮金禮蒙《醫方類聚》。清末羅振玉由東京青山求精堂藏書中得之攜回。詳臺北：心一堂出版社，2018年。

25 漢・司馬遷撰，劉宋・裴駰集解，唐・司馬貞索隱，唐・張守節正義：《史記・卷130・太史公自序》，頁3298。

26 唐・楊士勛：《穀梁傳注疏・序》引，頁3。

27 楊伯峻：《春秋左傳注・凡例六》（臺北市：洪葉文化事業股份有限公司，2015年），頁54。

《左傳》喜論禮，而禮，始諸飲食；[28]「禮」字源字音亦來自食器與祭祀。[29]「國之大事，在祀與戎。祀有執膰，戎有受脤，神之大節。」[30]國家兩大要事都有飲食伴隨；可見飲食與政、禮關係密切。

《左傳》文公十八年記莒國太子僕弒君奔魯，文公受賄欲納之，季文子卻下令驅逐，他對魯文公解釋：

> 先君周公制《周禮》曰：「則以觀德，德以處事，事以度功，功以食民。」[31]

短短幾句話道盡先秦「飲食－禮制－政治」三合一的關係，季文子將周公禮制的目標歸結為「食民」，而莒太子諸行無禮，有違周公制禮以治國的精神，故必去之。昭公三年晏嬰論陳氏廣施恩惠於國，姜齊漸失民心。仔細檢核晏子所論陳氏之施，不外乎飲食溫飽的層次，但對於「二入於公，衣食其一」、「三老凍餒」的百姓來說，陳氏小惠成了莫大吸引力；[32]昭公五年晉侯稱讚魯侯善於禮，女叔齊卻不認同且批評魯國現況是「公室四分，民食於他，思莫在公，不圖其終。」[33]昭公十九年，《左傳》藉楚大夫沈尹戌之口，評議楚平王讓百姓「忘寢與食」，連照顧百姓最基本的溫飽都做不到，最終只能面對「必敗」的命運了：

> 吾聞撫民者，節用於內，而樹德於外；民樂其性，而無寇讎。今宮室無量，民人日駭，勞罷死轉，忘寢與食，非撫之也。[34]

凡此皆泛論飲食與治國相扣關係者，其他利用飲食紀事，載述祭祀、宴饗、朝聘、慰犒諸禮細節，佔《左傳》全書飲食紀事最大宗，除了是研究先秦禮儀重要史料，以敘事的角度來說，《左傳》透過飲啜餔歠，大論治國安民方策，且在杯盤交錯之間，鋪排各國政治互動乃至明暗角力，更是值得探究的心思。

## 1 飲食與治國

桓公二年鄭以郜大鼎賂魯桓公，臧哀伯以人君當「昭德塞違」諫止之，而臧哀伯所

28 《禮記・禮運》：「夫禮之初，始諸飲食。」，頁416。

29 何炳棣：《思想制度史論》：「卜辭中，『豊』字上部象徵祭祀所用的兩串玉，下部是『豆』，一種盛食物的祭器。」（臺北市：聯經出版事業公司，2013年），頁155。

30 成公十三年。

31 頁352。

32 「山木如市，弗加於山；魚鹽蜃蛤，弗加於海。民參其力，二入於公，而衣食其一；公聚朽蠹，而三老凍餒；國之諸市，屨賤踊貴。民人痛疾，而或燠休之，其愛之如父母，而歸之如流水，欲無獲民，將焉辟之。」頁722。

33 頁745。

34 頁846。

謂的「昭令德」，不外飲食日常的「儉樸」精神：

> 昭令德以示子孫，是以清廟茅屋，大路越席，大羹不致，粢食不鑿，昭其儉也。[35]

成公十二年更揭示饗宴的禮儀政治意義遠遠大乎口腹之樂：

> 諸侯閒於天子之事，則相朝也，於是乎有享宴之禮。共儉以行禮，而慈惠以布政，政以禮成，民是以息，百官承事，朝而不夕，此公侯之所以扞城其民也。[36]

「享以訓共儉」這樣的論述，已完全不同於原始饗宴「相對大啖美食」的意思；[37]由「與人共享美食」，轉成「克己復禮」[38]簡樸教民的政治挪用。又如宣公十六年，周天子親口解釋舉辦饗宴時所供飲食之禮曰：「王享有體薦，宴有折俎。」杜預注曰：「半解其體而薦之，所以示共儉。」[39]在國家最隆重的饗、宴兩種典禮上，[40]不是究極飲食的豐盛，反而以飲食示儉，代表儀式精神超越飲食行為，成為政治表演的重要活動之一。定公十年更藉孔子之口強調「夫享，所以昭德也。」[41]《左傳》這種將飲食一事由最基本的生理需求，不只拉抬至個體生命的升煉，甚至擴及政治管理之鑰，可謂思維之大躍進。

先秦以飲食烹調之理挪喻治國道理，最有名的當屬老子「治大國若烹小鮮」，[42]但《左傳》所記晏子辨析「和與同之異」，不僅以飲食之道喻君臣和德，同時旁及五聲平心之效，所論已兼顧生理與心理的平衡：

> 齊侯至自田，晏子侍于遄臺，子猶馳而造焉。公曰：「唯據與我和夫。」晏子對曰：「據亦同也，焉得為和？」公曰：「和與同異乎？」對曰：「異。和如羹焉，水、火、醯、醢、鹽、梅，以烹魚肉，燀之以薪，宰夫和之，齊之以味，濟其不及，以洩其過。君子食之，以平其心。君臣亦然。君所謂可而有否焉，臣獻其否以成其可；君所謂否而有可焉，臣獻其可以去其否，是以政平而不干，民無爭

---

35 頁91。

36 頁459。

37 享、饗互通，原字作「鄉」，據甲骨文，𦎫像二人對食形。「字象兩人相向跪坐，共食一簋。本義為相向共食。」詳參香港中文大學：漢語多功能字庫，網址：https://humanum.arts.cuhk.edu.hk/Lexis/lexi-mf/search.php?word=%E9%84%89。

38 昭公十二年，楚靈王以一身「皮冠、秦復陶、翠被、豹舄」華麗出場狩獵，子革引詩諷諭楚靈王為政當「形民之力，而無醉飽之心」，「王揖而入，饋不食，寢不寐，數日不能自克，以及於難。仲尼曰：『古也有志：「克己復禮，仁也。」信善哉！楚靈王若能如是，豈其辱於乾谿。』」，頁793-795。

39 頁411。

40 尚秉和：《歷代社會風俗事物考．卷7．飲食部．古者極重禮食不能食》：「古者享禮最盛，宴禮次之。」（臺北：臺灣商務印書館，1975年），頁99。

41 頁977。

42 周．老聃撰，三國．王弼注，樓宇烈校釋：《老子道德經注校釋．60章》（臺北：華正書局，1983年），頁157。

> 心。故《詩》曰：『亦有和羹，既戒既平。鬷假無言，時靡有爭。』先王之濟五味、和五聲也，以平其心，成其政也。聲亦如味，一氣、二體、三類、四物、五聲、六律、七音、八風、九歌，以相成也。清濁、大小、長短、疾徐、哀樂、剛柔、遲速、高下、出入、周疏，以相濟也。君子聽之，以平其心。心平，德和。故《詩》曰：「德音不瑕。」今據不然。君所謂可，據亦曰可；君所謂否，據亦曰否。若以水濟水，誰能食之？若琴瑟之專壹，誰能聽之？同之不可也如是。」[43]

晏子所論隱括傳統「陰陽相輔、五行相濟」的中和概念，論述層次由飲食迴旋至君臣，再盪至音律聲歌，徐導至「政成而民服」；此篇較諸老子以烹飪簡喻治國，更為周全明晰，最是架構分明的飲食治國論。

昭公五年，薳啟彊論國之興敗在於「行禮」與「失禮道」之別。其所述禮儀，不論朝聘、享覜、述職、巡功、郊勞，皆伴隨有飲食之事，所以接著又細說「設机而不倚，爵盈而不飲，宴有好貨，飧有陪鼎」乃禮之至也」，[44]薳啟彊所論治國精神依然是扣著飲食立論。哀公元年，懲於吳人幾乎滅楚的往事，楚臣對吳師入陳感到憂懼，子西卻認為吳王夫差與闔閭治國差異甚大，闔閭以儉己而能用民，夫差則奢以養己，「視民如讎」，以此觀之，吳國根本無法再對楚國造成威脅。[45]薳啟彊論「聖君務行禮」，與子西此處評闔閭「食不二味，居不重席」、「在軍，熟食者分而後敢食；其所嘗者，卒乘與焉」，等於複誦前述桓公二年臧哀伯「由飲食以昭令德」與成公十二年郤至「以宴饗之禮布政」的論點，可以想見，治國安民乃《左傳》關照飲食的核心思維，故爾不憚其煩一再致意焉。其他諸如宣公三年「鑄鼎」、「問鼎」等隱喻，[46]更是「食器－飲食－政

43 昭公二十年，頁858-861。

44 「聖王務行禮，不求恥人。朝聘有珪，享覜有璋；小有述職，大有巡功。設机而不倚，爵盈而不飲；宴有好貨，飧有陪鼎；入有郊勞，出有贈賄，禮之至也。國家之敗，失之道也，則禍亂興。」頁746。

45 「吳師在陳，楚大夫皆懼曰：『闔廬惟能用其民，以敗我於柏舉。今聞其嗣又甚焉，將若之何？』子西曰：『二三子恤不相睦，無患吳矣。昔闔廬食不二味，居不重席，室不崇壇，器不彤鏤，宮室不觀，舟車不飾，衣服財用，擇不取費。在國，天有菑癘，親巡其孤寡，而共其乏困；在軍，熟食者分而後敢食，其所嘗者，卒乘與焉。勤恤其民，而與之勞逸，是以民不罷勞，死不知曠。吾先大夫子常易之，所以敗我也。今聞夫差，次有臺榭陂池焉，宿有妃嬙嬪御焉；一日之行，所欲必成，玩好必從；珍異是聚，觀樂是務；視民如讎，而用之日新。夫先自敗也已，安能敗我？』」，頁992-993。

46 「楚子伐陸渾之戎，遂至于雒，觀兵于周疆。定王使王孫滿勞楚子，楚子問鼎之大小輕重焉。對曰：『在德不在鼎，昔夏之方有德也，遠方圖物，貢金九牧，鑄鼎象物，百物而為之備，使民知神姦。故民入川澤山林，不逢不若，螭魅罔兩，莫能逢之，用能協于上下，以承天休。桀有昏德，鼎遷于商，載祀六百；商紂暴虐，鼎遷于周。德之休明，雖小，重也；其姦回昏亂，雖大，輕也。天祚明德，有所底止。成王定鼎于郟鄏，卜世三十，卜年七百。天所命也，周德雖衰，天命未改，鼎之輕重，未可問也。』」，頁367。

體」合一的有名例子。[47]

## 2 飲食與禮樂

當飲食提升到宴飲的層次，就不再只是裹腹的私事，而是群我互動的社會交際，不免因時、地、賓、主、原由與目的等等饗宴的外在因素，而產生各式參差不一的儀式，正所謂「禮數不同樽俎異」，[48]透過儀式的準確執行，社群得以向成員不斷宣導群我分際（亦即所謂「禮」的精神），每一頓飯都在申明社會秩序，[49]此即前述季文子論周公禮制以觀德、處事、度功而至食民的思維脈絡。但禮儀會隨時間而有增減，若人際關係日逐複雜，禮節亦隨趨繁瑣；也可能日久心怠而禮儀廢弛。《左傳》所記乃衰亡亂世之史，禮之失全已成常態，《左傳》特愛藉一飲一啄之際，映射「禮樂崩壞」的末世實錄，比如宣公十六年，時為霸主的晉國協助弭平周王室卿士之間的傾軋，奉派執事的是五朝老臣士會，但即便以如此資深又備受讚譽的霸國上卿，對宴饗禮儀也懵然不曉：

> 冬，晉侯使士會平王室，定王享之，原襄公相禮，殽烝。武子私問其故。王聞之，召武子曰：「季氏，而弗聞乎？王享有體薦，宴有折俎。公當享，卿當宴，王室之禮也。」武子歸而講求典禮，以脩晉國之法。[50]

作為霸主，常有會盟、朝聘與評訟等外交事務，以及伴隨而來的祀誓饗宴等飲食活動，理當嫻熟宴饗禮儀，但《左傳》屢屢洩晉國之底，士會自周歸來後，雖然「講求典禮以脩晉國之法」，但大廈之傾，獨木難支，二十餘年後，晉在饗禮上依然出錯，晉在享禮上奏錯音樂層級，賓客只敢擇其細者答拜：

> （襄公四年）穆叔如晉，報知武子之聘也。晉侯享之，金奏〈肆夏〉之三，不拜；工歌〈文王〉之三，又不拜；歌〈鹿鳴〉之三，三拜。韓獻子使行人子員問之，曰：「子以君命辱於敝邑，先君之禮，藉之以樂，以辱吾子。吾子舍其大而重，拜其細，敢問何禮也？」對曰：「〈三夏〉，天子所以享元侯也，使臣弗敢與

---

47 「關於夏岐王子的銅鍋與周天子的鼎，我們可以肯定的是它們都象徵王權與財富，並且都顯示出與古老的食物——財產再分配制所具有的關係。二者不同的是，中國古代的鼎的持有者已不再是原始時代的『偉大供給者』，鼎在國家政權中還象徵等級森嚴的社會秩序。」詳參孫林：〈鍋・飲食・王權——對《敦煌本吐蕃歷史文書》一段文字的文化學解讀〉，《青海民族學院學報（社會科學版）》，1996第4期（頁9-16），頁15。

48 清・彭定求等編集：《御定全唐詩・卷338・韓愈・桃源圖》，頁5。收入清・紀昀等編：《景印文淵閣四庫全書・集部八・總集類》(臺北：臺灣商務印書館，1986年)。

49 "Every meal……is structured to express and support the social order." 詳參 Mary Douglas: *Natural Symbols*, London: Routledge, 1996, p.34.

50 頁411。

聞；〈文王〉，兩君相見之樂也，臣不敢及；〈鹿鳴〉，君所以嘉寡君也，敢不拜嘉；〈四牡〉，君所以勞使臣也，敢不重拜；〈皇皇者華〉，君教使臣曰：『必諮於周。』臣聞之：『訪問於善為咨，咨親為詢，咨禮為度，咨事為諏，咨難為謀。』臣獲五善，敢不重拜。」[51]

當然禮節渙散的，不只有晉國饗禮奏樂失度，襄公十年宋平公宴享晉悼公，隆重獻上〈桑林〉舞，由晉臣「辭禮」等議論，亦可知此乃逾節之舞：[52]

宋公享晉侯于楚丘，請以〈桑林〉，荀罃辭。荀偃、士匄曰：「諸侯宋魯，於是觀禮，魯有禘樂，賓祭用之；宋以〈桑林〉享君。不亦可乎？」舞師題以旌夏，晉侯懼而退入于房。去旌，卒享而還。及著雍，疾。卜，桑林見。荀偃、士匄欲奔請禱焉，荀罃不可，曰：「我辭禮矣，彼則以之。猶有鬼神，於彼加之。」晉侯有間。[53]

襄公十六年則記齊臣在宴會上賦詩不類，引發眾怒一事：

晉侯與諸侯宴于溫，使諸大夫舞，曰：「歌詩必類。」齊高厚之詩不類。荀偃怒，且曰：「諸侯有異志矣。」使諸大夫盟高厚，高厚逃歸。於是叔孫豹、晉荀偃、宋向戌、衛甯殖、鄭公孫蠆、小邾之大夫盟，曰：「同討不庭。」[54]

孔穎達〈正義〉解釋「不類」是指高厚歌詩未取恩好之義，並引劉炫意見，認為高厚是有意違背宴會主人的命令，[55]如此說來，齊國簡直是來搗亂這場宴會的，霸主即位而大會諸侯，齊侯不至；想當年大禹合諸侯，防風氏只因後至而見殺，[56]此番晉新君為了確認霸權，宴請諸侯，而齊君不至，來使又在宴會上掃興，無怪乎荀偃大怒，直指其必有異志。

齊、晉等大國禮儀疏蕪，但作為周公後裔、以「周禮盡在魯矣」見譽的禮義大國魯國，在宴享上也有出差池的紀錄：

---

51 頁504-505。

52 《正義》曰：「若非天子之樂，則宋人不當請，荀罃不須辭；以宋人請而荀罃辭，明其非常樂也。」頁539。

53 頁539-540。

54 頁573。

55 正義曰：「歌古詩各從其恩好之義類，高厚所歌之詩獨不取恩好之義類，故云：『齊有二心』。劉炫云：『歌詩不類，知有二心者，不服晉，故違其令，違其令是有二心也。』」頁573。

56 徐元誥撰：《國語集解・魯語（下）》：「昔禹致群神於會稽之山，防風氏後至，禹殺而戮之。」（北京：中華書局，2002年），頁202。：周・韓非：《韓非子・卷5・飾邪》：「禹朝諸侯之君會稽之上，防風之君後至而禹斬之。」，收入《景印文淵閣四庫全書・子部三・法家類》，頁15。

> （僖公三十年）王使周公閱來聘，饗有昌歜、白、黑、形鹽。辭曰：「國君，文足昭也，武可畏也，則有備物之饗，以象其德；薦五味，羞嘉穀，鹽虎形，以獻其功。吾何以堪之？」[57]

> （文公四年）衛甯武子來聘，公與之宴，為賦〈湛露〉及〈彤弓〉。不辭，又不荅賦。使行人私焉。對曰：「臣以為肄業及之也。昔諸侯朝正於王，王宴樂之，於是乎賦〈湛露〉，則天子當陽，諸侯用命也。諸侯敵王所愾，而獻其功，王於是乎賜之彤弓一、彤矢百、玈弓矢千，以覺報宴。今陪臣來繼舊好，君辱貺之，其敢干大禮以自取戾。」[58]

兩場宴會，地主國不是饗物太過，就是賦詩僭越，頻頻出錯。更蒼涼的宴會紀載在襄公二十九年，時范獻子聘魯，襄公竟不能備足在宴饗間行射禮的人數，還得取足於家臣，[59]一場饗宴就可看出魯三家之盛而公室之卑微。

諸侯執行起周禮個個不像樣，理當為民表率的周王室，卻也加入崩壞大隊，昭公十五年，晉荀躒如周葬穆后，天子卻在宴賓會上向賓客索討彝器，叔向評議周王一動而失二禮，一是因喪求器；二是服喪未遂，宴樂過早，是「樂憂甚矣」。《左傳》文字間的痛心可睹：

> 叔向曰：「王其不終乎！吾聞之：『所樂必卒焉。』今王樂憂，若卒以憂，不可謂終。王一歲而有三年之喪二焉，於是乎以喪賓宴，又求彝器，樂憂甚矣，且非禮也。彝器之來，嘉功之由，非由喪也。三年之喪，雖貴遂服，禮也。王雖弗遂，宴樂以早，亦非禮也。禮，王之大經也。一動而失二禮，無大經矣……。」[60]

由以上諸例，可以窺見春秋時期飲宴之禮，不只菜色有計較，助興的歌舞也有講究，最重要的是，《左傳》選材用意殊非僅止於存禮，焦距其實更在宴饗場合對禮與德的議論紛紛，或是宴饗前後事件的對看，意在言外，這部分將於下一章分析。

## 3 飲食與外交

兩人以上的共食就不再只是單純的飲食行為，而是「社交」。政治上的社交除了情感的連節，更多的是訊息的交流、勸諫、立場表態，乃至不免有所角力，比如襄公八年晉范宣子聘於魯，目的是邀請魯國共同出師伐鄭，這條訊息的傳遞是透過宴饗賦詩之禮「公然討論」的：

---

57 頁285。

58 頁306。

59 「范獻子來聘，拜城杞也。公享之，展莊叔執幣。射者三耦，公臣不足，取於家臣。」頁667。

60 頁823-825。

> 晉范宣子來聘，且拜公之辱，告將用師于鄭。公享之，宣子賦〈摽有梅〉，季武子曰：「誰敢哉？今譬於草木，寡君在君，君之臭味也，歡以承命，何時之有？」武子賦〈角弓〉。賓將出，武子賦〈彤弓〉。宣子曰：「城濮之役，我先君文公獻功于衡雍，受彤弓于襄王，以為子孫藏。匄也，先君守官之嗣也，敢不承命。」君子以為知禮。[61]

這樣的詩歌迭和，徵兵訊息盡在不言中，與今情報傳遞之密碼戰何異？

又昭公二十八年記魏獻子聽訟，將受賄，家臣閻沒、女寬在飲宴之際婉達「不貪」之諫：

> 梗陽人有獄，魏戊不能斷，以獄上。其大宗賂以女樂，魏子將受之。魏戊謂閻沒、女寬曰：「主以不賄聞於諸侯，若受梗陽人，賄莫甚焉，吾子必諫。」皆許諾。退朝，待於庭。饋入，召之。比置，三歎。既食，使坐。魏子曰：「吾聞諸伯叔諺曰：『唯食忘憂』，吾子置食之間三歎，何也？」同辭而對曰：「或賜二小人酒，不夕食。饋之始至，恐其不足，是以歎；中置，自咎曰：『豈將軍食之而有不足？』是以再歎；及饋之畢，願以小人之腹為君子之心，屬厭而已。」獻子辭梗陽人。[62]

多麼精采的一場表演，閻沒、女寬既滿足了一己食欲，復保住主人的面子，更重要的是三嘆而致其意，達成目的，的確遠勝戰場衝鋒、口舌喋喋啊。

晉楚爭霸的背景下，晉襄公因魯文公不來朝見而伐魯，之後又折辱遠道來示好的魯君，卻在連番宣示霸權的無禮行為之後，思以一場饗宴扭轉兩國關係：

> （文公三年）晉人懼其無禮於公也，請改盟。公如晉，及晉侯盟。晉侯饗公，賦〈菁菁者莪〉。莊叔以公降拜，曰：「小國受命於大國，敢不慎儀？君貺之以大禮，何樂如之！抑小國之樂，大國之惠也。」晉侯降，辭。登，成拜。公賦〈嘉樂〉。[63]

這段紀事的文字安排以「無禮」始，但以「大禮」、「慎儀」結；饗宴起於「懼」，而終之以三稱「樂」；《左傳》在由懼而樂的情緒轉換之中，夾入「大國」「小國」等議論，透露小國夾在大國淫威之下的無奈，諸般委屈被包覆在揖讓和樂的儀式之中，只能以莊叔幾句話如鏡映射而出，不得不佩服《左傳》屬辭比事之間細細織入微言大義的精巧。

更特別的例子是「拒絕受饗」也可以扭轉乾坤。定公十年，魯定公與齊侯會於夾

61 頁522。

62 頁915。

63 頁305。

谷，孔子為相，齊先是以兵劫魯侯，又於載書強加無禮要求，一一被孔子據理反擊，會後齊侯將享魯侯，孔子辭以不合禮，此番辭饗，不僅使魯君免於再度受辱，也贏回「齊人來歸鄆讙龜陰之田」的結果：

> 齊侯將享公。孔丘謂梁丘據曰：「齊、魯之故，吾子何不聞焉？事既成矣，而又享之，是勤執事也。且犧象不出門，嘉樂不野合。饗而既具，是棄禮也；若其不具，用秕稗也。用秕稗，君辱；棄禮，名惡。子盍圖之。夫享所以昭德也。不昭，不如其已也。」乃不果享。齊人來歸鄆、讙、龜陰之田。[64]

從以上諸例可以得知《左傳》強調飲食的政禮展示性質之外，也沒漏掉「脩之罇俎之間，而折衝乎千里」[65]的外交功能。

## 三　《左傳》飲食紀事的意義

綜覽《左傳》飲食紀事可以明顯看出，飲宴是政治生活中的重要禮節。由祭祀結束後啖食祭品的「人神共餐」，到分贈祭品的權力展示與權利分配、到人與人的同席共餐，再再凸顯《左傳》飲食紀事的意義，遠遠不止馬斯洛需求論裡的「生理需求」。「通過人神的共餐同飲，神人之間的交流對話便獲得實現。」[66]而人與人之得以共聚一堂，共享美食共啜佳釀，昭示的是「我族」與「他者」之別：

> 那些聚坐共餐的人，在所有的社會活動上是團結為一體的；而那些未能參與共同進食的人，對彼此而言都是非我族類，既非宗教上的夥伴，也缺乏互惠往來的社會義務。[67]

以是之故，《左傳》特記飲食、甚至細寫飲食種種，其內蘊就很值得深入探究。以下由社會與敘事二個角度來探討這些飲食敘事的意義。

---

64 頁976-977。

65 漢．桓寬：《鹽鐵論．卷8．崇禮》，頁18。收入《景印文淵閣四庫全書．子部一．儒家類》；又漢．劉向《新序》也云：「仲尼聞之曰：『夫不出於樽俎之間，而知千里之外。」其晏子之謂也。可謂折衝矣，而太師其與焉。』」詳盧元駿：《新序今註今譯．雜事一》（臺北：臺灣商務印書館，1991年），頁26-27。

66 （法）庫朗熱（Fustel de Coulanges）撰，譚立鑄譯：《古代城邦：古希臘羅馬祭祀．權利和政制研究（*La cité antique: étude sur le culte, le droit, les institutions de la Grèce et de Rome*）》（上海：華東師範大學出版社，2006年），頁145。

67 “Those who sit at meat together are united for all social effects, those who do not eat together are alien to one another, without fellowship in religion and without reciprocal social duties.”（William Robertson Smith: “Lectures on the Religion of the Semites: First Series.” *The Fundamental Institutions*, New York: Meridian Books, 1889, p.251.

## （一）飲食的社會意義

### 1 飲食與共圈關係之確立

春秋時期雖早非茹毛飲血的狩獵時代，是以禮儀統整群體的文明社會，但由天子將祭拜祖先的祭肉賞賜齊桓公，[68]仍可見出部落社會共享肉食以示「共圈」(in the zone) 關係[69]的殘留。蓋祭祖胙肉，原只與同姓兄弟國分享，今姬周特賜與姜齊，舊注皆以「禮賓、尊客」釋之，[70]殊不知分享食物的潛語言是強化「你是我族一員」的入圈儀式。因此，因賜食而衍生的諸多禮儀，包蘊的意義遠大於禮貌尊敬。時代可能會改變，幽微的人性卻相去不遠，《左傳》有兩筆「羹湯之怒」的紀事，頗值得玩味這種「飲食與共圈」關係：

> （宣公二年）將戰，華元殺羊食士，其御羊斟不與。及戰，曰：「疇昔之羊，子為政；今日之事，我為政。」與入鄭師，故敗。[71]

> （宣公四年）楚人獻黿於鄭靈公。公子宋與子家將見，子公之食指動，以示子家，曰：「他日我如此，必嘗異味。」及入，宰夫將解黿，相視而笑。公問之，子家以告。及食大夫黿，召子公而弗與也。子公怒，染指於鼎，嘗之而出。公怒，欲殺子公。子公與子家謀先，子家曰：「畜老猶憚殺之，而況君乎？」反譖子家。子家懼而從之。夏，弒靈公。[72]

華元分羹不均，導致宋師大敗，主帥見囚。第二則例子鄭國的黿羹事件更像一場鬧劇，結果是悲慘的君臣相殺。羊斟與子公兩個未能參與共享美食的臣子，都欲置君死地；分食之不均，竟致殺機火竄。《左傳》以道德的角度譴責羊斟：

> 君子謂：「羊斟，非人也。以其私憾，敗國殄民，於是刑孰大焉？《詩》所謂『人之無良』者，其羊斟之謂乎！殘民以逞！」[73]

---

68 《左傳・僖公九年》：「天子有事于文武，使孔賜伯舅胙。」頁218。漢・鄭玄注，唐・賈公彥疏：《周禮正義・卷18・春官宗伯・大宗伯：「以脤膰之禮親兄弟之國」，注云：「脤膰，社稷宗廟之肉。以賜同姓之國，同福祿也。」疏云：「周禮以脤膰之禮親弟兄之國，不以賜異姓。」頁278。

69 Edith Turner: *Communitas: The Anthropology of Collective Joy*, Palgrave MacMillan, 2012 提出的概念，人們分享共同的經驗後，因愉悅而產生「共處同圈」的群體關係 “a group’s pleasure in sharing common experiences; being ‘in the zone’…… the sense felt by a group when their life together takes on full meaning.” p.98。說詳下文。

70 杜預注「王使宰孔賜齊侯胙」云：「尊之比二王後。」頁218。賈公彥疏《周禮》亦云：「敬齊侯，比之賓客。」頁278。

71 頁363。

72 頁369。

73 宣公二年，頁363。

但對鄭國「因黿起釁」事件卻冷冷的解釋起《春秋》書法，[74]透過書法指明罪在人臣。這樣的闡釋，對後代影響甚鉅，歷來提到分羹不均，咸言禍起怨恨，且皆不免感嘆只因小怨而竟敗大局。比如《戰國策》就講了一個幾乎一模一樣的故事，說中山君饗羊羹卻未及司馬子期，導致子期怒走楚國而伐中山；出亡的中山君幸賴曾餌餓人而得免，[75]中山君因而感嘆：「與不期眾少，其於當厄；怨不期深淺，其於傷心。吾以一杯羊羹亡國，以一壺飧得士二人。」[76]唐劉子元〈思慎賦〉舉此例言「慎」之重要：「羊羹匪均，三軍以之覆敗。苟有怨其必復，諒無所而不誡。」[77]清人梁玉繩也以怨毒視角談此事：「故怨毒之事，在小不在大；飲食之人，可賤亦可畏。」[78]

事實上，只以道德評論這種「羹湯之怒」，很容易忽略宴飲在社會學上的意義；單以「慎」、「憾」、「怨毒」、「恩仇」等情緒論斷其人，總有搔不著癢處的空虛。羊斟與子公果真量小至極而怨毒深埋乎？如果對照前述「天子賜伯舅胙」來看，也許比較能「穿著羊斟的靴子」而去理解此事。

共享美食是族群關係的指標，「人類學家研究的每一個隊群或部落社會……運用肉食來加強社會連結，而使得營地夥伴或是親族相互結合在一起」。[79]亦即，異族是不被允許共享食物的，你我分享肉食，我們就是一國的；被排除在「分享宴」之外的人，就等於被宣告「不在圈內」。也因此，分享肉食「既可以是一種促進和諧的力量，也可以是一種引起分裂的力量」。[80]分享食物可以達成共睦態（Communitas），這種狀態是一種強烈的社會團結感和歸屬感，常常來自儀式、分享共有的經驗等等。[81]反之，共睦態瓦解，成員對原團體失去歸屬感，他覺得無法參與到整體之中，與其他成員之間不再有濃烈的感情，自然游離出群。一旦與族群的聯繫關係斷裂，「忠心」、「互助」等社群行為就不再是義務了。以人類社會學的角度來看，羊斟及子公兩人，因為能與族群共食而感覺被驅逐出群了，對他們而言，這已不是吃不到一杯羹的生理需求欠缺，而是因離群連帶導致「安全需求、社會需求」無得滿足，難怪兩人搗天毀地，不惜御主趨敵或染指於

74 「書曰：『鄭公子歸生弒其君夷』，權不足也。君子曰：『仁而不武，無能達也。』凡弒君稱君，君無道也；稱臣，臣之罪也。」，頁369。

75 這個對比的故事也很可能脫胎自宣公二年趙盾食靈輒餓人之事，詳《左傳》頁385。

76 漢・劉向輯，《戰國策・卷33・中山策・中山君饗都士》（臺北：里仁書局，1990年），頁1183。

77 全唐文新編編輯委員會：《全唐文新編》（長春：吉林文史出版社，2000年），頁13。

78 梁玉繩：《蛻稿・卷4・演連珠》，轉引自錢鍾書：《管錐編・第1冊・左傳正義・一飯之恩仇》，蘭馨室書齋，1978年，頁201。

79 哈里斯（Marvin Harris）撰，葉舒憲、戶曉輝譯：《食物與文化之謎（Good to Eat: Riddles of Food and Culture）》（臺北：書林出版有限公司，2004年），頁32。

80 哈里斯（Marvin Harris）前揭書，頁32。

81 Edith Turner 前揭書："What is communitas?…… It has to do with the sense felt by a group of people when their life together takes on full meaning. (Introduction, p.1)「(Communitas is)……denoting intense feelings of social togetherness and belonging, often in connection with rituals.「(p.132).

鼎了。羊斟「今日我做主」、子家以畜喻君等話語，正是宣示這種族群的決裂後的心態轉變——我既不屬汝群，則汝已非吾主；我是人，君是畜，非我族類。「我作主」宣言與「染指」動作，也最能呈現食物與權力之間的關聯：「食物能帶給人滿足不是由於健康或充饑，而是因為它能讓人體會到對物質的操控力量。」[82]羊斟兩人不理性的反應，其實是在認定「被驅逐出群」之後，宣示自己的主導權。可見分享飲食一事，絕非單純滿足生理需求，反而因其社交性，[83]而牽涉前述「安全、社會」需求，乃至上達「尊重需求和自我實現需求」這兩個最高的層次，所以若單純以「小怨私憾」看待兩人行為，而指責其人小題大作，其實就無法真正從這歷史事件抽繹出教訓。

但也因此，由這兩個例子最能摸透《左傳》取材的用心與特殊，小小賜食事，既非饗宴之禮，無「非禮也」可評；主人有權支配他名下的肉食，給誰不給本就有充分主權，但《左傳》仍引導讀者往道德層面思考（私憾殄民），或以封建君臣禮法視角評騭鄭君與子公的糾紛（弒君稱臣，臣之罪也），兩則短短的飲食材料，卻可以充分掌握《左傳》道德敘事的焦點考量。

## 2 飲食與社會規範之實踐

前文提到，「禮」字原作「豊」，源於以食器盛裝祭品玉串，[84]後加的「示」可能是祭祀時的杆、神主牌或擺祭品的几案、[85]或祭祀拜禱時灌酒之狀，[86]雖眾說紛紜，但此字意義與祭神以及祭拜時的祭品、祭器有關，卻是各家共識。簡單說來，單單一個禮字，卻可充分展示儒家以禮通天人的管理法則，而天人關係流通的樞紐正是飲食——以食物饗神，再以此「神食」饗人，[87]兩饗之間創造了律定社會秩序的儀式。層層的社會

---

82 （美）肯尼思·本迪納（Kenneth Bendiner）撰，譚清譯：《繪畫中的食物：從文藝復興到當代（Food In Painting From The Renaissance To The Present）》（北京：新星出版社，2007年），頁253。

83 「小說中的吃多是社交性的。它可以把人物拉到一起，但人物的吃很少是生理上的需要。」詳參佛斯特（E.M.Forster）撰，李文彬譯：《小說面面觀》（臺北：志文出版社，1990年），頁45。此處雖談的是小說，但錢鍾書也說過：「史家追敘真人真事，每需遙體人情，懸想事勢，設身局中，潛心腔內，忖之度之，以揣以摩，庶幾入情合理。蓋與小說、院本之臆造人物、虛構境地，不盡同而可相通……《左傳》記言而實乃擬言、代言，謂是後世小說、院本中對話、賓白之椎輪草創，未遽過也。」錢鍾書：《管錐編·第1冊·左傳正義》（臺北：蘭馨室書齋，1978年），頁166。

84 或以豊從「玨」從「壴（鼓）」，詳參香港中文大學：漢語多功能字庫，網址：https://humanum.arts.cuhk. edu.hk/Lexis/lexi-mf/search.php?word=%E5%A3%B4

85 詳參金真姬：〈常用漢字二百字探源〉（臺北：國立臺灣師範大學中國文學系碩士論文，2005年），頁85-87。

86 香港中文大學：漢語多功能字庫，網址：https://humanum.arts.cuhk.edu.hk/Lexis/lexi-mf/search.php?word=%E7%A4%BA。

87 漢·鄭玄注，唐·孔穎達正義：《禮記正義·卷49·祭統》：「夫祭有餕，餕者祭之末也……尸亦餕鬼神之餘也，惠術也，可以觀政矣。」頁833。

結構，由飲食畫分區隔；也由飲食黏結情感與認同、從而打破某些區隔而成團體。[88]透過共享食物，神與人成了共同體，[89]團體成員之間的夥伴與義務關係也得以確立。[90]

「飲食」往來，亦情意之流蕩，故《詩》有君臣之〈鹿鳴〉；有女子見君子而「中心好之」，乃思「飲食之」。襄公二十八年齊慶封奔魯，叔孫穆子設宴招待，這場宴會除了接待賓客之禮，以宴飲社會學角度來看，也頗有共餐後「納入我族」的意味。想不到慶封倒真的沒把自己當外人，搶先「氾祭」起來了，惹得叔孫穆子不悅，最終，慶封也無法在魯安身，匆匆又南奔吳國去了。杜預注「氾祭」云：「禮，食有祭，示有所先也。」正義曰：「禮法，食必先祭，祭古之先，食以示有所先也。」[91]古人認為食物乃鬼神所賜，「食必先祭，所以報功」。[92]《左傳》此則紀事，紀錄了敬邀鬼神共食的人神共餐儀式，以及確認團員關係的宴饗功能，整篇敘事由人類學的儀式論及禮儀社會生活，最後歸諸對慶封的德行論斷。

《左傳》在叔孫穆子食慶封前後，夾帶大量對慶封的評價，有來奔之前的「好田而耆酒」、「易內而飲酒」；來奔後，展莊叔說他：「車甚澤，人必瘁，宜其亡也」；在賜宴上慶封氾祭犯禮，對叔孫穆子歌詩諷刺也全不了了；轉奔吳後，富過昔日，穆子評他：「善人富謂之賞，淫人富謂之殃。天其殃之也，其將聚而殲旃。」[93]《左傳》對慶封的譏刺簡直萬箭齊發，於此還嫌不足，緊接著鏡頭轉到晏嬰辭賞，刻意藉由子尾「富，人之所欲」一問，以「富」字聯繫前段穆子「賞富」之論，成功召喚讀者將前後紀事比併而觀之後，再由晏嬰發言，大談縱欲敗亡之理：

> 慶氏之邑，足欲，故亡；吾邑不足欲也，益之以邶殿乃足欲。足欲，亡無日矣……且夫富，如布帛之有幅焉，為之制度使無遷也。夫民，生厚而用利，於是乎正德以幅之，使無黜嫚，謂之幅利，利過則為敗，吾不敢貪多，所謂幅也。[94]

---

88 《禮記・祭統》：「臣餕君之餘也……賤餕貴之餘也……下餕上之餘也。凡餕之道……所以別貴賤之等，而興施惠之象也。」頁833。

89 “The one thing directly expressed in the sacrificial meal is that the god and his worshippers are commensals.” 詳參 William Robertson Smith, ‘Lectures on the Religion of the Semites: First Series. The Fundamental Institutions’, New York: Meridian Books, 1889, p.251.

90 “The very act of eating and drinking with a man was a symbol and a confirmation of fellowship and mutual social obligations.” 詳參 William Robertson Smith 前揭書，p.251.

91 「叔孫穆子食慶封，慶封氾祭。穆子不說，使工為之誦茅鴟，亦不知。既而齊人來讓，奔吳。」頁655-656。

92 「古人迷信，以為凡資以生活之事物，壹是皆鬼神所恩賜；而『神嗜飲食』，亦與生人同，故食必先祭，所以報功。」詳參陳槃：《古社會田狩與祭祀之關係（重定本）》（臺北：中央研究院《歷史語言研究所集刊》第36本上冊，1965年），頁316。

93 「（慶封奔吳）吳句餘予之朱方，聚其族焉而居之，富於其舊。子服惠伯謂叔孫曰：『天殆富淫人，慶封又富矣。』穆子曰：『善人富謂之賞，淫人富謂之殃。天其殃之也，其將聚而殲旃。』」頁656。

94 頁656。

這一段記的是晏嬰事，除了一構多功刻畫兩位齊國大臣迴異的形象，主旨卻是用晏嬰節欲之論回照慶封「富而無禮終致失德敗家」的結局。

緒論中提到德行的提升來自控制食欲，墮落亦始乎飲食，亞當夏娃因食禁果留下人類的原罪，除了無法自律導致的墮落，這故事其實也有「違背主人命令而見逐」的社會關係隱喻。「燕禮者。所以明君臣之義也」[95]「人君賜宴於臣，人臣受宴於君，非徒飲之食之而已也。內則以廣恩惠，外則以觀威儀；施恩者固當以禮，受賜者尤當以敬；茍進退拜起之無節，固臣之罪矣；若夫酒餚之或虧精潔，禮度之或至簡略，亦豈人君禮待其下之道哉？」[96]成公十二年，晉郤至聘楚，但楚在享禮上演奏的音樂層級是饗諸侯之樂，郤至避禮驚走，最終仍在子反強邀之下卒事。在這則紀事中，《左傳》藉郤至辭宴說明饗宴備樂的規矩，更讓郤至大論饗宴「訓共儉、示慈惠」的禮政功能，最後感慨世亂禮崩，宴飲失宜，但身為賓客，只能服從主人之命：「今吾子之言，亂之道也，不可以為法。然吾子，主也，至敢不從？」[97]一場享宴，《左傳》既錄儀式理當如何，又論舉行宴飲儀式之精神。但如果將這場宴會放回歷史的拼圖中，就可看出《左傳》想說的非僅止於此。郤至聘楚的時間背景是弭兵之盟，但宴無好宴，「為地室而縣焉。郤至將登，金奏作於下，驚而走出」，短短四句，宛如戰場鳴金擊鼓的驚悚；接著又寫子反不得體的「一矢相加」等辭令，本是「示慈惠」的宴會，卻折騰成「金、矢交加」；《左傳》還刻意不寫「郤至」名，而以「賓」字代稱，接連的「賓曰」，意在烘托主人態度的咄咄逼人。而賓客之難以抗命。文末更藉范文子「無禮必食言」收尾。整篇紀事以「享食」始，以「食言」終，以「食」字串篇，典型的《左傳》妙構點題之法。以飲食為引，注入禮儀而歸於道德論述的結構模式，正是《左傳》飲食敘事最該掌握的核心。

---

95 《禮記・燕義》，頁1022。

96 明・丘濬：《大學衍義補・卷46・治國平天下之要・明禮樂・王朝之禮》，頁20。收入《景印文淵閣四庫全書・子部一・儒家類》。

97 晉郤至如楚聘，且涖盟。楚子享之，子反相，為地室而縣焉。郤至將登，金奏作於下，驚而走出。子反曰：「日云莫矣，寡君須矣，吾子其入也！」賓曰：「君不忘先君之好，施及下臣，貺之以大禮，重之以備樂。如天之福，兩君相見，何以代此。下臣不敢。」子反曰：「如天之福，兩君相見，無亦唯是一矢以相加遺，焉用樂？寡君須矣，吾子其入也！」賓曰：「若讓之以一矢，禍之大者，其何福之為？世之治也，諸侯間於天子之事，則相朝也，於是乎有享宴之禮。享以訓共儉，宴以示慈惠。共儉以行禮，而慈惠以布政。政以禮成，民是以息。百官承事，朝而不夕，此公侯之所以扞城其民也。故《詩》曰：『赳赳武夫，公侯幹城。』及其亂也，諸侯貪冒，侵欲不忌，爭尋常以盡其民，略其武夫，以為己腹心股肱爪牙。故《詩》曰：『赳赳武夫，公侯腹心。』天下有道，則公侯能為民干城，而制其腹心。亂則反之。今吾子之言，亂之道也，不可以為法。然吾子，主也，至敢不從？」遂入，卒事。歸，以語范文子。文子曰：「無禮必食言，吾死無日矣夫！」，頁458-459。

## （二）敘事文學結構的技巧

### 1 描繪人物形象

《左傳》描繪人物的功力無庸贅言，司馬遷立史書體例為紀傳體，很大原因是受到《左傳》敘事存人的技巧所啟發。飲食既然是人人必行、日日可睹的活動，作為觀察人物內心的窗口，洵為方便而確實。孟子也曾以飲食觀人，他說胸無不朽大志者，「簞食豆羹，見於色」，[98]《左傳》以飲食事件敘寫人物形象的例子不少，茲舉三例分說之。

首先是成公十四年郤犫奉令送孫林父回衛，強迫衛定公接納亡晉的孫林父；面對晉國君臣一再的強逼，衛定公迫於無奈終究讓孫林父復位，整起事件等於是霸國權卿干涉他國內政。在此之前，衛侯如晉時，晉厲公也曾強讓衛君見孫林父，身為賓客的定公悍然拒絕；此番身為地主的定公卻屈服在客賓郤犫的淫威之下，前後對照，郤犫的志得意滿因而完全藏不住，所以在饗賓宴上倨傲不恭：

> 衛侯饗苦成叔，甯惠子相。苦成叔傲，甯子曰：「苦成家其亡乎！古之為享食也，以觀威儀、省禍福也，故詩曰：『兕觥其觩，旨酒思柔。彼交匪傲，萬福來求。』今夫子傲，取禍之道也。」[99]

《左傳》透過甯惠子代言，宣揚「享食以觀威儀、省禍福」的道理，正所謂「觀人豈於大事？雖簞食豆羹可知矣」，[100]在這條禮儀判准線之下，郤犫傲於饗禮這條材料，除了完整圈畫其人形象，更擴及論斷郤氏必亡的命運，這個推論成了符合大前提的結論。

三郤貪鄙驕橫的作為早已散布《左傳》各年紀事，終於導致成公十七年晉滅三郤，甚至「尸諸朝」的慘況結局。[101]《左傳》在成公十一年至十七年間密集記錄郤氏失禮行為以及必亡之論：十一年「郤至與周爭鄇田」；[102]十三年寫郤錡聘魯卻「將事不敬」，《左傳》一樣透過孟獻子大論「禮，身之幹也；敬，身之基也」，論斷失去敬禮態度的郤氏「其亡乎」；[103]十四年寫郤犫傲於饗禮；十五年寫三郤譖殺伯宗，被韓獻子斷言：

---

98 漢．趙岐注，宋．孫奭疏：《孟子注疏．盡心（下）》：「好名之人，能讓千乘之國；苟非其人，簞食豆羹見於色。」正義曰：「好不朽之名者，則重名輕利……苟非好名之人，則重利而輕名，而簞食豆羹之小節，且見爭奪而變見於顏色。」頁250。

99 頁464-465。

100 （朝鮮）國史編纂委員會：《朝鮮王朝實錄．成宗實錄．八年（1477．卷84．九月八日），首爾特別市：國史編纂委員會：東國文化社，檀紀4288-4291（1955-1958），頁13。（引自中央研究院，歷史語言研究所，漢籍電子文獻資料庫。）

101 頁484。

102 頁457。

103 頁460。

「郤氏其不免乎」；[104]十六年寫郤至獻楚捷于周，「驟稱其伐」，因而被單襄公評斷：「溫季（郤至）其亡乎」，還提到「『怨豈在明，不見是圖』，將慎其細也」云云。[105]這麼細密編織三郤見殺於朝的涓涓積怨，的確都只是郤氏「不慎其細」也。居中的成公十四年這則「衛侯饗苦成叔」紀事裡，《左傳》刻意以飲食小事寫郤氏長老郤犨驕橫形象，有如論述核心，漣漪般擴及前後各三年整個三郤大德不立，細行不護，一步步走向殄滅的斷崖，成公十四年特寫郤犨飲食事，的確是「微而顯」筆法，[106]不得不對《左傳》屬辭比事的功力讚嘆再三。

幾乎一模一樣的例子在襄公二十八年，蔡侯朝晉，兩度過鄭，皆對地主國的招待失禮，子產也是由蔡侯在宴會上傲惰態度論其將死：

> 蔡侯歸自晉，入于鄭。鄭伯享之。不敬。子產曰：「蔡侯其不免乎！日其過此也，君使子展廷勞於東門之外，而傲。吾曰：『猶將更之。』今還，受享而惰，乃其心也。君小國，事大國，而惰傲以為己心，將得死乎？[107]

以飲食刻畫人物性格的正面例子如昭公二十三年叔孫婼與吏人分享食物。叔孫如晉，卻因范獻子求貨不成而見執，期間負責看管叔孫的晉國小吏向叔孫索討吠犬，叔孫不給，卻在終於可以歸魯之前，殺了狗與吏人分食：

> 范獻子求貨於叔孫，使請冠焉。取其冠法，而與之兩冠，曰：「盡矣。」為叔孫故，申豐以貨如晉。叔孫曰：「見我，吾告女所行貨。」見而不出。吏人之與叔孫居於箕者，請其吠狗，弗與。及將歸，殺而與之食之。叔孫所館者，雖一日，必葺其牆屋，去之如始至。[108]

短短一段故事，卻極其有力刻畫叔孫婼的形象：裝傻、無畏、高潔；前兩件「求貨（取賄）」、「以貨（行賄）」是大事；卻以索犬為關節，遞轉後面「食狗」、「葺牆」兩小事，一來顯示事無大小，咸可觀人；二來叔孫在「弗與」與「與之食之」之間，內心的機轉正是前節所述分享食物的權力象徵——身為繫囚而與之犬，是屈膝，有辱國格與身分；待得自由乃慨贈與犬，是分享，是重納彼此於友誼圈的動作。此外，本則紀事在寫叔孫婼形象的同時，也以吏人求犬回照獻子求貨，上下一貪，筆墨簡省而諸人形貌宛然，難怪《左傳》被盛讚為「紀傳體之蠶叢也」。[109]

---

104 頁467。

105 頁481。

106 杜預：《春秋左傳集解・春秋序》稱為例之情有五，其首正是「微而顯」。頁13。

107 頁652。

108 頁877。

109 張高評：《左傳之文學價值》（臺北：文史哲出版社，1990年），頁15。

## 2 調節情節張力

《左傳》敘事之美，被認為「剪裁運化之力，斯為大備」，[110]又被譽為足與希臘、印度史詩相媲美。[111]如同前文所論，宴飲既然伴隨禮儀且蘊含社會結構張力，則飲食儀序之際足以寫人，自亦足以簸騰情節。

最著名的例子當屬宣公二年晉侯飲趙盾酒，席中又是伏甲又是嗾獒，最後連累車右提彌明為趙盾戰鬥而死。在這麼命懸一線的情況下，《左傳》卻插入趙盾饋食靈輒餓人的往事，之後才寫趙盾因此得免一死而逃亡。[112]在最緊湊的情結點剎車，插入野地餵食往事，巧妙調節節奏、操縱讀者情緒。

又如衛獻公在《左傳》第一次出場，就因居喪慢墮，被寫定「敗國」形象，[113]果然到了襄公十四年就因「暴虐」而出奔齊。在出奔這一年，《左傳》總結獻公敗德之事，卻是由一食一飲入手：

> 衛獻公戒孫文子、寧惠子食，皆服而朝，日旰不召，而射鴻於囿。二子從之，不釋皮冠而與之言。二子怒。孫文子如戚，孫蒯入使。公飲之酒，使大師歌〈巧言〉之卒章。大師辭。師曹請為之。初，公有嬖妾，使師曹誨之琴，師曹鞭之。公怒，鞭師曹三百。故師曹欲歌之，以怒孫子，以報公。公使歌之，遂誦之。蒯懼，告文子。文子曰：「君忌我矣！弗先，必死。」……[114]

首先是約了臣子宴飲，卻拋諸腦後，把大臣晾在朝廷挨餓，自己悠哉射鴻遊囿。大臣追來之後，依然不把邀食當一回事，不釋皮冠而與之言，虐戲甚焉，難怪孫子、寧子大怒。接著是宴請臣下飲酒，卻故意透過歌詩意圖諷辱人。負責其事的大師以拒歌為諫，獻公卻冥頑不靈讓心懷不軌的師曹完成慢媟大臣的使命，終致孫文子叛變，不只連殺公

---

110 清・劉熙載：《藝概・文概》第5、6則（貴陽：貴州人民出版社，1986年），頁3。

111 糜文開，裴普賢：《詩經欣賞與研究》（臺北：三民書局，1991年）：「《左傳》是一部寶貴的歷史，同時是一部文學的傑作。其長度可與希臘印度的史詩相比，其描寫的精彩生動，也決不相讓。而希、印的神話，雖稱史詩，實在只是文學，《左傳》卻是文學的傑作，又是真實的歷史。」，頁1304。

112 「晉侯飲趙盾酒，伏甲將攻之。其右提彌明知之，趨登曰：『臣侍君宴，過三爵，非禮也。』遂扶以下。公嗾夫獒焉，明搏而殺之。盾曰：『棄人用犬，雖猛何為？』鬬且出，提彌明死之。初，宣子田於首山，舍于翳桑，見靈輒餓，問其病。曰：『不食三日矣。』食之。舍其半。問之。曰：『宦三年矣，未知母之存否，今近焉，請以遺之。』使盡之，而為之簞食與肉，寘諸橐以與之。既而與為公介，倒戟以禦公徒，而免之。」頁364-365。

113 詳參《左傳・成公十四年》：「衛侯有疾，使孔成子、寧惠子立敬姒之子衎以為大子。冬，十月，衛定公卒。夫人姜氏既哭而息，見大子之不哀也，不內酌飲。歎曰：『是夫也，將不唯衛國之敗，其必始於未亡人！烏呼！天禍衛國也夫！吾不獲鱄也使主社稷。』大夫聞之，無不聳懼。孫文子自是不敢舍其重器於衛，盡寘諸戚，而甚善晉大夫。」，頁465。

114 頁561。

使，甚且兵加已出亡的國君。[115]《左傳》善於以小事蠡測大海，所見卻遠非短淺無識，杜預注點出《春秋》書「衛侯出奔齊」而不是孫、寧等臣逐君，意在刺衛獻公「以其自取奔亡之禍」。[116]一場國君奔亡的緊張大事，卻由飲食寫起：「日旰不召」，慵慵懶懶的節奏緩緩逸出；接著寫遊獵、飲酒，不釋皮冠、師曹歌之又誦之，聲調逐步上揚；場子上看似從從容容，底下已暗潮洶湧，節奏漸漸轉密；再至蘧伯玉拒絕參與逐君，自己火速從近關出行，緊張的氣氛已浮至檯面；之後接連「皆殺之」、「又殺之」、「追之」、「執之」、「射之」，以及一連串的「奔齊」、「如鄄」、「奔齊」，整個衛國君臣相鬥、獻公出亡的敘事節奏，由慢而快，聲量也在眾人議論中加大；敘完獻公諸多與臣吏的失當互動之後，《左傳》再藉定姜之吻總結其人之暴虐桀慢。讀此篇敘事宛如聆聽〈山魔王的宮殿〉，[117]節奏由慢而快；音符由斷續而密集；音量由微而至鏗鍧震響，最後定姜三罪之論也正如樂曲以定音鼓強烈收場。此外，寫獻公其人，以定姜憤言始，以定姜數罪結，[118]也是《左傳》巧筆。

另一個例子是昭公十二年齊侯如晉朝嗣君，在宴會上，齊侯與地主晉君投壺爭辭，《左傳》也是以一派從容優雅寫暗中較勁的張力：

> 晉侯以齊侯宴，中行穆子相。投壺，晉侯先，穆子曰：「有酒如淮，有肉如坻，寡君中此，為諸侯師。」中之。齊侯舉矢曰：「有酒如澠，有肉如陵，寡人中此，與君代興。」亦中之。伯瑕謂穆子曰：「子失辭，吾固師諸侯矣，壺何為焉，其以中儁也？齊君弱吾君，歸，弗來矣。」穆子曰：「吾軍帥彊禦，卒乘競勸，今猶古也，齊將何事？」公孫傁趨進曰：「日旰君勤，可以出矣。」以齊侯出。[119]

在宴會投壺娛樂中，賓主雙方卻各以頌辭爭勝，杜預認為此則紀事乃「言晉之衰」。[120]何由見其衰？由齊景公以賓客之身卻不顧謙退之禮，直言「與君代興」可見；由公孫傁

115 「(孫文子)并帑於戚而入，見蘧伯玉，曰：『君之暴虐，子所知也。大懼社稷之傾覆，將若之何？』對曰：『君制其國，臣敢奸之？雖奸之，庸知愈乎？』遂行。從近關出。公使子蟜、子伯、子皮與孫子盟于丘宮，孫子皆殺之。四月己未，子展奔齊，公如鄄。使子行請於孫子，孫子又殺之。公出奔齊，孫氏追之，敗公徒于河澤，鄄人執之。」頁561。

116 頁557。

117 "In the Hall of the Mountain King" 是愛德華・葛立格（Edvard Grieg, 1843-1907）Peer Gynt 組曲第二幕第六場的前奏，該曲特色為以緩慢寧靜的樂音開場，之後節奏與音量逐漸加快加大至最急板；樂器也由簡單低音管與弦樂撥弄開場，逐漸加入各種管弦樂器，樂音遂至疾如風暴，最後定音鼓擊出急遽而漸強的輪奏，整首曲子以最強烈的音量結束。

118 成公十四年衛獻公居喪無禮，定姜斷其人必敗國；襄公十四年獻公出亡時，使祝宗告亡且告無罪，定姜屬其三罪：「有罪若何告無？舍大臣而與小臣謀，一罪也；先君有冢卿以為師保，而蔑之，二罪也；余以巾櫛事先君，而暴妾使余，三罪也。告亡而已，無告無罪。」頁561。

119 頁790。

120 頁790。

急趨出齊侯可睹。此則敘事一樣由悠緩節奏始，以緊張氣氛結。《左傳》以一場宴會與投壺之禮，折射當時天下張弛形勢，也平添情節起伏之致。此外，雖是宴會場合，誦詩時言酒言肉算是扣合場景，但「有酒如淮，有肉如坻」「有酒如澠，有肉如陵」等形容，總不免令人聯想到桀紂酒池肉林之淫，《左傳》特詳記此番言語，對末世爭霸者豈非另有腹誹乎？

# 四　結論

《左傳》的飲食敘事，除了是春秋時期飲食文明的重要史料，也呈現禮儀社會的具體內容，更記錄飲食與身心健康相關的進步醫學知識，衡視今日科學，完全不遜色。

以敘事學的角度來看，「說故事」一直是極具效力的說服管道，說故事可以把祖先的事蹟及垂訓代代傳下去；講述英雄試煉，可以塑造典範；連虛構動物故事都可以闡釋人生的大道理。飲食在公私領域都是最常出現的活動，引之以為故事素材，可謂「隨手拈來」皆文章，透過飲食故事來進行說服讀者，的確有「看似平常卻奇崛」之效。

飲食成為《左傳》敘事構件，主要功能有三：一是透過飲食儀式，可以看出分食共餐由原始人類社會的族群認同，被昇化為封建精神；封建社會是彼此有間的結構，這種分層結構設計透過飲食時的差別待遇而被一再確認，但也透過共餐活動宣示我族同圈以打破間隔，這正是飲宴活動非常弔詭有趣的地方。

二是透過飲食紀事宣導道德價值；飲食社交化之後，每個儀式步驟都藏有對賓主雙方的尊重精神，稍有差池，情誼交流的目的就難以達致，等於褻瀆了耗費資源的宴飲活動，這對強調簡樸愛民的儒家政治觀，是一種悖反，因此由前述例子皆可看出《左傳》對宴飲違禮者的批判是極其嚴厲的，往往以「將死」、「其亡乎」、「敗國」等等為論斷。或者顛倒過來看，《左傳》是如何「操作」飲食史料的呢？敘事除了「事件的擷取」，敘事的方法（也就是「如何說故事」）更能影響文本意涵。《左傳》往往在事主敗蹟之前，先行描述其人飲食活動之失當，從而「預告」事主必敗的命運。也就是說《左傳》將「結果」與「推因」緊密靠攏，利用縮小敘事的時間差，強化因果關係。而且將道德宣導記事置放在「因」事件上，這比起放在結果事件後，可以顯得有「先見之明」，從而更強大有說服力，且能降低說教痕跡。《左傳》飲食敘事大抵依循「飲宴事件、道德議論、結果事件」三段式結構來說故事：以飲宴事件開篇，再藉其中失禮行為讓作者安排的代言者高論博議而導入道德闡解，終以「失禮等於敗德，敗德必亡」等結論為飲食事件收尾，巧妙將飲食之事連結禮儀道德等人文精神。最後，再緊接著飲食敘事之後，或隔年或二三年，以其人之敗亡回應之前飲食敘事裡埋下的預言，比如成公十四年寫郤犨在衛國饗禮上態度傲慢，被寧殖論斷郤氏家族必亡，成公十七年即記晉殺三郤於朝一事；又如昭公二十五年春，叔孫婼泣於宴，樂祁論其已喪心，必死；同年十一月就記了叔孫祈死而卒，不僅收束死亡的預言，更以「祈死」完全呼應樂祁「喪心（心死）」之論。茲以圖一概述《左傳》如何以飲食敘事闡釋並宣揚道德價值：

**圖一　《左傳》飲食敘事結構圖**

三是利用飲食事件描繪人物形象與增加情節張力。正面的人物形象往往來自飲宴時賦詩得體，或迎拒受饗有義，如襄公四年魯叔孫豹如晉，不拜逾禮之樂；文公四年衛寧俞不答越禮之詩。負面形象除了來自儀節失當，更多的卻只是態度未慎。前者如襄公十六年齊國高固「歌詩不類」；襄公二十八年慶封身為賓客而搶著氾祭；昭公十五年周景王在數月間接連痛失王子與王后，除喪未遂即舉辦宴會，又於宴上向諸侯索器。後者如襄公二十八年蔡侯惰傲於饗宴；成公十四年郤犨傲於宴；宣公四年鄭靈公拒分享黿羹與子公，又何嘗不是寫靈公動靜亂常、昏德而不終的形象？凡寫人之趨舍指湊皆可透顯其人風貌，但以飲食描之摩之，正因其為細節，更能賦予讀者臨場感與深入人物內心世界的真實感。

至於將飲食事件和入情節中，是典型的以閒筆帶出大事。除了沖淡政事史料之莊嚴，以及典禮儀節之肅穆，更為敘事增添一點趣味，有助閱讀樂趣，可以「勾住」讀者，乃能進一步有價值宣傳的機會。比如透過宴饗賦詩，可賞辭令和煦之美，可觀針鋒相對之緊張。如襄公八年士匄聘魯邀出師於鄭，宴席上賓主賦詩答和，在歌詩和諧之中獲致同意。明明談的是兵戈鐵馬之事，《左傳》卻敷之以宴饗，以舒緩的節奏帶出霸主的「徵兵令」；又如文公三年，晉襄公宴請魯文公以彌補自己以前的無禮態度，宴席上雙方和樂歌詩，彼此降拜成禮，但由魯大夫莊叔的言語中，又可感受到國際情勢的威逼。

此外，對事件容易被零碎化的編年體史書來說，以飲食閒筆黏合議論，並以之串連散在諸年的事件，形成因果歸納，功能如同木器之榫，雖非主要構件，卻缺之不可。由前引諸例可以看到《左傳》巧用飲食事件起伏情節，協調敘述節奏，使敘事不至於平鋪直敘、波瀾不驚或過於緊湊，流而不留。比如定公十年齊魯夾谷之會，一開始就是兵器挾持、言語威逼的緊湊情勢，卻收之以孔子拒宴且論饗禮與禮德的關係，最後以贏回失地和平作結。全篇以拒宴為關節，節奏先緊後弛。又如宣公二年，先敘華元兵敗見囚，再補敘原因：華元之敗主要在於御下無方，以華元殺羊食士為樞紐，前有狂狡違命出鄭人於井，後有羊斟違令陷陣。全篇寫宋師敗績，以倒敘法先寫主帥見囚，並細記甲車戰俘之數，明顯敗況慘烈；最後結以華元逃歸見諷，文末寫華元逃歸亦重筆濃繪，一樣細寫兵車文馬上百之數以贖之，以及華元逃歸告入。在這前後兩大事之中，卻倒插看似小事的食士羊羹。也就是說整段宋、鄭爭戰的歷史，《左傳》藉飲食事件調節敘事聲量，使之成為「重（兵敗）輕（羊斟事）重（贖與歸）輕（城者謳歌嘲謔）」的跌宕結構。更值得注意的是，文末也再提一次羊斟「非馬也，其人也」的告白，顯然《左傳》將此段賜食材料當成木榫，木榫接合各部而有大器可用，「殺羊食士」之見錄，亦如是也；而「非馬之罪，人使之也」的結論，又是《左傳》歸納的歷史教訓與道德叮嚀。又如襄公十四年衛獻公戒孫文子、寧惠子食一事，通篇節奏越趨越緊，一飲一食而輻湊出臣亂君奔的鏗鏘鏜鞳。又如昭公十二年晉侯以齊侯宴，投壺之際的言語爭鋒，也使緊張氣氛高漲，故結之以公孫傁強拉齊侯離宴，以證燕好情勢已變。

由本研究可知，讀《左傳》飲食敘事，可摸索出早期人類由部落共居到逐漸形成封建禮制社會的痕跡；可體會《左傳》乃至孔子書《春秋》治亂世的苦心；最動人的是敘事跌宕起伏之致與臨場感，完全不遜於今之觀影聆樂，其驚心動魄或餘韻裊裊，以「飛流直下三千尺」的氣勢橫邁二千餘年而來。飲食紀事是《左傳》分量極重的文本，不論飲食文化、典禮、宗教、政治、道德倫理等領域都有值得深入挖掘的資料，本文限於時間與篇幅，只能初步側重其敘事設計手法與展現的敘事功能，其餘則有待他日接續努力。

# 徵引文獻

## 一 原典文獻


周・左丘明傳，晉・杜預集解，清・阮元校刻：《重刊宋本十三經注疏・春秋左傳集解》，臺北：藝文印書館，1982年。

周・老　聃著，三國・王弼注，樓宇烈校釋：《老子道德經注校釋》，臺北：華正書局，1983年。

周・孟　子著，漢・趙岐注，宋・孫奭疏，清・阮元校刻：《重刊宋本十三經注疏・孟子注疏》，臺北：藝文印書館，1982年。

周・穀梁赤傳，唐・楊士勛注，清・阮元校刻：《重刊宋本十三經注疏・穀梁傳注疏》，臺北：藝文印書館，1982年。

周・管　子著，唐・房玄齡注：《管子》，收入《四部叢刊初編》第344-347冊，上海：商務印書館，1936年。

周・韓　非著，清・王先慎集解：《韓非子集解》，臺北：中華書局，1998年。

周・韓　非著：《韓非子》，收入《景印文淵閣四庫全書・子部三・法家類》，臺北：臺灣商務印書館，1986年。

漢・孔安國傳，唐・孔穎達疏，清・阮元校刻：《重刊宋本十三經注疏・尚書正義》，臺北：藝文印書館，1982年。

漢・司馬遷著，劉宋・裴駰集解，唐・司馬貞索隱，唐・張守節正義，楊家駱主編：《新校本史記》，臺北：鼎文書局，1995年。

漢・桓　寬著：《鹽鐵論》，收入《景印文淵閣四庫全書・子部一・儒家類》，臺北：臺灣商務印書館，1986年。

漢・班　固等著，唐・顏師古注，楊家駱主編：《新校本漢書》，臺北：鼎文書局，1995年。

漢・劉　向著，盧元駿注：《新序今註今譯》，臺北：臺灣商務印書館，1991年。

漢・劉　向輯：《戰國策》，臺北：里仁書局，1990年。

漢・鄭　玄注，唐・孔穎達正義，清・阮元校刻：《重刊宋本十三經注疏・禮記正義》，臺北：藝文印書館，1982年。

漢・韓　嬰著：《韓詩外傳》，收入《四部叢刊初編》第46-47冊，上海：商務印書館，1936年。

後晉・劉　昫著，楊家駱主編：《新校本舊唐書》，臺北：鼎文書局，1995年。

唐・王　冰注，宋・林億等校正：《重廣補注黃帝內經素問》，收入《四部叢刊初編》第357-361冊，上海：商務印書館，1936年。

宋・俞　琰著：《周易集說》，收入清・紀昀等編：《景印文淵閣四庫全書・經部一・易類》第21冊，臺北：臺灣商務印書館，1986年

明・丘　濬著：《大學衍義補》，收入《景印文淵閣四庫全書・子部一・儒家類》，臺北：臺灣商務印書館，1986年。

清・彭定求等編：《御定全唐詩》，收入清・紀昀等編：《景印文淵閣四庫全書・集部八・總集類》，臺北：臺灣商務印書館，1986年。

清・劉熙載著：《藝概》，貴陽：貴州人民出版社，1986年。

## 二　近人著作

《新約聖經》，聖經資源中心，2014年。

大藏經刊行會編：《大正新脩大藏經》，臺北：新文豐出版公司，1983年。

全唐文新編編輯委員會編：《全唐文新編》，長春：吉林文史出版社，2000年。

何炳棣著：《思想制度史論》，臺北：聯經出版事業公司，2013年。

尚秉和著：《歷代社會風俗事物考》，臺北：臺灣商務印書館，1975年。

徐元誥著：《國語集解》，北京：中華書局，2002年。

張高評著：《左傳之文學價值》，臺北：文史哲出版社，1990年。

梁玉繩著：《蛻稿》，轉引自錢鍾書：《管錐編・第1冊・左傳正義・一飯之恩仇》，臺北：蘭馨室書齋，1978年。

陳　槃：《古社會田狩與祭祀之關係（重定本）》，臺北：中央研究院《歷史語言研究所集刊》第36本上冊，1965年。

楊伯峻著：《春秋左傳注》，臺北：洪葉文化事業股份有限公司，2015年。

錢鍾書著：《管錐編》，臺北：蘭馨室書齋，1978年。

糜文開，裴普賢著：《詩經欣賞與研究》，臺北：三民書局，1991年。

朝鮮・國史編纂委員：《朝鮮王朝實錄》，首爾特別市：國史編纂委員會：東國文化社，檀紀4288-4291（1955-1958）（引自中央研究院，歷史語言研究所，漢籍電子文獻資料庫）

美・哈里斯（Marvin Harris），葉舒憲、戶曉輝譯：《食物與文化之謎（*Good to Eat: Riddles of Food and Culture*）》，臺北：書林出版有限公司，2004年。

法・庫朗熱（Fustel de Coulanges）著，譚立鑄譯：《古代城邦：古希臘羅馬祭祀・權利和政制研究（*La cité antique: étude sur le culte, le droit, les institutions de la Grèce et de Rome*）》，上海：華東師範大學出版社，2006年。

美・肯尼思・本迪納（Kenneth Bendiner）著，譚清譯：《繪畫中的食物：從文藝復興到當代（*Food In Painting From The Renaissance To The Present*）》，北京：新星出版社，2007年。

Edith Turner: Communitas: The Anthropology of Collective Joy, London: Palgrave MacMillan, 2012。

美・亞伯拉罕・馬斯洛著，梁永安譯：《動機與人格：馬斯洛的心理學講堂（*Motivation and Personality*）》，臺北：商周出版社，2020年。

William Robertson Smith: *Lectures on the Religion of the Semites: First Series. The Fundamental Institutions*, New York: Meridian Books, 1889.

Mary Douglas: *Natural Symbols*, London: Routledge, 1996.

## 三 單篇論文

孫 林：〈鍋・飲食・王權——對《敦煌本吐蕃歷史文書》一段文字的文化學解讀〉，《青海民族學院學報（社會科學版）》，1996第4期，頁9-16。

金真姬：〈常用漢字二百字探源〉，臺北：國立臺灣師範大學中國文學系碩士論文，2005年。

## 四 網路資源

香港中文大學：漢語多功能字庫，網址：https://humanum.arts.cuhk.edu.hk/Lexis/lexi—mf/

# 帆足萬里（1788-1852）《左傳標註》之《春秋》《左傳》學觀與解經法*

宋惠如

金門大學華語文學系副教授

## 摘要

帆足萬里為江戶晚期的經學研究者，治經步趨中井履軒之學，在治世理想上深受古文辭學者荻生徂徠、龜井南冥的吸引，推崇三代先王之道。然而他認為上古治世理想不可再得，是以推崇孔子教化之業為後世治美善世之據，以調合、抉擇先王之道與孔子之學。因此，他依從中井履軒的六經殘缺說，將孔子之學歸於《論語》、《孟子》、《中庸》、《荀子》之說，由此亦主張三傳所傳《春秋》係偽作之說，為其治《春秋》學的基礎立場，然則從《左傳標註》解經方法來看，帆足萬里仍有意識的採用古文辭學派以古字、古義訓釋古典的原則釋經。帆足萬里沿承中井履軒的治經觀，融合古文辭學派的方法，治學充分展現其被視為折衷學者的特點，在近現代日本皇道、神道代興儒學的趨向上，頗具轉折性意義。

**關鍵詞：**江戶時期、帆足萬里、《左傳標註》

* 本文承蒙二位匿名審查委員指教寶貴意見，謹此深致謝忱。

# FanZu WanLi's Interpretation and Exegesis of *Spring and Autumn Annals* in his *Commentaries on Zou Chronicle*

Sung Hui-Ju

Associate Professor, Department of Chinese Studied,National Quemoy University


## Abstract

FanZu WanLi (帆足萬里) was a scholar on Chinese Classics during the late Japanese Edo era. Although he followed the studies of Nakai Luxu (中井履軒), he favored the scholarship of DiShen CuLai (荻生徂徠) and Kamei Nammyeong (龜井南冥) in ordering the world and emulating the way of the Ancient Three Dynasties. He believed that the prosperities of the Three Dynasties could not be repeated any more. He held in esteem Confucius' teachings on cultivation and education as feasible and practical ways of ordering the world in the later generation, advocating for negotiating and coordinating the teachings of Confucius and those of the Ancient Kings. He approved Nakai Luxun's views on the incompleteness and fragmentariness of The Six Classics, held that *Spring and Autumn Annals* was fake and that one should go to *The Analects, Mencius, the Doctrine of Means* and *Xunzi* to really understand the teachings of Confucius. Moreover, FanZu WanLi followed the scholarship of Ancient Rhetoric school, using ancient words and meanings to interpret the classics. In accepting Nakai Luxun's studies on Chinese Classics and combining the scholarships of ancient rhetoric, his compromising view was best evidenced. In this way, his study was of great significance in the transition period of the rising popularities of Shintoism and Japanese royalty worships over Confucianism.


**Keywords:** Japanese Edo era, FanZu WanLi, *Commentaries on Zou Chronicle*

# 一 前言

帆足萬里，字鵬卿，生於豐後國日出（今大分縣速見郡日出町）。寬政十年（1798年）隨父通文東遊大阪，入中井竹山（1730-1804）、中井履軒（1732-1817）門下，後至京都，從學於皆川淇園（1735-1807），為學頗有所得。[1]著作《肄業餘稿》、《修辭通》、《窮理小言》、《三教大意》、《窮理通》、《井樓纂聞》《巖屋完節志》、《入學新論》、《東潛夫論》、《假名考》《帆足先生文集》、《醫學啟蒙》，以及《四書五經標註》、《荀子標註》，《莊子解》、《呂氏春秋標註》和《國語標註》等，治學擴及漢學、和學、佛學並專於蘭學，與三浦梅園（1723-1789）、廣瀨淡窗（1782-1856），並稱「豐後三偉人」，學者評價極高。[2]

若從經學角度來看，內藤湖南（1866-1934）認為帆足萬里學問深受中井履軒影響[3]，雖然如此，亦曾於享和元年二十四歲至筑前（今福岡），自述「見南冥先生。先生論本邦詩，以徂徠為極巧。予亦唯唯，又不以為然。後始知二先生不我欺也。後世小子，其莫以二先生長者之言輕致疑哉。」[4]對徂徠與南冥說表示敬服。南冥之子龜井昭陽雖未曾與之謀面，亦曾於文政二年（1819年）求校所著《蒙史》稿本，兩人多有學問交流。帆足萬里接受並融合古文辭學派之學，又特別展現在對先王之道的推崇上。他將堯舜之道視為治國之學，將孔子之學視為教學之道、進修之方。他認為中國自堯、舜以至於禹的禪讓之道，是後世治天下無法上比唐虞的主因，其內在因素又在於官天下之志，官天下之志的具體展現即為禪讓之舉。後世統治者不具此官天下之志，禪讓之治亦難以復現，然而欲持治天下，可退而求其次，經聖人之化，仍有善治之可能。他指出：「若使後世繼法禪讓之美，當今之世，雖西盡西海北暨夜國蒙聖人之化，亦可也。」[5]就此肯定孔子教化之功。

另一方面，在三代封建制度不行之後，帆足萬里認為善治天下變的更加困難，主要因素在於：

> 郡縣之治，士選舉不世祿，浮躁輕進，風俗崩壞。然若上有揖讓之主，下有稷契

---

1 對於帆足萬里的專門研究，兩岸可見者文獻有連清吉：〈帆足萬里及其所著「莊子解」〉（《中國書目季刊》，第24卷第3期，1990年12月，頁38-63。工藤卓司：〈論帆足萬里《入學新論》的儒教觀〉（發表於「2014漢學研究國際學術研討會」，2014年10月25日-26日），郭萬青：〈帆足萬里《國語標注・鄭語》箋補〉（《唐山師範學院學報》，2019年1期，2019年4月，頁10-13）。

2 參考工藤卓司〈論帆足萬里《入學新論》的儒教觀〉，頁1-14。

3日・內藤湖南：〈履軒學の影響〉，《先哲の學問》，《內藤湖南全集》9（東京：筑摩書房，1969年），頁210。

4 日・帆足萬里：《肄業餘稿》，《增補帆足萬里全集》1（東京：ぺりかん社，1988年），頁588。

5 帆足萬里：《入學新論・附錄》，《增補帆足萬里全集》1，頁30。

> 之佐，群縣之制亦官天下者，未為不可也。今昏闇之主，承繼于上，其本已亂，末獨治耶，均之亂也。
>
> 封建之禍緩，而郡縣之治士崩魚爛，莫之救也。況科舉之弊，至以詩文選人，譬如擇婦以絃歌巧拙為第，不敗其家者殆鮮矣。經世之士，不可不察也。[6]

就制度內在演化因素與歷程論之，郡縣制選士不能如周時儔人弟子之專業世襲，因未能世祿而易浮躁輕進，官吏之選拔若此，當其做為政治與社會行政骨幹，欲使淳美風俗，談何容易？再者，執事官吏如此，尚為其次，更關鍵者又在於未得賢能之主。若郡縣制下能復行禪讓，則官天下之制能行，尚有治世的可能，然而事實上並無揖讓之主，官天下不得現行，是以治世之本即不復存，世治紛亂實可預料。換言之，帆足萬里推崇中國上古先王禪讓之賢，主要在官天下的理念與施行，雖然後世不復禪讓，無堯舜之賢，但可因為封建制度中職官儔人世祿，有其一定規制，是以其衰敗仍緩於郡縣制度。於此，帆足萬里推崇先王之道者，又在官天下之志、禪讓與封建之制，以之為三代治世之根本。

他推崇三代治世，明其因由，似與龜井南冥、龜井昭陽一派依從荻生徂徠推尚先王之道有共同趨向，然所推崇的種種實質內涵實則不同。帆足萬里推崇較傾向於先王之制，或可說為「術」，特在禪讓與封建之制，而非具有整全性質的先王之「道」，使其與古文辭派在學術理念即有本質上的不同，或者說深入程度不同。再者帆足萬里認為三代治世不可能復現之因，乃在封建制至郡縣制之質變與不可逆，無治世賢能禪讓之主，皆使官天下之志不得復行，由此他更加肯定孔子之學，得為善化天下的理想與根本。對孔子學內涵的追求，古學派以至於古文辭學派有不同於朱子學派的追求，尤其是古文辭學派主張孟子以下為儒學，不為孔子之學，那麼帆足萬里同樣追求先王之道，關切孔子之學，他所謂的孔子學的內涵為何？在其治學觀之下的《春秋》學立論實際如何？以下試論之。

## 二　帆足萬里的治學觀

孔子之學何在？帆足萬里經由六經與《論語》上溯孔子之學，其謂：

> 六經至矣，《論語》夫子與門弟子論舉之言也，故治六經不可不讀《論語》。六經殘缺，夫子設教之序，晦而不明，後儒以《論語》之言切問近思，尊崇過六經，亦勢之必至也，不知《論語》不得六經，徒法無術，六經無《論語》，則無求仁志彀之教，不能免博而少要之譏，故《論語》，六經之羽翼，不可相無也。[7]

---

6　同前註。

7　同前註。

六經既殘缺，因此透過《論語》上溯孔子之學，並以之為為六經羽翼；換言之，帆足萬里在根本上主張掌握孔子之學當以《論語》為首要序位。他亦認為發明孔子之學不在六經，當見諸《中庸》、《孟子》、《荀子》，其謂：

> 《中庸》論道之大本原於天，為天下通行之教，先聖立教之意，盡在此書，不可不讀也。孟子為諸子冠冕，發明夫子之教甚多，又次之。荀子雖降，崇大道，排異端，又可以為次也，孟子性善養氣，一時有為之言，非其至者。荀子書，朱子以為雜刑名，徂徠以為爭宗門，頗中其病，然孟子固高，荀書亦多洙泗遺言，非後世諸子所及，不得以一髾之也。[8]

其中孟子為諸子之首，然又次於論道之本原的《中庸》。在帆足萬里的評判中，他首先關注先聖立教之道，推崇孔子之教，論內在性善養氣為孟子學，以荀子學多鄒魯遺風。往後，秦火焚書，六經更為殘破。至灰燼之餘，他提出：

> 申以秦政焚書，六經庶乎熄矣。及漢興除挾書之律，經籍又出，然灰燼之餘，諷誦所傳，殘缺不全，加以專門之陋，學者補罅漏之不暇，安能得道之大全觀之乎。馬融、鄭玄始集諸家說，作五經解，後生因得周通古經，二子之功固大矣。然去聖已遠，微言不明，言語亦有古今之異，故訓詁之際，尚不免有謬誤，況於聖人立教之意乎。[9]

以六經之學殘破，不能據以觀大道之全，即使為漢代學者所奉誦，也是去聖已遠，微言不明，言語訓釋上的困難，致使更難以掌握聖人立教之意。

在帆足萬里的評判中，後世能遙繼孔子之道者為程朱之學，並推崇日本學者伊藤仁齋、荻生徂徠治古經之說，甚至在宋儒之上，對古學一脈之理念有相當的推崇。[10]雖然帆足萬里推尚古學之說，亦與龜井學派交善，在實質治學與治經的宗旨上仍依從中井履軒者為多。如中井履軒主張「夫子垂教之績，皆泯於秦火，而後世無傳」[11]，以六經殘

---

8 同前註。

9 同前註。

10 帆足萬里謂：「東漢以來漸尚詩賦，加以佛老益熾，至李唐之際，六經之教，如存如沒，日就幽晦，然其所以治國家正法度者，未嘗不由夫子之教，何則夫子之教彝倫之道也。非如權教可掃而滅之之比也，及宋時周茂叔本《周易》，為窮理之言，程朱繼起夫子之道又興，其立志之高，制行之嚴，為學者模楷，所以禮樂壞崩，達摩之禪方熾，其所以設標準教學者，往往不免雜其說。然漢以來儒者之正，未有過此時者，又有陸象山、陳白沙、王陽明之屬，似程朱而加偏焉，本邦伊、物二子，皆治古經，成一家言，其言往往出宋儒之上也。」（氏撰：〈入學新論．原學〉《增補帆足萬里全集》1，頁24）

11 中井履軒主張：「秦漢以降，《禮》、《樂》已泯滅矣；《詩》、《書》缺亡紛亂，無以見夫子之功。《易經》雖存矣，亦無功。《春秋》亦非孔子之筆。……是故夫子垂教之績，皆泯於秦火，而後世無傳也。此頗吾一家之言，人或不之信，仍信用《易傳》、《春秋》者，則廑廑亦唯有是二事而已。學者

缺，不足以傳孔子之學，並以為「傳孔子之道者，唯《論語》、《孟子》、《中庸》三種而已矣」，帆足萬里與之不同者，僅在中井履軒之上提出《荀子》亦傳孔子之學的差異。由此治學觀沿承而來，在《春秋》《左傳》的基本解經學觀念與框架，與中井履軒亦一脈相承，而富有承朱子《春秋》說、破除古說之勢。

米良倉（1811-1871）帆足萬里《四書五經標註》在本書敘言指出當代經學研究之況，以當時經學承朱子《四書》學、程子《易傳》、及朱子《易》《詩》之學，雖其間雜有異端之說，卻被認為是漢代以來解經之至上者。他們不滿明代《四書》《五經》大全說而多有批駁，於是抉擇詮釋《春秋》學的經典時，主要意見在於：

> 至《春秋》經文固係偽撰，胡氏之《傳》，近世學者少有誦讀。《左傳》記周季之事獨詳，先王流風餘韻由此以傳，則不可不讀也。今絀胡取《左傳》，為是故爾。[12]

《春秋》經文既為偽，胡《傳》直解《春秋》的路向，一概不可信。雖然如此，《春秋》不為孔子所做，但至少為「魯春秋」之傳，《左傳》傳注「魯春秋」，至少記錄周事甚詳，可藉以窺見先王流風餘韻。因此他們退而求其次，接受《春秋》《左傳》部分的傳遞先王之道，對《左傳》傳解魯史的層面加以肯定；這幾乎是中井履軒詮釋《春秋》的路向。

同時，由米良倉敘言可見中井履軒《春秋》觀是當時許多學者的共識，頗具其影響力。帆足萬里在中井履軒之後，其《春秋》《左傳》經學觀與解經方法，有何承於或變於中井履軒者？或有近於古學主張的部分？以下試探研其《春秋》學專著《左傳標註》，說明其具體主張與經解如何，以探知帆足萬里在日本《左傳》學研究脈絡中，既傾向中井履軒新朱子經學觀，又接受古文辭學派治學觀時，其具體經學觀與《春秋》學研究在日本《春秋》《左傳》學研究史中的趨向與定位。

## 三　帆足萬里之《春秋》觀

如同狩野直喜所指出，中井履軒《春秋》觀的重要基線，在於認為《春秋》有兩本，一是魯之舊史，一是孔子之《春秋》。孔子《春秋》於孟子時尚存，然應毀於楚滅魯之時而非秦火，在漢代復出的《春秋》，當是舊史，而非孔子《春秋》，然三傳皆以為是孔子《春秋》，是多臆測附會之辭。[13]這也是帆足萬里解釋《春秋》《左傳》的基礎，

---

試取《易傳》、《春秋》，通讀一過以評之，何處是傳堯舜知道者？」日・中井履軒：《孟子逢原》，收入關儀一郎編《日本名家四書註釋全書》（東京：東洋圖書刊行會，大正15／1925年），頁96。

12 日・米良倉：〈四書五經標註敘〉，《增補帆足萬里全集》2，頁1。

13 日・狩野直喜著、鍋島亞朱華譯〈履軒先生之經學〉，《經學研究論叢》第9輯（臺北：學生書局，2001年），頁295-300。

是如《左傳標註・緒言》開宗明義即謂：「夫子之《春秋》不傳，今經文蓋《左氏》據《魯春秋》改撰者。」[14]

帆足萬里總體的《春秋》學觀展現在兩篇文章中，一為《左傳標註・緒言》，為《四書五經標注》之部分論述，一為〈入學新論〉，付梓於五十八歲；當中主張可分：一、《春秋》淵源、性質與價值，二、論《春秋》、《左傳》的關係與《左傳》之內涵、價值兩點論述。

## （一）《春秋》淵源、性質與價值

帆足萬里論《春秋》有二，一為據孟子所論之孔子《春秋》，此為其理想《春秋》的內涵與樣態；一為今傳世《春秋》，偽為孔子《春秋》，實質上為「魯春秋」。何以如此？帆足萬里不同於中井履軒自《孟子》論《春秋》，而自確定為孔子話語的《論語》論他理想上的孔子《春秋》。

他認為孔子《春秋》必具有如《論語》論為政之首要「正名」的性質：

> 《春秋》所以正名之書也。古之聖人兼君師之任，故君臣之分不太嚴，有奉其天職，共治天下之意，觀《左傳》所載列國之事可知也。周室之衰，威令不行，其弊天子與諸侯交質者有之，大夫行天子之禮者有之。名教將墜，夫名者教之所寓，不可不慎，夫子不言乎：「必也，正名」，是《春秋》之所以作。[15]

上古治世為公天下，君臣共治天下，不必嚴分君臣，君臣交好、共治國事事蹟可見諸《左傳》。周衰，天子權威不比從前，所以周鄭交質，大夫上僭行天子之禮等等皆失名教位份，矯枉必須以正，是以必須強調名位、君臣份際，因此帆足萬里主張《春秋》乃為正名而作[16]；《春秋》為正名之作，方得以為當代教化施作之據。換言之，正名是《春秋》的主要內容與性質，然而孔子無天子之位，是以其作用不能在治國，而在教化，是以帆足萬里在此強調「夫名者教之所寓」。

其次，周勢既衰，王者之事不行，《春秋》寓有正名教化之託，帆足萬里以是引孟子之說謂：

> 孟子曰：「《春秋》，王者之事也。」又曰：「孔子作《春秋》，而亂臣賊子懼。」西周之隆，征伐黜陟，自天子出，列國之民，有所歌詠，以美刺其上，天子陳而

---

14 帆足萬里：《左傳標註・緒言》，《增補帆足萬里全集》2，頁294。

15 帆足萬里：〈入學新論・原學〉，《增補帆足萬里全集》1，頁22。

16 由此亦可進一步理解帆足萬里以上古治世「官天下」的具體內涵，即君臣共治，尚不必嚴分君臣，天下為公，上下相洽之況。

> 觀之，美刺之言上通，黜陟之典下行。世道益降，《詩》不復見采，而夫子之《春秋》出，蓋以微見其設施之端云爾，故曰：「知我者其惟《春秋》乎！」然夫子又不言乎：「不在其位，不謀其政。」《春秋》，王者之政也，故曰：「罪我者其惟《春秋》乎」、「其文（則）史也，其義則丘竊取之。」蓋謂其有所取裁也。[17]

此段長文有二層意思。其一，相較於西周隆盛之況，天子雖具征伐之威權，下民仍可透過歌詠美刺其政，施政美善藉由《詩》溝通上下，然至東周失去《詩》的觀陳作用，而由孔子《春秋》窺見設施之正變。這是《春秋》在東周「使亂臣賊子懼」的效用，雖然帆足萬里亦明此效用之消極，但至少在王事不行的東周，仍可得「微見其設施之端」。其次，藉由《孟子》〈滕文公〉與〈離婁下〉孔子自罪之辭，正呼應孔子主張「不在其政，不謀其政」，帆足萬里是以確認孔子於《春秋》自有其取裁，由此判斷孔子《春秋》的性質必然不同於為史的諸國史書與《魯春秋》，而寓有孔子的正名大義。同時，在三代治世異於東周而使孔子有所發作的基本認知下，帆足萬里認為：

> 《詩》、《書》、禮、樂之教至矣，可以有為，而不可無所以辨得失之道。《春秋》之作，蓋為此也，屬辭謂褒貶之際，屬文各異，比事謂援他事相比以見同異。[18]

《詩》《書》禮樂之教，蓋為有為之法，然不能據以辨得失，《春秋》專為辨得失的正名之作，是以具有褒貶之屬辭，透過比事相較以見異同，由此屬辭褒貶、屬文比事，以見當中得失。

帆足萬里在此結合《論語》正名之義，細緻的指出孔子《春秋》有異於其他經典的特殊作用。他認為西周共治天下，不必談論嚴分君臣之必要，不必談正名，東周時正因君臣不相安，是以談論嚴分君臣成為必要，正名成為必要，以為防制亂臣賊子之效。在他人以孟子《春秋》論述論孔子《春秋》，帆足萬里透過對比三代治世的有為，具積極的建設性，與東周世局消極制亂之況，突顯孔子正名主張在禮樂空有其形的正當與必要性，不僅妥貼的以孟子論孔子《春秋》，更深入的結合《論語》中孔子正名主張解釋孔子《春秋》的理想，是其《春秋》論述有進於前人之處。

尤有進之，他認為孔子《春秋》之特殊乃在於：

> 《春秋》是非之學也，及不善為之，文過飾奸，此得失之亂也，行蓋非其真。

《春秋》既具有是是非非的高度道德性，必由孔子方能得其正，若由不善者為之，「行蓋非其真」，則《春秋》便為文飾之辭，反而成為不能正得失的亂源。帆足萬里認為，惟有孔子方具有此高度的道德，以其行稱其言，方能善行天子之事。《春秋》為天子

17 帆足萬里：〈入學新論・原學〉，《增補帆足萬里全集》1，頁22。
18 同前註。

之事的獨特性，必須由孔子為其著作者，方能取得其內容與價值上的一致，名實才得合一。

再者，他認為《左傳》昭二年韓宣子所見「魯春秋」為《左傳》所傳記之《春秋》，並非孔子《春秋》，乃因為：

> 且《春秋》首舉「春王正月」，夫魯史書正月，明是周正，時王之制，豈須注釋。但民間因仍用夏正，《詩經》可徵，故其用周正，注「王」字以別之。由是見之，今《春秋》已非夫子之筆，又非魯史舊文，即戰國之士，拾綴遺文偽撰耳。[19]

帆足萬里認為魯史書正月，本應就時王之制即周正寫就，其實不必特加說明，然而今傳世《春秋》必舉「春王正月」，強調採用周正，反而顯其造作。他指出由《詩》可見民間襲用夏正，是以後人綴拾《春秋》便以申令採周正以區別之。但是帆足萬里這一說明與理由過於曲折，當中多為臆度，不完全合理。

他還指出可從日食與特殊記載看到今《春秋》的問題：「但如書日食三十六，不啻後世作曆者逆推以較其疏密，西人傳其法因得正其紀年之謬，亦賴此書之存而已。」一則如傳世《春秋》書日食三十六次，亦多疏漏，可見其紀年不實。二則，帆足萬里認為《春秋》書「西狩獲麟」與「鸜鵒來巢」是同類型的記事：

> 「西狩獲麟」，亦「鸜鵒來巢」類，聖人獲麟作《春秋》，斷筆於獲麟一句，是《公》、《穀》誇毗之言，誣聖人，孰甚於此。使夫子識麟果如《左傳》所記，亦博物之餘，與辨肅慎石砮無異。「孔子作《春秋》，亂臣賊子懼。」孟子之言，足以斷之也。[20]

以其僅為記事，不當以《公》《穀》偏向災異、祥瑞之說，作為孔子書作《春秋》的典故或動機，仍當回到孟子之說，孔子有意作《春秋》，乃出於使亂臣賊子懼的效用，

然檢視帆足萬里對今傳世《春秋》的批評，比如傳世《春秋》書日食或記載曆法徵實今曆，亦多所正確，即使有不確者，亦可以當時魯國史官失職、書記散亂為之解，萬里之說不足以說明今傳世《春秋》作者不為孔子，更無法得出《春秋》出於戰國人綴拾而來的結論，此說是亦過度的擴大解釋《春秋》日食的缺失；其次，以《公》《穀》之說作為說明今傳世《春秋》的書寫動機，實不合稱，兩者並不必定相關，雖然如此，也不能做為今傳世《春秋》不為孔子所做，甚或做為戰國時人所做的證明。其次，帆足萬里以《左傳》以獲麟說為史文書記較為可信，其著述立場不同於《公》《穀》，當他接受《左傳》載昭公二年韓宣子見《魯春秋》之說，表示帆足萬里同意「魯春秋」的存在，

---

19 帆足萬里：《左傳傳標註・緒言》，《增補帆足萬里全集》2，頁294。下引同。

20 同前註，頁294、295。

但不為孔子《春秋》，同時他認為今傳世《春秋》為戰國時間綴拾遺文而來，顯然又以今傳世《春秋》不僅不是孔子《春秋》，而且不同於韓宣子所見「魯春秋」。換言之，「魯春秋」、孔子《春秋》與傳世《春秋》，帆足萬里認為並不相同，解釋頗為曲折。若退一步依順其主張，那麼《左傳》與他所說的三部《春秋》的關聯如何？帆足萬里如何解釋當中的連結，並賦予其價值呢？

## （二）論《春秋》、《左傳》的關係與《左傳》之內涵、價值

《左傳》昭公二年載韓宣子曾見「魯春秋」，並評以為周禮的呈現，帆足萬里認為這是《左傳》的價值所在。同時他也主張《左傳》所載之「魯春秋」，實為魯史遺編，不為孔子《春秋》，其謂：

> 韓宣子之魯，見「魯春秋」與「易象」，以為周禮盡在魯，則《左氏》經文及所載書法，亦據魯史遺編改撰者。經文果夫子所筆？不得書孔丘卒，以為「魯春秋」乎？夫子非卿，亦不得書也。若魯人尊夫子書，則必書孔子卒，不得書名也，其偽托固不待辨而明。[21]

特別是是《左傳》所錄《春秋》經文至魯哀公十六年，一則書孔丘卒，必不為孔子自書，二則孔子非卿[22]，更不當書於魯史，因此《左傳》所據《春秋》，必不為原本的「魯春秋」，乃由魯史遺編改撰而來。最後，《左傳》所據《春秋》書「孔丘卒」實不為尊夫子之徵，帆足萬里認為若尊孔子應當書「孔子卒」。

帆足萬里之說固有其理，然而孔丘卒，必不為孔子自書嗎？若孔子自知死日，臨終書寫，自書「孔丘卒」，果然無此可能嗎？再則，孔子雖然不是卿，記載他的卒年不符魯史書記原則，然而《左傳》既與《春秋》密切關聯，則孔子之言、孔子之行被書記《左傳》當中，成為《左傳》深切於《春秋》的表現，亦屬合理。隱藏在此番質疑中的根本思維，亦在於帆足萬里實如中井履軒評議孔子《春秋》與《左傳》時存在著多重標準。當他們將孔子《春秋》視為孔子述而不作之作時，當中書法有所變化而超越於魯史內容與書記，亦屬正常，此時便不應以魯史記當如何書「孔丘卒」的標準，回頭檢視《春秋》《左傳》的書寫。因此可以說，他們欲探究《春秋》的實質內容，對比《左傳》所言「魯春秋」與傳世《春秋》，與孟子所述理想的孔子《春秋》，相去甚遠；他們不願意接受「魯春秋」，雖秉周禮，卻非孔子所記，也不接受傳世《春秋》與《三傳》，

21 帆足萬里：〈入學新論．原學〉，《增補帆足萬里全集》1，頁22。

22 孔子是否曾任魯卿，猶有爭議，此處不擬深入討論孔子為魯卿的真實性，然就帆足萬里的歷史記憶論其主張與理論。

當中闕漏與不一致者甚多，不符孟子所述，從而試圖對孟子所述孔子《春秋》與今《春秋》《三傳》之差距，提出一可能解釋。

從另一角度來看，這當中其實透顯了另一個問題，就帆足萬里論《春秋》正名，為辨是非之書，是孟子所述孔子《春秋》，其實性質大異於《詩》《書》禮樂之教，前者可以說是天子之志／事，後者則為具體的天子之業，前者是消極的撥亂反正，後者則是積極的有為建設。因此，這樣的判準之下，「魯春秋」秉周禮則為有為建設之氣度，帆足萬里亦指出《左傳》具周文遺韻，其實性質是一致的。然而他又認為《左傳》不僅取法魯史，有謂：

> 韓宣子見「魯春秋」以為周禮盡在魯，則《傳》所載書法亦頗取魯史舊法以成之。且《左氏》所錄治亂事蹟，薈蕞各國書史，而作者間不與經文合，其逗漏處，《左氏》亦不自覺也，須在各條下辨之。[23]

《左傳》之作尚包括匯綴他國史致有所疏漏，亦不與經文相合。換言之，他認為今傳世《經》《傳》不合者，是《左傳》不完全依從「魯春秋」的結果，因此只接受《左傳》部分秉有「魯春秋」。

然而也可以相對來看，當帆足萬里以《左傳》綴拾「魯春秋」而形成今傳世《春秋》之經文時，又如何會形成有所錯亂，以為後世垢病之所呢？《經》《傳》不合的解釋很多可能，是否是薈蕞各國書史而來？尚需進一步佐證，在證據闕疑的情況下，帆足萬里之說亦僅為一假說，當不足以為解釋《春秋》《左傳》的基礎觀念，然而帆足萬里卻以此假說為根本立場，做為解釋傳世《春秋》《左傳》的根據。他談到《春秋》書法時，主張：

> 後世說《春秋》者立三例，發凡正例、新意變例、歸趣非例是也。所謂正例是魯史舊法，韓宣子所稱；變例，《左氏》所作，偽托諸孔子也；歸趣非例，固不須論也。[24]

後世說即杜預之說，帆足萬里就此說主張，認為正例即為《左傳》所稱「魯春秋」，變例與非例者也是不孔子意思，都是《左傳》偽托。他對《左傳》所書《春秋》書法，包括五十凡、君子曰，甚至明指為孔子說者，一概皆不從，徹底否定《左傳》與孔子《春秋》關聯的可能性。

進一步，若依帆足萬里之說，除去《左傳》釋經之文，那麼《左傳》便只如帆足萬里所說的周文遺響，是否可藉由《左傳》所載史文，得窺三代治世之術，甚或治世之道呢？帆足萬里又不如此認為，他說：

---

23 帆足萬里：《左傳傳標註・緒言》，《增補帆足萬里全集》2，頁294。

24 同前註。

> 《左傳》之文，音節明暢，無洙泗淳質之風，其中載田氏篡齊之占，則其作在威宣之際，略與孟子同時。其文取各國史書成之，就中自有古今之異，猶司馬溫公《通鑑》不盡出己手也。[25]

《左傳》史文並無洙泗之風，即孔子之風，是以不當成於孔子前後，而就田氏篡齊的預言來看，他判定約與孟子同時。如同《資治通鑑》雖成於司馬光，內容亦是取自史籍文獻而來，就此而言，帆足萬里肯定《左傳》乃「周季治亂之跡，因此及《國語》以傳，則書史之尤古者也。」[26]「因此書及《國語》以傳，則其在後學，固不為無益也。」[27]類同於《國語》，具有歷史文獻的資料價值，不完全等於秉有周禮的「魯春秋」。

至於《公》《穀》二傳採《左傳》的《春秋》經文，而立意相異，因著作在後，所以部分有得於孔子之意，是有可能的。帆足萬里這樣說：

> 然周季治亂之跡，《公》《穀》據經文，故與《左氏》立異同者，其作在《左氏》之後，或曰秦始皇，博士所作，意當然也。蓋夫子之《春秋》不傳，而其所以為教之意則在，如朱子《通鑑綱目》，亦得《春秋》之意者也。[28]

一如朱子《通鑑綱目》亦在帆足萬里肯定有得孔子《春秋》之意之列。因此，三傳或朱子《通鑑綱目》，雖皆不見孔子《春秋》，然可以因沿孔子之學，而就《左傳》經文，甚或「魯春秋」，其實也就是據諸國史記，加以是是非非，以得孔子之意。然而，不必孔子《春秋》，亦可得孔子之意時，將如何判定其是否為孔子之學或孔子之意呢？朱子或中井履軒、帆足萬里未能肯定回覆，是以對於如何詮釋《春秋》之意可以是持著開放的立場。

回到帆足萬里論《左傳》，他認為《左傳》是戰國時人之作，與《詩》《書》文風相異，而且有東周文飾繁多之弊，其謂：

> 《左傳》之作，在孟、荀之間，其所錄辭命，是襄周尚文之弊，已非夫子辭達之義，其文過為矜飾，疎暢易解，與《詩》《書》艱奧異。杜氏《集解》固多紕繆，中井履軒抉摘略盡，今取其說，有遺漏間為補入，以便後學云爾。[29]

他對《左傳》評價如此，並自述其作是在中井履軒批駁杜預的基礎上，補其遺漏，是以帆足萬里如同中井履軒《左傳雕題略》的形式，在前人注解的基礎上，補益其見，此為其著作《左傳標註》的基本立場與方式。

---

25 同前註，頁295。

26 同前註。

27 帆足萬里：〈入學新論・原學〉，《增補帆足萬里全集》1，頁23。

28 帆足萬里：〈入學新論・原學〉，《增補帆足萬里全集》1，頁23。

29 帆足萬里：《左傳傳標註・緒言》，《增補帆足萬里全集》2，頁295。

# 四　《左傳標註》之經解方法與效用

帆足萬里治《春秋》《左傳》有三個詮釋向度，一、立基於中井履軒的《春秋》觀，以《春秋》經文為偽，《左傳》論及異象者皆為附會之辭；二、在對三代治世之盛的期待下，以先王之道為據的批判；三、在方法上，亦透過解釋字義，斷辭立論，如〈書西崦先生餘稿後〉所論：「其經解汎取古今眾說，一斷以文辭，糾繆斥非，闡發幽顯，暸如覩火。」[30]以下為之分說。

## （一）論《春秋》經文與《左傳》災異之辭

中井履軒認為《左傳》中的《春秋》係舊「魯春秋」之遺[31]，偽為孔子經文，是為偽作性質。帆足萬里意同於此，其於莊八年經文「秋師還」註解提到：

> 履軒以為，「師次于郎，以俟陳人、蔡人」、「秋師還」，皆不似經文，傳文誤入于此也。是言有理，然經文實出《左氏》改撰，非魯史舊文，今不必論。[32]

莊八年《春秋》經文「八年，春，王正月，師次于郎，以『俟』陳人、蔡人。甲午，治兵。……秋，師還。」其中「俟」、「師還」等辭只出現在傳文中，未曾見於他處經文，是以中井履軒也指出「『治兵』為將伐郕也，俟陳、蔡，亦為伐郕也，必不得在于治兵之上。」[33]由事理推知既魯師既將伐郕，治兵當在俟陳、蔡之前，而將之「以俟陳、蔡」視為傳文，帆足萬里亦以之「不似經文」逕判以為傳文誤入為經文，雖然二人沒有進一步的說明，然就《春秋》通篇經文未出現「俟」「師還」等字辭，而以之為傳文雜入，似乎也頗有其理。

然而，不僅「俟」「師還」，包括「治兵」一辭也未出現在他處經文，是以以未出現於他處經文而視為傳文雜入，尚不能視為確實之據。從方法來看，在中井履軒和帆足萬里皆以《左傳》之《春秋》經文為雜綴而成為前提，在此卻又以此經文有一致的書法原則，而以此原則檢視經文，其實是有問題的，更不必說《春秋》經文的書法原則究竟如何？固然有一致的書字原則，然則沒有例外的書字嗎？就此處「俟」「師還」經文，龜

30 帆足萬里：《增補帆足萬里全集》1，頁708。

31 日・中井履軒提出：「此《春秋》是孔氏《春秋》，非舊《春秋》。孔氏《春秋》，蓋亡於秦火矣，永絕其傳。若《左》《穀》所傳之經，是為舊《春秋》之殘編矣，非孔氏之書。《左》《穀》獲之，謬以為孔氏《春秋》，遂穿鑿傳會，大惑後學。……《左氏》之書獲麟後二年，後儒所謂補經者，仍是舊《春秋》之遺文，非《左氏》所補。」氏撰：《孟子逢原》，《七經逢原》（重慶：西南師範大學出版社、北京市：人民出版社，2012年），頁340-341。

32 帆足萬里：《左傳標註》，頁305。

33 中井履軒：《左傳逢原》，頁489。

井昭陽便提出了不同的意見：

> 變文以見公之善也。十二公唯莊公今年之師，所謂鐵鏘者歟。《春秋》皆以特筆美之。（齊桓作而征伐皆從霸令而已，用師如是經，《春秋》所無）《傳》曰「禮」、「《書》曰『務脩德』」，皆釋經意也。[34]

以此處經文為「變文」，相對於齊桓以霸令人，此處乃在嘉美莊公之善，與《左傳》記述三個重點一致：一、魯「治兵於廟，禮也。」二、當時魯、齊圍郕，郕國降齊，於是仲慶父請求攻齊，莊公自省未修德行，是以沒有名義問罪齊軍，並引〈夏書〉：「皋陶邁種德，德，乃降。姑務脩德以待時乎！」自勉。三、《春秋》書「秋，師還」，《左傳》以為「君子是以善魯莊公。」[35]龜井昭陽並進一步解釋：

> 夫師次以俟，公之義也，不忿陳、蔡不義以生事，收師而退善矣。特書治兵，則褒可知，不忿齊不義而班師，不亦美乎？噫！著先公罪惡畫一譏之，其駱道乎！何王道之有妄哉？

透過「俟」，回應陳、蔡約期伐郕而時不至之不義，以為魯莊公謙退不生事，《左傳》書其治兵於廟，合於禮，亦在表示嘉善之意，同時對於齊師背盟受降，魯莊公回應以退師，實為美事，而以為王道的展現。昭陽之說綰合經傳之文，言之成理。然相對於龜井昭陽支持經傳的解釋，帆足萬里甚至認為經文也不是「魯春秋」舊文，乃出於《左傳》的有意改撰，徹底的反對經傳之文。中井履軒與帆足萬里以經傳為偽的立場，深遠的影響到往後學者對《春秋》《左傳》的解釋，如安井息軒即以為「《傳》言《經》所以，即用舊史之文」[36]，其淵源當來自中井履軒、帆足萬里之說。

再如成五年經書「梁山崩」，帆足萬里註謂：

> 梁山崩，晉必不赴告，與晉絕無干涉，不宜書，是《左氏》因伯宗之言，偽作經文也。[37]

伯宗之言指的是同年《左傳》記述梁山崩，是以晉侯傳召伯宗問事，為伯宗車駕的車夫說明山崩川竭，君主實無可奈何，只能對以應行之禮，帆足萬里認為梁山崩，晉必不赴告，也與晉無相涉，是以不當書於經文，而判經文為偽。

龜井昭陽立場正與帆足萬里相對，提出《春秋》書法「凡地名不繫國名，《春秋》

---

34 龜井昭陽：《左傳纘考》3，《龜井南冥・龜井昭陽全集》（福岡：葦書房，1978年），頁132。下引同。

35 周・左丘明傳、晉・杜預注、唐・孔穎達正義、《十三經注疏》整理委員會：《春秋左傳正義》（北京：北京大學出版社，2000年），頁266、267。

36 安井息軒（安井衡）：《左傳輯釋》（臺北：廣文書局，1967年），卷3頁10。

37 帆足萬里：《左傳標註》，頁334。

書法也。」[38]對《春秋》書法與《左傳》的解釋提出其歸納意見。在帆足萬里，由於其不信經、傳，用拆解的方式解經釋傳，立說無據的解釋古代史記筆法的可能樣貌，然則何以「晉必不赴告」？他又再此之上，提出《左氏》因伯宗敘事，是以造作經文之說，其實亦無實據，頗有厚誣經典之嫌。《左傳》載伯宗之事，同樣可見於《國語》，兩者關係密切，基本屬性之一仍為東周史記，當中所記當代實事實象如何？山崩之載在先秦不多，實無可考，亦其他論據可如帆足萬里所述者。然而，帆足萬里強調梁山崩「與晉絕無干涉」，主要指出山川變異與人事無關，這點亦同於中井履軒富於近現代科學精神，這個立場一再的出現在他對《左傳》記災、異的批評上。

帆足萬里認為《左傳》偽作經文更大量的表現在記災、異諸事中。如僖十四年經記「沙鹿崩」，他指出：

> 沙鹿之崩，與魯絕無係干。晉亦必不以是赴同盟。蓋《左氏》之傳多采卜筮雜說成之，是因有梓慎之言，遂偽撰經文也。[39]

主張沙鹿崩無關於政治，《左傳》尚記「晉卜偃曰『期年將有大咎，幾亡國。」[40]是為災異之說的張本。他認為批評《左傳》經文常記述災異之文，是為如魯國梓慎諸多預測之詞陳言，其經傳之文乃採卜筮之說而成。

這樣抨擊經傳記災、記異之說的言論，展現在帆足萬里對所有《左傳》相關記事中。如僖十六年《左傳》「退而告人曰『君失問，是陰陽之事』」[41]，他便指出：

> 陰陽之為言，由日光所照向背生也，其以論造化創於鄒衍，當時未有陰陽之說，是《左氏》時雜學偽撰也。[42]

依其科學認知論陰陽僅為日光向背所致，而以陰陽說論始於戰國鄒衍。帆足萬里前一說可視為陰陽說之狹義，陰陽說更富有其他意涵，特別是陰陽之說成為系統論述固有成於鄒衍之說的說法，然陰陽之為辭、為論已大量見於戰國諸子之說中，甚至較早典籍如或如《道德經》「萬物負陰而抱陽，沖氣以為和」[43]、《墨子・辭過》「凡回於天地之間，包於四海之內，天壤之情，陰陽之和，莫不有也。」「四時也，則曰陰陽」〈天志〉「是以

---

38 龜井昭陽：《左傳纘考》，《龜井南冥・龜井昭陽全集》3，頁440。《左傳正義》僅釋為「記異也」（孔穎達：《春秋左傳正義》，頁826。）是以此說可視為昭陽歸納之書法，竹添光鴻從昭陽說氏撰：《左氏會箋》（四川：巴蜀書社，2008年），頁1001。

39 帆足萬里：《左傳標註》，頁312。

40 孔穎達：《春秋左傳正義》，頁424。

41 孔穎達：《春秋左傳正義》，頁444。

42 帆足萬里：《左傳標註》，頁315。

43 魏・王弼注、樓宇烈校釋：《老子道德經注校釋》（北京：中華書局，2008年），頁117。

天之為寒熱也，節四時，調陰陽雨露也。」[44]所論陰陽不僅於日光向背而已。帆足萬里其實也注意到「〈象傳〉〈文言〉〈繫辭〉文辭相類，始有陰陽之名，蓋出一人之名。」[45]陰陽說多可見諸《易傳》，他對《易傳》作者的立場同於中井履軒，不以為孔子所作而謂「〈象傳〉據周公爻象，解卦辭，已非正義，且多紕繆，尤為疎淺。」「〈說卦〉妄繆尤甚，析字賣卦之流，宜極刪去。」亦不滿〈雜卦〉〈序卦〉，以其不知作於何人之手。由此可見其論《春秋》《易》經傳時的一貫立場，透顯其依從於中井履軒之治經觀點。

然而再仔細論析帆足萬里評議《左傳》者，實則他常概括《公》《穀》二傳之立論，用以批評《左傳》。如其論「梁山崩」一則，《公羊》指「為天下記異」[46]，《穀梁》稱「不日，何也？高者有崩道也。」[47]是如傅隸樸所評，前者實屬穿鑿，而後者抄撮而略改《左傳》之文而成，論不書日亦是妄增書法[48]，《左傳》通篇僅敘事，伯宗與車夫的對談亦是依禮論事，是以謂「以禮焉，其如此而已」[49]，如謂《周禮．天官冢宰》「大喪則不舉，大荒則不舉，大札則不舉，天地有災則不舉，邦有大故則不舉。」[50]實未涉及災異之事。事實上，中井履軒「以山川為國之鎮守神，而祭之，主即鎮守之義。」[51]詮釋國家祭祀山川的內在緣由，並不將之與災異思想連結。三代之禮源於祭祀，《論語．堯曰》亦謂「所重：民、食、喪、祭。」[52]若有山川災變，行祭祀之禮亦在常理，不當一概視為災異思想，帆足萬里以後世災異思想論之，以今則古，恐多不當。若如「沙鹿崩」一則，《公羊》同樣以為記異，《穀梁》以其具不書日的書法，在《左傳》記晉卜偃之預測，似有記異之嫌，但是它以語出有據的方式表示時人觀點，便不同於《公羊》而省卻一層記異的色彩。特別是《論語》所載孔子對於鬼神奇異之事，後人以其不語「怪、力、亂、神」為其人文精神的展現，雖則如此，也不能忽視當代盛行卜筮，如是《禮記》所載行禮如儀者常有卜筮的程序，實為禮的儀式程序，因此不當完全皆歸為記異類型。

換言之，《春秋》記災、記異涉及二個層面，第一，記災、記異本為史官所為，第二，若將災、異繫之人事，便有可能涉及陰陽災異思想，帆足萬里所反對的應該是後者，是以他不滿陰陽之說、記異之辭，亦不同意《春秋》哀十四年獲麟之說，而謂：

---

44 清．孫詒讓：《墨子閒詁》（上海：商務印書館，1935年），頁22、129。

45 帆足萬里：《左傳標註》，頁206-207。下引同。

46 漢．公羊壽傳、何休解詁、唐．徐彥疏：《春秋公羊傳注疏》（北京：北京大學出版社，2000年），頁440。

47 晉．范甯集解、唐．楊士勛疏：《春秋穀梁傳注疏》（北京：北京大學出版社，2000年），頁250。

48 傅隸樸：《春秋三傳比義》（臺北：臺灣商務印書館，2006年），頁778-779。

49 唐．孔穎達：《春秋左傳正義》，頁250。

50 漢．鄭玄注、唐．賈公彥疏：《周禮注疏》（北京：北京大學出版社，1999年），頁83。

51 中井履軒：《左傳逢原》，頁561。

52 程樹德：《論語集釋》（北京：中華書局，1990年），頁1364。

麟為瑞物，固不足論。字從鹿，是鹿類罕見者，與鸜鵒有蜮，同記異也。麟見〈召南〉，亦取比與雎鳩、死麕無異。《公》《穀》經止此章，蓋以獲鱗（筆者案，應作「麟」）為瑞，固起戰國術士之言，據此與《左氏》立異耳。[53]

將麟罕見，將祝為祥瑞固可，但在帆足萬里看來，性質僅在記異，僅是比喻性質，並不與人事勾連，不同意《公》《穀》將之視為孔子絕筆之因。他認為獲麟之說僅是《公》、《穀》採戰國術士之言，以與《左傳》立異，對戰國以來流行的災異思想不表同意，以反對以之說《春秋》。

然而，不僅反對災異以說人事，帆足萬里對於第一層面記災、記異之事亦是反對，是如昭二十六年《左傳》記「齊有彗星」[54]，經文未載，帆足萬里表示：

彗星之出，天下皆見，《左氏》采稗官小說，所以與經文不同。[55]

他認為經文未載此事，實出自正統的史官筆法，而以《左傳》記異之事為稗官小說，由此可看出一方面他也同意部分的《左傳》經文為魯史之遺，是以肯定其正統性，一方面又可見他對史傳記異的不以為然。

由帆足萬里實際釋經傳之辭，可以看到更多他對《春秋》經傳內容與來源的主張，一、《左傳》所述經文為偽作，但部分為「魯春秋」之遺，是以具有部分的史官筆法，具有正統性，其中又多有傳文雜入者，是以不可信居多。二、《左傳》採各國史記，甚至是稗官小說而來，是以多災異思想。然而前者的標準如何分辨、評判？實不可知，而後者亦多為帆足萬里以後世災異思想解釋上古祭祀，與記災、記異。他認為「是經傳二書，皆係偽撰，所傳各異」[56]，對《春秋》《左傳》的批評與評價之嚴厲，實則又在中井履軒之上。

帆足萬里主張經傳皆偽作，然評價經文又在傳文之上，是以經傳異辭者，皆以為《左傳》「曲為之辭」、「強生義解」、「強設義解」[57]。進一步，他認為《左傳》的形成至有二階段，有原本《左傳》，還有後人追作的部分。

如襄二十八年：

《經》十有二月甲寅，天王崩。

《傳》王人來告喪。問崩日，以甲寅告，故書之，以徵過也。[58]

---

53 帆足萬里：《左傳標註》，頁389。

54 孔穎達：《春秋左傳正義》，頁1701、1702。

55 帆足萬里：《左傳標註》，頁378。中井履軒於此條未有注解。

56 帆足萬里：《左傳標註》，頁299。

57 帆足萬里：《左傳標註》，頁299、353、354。

58 孔穎達：《春秋左傳正義》，頁1274。下引頁1244。

《左傳》同年先書「癸巳，天王崩。未來赴，亦未書，禮也。」表示天王崩於十一月，然未有赴告，是以經文當月未書。至十二月，王人來告天王之喪，問其崩日，王人誤以甲寅告，所以史官據王人之告，書十二月甲寅，以明王人告喪之不慎。當時天子之崩為舉國大事，告喪者竟濫報日期，可見當時政治、史記之亂，而由經傳書記之差異，以為佐據。[59]帆足萬里註謂：

> 「徵」如「杞不足徵」之徵，是魯史直承赴書，《左氏》以為徵過，是以經文為夫子所筆也，殊不為過也。[60]

不足徵，謂不足以證明之，《左傳》之文在徵明魯史之過，而經文承魯史，帆足萬里認為若經文為孔子之筆，則不當有過，由此論非孔子《春秋》。龜井昭陽釋「徵」有二義，一為證明，二為同於「懲」，前義與帆足萬里說相近，後者則強調王人與時政之亂，呼應《左傳》之說。[61]安井息軒釋「徵」為「懲」，擇昭陽第二義，依《左傳》之意而釋之。[62]帆足萬里認為《左傳》經文來自魯史，魯史又直承赴告之文，部分接受經文承自魯史的正統／正當性，同時由《左傳》以為徵過這一層，以為為《左傳》之原本樣貌，而有所肯定。

然而，他也主張《左傳》有後人追作的部分，如襄三十一年《左傳》載「紂囚文王七年，諸侯皆從之囚，紂於是乎懼而歸之，可謂愛之。」[63]帆足萬里註以為：「紂囚文王以下，冗長無味，是後人敷衍之言也，非《左氏》正文也。」[64]昭元年《左傳》「神怒民叛，何以能久？趙孟不復年矣。」[65]帆足萬里註謂：「是後人敷衍之語，非《左傳》正文。」[66]又如昭十八年《左傳》記述子產對鄭國火災預言以「天道遠，人道邇」[67]理性立場時，帆足萬里註謂：

> 千古名言，凡卜相諸術士之言，皆足以敗之。以是見之，前年論伯有之鬼，決非子產言，後人追作之也。[68]

由子產理性之言推斷他論鬼之事為無，而以為後人追述，帆足萬里此論委實較為曲折。子產論伯有之鬼，未將鬼神與人事密切勾連，以鬼神說人事，帆足萬里仍以為鬼神之說，

59 參考傅隸樸：《春秋三傳比義》，頁1029。
60 帆足萬里：《左傳標註》，頁356。
61 龜井昭陽：《左傳纘考》，《全集》4，頁84。
62 安井息軒：《左傳輯釋》下，卷17頁14。
63 孔穎達：《春秋左傳正義》，頁1305。
64 帆足萬里：《左傳標註》，頁360。
65 孔穎達：《春秋左傳正義》，頁1324。
66 帆足萬里：《左傳標註》，頁361。
67 孔穎達：《春秋左傳正義》，頁1581、1582。
68 帆足萬里：《左傳標註》，頁372。

予以反對，顯然堅定的反對鬼神的相關論述，沿承懷德堂學派「無鬼論」的立場。[69]帆足萬里忽略了《左傳》傳述當代本具鬼神話語或論述，而以其無鬼論的特定立場質疑《左傳》記述的子產之言，並以為後人追作之語。那麼他是否定他所認為的原本《左傳》呢？還是否定具有他所認為非理性之言的《左傳》？帆足萬里解析《左傳》帶有他原有的視角與框架，以今則古者多，能恰當詮釋經傳的，恐怕很有限。

帆足萬里之經解不僅深受中井履軒、懷德堂治學傳統與理念的影響，反映在他對《春秋》《左傳》的解經觀念與實際經解上，他崇慕荻生徂徠，亦龜井派古文辭學者多有交往的影響，也可見諸於他的實際經解，而表現在以先王之道為據，而非朱子之說為依的視角上。

## （二）以先王之道為據，對《左傳》的批判

以荻生徂徠為首的古文辭學，在經學領域多有專著的學者中，龜井南冥與其子昭陽於《左傳》尤其有深入且特出的見解，曾與帆足萬里交往學問。古文辭學在透過字、辭、句意的追索，重建經典語境，作為詮釋經典的根本方法，治經理念主要在其以追述先王之道的具體內容，以之為解釋經典重要目的，同樣的〈四書五經標註敘〉曾論及帆足萬里著作此書的方法時，指出：「顧諸倫治經者數十百家，至今訓詁未明，大義多乖，帆足先生有憂於斯，依古文以解經，闡徵抉伏，瞭如觀火。」[70]以明字義訓詁是其釋經的根本途徑。

有趣的是，帆足萬里既以《左傳》不甚可信，卻多引《左傳》解釋《論語》。如釋〈八佾〉「八佾舞於庭」[71]，帆足萬里註謂：

> 《左傳》隱公五年「公問羽數於眾仲，對曰，天子用八，諸侯用六，大夫四，士二。」「於是初獻六羽，始用六佾也。」[72]

釋「子曰：『禘自既灌而往者，吾不欲觀之矣。』」[73]帆足萬里註謂：

> 《左傳》昭十五年「春，將禘于武公。」《中庸》「禘嘗之義」是也。禘、帝同，篆文象人衣冠之形，祭名帝取崇祀之義。[74]

69 陶德民：〈近世日本朱子學的特色——以大阪懷德堂學派為例〉，《朱子學的展開——東亞篇》（臺北：漢學中心，2006年），頁281-285。（頁273-294）

70 米良倉：〈四書五經標註敘〉，《帆足萬里全集》2，頁1。

71 程樹德：《論語集釋》，頁136。

72 帆足萬里：《論語標註》，頁8。

73 程樹德：《論語集釋》，頁164。

74 帆足萬里：《論語標註》，頁9。

採二種方式註解《論語》，一引《左傳》、《中庸》釋義，一溯其字義，前者當在以《左傳》為可信的基礎上以為據，後者可見其訓釋古義的疏解方式。

帆足萬里以《左傳》訓釋《論語》共十四則，十則據以說明字辭之義，四則引《左傳》敘事，特別是在帆足萬里用以訓釋《論語》的典籍並不多，除《詩》《書》《禮》《易》與《史記》之外，或引徂徠之說、履軒之說[75]，可以說部分的實現了以古籍、古義訓釋字辭的古文辭學的方法，呼應其崇尚徂徠學的主張。同時帆足萬里亦引《左傳》釋《孟子》、《尚書》，釋後者多達二十餘則，由此可知，《左傳》史文記述在帆足萬里的評價上，仍為可信之要籍，由其疏解《左傳》之多所批評與以《左傳》解《論語》的取抉來看，實不盡一致，這或許是其主從中井履軒，而又依違於古文辭學的解經方法的結果。

特別對疏解《左傳》時對先王之道的強調，帆足萬里更呈顯其接近古文辭學派的傾向。在釋《孟子》「王者之跡熄而《詩》亡。」[76]他說：

> 王者之跡熄，謂幽王時，宗周顛覆，文武之善政熄滅也。《詩》亡者，《詩》教亡也。所謂〈四牡〉勞使臣、〈常棣〉燕兄弟、〈采薇〉遣戍役、〈出車〉勞還之類。周室已衰，諸侯橫恣，朝覲聘享之禮不行，《詩》教亦隨而泯矣。[77]

如同中井履軒釋此段時，以《詩》亡即表示周室衰微，王道不行，《詩》教所顯彰的先王教化亦隨之消泯。然而，同樣解釋昭二十七年《左傳》記述吳國季札哭墓復位，接受公子光的弒君篡位，以「立者從之，先人之道也」[78]明其行之所據時，中井履軒不滿季札，而以季札之言「斯言渾沌無辨，僅以晚於禍而已，而所望於賢者。」[79]帆足萬里卻站在支持《左傳》記述季札的立場，而謂：

> 言已討光，骨肉相戕，非先人之道也。先人以來，兄弟代立，初不以王子嗣，季子於僚立為諸父，其賢素為國人所信，若舉事，無不窮之理，義不肯立，又不欲骨肉相戕，光亦知之。[80]

以季札為國人所信賢人，不肯討公子光弒君之罪，在不欲骨肉相殘，而此乃為先人之道。此立場實同於龜井昭陽謂「先人猶前人。□斥先君也，不立適，而使國人從立者，

75 帆足萬里註「宰予晝寢」謂：「徂徠以為，晝寢，晝日在內寢燕息也。」釋「河不出圖」註謂：「河圖，履軒書傳以為地圖，得之。」（帆足萬里：《論語標註》，頁12、22。）

76 漢．趙岐注、宋．孫奭疏：《孟子注疏》（北京：北京大學出版社，1999年），頁226。

77 帆足萬里：《孟子標註》，頁62。

78 孔穎達：《春秋左傳正義》，頁1708。

79 中井履軒：《左傳逢原》，頁647。

80 帆足萬里：《左傳標註》，頁379。

此前人世之習也。……《史記》評云：『先人，即先正先賢之謂也，共之。』」[81]接受季札「從其立者」的先人之道。此處特別能看到帆足萬里在對先人之道的理解與崇慕上，更在中井履軒之上，而接近龜井學派的主張。

雖然如此，在釋經的主要途徑——書法與釋先王之道的核心——禮經，仍是依從中井履軒觀點，反對《左傳》諸多說法。如：隱元年《傳》「夏四月，費伯帥師城郎。不書，非公命也。」[82]《左傳標註》謂：「帥師築城是大事，豈有不書之理。是經傳所記之異，《左氏》曲為之說耳。」[83]隱元年《傳》「冬十月，庚申，改葬惠公。公弗臨，故不書」[84]《左傳標註》謂：「《左氏》浮誇，他無史籍可徵，學者闕疑可也。」[85]至於反禮、禮經之說，諸如文公五年《左傳》載：

> 王使榮叔來含且賵，召昭公來會葬，禮也。[86]

當時成風去世，為莊公之妾，周襄王派遣，榮叔致送玉和喪儀，以夫人禮賵之，並召昭公來參加葬禮，是符合禮儀的。《左傳正義》示明其意，指此舉在明母以子貴。然而，帆足萬里謂：

> 成風是莊公之妾，僖公以其先母以嫡夫人葬之，故王亦使榮叔含賵，《左氏》以為禮。僖公所為多為僭侈，恐不可。[87]

其實沒有具體反駁，何以不可，萬里僅以僖公之行，以批評《左傳》所載，實不甚合理。又如昭二十六年《左傳》載晏子之語：

> 唯禮可以已之。在禮，家施不及國，民不遷，農不移，工賈不變。[88]

論當以禮治國時，大夫家施捨不能及於國家，人民不搬遷，農工商民亦不變更職業等等，呈現穩定的狀態。帆足萬里批評此條謂：

> 民不遷以下，冗無味似衍文。晏子蓋舉禮經之文，後人仍因禮經增入也。[89]

他以《左傳》所述史文似衍文，並判以為後乃據禮經所增入。其說亦多臆測，亦無合理說明。

81 龜井昭陽：《左傳纘考》，《全集》4，頁321。
82 孔穎達：《春秋左傳正義》，頁57。
83 帆足萬里：《左傳標註》，頁295。
84 孔穎達：《春秋左傳正義》，頁71。
85 帆足萬里：《左傳標註》，頁296。
86 孔穎達：《春秋左傳正義》，頁582。
87 帆足萬里：《左傳標註》，頁323。
88 孔穎達：《春秋左傳正義》，頁1702。
89 帆足萬里：《左傳標註》，頁378。

帆足萬里基本治經觀念從於中井履軒，包括《春秋》偽作，《左傳》不解孔子《春秋》，為後人假借為之，是以所論書法、禮經皆有問題，而以《公》《穀》二傳又承於其後，更不必說。然而帆足萬里仍為後世欲解孔子《春秋》者，開出與朱子、中井履軒雷同的解釋空間，主張能得孔子之學者，亦能得孔子之理，這也是符合朱子以《公》《穀》解經的詮釋策略。在中井履軒的釋經立場上，加上對古文辭學的兩個治經取向，一則重視先王之道的詮釋標準，一則古字、古義的追求，「先生的學問朝多方面涉獵，主要本領在經學研究，然後其經學研究並非拘泥於先賢所作學說，依據古文解古經，闡明微小之處並挖掘隱藏的事物。」[90]而在此立場上肯定《左傳》的價值，雖然其《左傳標註》的疏解不盡詳密，仍使得帆足萬里的《左傳》學或亦具有如學者「集大成」[91]的特點。

## 五　結論：從中井履軒至帆足萬里的《春秋》詮釋趨向

帆足萬里認為上古治世不能復現，若欲持世美治，須就孔子學之教，以得善美天下之大業。所以雖有崇美上古先王之道之貌，在本質上所推崇的仍在孔子之學，由此可判，他更接近中井履軒論經的治學理念。是以他亦認為六經殘缺，認為發明孔子之學不在六經，特別主張孔子《春秋》亡於秦火，三傳之《春秋》經文係後人參魯史偽作而成，由此批評《左傳》的釋經書法與解經史文時，看似簡化了履軒《左傳》疏解的註釋成果，這樣的簡化卻常未能見到合理根據與說明。

然而帆足萬里大不同於履軒《左傳》學者，在於他接受古文辭學對於上古治世、先王之道的治世理想，亦將之視為孔子之學的理想，並融合古文辭學以古義論經的方法。然而他推崇並具有古文辭學派的治經思維與方法，又有著承自中井履軒疑經駁傳的影響，造成他對《左傳》的評價時有遊移，既不信《左傳》史文，又以《左傳》採自諸國史記，而以之釋《論語》等等不一致的論述與研究表現。特別是帆足萬里詮釋《論語》，以為掌握孔子之學的底據時，他其實採行的是以古義釋古字、古詞的方式，採錄並以為據的經典為《詩經》《尚書》《孟子》《荀子》等他以為孔子之學者，由此看來，當他採《左傳》釋《論語》，其實是對《左傳》在文獻資料的部分肯定。然而另一方面，他雖然也認為《公羊》《穀梁》的價值在《左傳》之下，卻也不反對《公羊》《穀梁》具有承孔子之學、釋孔子之義的可能，因為他接受孔子之理，可透過其學得之，而以孔子之理得孔子之學，是可行的；透過這樣的詮釋策略，他如同中井履軒之說，恰當的彌合了朱子以「左氏曾見國史，考事頗精，只是不知大義，……。《公》《穀》考事甚

---

90 請見〈帆足萬里小傳〉，《增補帆足萬里全集》1，頁12。

91 石川總弘：〈書西崦先生餘稿書後〉：「其經解汎取古今眾說，一斷以文辭，糾繆斥非，闡發幽賾，瞭若觀火，所謂集大成者。」（《帆足萬里全集》1，頁708。）

疏，然義理卻精。」「以《三傳》言之，《左氏》是史學，《公》、《穀》是經學」[92]的《三傳》論述。朱子自謂最不能理解《春秋》，回省其論《春秋》與推崇《春秋》的實質，亦不能道出孔子《春秋》的具體價值，或為僅為形式推崇。中井履軒與帆足萬里之《春秋》學可以說是在朱子說的理解框架解釋《春秋》《左傳》，為朱子《春秋》說在日本的進一步發揮，形成極端推崇孔子學、儒學，反以六經殘缺，《春秋》偽作的理論後果。

從另一角度來看，帆足萬里被視江戶後期學術思想的轉折性人物，學者講論日本從推崇儒學理想的「王道」到尊崇天皇「皇道」及「神道」的近代轉折時，提到「帆足萬里為折衷性的神儒合一論時，在『《入學新論》中強調：「神道以忠信為宗，以明潔改過為行，皆與孔子之道無異。』主張神道內涵與儒教道德無異。」[93]指出帆足萬里有其作為近現代日本學術思想的轉向標幟性位置。當帆足萬里的經學與治學成果為學者所推崇，深有影響時[94]，他在日本近現代化的走向上，其重大影響之一恐怕在弱化了經學，同時將儒學可視為孔子之學者僅為《論語》、《中庸》與《孟子》時，儒學的聲勢即走向衰微之途，形成新的政治理想有待提出之勢；其儒神合一的主張，或為其內在理論不得不然的後果。

92 宋・朱熹：《春秋綱領》，《朱子語類》，《朱子全書》17（上海：上海古籍出版社、合肥：安徽教育出版社，2002年），頁2840、2841。

93 張崑將：〈從「王道」到「皇道」的近代轉折〉，《外國問題研究》，2017年第3期，頁4-12。

94 〈帆足萬理全集刊行辭〉記：「先生的經綸，其生前不得實行的機會，雖僅以抱負的初出的一部分實現藩政改革，明治維新之後，與世代交替，看著其所論逐漸展現於現實上，不論何人皆會驚訝於其卓識及先見。」（《增補帆足萬里全集》1，頁1、2）

# 徵引文獻

## 一　原典文獻

周・左丘明傳、晉・杜預注、唐・孔穎達正義：《春秋左傳正義》，北京：北京大學出版社，2000年。

漢・公羊壽傳、何休解詁、唐・徐彥疏：《春秋公羊傳注疏》，北京：北京大學出版社，2000年。

漢・趙　岐注、宋・孫奭疏：《孟子注疏》，北京：北京大學出版社，1999年。

漢・鄭　玄注、唐・賈公彥疏：《周禮注疏》，北京：北京大學出版社，1999年。

魏・王　弼注、樓宇烈校釋：《老子道德經注校釋》，北京：中華書局，2008年。

晉・范　甯集解、唐・楊士勛疏：《春秋穀梁傳注疏》，北京：北京大學出版社，2000年。

宋・朱　熹：《朱子全書》，上海：上海古籍出版社、合肥：安徽教育出版社，2002年。

清・孫詒讓：《墨子閒詁》，上海：商務印書館，1935年。

日・中井履軒：《七經逢原》，重慶：西南師範大學出版社、北京市：人民出版社，2012年。

日・安井息軒（安井衡）：《左傳輯釋》，臺北：廣文書局，1967年。

日・帆足萬里：《增補帆足萬里全集》，東京：ぺりかん社，1988年。

日・竹添光鴻：《左氏會箋》，四川：巴蜀書社，2008年。

日・龜井南冥、龜井昭陽：《龜井南冥・龜井昭陽全集》，福岡市：葦書房，1978年。

## 二　近人著作

程樹德：《論語集釋》，北京：中華書局，1990年。

日・內藤湖南：《先哲の學問》，《內藤湖南全集》9，東京：筑摩書房，1969年。

日・中井履軒：《孟子逢原》，《日本名家四書註釋全書》，東京：東洋圖書刊行會，大正15／1925年。

## 三　單篇論文

張崑將：〈從「王道」到「皇道」的近代轉折〉，《外國問題研究》，2017年第3期，頁4-12。

連清吉〈帆足萬里及其所著「莊子解」〉，《中國書目季刊》第24卷第3期，1990年12月，頁38-63。

郭萬青〈帆足萬里《國語標注・鄭語》箋補〉，《唐山師範學院學報》，2019年1期，2019年4月，頁10-13。

日・工藤卓司：〈論帆足萬里《入學新論》的儒教觀〉，發表於「2014漢學研究國際學術研討會」，2014年10月25日-26日。

# 考古材料斠訂楊伯峻《春秋左傳注》文詞五則*

陳炫瑋

臺灣師範大學國文系副教授

## 摘要

本文主要是利用考古材料來重新考察楊伯峻的《春秋左傳注》五則材料。經過考古材料的檢視與考察，可以得出：（一）閔公二年「公與石祁子玦」及太子申生所佩的「金玦」，並非「如環而缺」之玦，而是考古材料中常見的韘，為輔助射箭的工具。（二）僖公六年「許男面縛」，非學者所講的「綴玉覆面」樣式。楊伯峻將「面縛」解為「自後縛之」之說是合理的，惟實際執行時，其手勢未必如楊伯峻所說的「手反縛背」，亦有手縛於身前的情況。（三）僖公三十二年「北門之管」，楊伯峻引馬衡的說法來解釋。然漢代的鎖鑰和春秋時代的銅鑰，型制上未必相同。根據考古出土的春秋戰國銅鎖情況，當時的銅鎖大致是由鎖身和長軸型鎖鍵組成，而鎖鍵柄皆以一個橢圓環為頂，與漢代的銅鎖樣式其實不相同。（四）文公十一年「富父終甥摏其喉以戈」及襄公二十八年「使執寢戈而先後之」，楊伯峻認為戈或寢戈的形制皆是戟。根據考古材料，富父終甥所持的戈未必得解為戟，解成戈即可。至於寢戈，根據曾侯乙墓葬位置來看，寢戈與戟出土在不同的位置，因此亦不可將寢戈視同戟看待。（五）昭公十七年「若我用瓘斝玉瓚，鄭必不火」，過去學者解釋「玉瓚」，基本上皆用勺形器來解釋，楊伯峻亦採此說。以出土材料來看，玉瓚其實就是祼祭時插在觚中的玉柄形器，且一般會在玉柄形器下安裝玉飾件，使之可以緊緊套固在酒器中，以便於鬯酒從上端進行祼祭。

**關鍵詞**：《春秋左傳注》、楊伯峻、玦、面縛、寢戈、玉瓚

---

* 本文承蒙兩位匿名審查人對拙作之細心閱讀及指正，在此謹致以最深的敬意與感謝！

# Using Archaeological Materials to Revise the Five Articles in *Zuo's Commentary to the Spring and Autumn with Annotations* written by Yang Bojun

Hsuan Wei Chen

Associate Professor, Department of Chinese, National Taiwan Normal University

## Abstract

This paper reviews the five articles in *Zuo's Commentary to the Spring and Autumn with Annotations* written by Yang Bojun by using archaeological materials. Through the review and investigation of archaeological materials, it can be concluded that: (1) In the chapter of *The Second Year of King Mi*n, "the Jue (玦) King gave Shi Qizi" and the "Golden Jue (玦)" worn by Prince Shensheng is actually the common She (韘) in archaeological materials, which is often used as an auxiliary tool for archery. (2) In the chapter of *The 6th Year of King Xi,* it is reasonable for Yang Bojun to interpret the "bound forward" in "Xu Nan is bound forward" as "binding someone from the back". However, in reality, the arms of the bound person may not necessarily be "tied back", which means they may also be tied in front of the body. (3) As in the chapter of *The 32nd Year of the King Xi*, the "Guan (管) of the North Gate", Yang Bojun explained it as the bronze lock of the Han Dynasty. However, the lock and key of the Han Dynasty is not necessarily the same as the copper keys (the Guan) in the Spring and Autumn period. The bronze keys in the Spring and Autumn and Warring States are basically composed of a lock body and a long-axis key, with the handle in the shape of an elliptical ring, which is quite different from that of the Han Dynasty. (4) In the chapters of *The 11th Year of the King Wen*, "Fufu Zhongsheng stabbed his throat with a Ge (戈)" and *The 28th Year of the King Xiang*, "make him hold the Qinge (寢戈) and follow him", Yang Bojun believes that both the Ge (戈) and the Qinge (寢戈) are halberds. However, according to archaeological materials, the Ge held by the Fufu Zhongsheng might just be a spear. As for the Qinge, according to the burial site of Marquis Yi of State Zeng, the Qinge could also be understood as a spear. (5) In the chapter of *The 17th Year of the King Zhao*, “if we use the Guanjia and Jade Zan to sacrifice the gods, Zheng will not suffer from fire”, Yang Bojun explained that the “Jade Zan” could be basically explained as a spoon-shaped instrument. However, according to the unearthed materials, the jade Zan is actually a jade handle-shaped instrument inserted in the Gu during the Guan sacrifice.

**Keywords:** *Zuo's Commentary to the Spring and Autumn with Annotations*, Yang Bojun, Jue, forward binding, Qinge, Jade Zan

# 一　前言

楊伯峻（1909-1992）一生的學術著作相當豐富，包括了《論語譯注》、《孟子譯注》、《列子集釋》、《春秋左傳注》、《經子淺談》、《春秋左傳詞典》等，其中《春秋左傳注》一書為當代研讀《左傳》相當重要的一本著作。高思曼曾評楊伯峻《春秋左傳注》說：「他對《左傳》的研究成果《春秋左傳注》，更是在世界上得到普遍好評的不朽之作。」[1]此書不僅出有簡體版，也有繁體版，對於《左傳》之研究有極大的影響力。特別是楊伯峻在注解《左傳》時會留意近代的考古發現與甲骨彝器材料，其在凡例即言：「注釋盡量採取前人及今人研究成果及近代發掘資料。」[2]楊伯峻除了善選各代的《左傳》注解外，此書更善用甲骨、青銅器和古代文物來補充解釋其中的文字及名物制度，例如在某些諸侯國之下，楊伯峻往往會引用青銅器材料來加以印證其說，對於史料理解提供了新的視野。然而隨著近代考古學的發展，書中的一些觀點就有需要再斟酌的地方，甚至有些新出土的考古材料亦足以補充楊伯峻《春秋左傳注》一書的不足。學界利用考古材料全面檢視《左傳》中的名物雖已有相當的研究，惟仍有一些值得商榷之處，因此筆者不揣淺陋，挑選：（一）閔公二年「公與石祁子玦」－附論閔公二年「金玦」、（二）僖公六年「許男面縛」、（三）僖公三十二年「北門之管」、（四）文公十一年「富父終甥摏其喉以戈」－兼論襄公二十八年「寢戈」問題、（五）昭公十七年「若我用瓘斝玉瓚，鄭必不火」之「玉瓚」等五則進行考釋，根據《左傳》所載次第為序，以就教於方家學者。

# 二　閔公二年「公與石祁子玦」考—附論「金玦」問題

《左傳》閔公二年：「冬十二月，狄人伐衛。衛懿公好鶴，鶴有乘軒者。將戰，國人受甲者皆曰：『使鶴！鶴實有祿位，余焉能戰？』公與石祁子玦，與甯莊子矢，使守。」杜注：「玦，玉玦。」[3]楊伯峻《春秋左傳注》此處雖未有注解，不過其在《左傳》閔公二年「金玦」處對「玦」注解說：「玦，古代佩身之物，形如環而缺，多以玉為之，而金玦則以青銅為之。」[4]另外，其在《春秋左傳詞典》一書亦云：「古人以玉，偶以金所制之佩物。」[5]陳克炯《左傳詳解詞典》也說：「佩帶的環形玉器，有缺口。」[6]

---

1　引自俞筱堯：〈古文獻學家楊伯峻的學術道路〉，《文獻》，1993年第4期（1993年12月），頁113。

2　楊伯峻：《春秋左傳注》（修訂本）（北京：中華書局，2012年），凡例頁2。

3　晉．杜預注，唐．孔穎達疏：《春秋左傳注疏》（臺北：藝文印書館，2013年），卷11，頁191。

4　楊伯峻：《春秋左傳注》（修訂本）（北京：中華書局，2012年），頁269。

5　楊伯峻、徐提：《春秋左傳詞典》（北京：中華書局，2013年），頁422。

6　陳克炯：《左傳詳解詞典》（鄭州：中州古籍出版社，2004年），頁820。

學者解釋此處的「玦」即文物圖錄常見有缺口之玉玦（如下圖1），但此說其實值得商榷的，筆者認為此處的玦並非是有缺口的玉玦，而是指射箭用的玦，一般通稱為「韘」，今試論之。

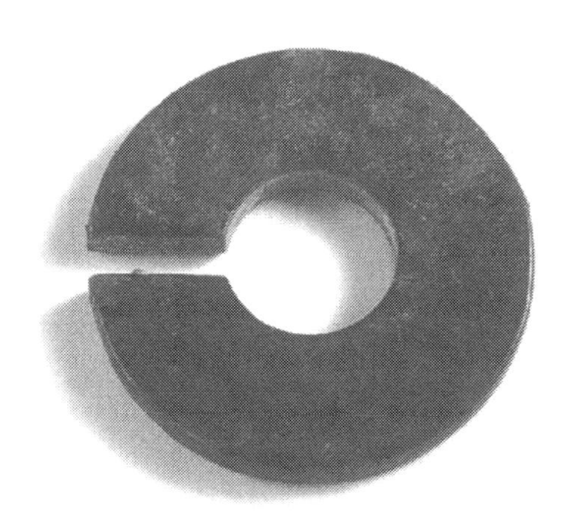

**圖1　玉玦**
**《山東大學文物精品選》，頁71。**

關於「夬」字，楚文字作形「」（上博三《周易》簡38），趙平安認為「夬」的本義是指射箭時戴在大拇指上，用以鉤弦的扳指，[7]筆者認為此說是最合適的說法。若以出土的材料來看，這種射箭用的韘戴在手指上，其字形正好可以對應古文字的「夬」字，如下圖2所示。

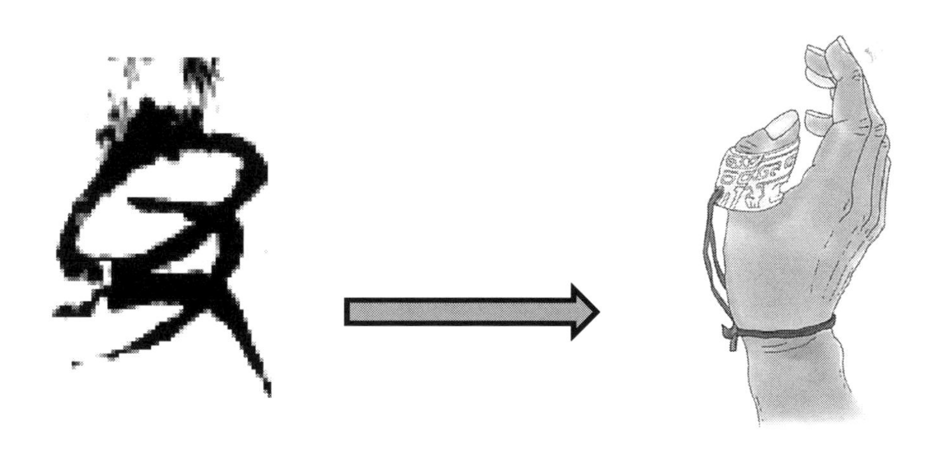

**圖2　玉韘使用復原圖**
**《王后母親女將——紀念殷墟婦好墓考古發掘四十周年》，頁183。**

7　趙平安：〈夬的形義和它在楚簡中的用法——兼釋其他古文字資料中的夬字〉，《新出簡帛與古文 字古文獻研究》（北京：商務印書館，2009年），頁333。

不過這一類的扳指，文獻或考古文物圖錄皆稱之為「韘」。《毛詩・衛風・芄蘭》：「童子佩韘。」毛傳：「韘，玦也。能射御則佩韘。」鄭箋：「韘之言沓，所以彄沓手指。」[8]《說文解字・韋部》：「韘，射決也。所以拘弦，韋系，箸有巨指。」段玉裁注：「即今人之扳指也。經典多言決，少言韘。」[9]《逸周書・器服》：「象玦朱極」，潘振注：「玦，以象骨為之，著右手大指，所以鉤弦闓體。又謂之韘。」[10]然而在出土文獻中，對這一類的扳指大都用「夬」來命名，仰天湖25號墓簡冊簡7：「又骨夬。」何琳儀指出「夬」當作「玦」，即韘。[11]

目前考古發掘的玦（韘）種類相當多，筆者整理如下表一。大部分是以玉器居多，但也並非所有的玦都用玉器打造，也有骨器、木器、象牙器、銅器和金器。骨器如新泰周家莊東周墓 M52即出有一件骨韘；金器韘像梁帶村芮國墓葬 M27中曾發現四件韘，其中二件的材質即為黃金，另一件則是玉質鑲黃金，一件是玉器。至於銅器韘，目前時代最早的是殷商西北岡 M1311所出的一件銅質韘。秦漢時代也有類似的銅韘，如寶雞郭家崖秦國墓地 M 81，根據考古發掘的描述：

> 標本 NM81:5，發現於墓主人頭骨北側，環形孔徑2.2釐米，總體呈環形，一側有拇指大小的扁狀鋬，另一側有兩個相對的小弧形鋬，兩小鋬上各有一小孔，應當為繫線用。[12]

又如雲南瀘西縣大逸圃秦漢墓地亦發現多件銅韘（圖3），[13]顯然銅製的韘在古代亦可見，惟數量並不是很多。象牙器則像新蔡葛陵楚墓所發現一件象牙韘。[14]值得說明的是，登封雙廟墓地 M218（西漢初期）出有一件「銅管」（請見圖4），根據考古報告的描述：「較短、較粗，兩端均未封口，一端為斜截面，管面有小圓孔。高2.9-3.6，直徑3.1、壁厚0.15釐米。」[15]然根據其形制，此銅管類似本文所說的銅韘，且其上亦有小圓孔，與常見的銅韘相似，如商代西北崗 M1311所出的銅韘，其下亦有穿孔，學者認為

---

8 漢・毛亨注，鄭玄箋，唐・孔穎達疏：《毛詩注疏》（臺北：藝文印書館，2013年），卷3之3，頁138。

9 漢・許慎撰，清・段玉裁注：《說文解字注》（南京：鳳凰出版社，2015年），頁414。

10 引自黃懷信、張懋鎔、田旭東：《逸周書彙校集注》（修訂本）（上海：上海古籍出版社，2007年），頁1111。

11 何琳儀：〈仰天湖竹簡選釋〉，《安徽大學漢語言文字研究叢書》（何琳儀卷）（合肥：安徽大學出版社，2013年），頁354。

12 陝西省考古研究院等編：〈寶雞郭家崖秦國墓地（南區）發掘簡報〉，《文博》，2019年第4期（2019年8月），頁16。

13 雲南省文物考古研究所：〈雲南瀘西縣大逸圃秦漢墓地發掘簡報〉，《四川文物》，2009年第3期（2009年6月），頁24。

14 河南省文物考古研究所編：《新蔡葛陵楚墓》（鄭州：大象出版社，2003年），頁132。

15 河南省文物考古研究所、武漢大學歷史學院考古系編：《登封雙廟戰國秦漢墓地》（北京：科學出版社，2019年），頁189。

「為配戴在射者拇指，並以皮繩穿入孔洞縛在手腕上，以利扣弦。」[16]因此登封雙廟墓地 M218此件銅管似可命名為「銅韘」。

圖 3　M14 銅韘
〈雲南瀘西縣大逸圃秦漢墓地發掘簡報〉，圖版貳。

圖 4　M218 銅管
《登封雙廟戰國秦漢墓地》，彩版 13。

其次，出土材料中，玦（韘）和矢經常一併出現。包山楚簡260下：「一奠弓。一紛歈，夬皛。一滄□。二鎊。四矢。」[17]關於「夬皛」一詞，學者有許多的說法，筆者認為趙平安之說是可信的。「夬」指扳指，「皛」指臂衣，是射箭時戴在左臂上用以蔽膚、斂衣的東西。[18]此「夬」即墓葬所出的韘（如下圖5）。值得注意的是，此簡文是玦和矢並列的現象。

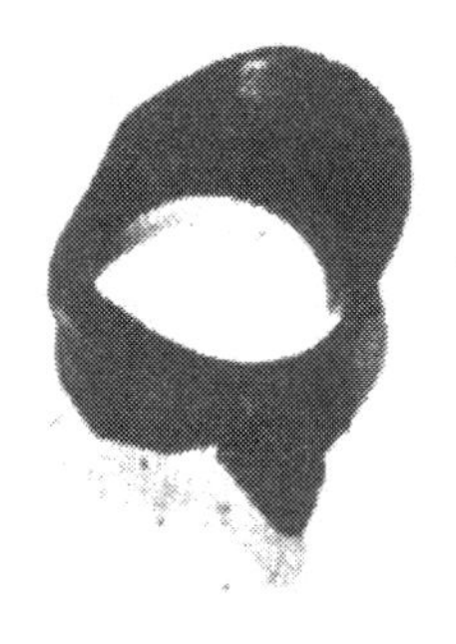

圖 5　包山楚墓 M2 韘
《包山楚墓》，圖版 89。

16 李永迪編：《殷墟出土器物選粹》（臺北：中央研究院歷史語言研究所，2009年），頁98。

17 陳偉等著：《楚地出土戰國簡冊〔十四種〕》（武漢：武漢大學出版社，2016年），頁152-153。

18 趙平安：〈夬的形義和它在楚簡中的用法——兼釋其他古文字資料中的夬字〉，《新出簡帛與古文字古文獻研究》，頁335。徐汝聰：〈夬與韘〉，《紀念馬王堆漢墓發掘四十週年國際學術研討會論文集》（長沙：嶽麓書社，2016年），頁537。

第三，考古發掘亦可見部分玦與弓矢放置位置相當接近。如曾侯乙的韘就出土於東室，同一個空間中又出有箭和箭鏃。[19]又如鍾離君柏墓的玉韘出土於南槨室，其出土位置與弓箭的位置相當靠近。[20]老河口安岡楚墓 M1所出的木韘也和銅鏃位置相當近，皆放置在頭箱。考古報告將木韘列在兵器中，這是合理的。[21]《國語·吳語》：「夫一人善射，百夫決拾，勝未可成也。」韋昭注：「決，鉤弦也。拾，遂也。」董增齡《國語正義》：「決以象骨著右手巨指，所以鉤弦。拾，韝，捍著左臂也。」[22]徐元誥說：「決以象骨為之，如今之班指。遂以皮為之，如今之袖套，其非射時，則謂之拾。拾，斂也，所以蔽膚斂衣也。」[23]此處的「決」即是這種輔助射箭用的指套，且出土文物亦見用骨料當材質的玦。以此而論，「公與石祁子玦，與甯莊子矢，使守。」亦是玦與矢並出，因此將這裡的「玦」視為韘，解為射箭的輔助器，玦和矢是一起併用，皆是作為防守的工具。

根據上文的討論，本文也順便探討閔公二年的「金玦」問題。在討論之前，先將相關的文字逐錄於下：

> 大子帥師，公衣之偏衣，佩之金玦。……先友曰：「衣身之偏，握兵之要，在此行也，子其勉之！偏躬無慝，兵要遠災，親以無災，又何患焉？」狐突歎曰：「時，事之徵也；衣，身之章也；佩，衷之旗也。故敬其事，則命以始；服其身，則衣之純；用其衷，則佩之度。今命以時卒，閟其事也；衣之尨服，遠其躬也；佩以金玦，棄其衷也。服以遠之，時以閟之；尨，涼；冬，殺；金，寒；玦，離；胡可恃也？雖欲勉之，狄可盡乎？」……罕夷曰：「尨奇無常，金玦不復。雖復何為？君有心矣。」[24]

杜預注：「以金為玦。」《國語·晉語》韋昭注：「玦如環而缺，以金為之。」[25]楊伯峻的說法基本上亦持此說。然而目前考古所見「如環而缺」的玦，大都以玉、石為主要材質，基本上看不見銅製的玦。如以晉國墓葬而論，大部分的玦都是以玉為材料，少數或以蚌為玦，[26]但就是未見以金或銅為材料的玦，因此筆者認為楊伯峻之說相當可疑。其實這裡的金玦亦即前文所談的玦（韘）。古代惟有高級貴族才會佩戴金屬玦，如梁帶村

19 湖北省博物館編：《曾侯乙》（北京：文物出版社，2018年），頁186。

20 安徽省文物考古研究所、蚌埠市博物館編：《鐘離君柏墓》（北京：文物出版社，2013年），頁44。

21 王先福主編：《老河口安岡楚墓》（北京：科學出版社，2018年），頁19。

22 清·董增齡著：《國語正義》，（成都：巴蜀書社，1985年），頁1205。

23 徐元誥：《國語集解》（修訂本）（北京：中華書局，2017年），頁537。

24 晉·杜預注，唐·孔穎達疏：《春秋左傳注疏》，卷11，頁192-193。

25 引自徐元誥：《國語集解》（修訂本），頁266。

26 北京大學考古學系商周組、山西省考古研究所：《天馬——曲村：1980-1989》（北京：文物出版社，2000年），頁540。

芮國墓 M27墓主（芮國國君）墓葬所出的黃金玦。又如商代西北崗 M1311出有青銅玦。換言之，基本上高等貴族的墓葬才可見到所謂的金玦。申生的身分為世子，屬諸侯子，其佩帶的金玦亦當同於此。且玦除了作為輔助射箭的工具外，亦可作為佩物使用，如楚地江陵楊場楚墓曾出有一件骨韘佩飾（圖6）。本來玦是用以輔助射箭使用，後來用來作佩飾用，表示佩掛者已習得射藝。[27]而如環而缺的玉玦用於佩帶的情況則相對較少，反而較多的情況是用於作耳飾。[28]如山西翼城大河口墓地 M5010墓地中有玦4件（2對），出土位置就在墓主人頭部兩側；[29]又如山西襄汾陶寺北墓地 M7所出的3塊玉玦，其出土位置不是在墓主人耳部附近，就是在頭部周圍，可能也是用於作耳飾使用。[30]山西黎城西關墓 M8為季[姛]之墓，其墓葬屬春秋早期。在墓主人頭部靠兩耳附近亦發現兩件玦，[31]凡此皆可證早期的玦大都作耳飾之用。

至於何以「玦」又稱「韘」？在老河口安岡楚墓 M1出有簡牘，其簡14：「二至夬，皆□縲（韘）。」整理者說：「決、韘成套一體，韘單稱可指決，『決』『韘』連言，大概是指有襯墊的扳指。」又注101也說韘指扳指的襯墊。[32]若依此說，玦即指射箭用的扳指而言，韘是扳指內的襯墊，[33]後來文獻直接以襯墊代指整個扳指，即以「韘」代指整個扳指，而「玦」作為扳指義卻逐漸消失。

最後順便談「玦」與「決」的關係。《莊子・田子方》：「儒者冠圜冠者，知天時；履句屨者，知地形；綬佩玦者，事至而斷。」[34]此處的玦，郭慶藩僅言：「緩佩玦，言所佩者玦，而繫之帶間，寬綽有餘也。」[35]方勇說：「玦，玉器名，環形，有缺口。」[36]不過筆者認為此處的玦殆非有缺口的玉玦，而是本文所說的玦（韘）。玦是輔助射箭的工具，在射箭當下，射手要立即下判斷，以確認是否能命中目標，因此這種形制的玦才

27 彭浩：《楚人的紡織與服飾》（武漢：湖北教育出版社，1996年），頁197-198。

28 鄧聰：〈從《新干古玉》談商時期的玦飾〉，《南方文物》，2004年第2期（2004年6月），頁7；吳愛琴：《先秦服飾制度形成研究》（北京：科學出版社，2015年），頁81指出西周時期耳部飾物多為玦。

29 山西大學北方考古研究中心等編：〈山西翼城大河口M5010、M6043實驗室考古簡報〉，《江漢考古》，總161期（2019年2月），頁11。

30 山西省考古研究所等：〈山西襄汾陶寺北墓地2014年I區M7發掘簡報〉，《文物》，2019年第9期（2018年9月），頁7。

31 山西省考古研究院：〈山西黎城西關墓地M7、M8發掘簡報〉，《江漢考古》總169期（2020年4月），頁15。

32 王先福主編：《老河口安岡楚墓》，頁161、163。

33 李春桃：〈說「夬」「韘」—從「夬」字考釋談到文物中扳指的命名〉，《吉林大學社會科學學報》第57卷第1期（2017年1月），頁180。

34 綬字原作緩，此處從王叔岷：《莊子校詮》（臺北：中央研究院歷史語言研究所，1994年），頁787-788校正。

35 清・郭慶藩撰，王孝魚點校：《莊子集釋》（北京：中華書局，2008年），卷7下，頁718。

36 方勇、陸永品撰：《莊子詮評》（增訂新版）（成都：巴蜀書社，2007年），頁674。

可引申作決斷之意，韋昭注：「玦所以圖事決計也」，[37]杜預注：「玦示以當決斷」，[38]即是此意。若是圜而有缺的玉玦，似與下判斷之意較難聯繫，反而跟「絕人」之意較近。《荀子・大略》:「絕人以玦，反絕以環。」楊倞注：「古者臣有罪，待放於境，三年不敢去，與之環則還，與之玦則絕，皆所以見意也。反絕，謂反其符絕者。此明諸侯以玉接人臣之禮也。」[39]絕人之意的玉玦是相對於「環（還）」而言。惟《左傳》此處以「玦」（韘）與「離」意相連繫，已混淆了射箭之玦（韘）與有圜而缺的「玉玦」，當是較晚的講法。王和認為「大子帥師，佩之金玦」段及其後眾人之言，「傳說意味頗濃，明顯不是實錄」。[40]筆者認為帥師佩金玦之事，應是符合當時的情況，但人物的言論部分未必是實錄，尤其是「玦」與「離」意之聯繫。《左傳》作「金，寒；玦，離；胡可恃也？」《國語・晉語一》則作：「而玦之以金銑者，寒之甚矣，胡可恃也？」韋昭注：「玦，猶決也。」[41]《國語》只將「金」與「寒」加以聯繫，並沒有特別點出「玦」與「離」的關聯性，由此推測，文獻中關於狐突的言論未必全是實錄，不排除有些部分是後人所增補的。

**表一　先秦玦舉例**

| 商代的韘（玦） | | |
|---|---|---|
| 1. 殷墟婦好墓玉韘<br>《武丁與婦好—殷商盛世文化藝術特展》，頁190 | <br>2. 西北崗M1311銅韘<br>《殷墟出土器物選粹》，頁98 | |

37 徐元誥：《國語集解》（修訂本），頁269。

38 晉・杜預注，唐・孔穎達疏：《春秋左傳注疏》，卷11，頁191。

39 戰國・荀況著，王天海校釋：《荀子校釋》（修訂本）（上海：上海古籍出版社，2016年），頁1040。

40 王和：《左傳探源》（北京：社會科學文獻出版社，2019年），頁262。

41 徐元誥：《國語集解》（修訂本），頁269。

<table>
<tr><th colspan="3">西周的韘（玦）</th></tr>
<tr>
<td><br>3. 虢國墓M2009玉韘<br>《周風虢韻：虢國歷史文化陳列》，頁135。</td>
<td><br>4. 梁帶村芮國M27金韘<br>《金玉華年：陝西韓城出土周代芮國文物珍品》，頁150。</td>
<td>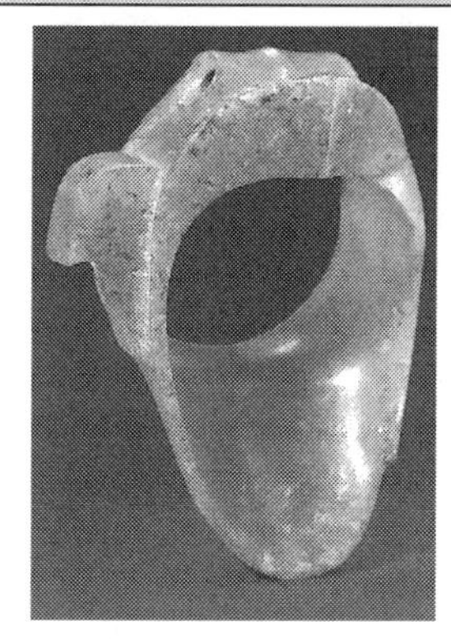<br>5. 梁帶村芮國M27玉韘<br>《金玉華年：陝西韓城出土周代芮國文物珍品》，頁148。</td>
</tr>
<tr>
<td>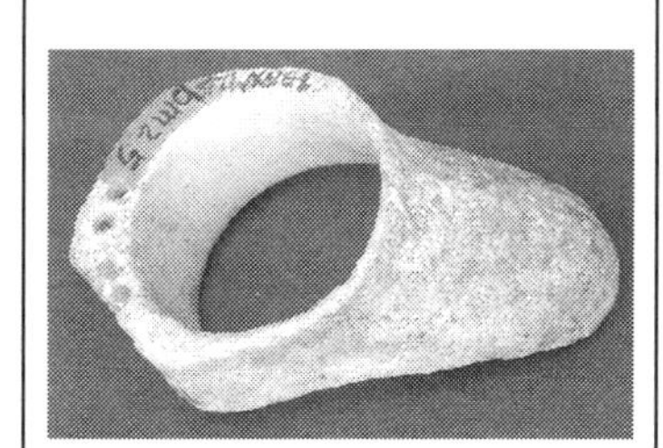<br>6. 北呂村M25出土玉韘<br>《周原玉器》，頁75。</td>
<td><br>7. 西周骨韘<br>《棗莊文物擷英——棗莊市第一次全國可移動文物普查工作概覽》，頁250。</td>
<td></td>
</tr>
</table>

| 春秋、戰國時代的玉韘（玦） | | |
|---|---|---|
| <br>8. 鍾離君墓M1玉韘<br>《鍾離君柏墓》，圖版148。 | <br>9. 晉國趙卿墓玉韘<br>《晉國趙卿墓》，頁53。 | 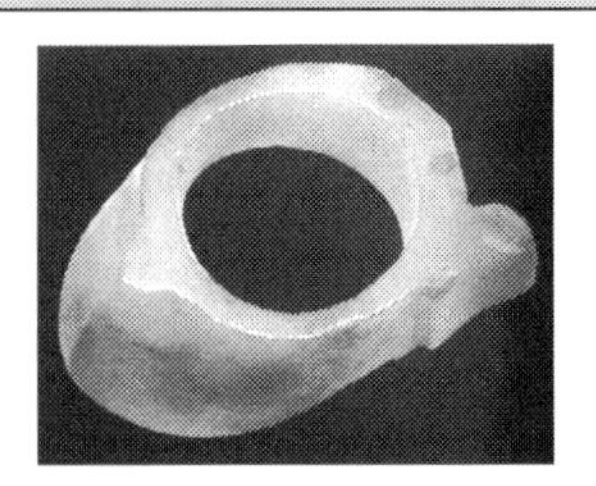<br>10. 中山國M3玉韘<br>《中國出土玉器全集》（1），頁166。 |
| 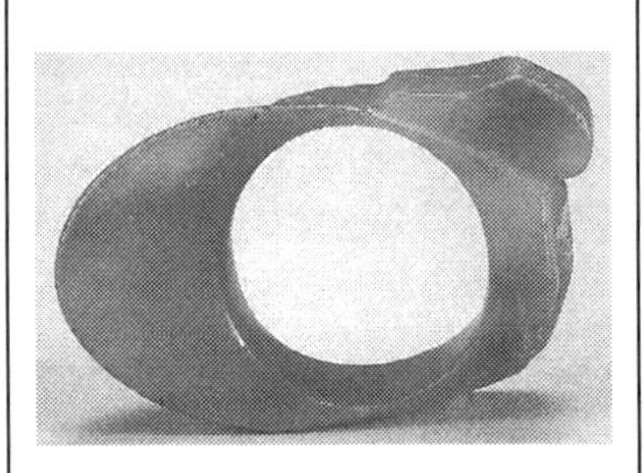<br>11. 新蔡葛陵楚墓玉韘<br>《新蔡葛陵楚墓》，彩版25 | 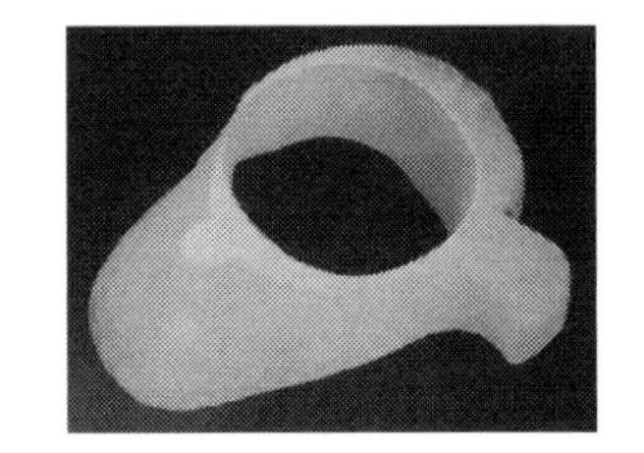<br>12. 曾侯乙墓玉韘<br>《中國出土玉器全集》（10），頁98。 | 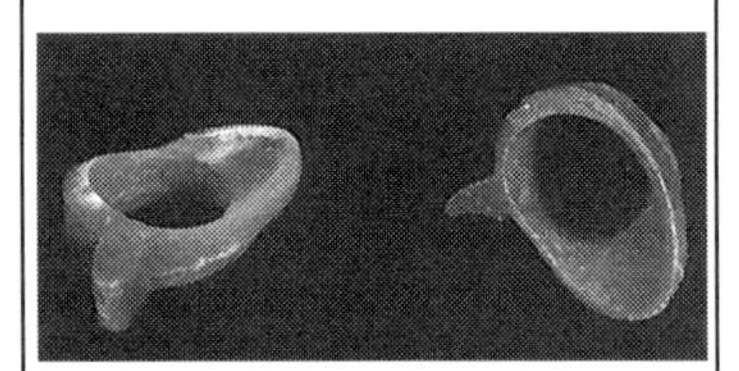<br>13. 襄陽陳坡M10玉韘<br>《襄陽陳坡》，彩版34。 |
| 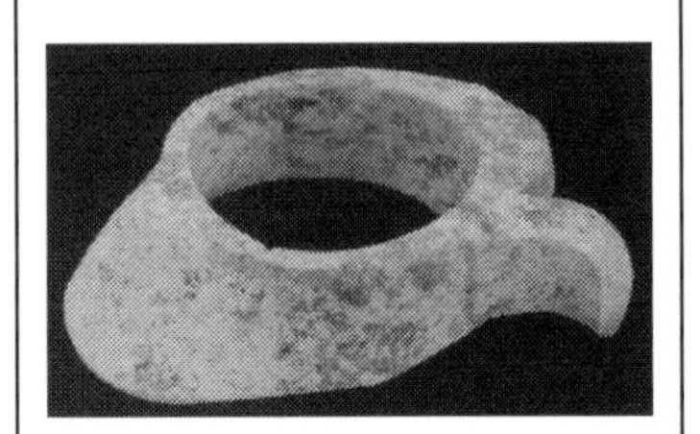<br>14. 安吉龍山D141M1玉韘<br>《中國出土玉器全集》（8），頁165。 | <br>15. 鴻山越墓玉韘<br>《鴻山越墓出土玉器》，頁107 | <br>16. 臨淄商王墓玉韘<br>《山東淄博文物精粹》，頁149 |
| 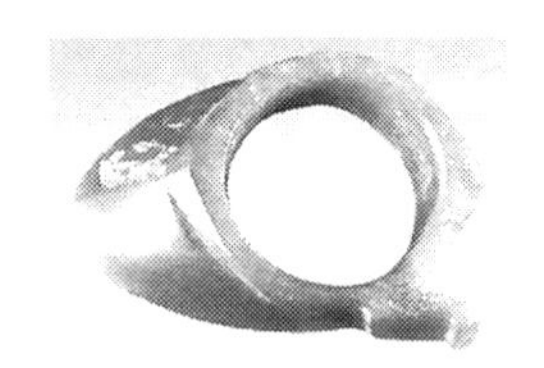<br>17. 臨淄齊墓LSM2G<br>《臨淄齊墓》（第一集），彩版10 | 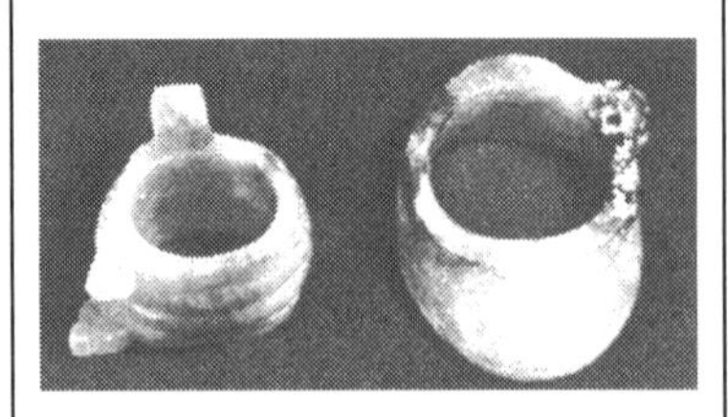<br>18. 曲阜魯國故城M28、M52玉韘<br>《曲阜魯國故城》，圖版14。 | <br>19. 臨澧九里M1玉韘<br>《鳳舞九天——楚文化特展》，頁141。 |

<table>
<tr>
<td><br>20. 棗陽九連墩M1玉韘<br>《荊楚長歌——九連墩楚墓出土文物精華》，頁97。</td>
<td>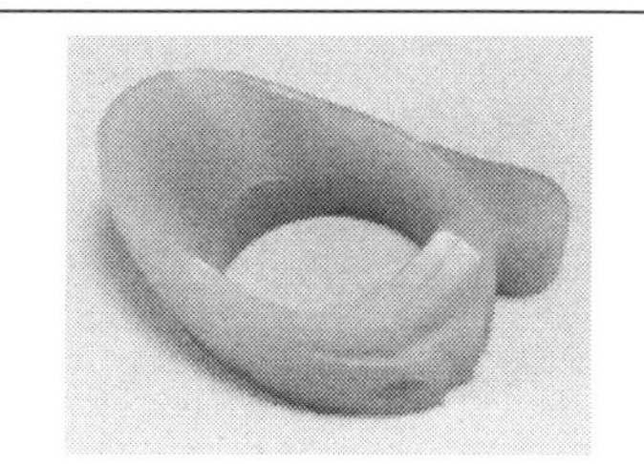<br>21. 棗陽九連墩M2玉韘<br>〈湖北棗陽九連墩M2發掘簡報〉，頁53。</td>
<td></td>
</tr>
<tr>
<td colspan="3">戰國時代的骨韘（玦）、木韘</td>
</tr>
<tr>
<td><br>22. 新泰M52骨韘<br>《新泰周家莊東周墓地》，頁彩版94。</td>
<td><br>23. 東周王城廣場ZM106骨韘<br>《洛陽王城廣場東周墓》，彩版29。</td>
<td>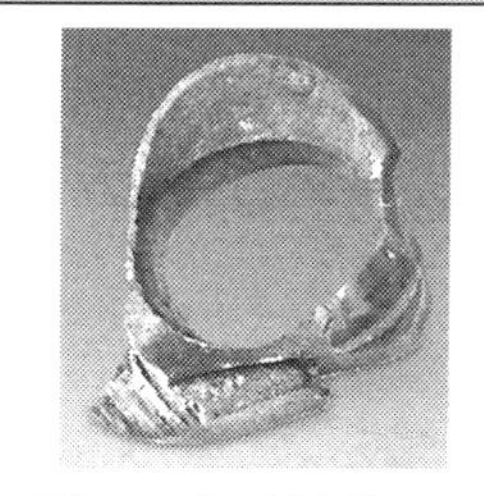<br>24. 老河口安岡楚墓M1木韘<br>《老河口安岡楚墓》，圖版25。</td>
</tr>
<tr>
<td>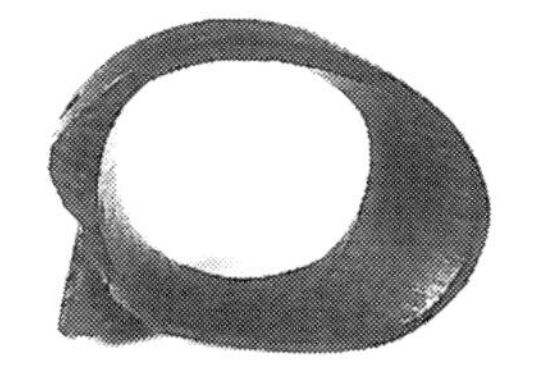<br>25. 天星觀楚墓M2骨韘<br>《荊州天星觀二號楚墓》，圖版37。</td>
<td colspan="2">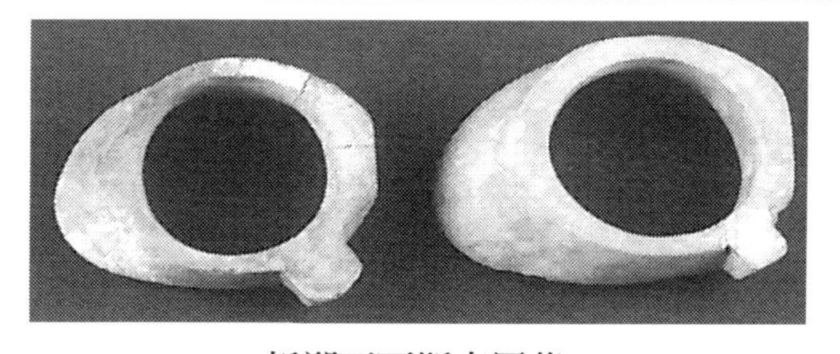<br>26. 新鄭西亞斯東周墓M82<br>《新鄭西亞斯東周墓地》，彩版50。</td>
</tr>
<tr>
<td colspan="3">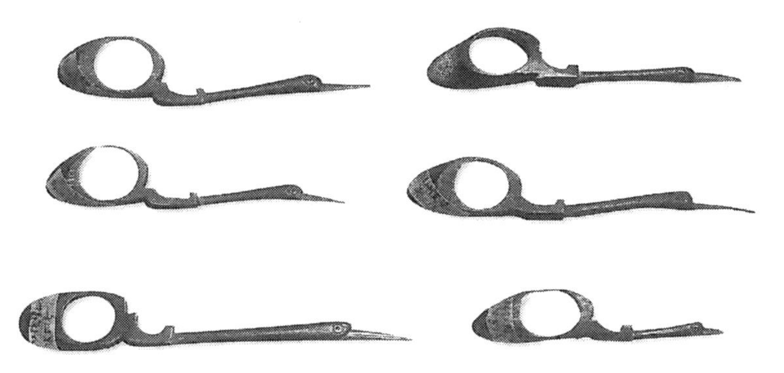<br>27. 望山M1骨韘<br>《爭鋒：晉楚文明》，頁128。</td>
</tr>
</table>

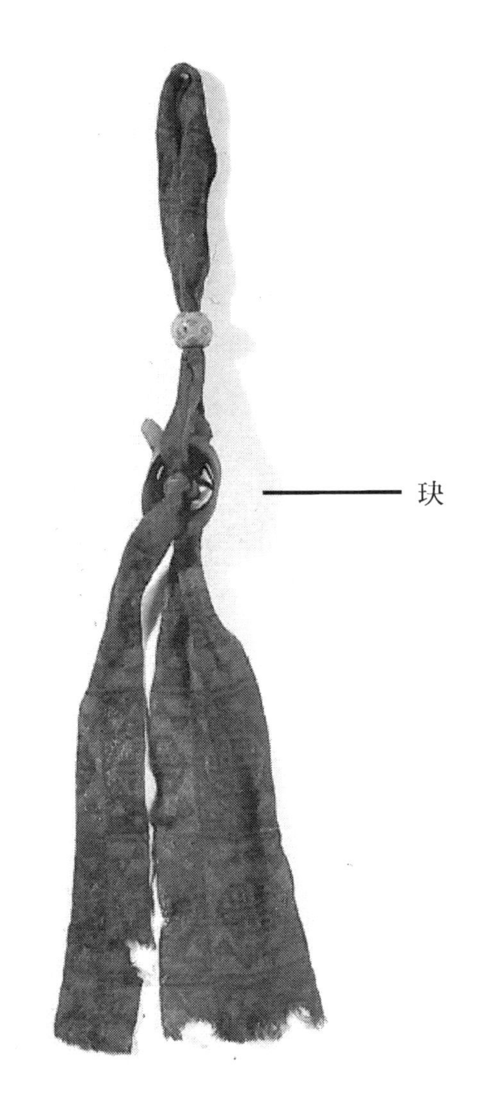


**圖 6　骨韘佩飾**
**《楚人的紡織與服飾》，圖片 45。**

## 三　再論僖公六年「許男面縛」問題

「面縛」一詞在《左傳》一書中共出現三次，同時為了全面觀照此詞例的使用情況，此處也將先秦兩漢的相關材料一併迻錄於下：

1　《左傳》僖公六年：「冬，蔡穆侯將許僖公以見楚子於武城。許男面縛，銜璧，大夫衰絰，士輿櫬。」[42]

42 晉・杜預注，唐・孔穎達疏：《春秋左傳注疏》，卷13，頁214。

2 《左傳》襄公十八年：「州綽曰：『有如日！』乃弛弓而自後縛之。其右具丙亦舍兵而縛郭最，皆衿甲面縛，坐于中軍之鼓下。」[43]

3 《左傳》昭公四年：「遂以諸侯滅賴。賴子面縛銜璧，士袒，輿櫬從之，造於中軍。」[44]

4 《史記・宋微子世家》：「周武王伐紂克殷，微子乃持其祭器，造於軍門，肉袒面縛，左牽羊，右把茅，膝行而前以告。」[45]

5 《後漢書・光武帝紀》：「丙午，赤眉君臣面縛，奉高皇帝璽綬，詔以屬城門校尉。」

6 《三國志・王毋丘諸葛鄧鍾傳》：「使劉禪君臣面縛，叉手屈膝。」[46]

面縛，楊伯峻說：「面縛或如殷墟出土人俑，女俑兩手縛於前，男俑兩手翦於後。此應從洪亮吉《詁》手反縛背之說。」[47]陳克炯解為「反綁其手」。[48]近代學者討論到「面縛」時，或從考古學的角度來論證，並認為面縛即考古發現的綴玉覆面。如謝肅即言：

> 《說文・糸部》「縛，束也。從糸尃聲。」段玉裁注：「束下曰縛也。與此為轉注。引申之所以縛之之物亦曰縛。」故「面縛」之縛，亦可理解為縛於面的織物，即幎目。[49]

同時他進一步認為這種幎目即中原考古所見的喪葬玉覆面。「面縛」到底跟縛綁有關，抑或跟喪葬玉覆面有關？筆者先來檢討綴玉覆面之說。雖然用綴玉覆面來解釋「面縛」似提供了一個考古材料的新解釋，不過此說未必合適。根據考古發掘的「綴玉覆面」樣式來看，中原地區常見的玉覆面樣式，一般包括了眉、眼、耳、鼻、口、腮、下頜等形狀的玉片（詳見下表二）。即便是許國亦呈現如此樣式，如許靈公的綴玉覆面即是如此。[50]值得留意的是，幾乎所有的中原葬玉制度中，死者的嘴部都會放置一塊玉器，如虢國墓 M2001及 M2009，口部皆放置梭形玉佩。因此若許僖公真的使用這種葬玉制度出降，基本上是無法再做到「銜璧」這個動作。再者，若是玉覆面搭配玉璧，通常玉璧

43 晉・杜預注，唐・孔穎達疏：《春秋左傳注疏》，卷33，頁578。

44 晉・杜預注，唐・孔穎達疏：《春秋左傳注疏》，卷42，頁732。

45 漢・司馬遷撰，瀧川資言考證：《史記會注考證》（上海：上海古籍出版社，2015年），卷38，頁1957。

46 晉・陳壽撰、南朝宋・裴松之注：《三國志集解》（上海：上海古籍出版社，2009年），卷28，頁2076。

47 楊伯峻：《春秋左傳注》（修訂本），頁314。

48 陳克炯：《左傳詳解詞典》，頁1279。

49 謝肅：〈「面縛」新釋〉，《中原文物》，2013年第3期（2013年6月），頁52。姚爛：〈楊伯峻《春秋左傳注》對二重證據法的幾處誤用〉，《古籍整理研究學刊》，2018年第6期（2018年11月），頁104-105亦採此說。

50 平頂山市文物管理局、葉縣文化局：〈河南葉縣舊縣四號春秋墓發掘簡報〉，《文物》，2007年第9期（2007年9月），頁32。

也不會放在嘴部附近，一般放置的位置是在頭部附近，如洛陽王城廣場東周墓 ZM151 墓葬所出的一件綴面玉飾（如圖7），其玉璧就是置於頭部上方。

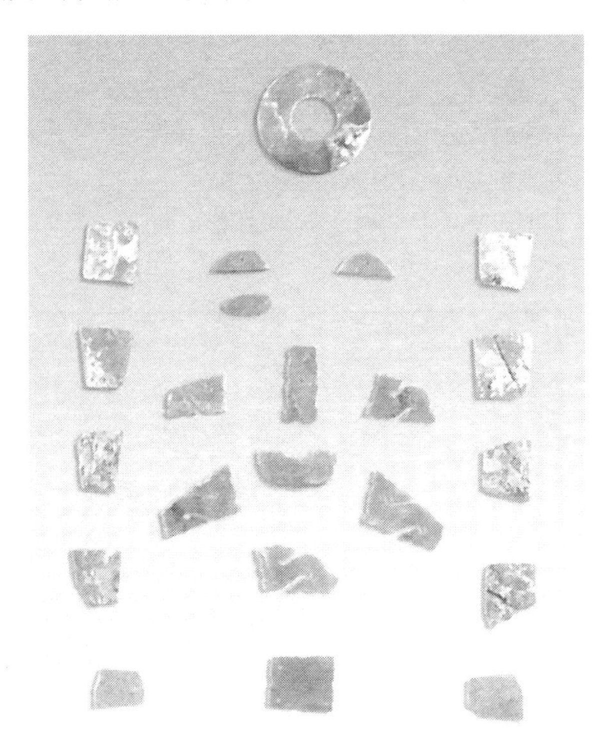

**圖 7　洛陽王城廣場東周墓 ZM151 綴玉面飾**
**《洛陽王城廣場東周墓》，彩版 24。**

因此若放在《左傳》文句中，「面縛」似不能理解為這種綴玉覆面，且基本上其臉部當無遮蓋物才能做到所謂的「銜璧」。筆者認為楊伯峻的說法基本是合適的，惟楊伯峻認為面縛時「手反縛背」的說法較合適，此說就有待商榷，今補充說明於下。清人王念孫說：

> 顏師古注云：「面謂背之，不面向也。面縛，亦謂反背而縛之。杜元凱以為但見其面，非也。」「面」與「偭」通。[51]

將「面縛」解釋為反背而縛之在《左傳》中亦可找到相關的例證。《左傳》襄公十八年：

> 州綽曰：『有如日！』乃弛弓而自後縛之。其右具丙亦舍兵而縛郭最，皆衿甲面縛，坐于中軍之鼓下。」[52]

---

51 清・王念孫撰，張靖偉等校點：《廣雅疏證》（上海：上海古籍出版社，2016年），頁312。

52 晉・杜預注，唐・孔穎達疏：《春秋左傳注疏》，卷33，頁578。

前文「自後縛之」即對應後文的「面縛」。楊伯峻注：「面縛，即自後縛之」，[53]故「面」較接近的講法是「自後」。「面縛」的動作原是自後縛之，惟在實際執行時，未必皆呈現雙手反縛背的情況。從先秦至漢代所見的俘虜圖像（如表三）及相關文獻來考察，先秦至漢代的綁縛樣式基本上差異不會太大，像楊伯峻所說的「手反縛背」的樣式確實可見，如表所列的河南畫像磚。邢義田分析此圖像說：「有一漢卒正持刀押解一名被反綁，戴著尖帽的胡虜」。[54]但亦有雙手置於前亦稱「面縛」的例證，如《三國志・鄧艾傳》：「士眾乘勢，使劉禪君臣面縛，叉手屈膝。」關於「叉手」的動作，冢田虎說：「叉手，拱手也。」[55]叉手的動作為雙手交叉在胸前，因此劉禪君臣此處的面縛情況，其手勢也未必是置於背後，而是縛於胸前。這種手縛胸前的情況亦見雲南晉寧石寨山所出的一件西漢刻紋銅片（M13:67），上有被執的囚犯圖（請參表三），其手勢就是放置在前。且在殷墟出土的人物形象器物中，亦可見雙手縛在前的情況，如表三箭頭處。

綜上所述，面縛當解為偭縛，原本應指自後縛之。不過在實際執行時，雙手未必皆反縛在背後，亦有在前的現象，如殷墟出土的人形陶俑，有些囚犯形象雙手鎖以梏具，「或置身前，或置身後」，[56]顯見自殷墟時代，實際綑綁犯人時有二種形態，可置於背後或身前。

## 表二　出土綴玉覆面舉例

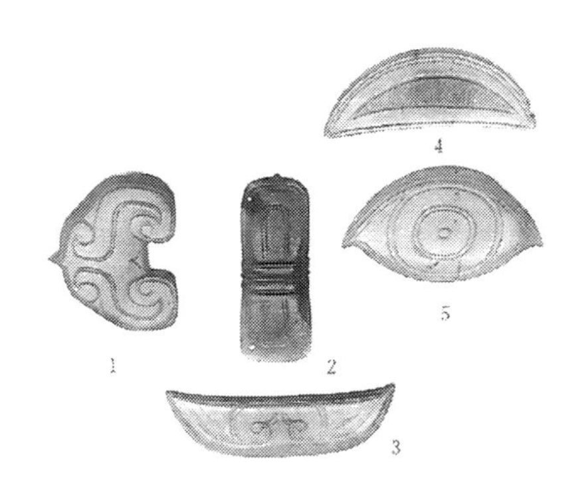


《張家坡西周墓地》，圖版168。

《張家坡西周墓地》，頁257。

53 楊伯峻：《春秋左傳注》（修訂本），頁1039。

54 邢義田：〈漢代畫像胡漢戰爭的構成、類型與意義〉，《畫為心聲——畫像石、畫像磚與壁畫》（北京：中華書局，2011年），頁326。

55 引自傅亞庶撰：《孔叢子校釋》（北京：中華書局，2011年），頁359。

56 李永迪主編：《殷墟出土器物選粹》（臺北：中央研究院歷史語言研究所，2009年），頁284。

天馬曲村晉侯墓 M31 綴玉覆面
《晉國寶藏—山西出土晉國文物特展》，頁 173。

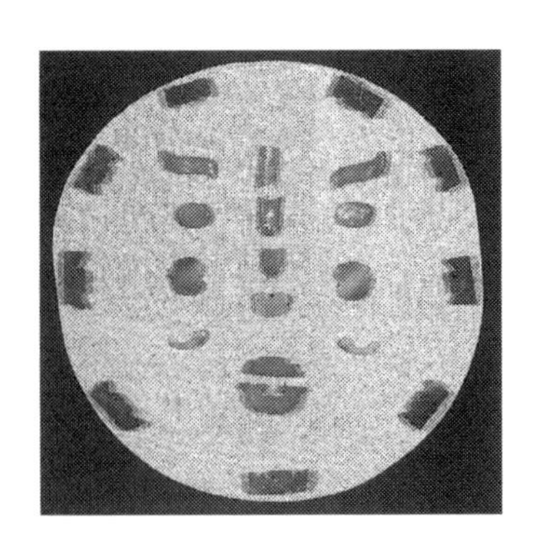

天馬曲村晉侯墓 M92 綴玉覆面
《晉國奇珍—山西晉侯墓群出土文物精品》，頁 70。

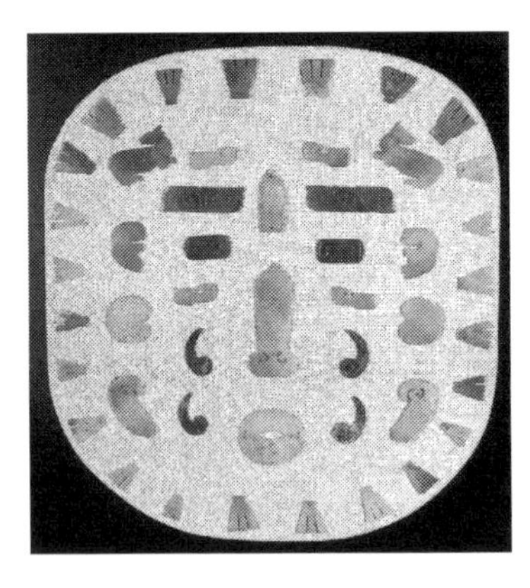

M62 綴玉覆面
《晉國奇珍—山西晉侯墓群出土文物精品》，頁 168。

大河口墓地 M5010 玉覆面
〈山西翼城大河口 M5010、M6043 實驗室考古簡報〉，頁 9。

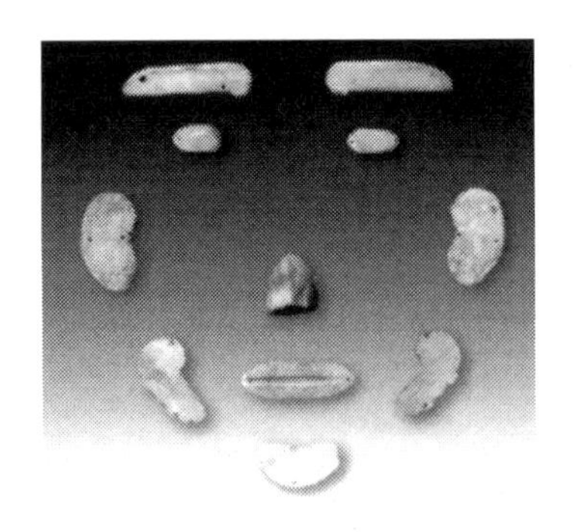

圖 2 許靈公覆面
〈河南葉縣舊縣四號春秋墓發掘簡報〉，頁 28

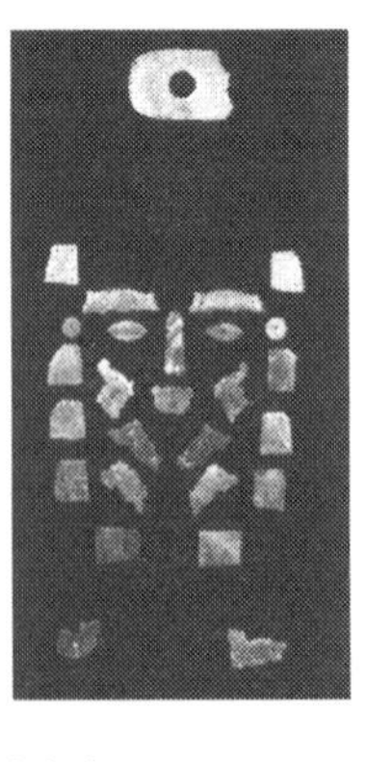

洛陽中州路 M1316 玉石覆面
《洛陽中州路（西工段）》，圖版 62

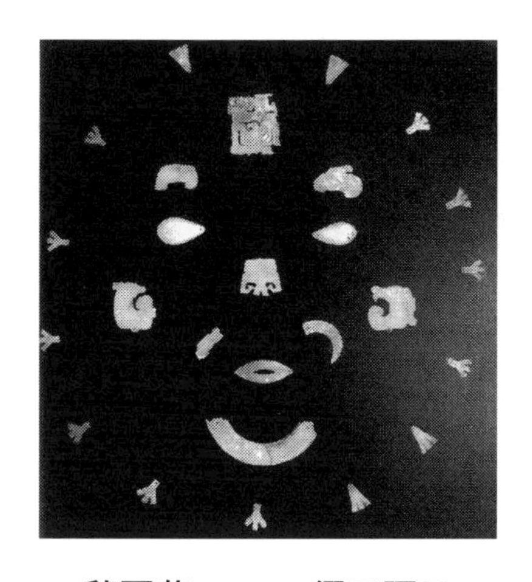

虢國墓 M2009 綴玉瞑目
《周風虢韻—虢國歷史文化陳列》，
頁 143。

虢國墓 M2001 綴玉瞑目
《周風虢韻—虢國歷史文化陳列》，
頁 192。

表三　出土文物所見俘虜圖像

《殷墟出土器物選粹》，頁285。

後縛圖
孝堂山祠堂畫象二
《中國畫像石全集》1.43

五老洼畫象
《中國畫像石全集》1.43

五老洼畫象七
《中國畫像石全集》2.138

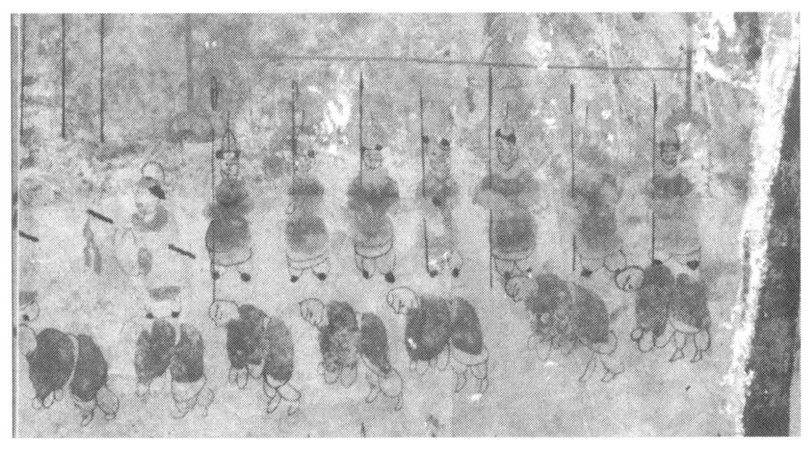

《和林格爾漢墓壁畫》，頁134。

《中國畫像磚全集》（河南畫像磚），頁126。

《雲南晉寧石寨山古墓群發掘報告》，頁105。

## 四　《左傳》僖公三十二年「北門之管」形制考

《左傳》僖公三十二年：「杞子自鄭使告于秦曰：『鄭人使我掌其北門之管，若潛師以來，國可得也。』」杜預注：「管，籥也。」[57]楊伯峻注：

> 管，今之鑰匙也。《周禮・地官・司門》：「掌授管鍵」，《禮記・月令》：「修鍵閉，慎管籥」，皆可證其義。馬衡《中國金石學概要上》（按即《凡將齋金石叢稿》）云：「筦鑰之制，傳世極少。曾見一器，首屈如鉤，其柄節節相銜，可以伸縮。上有『雝庫籥重二斤一兩名百一』等字，形制與今迥殊。其用若何，尤不可解。」[58]

楊伯峻此處僅引用馬衡的說法，惟馬衡所說的筦鑰為漢代的形制，但是否符合春秋時代的形制，仍是個問題。春秋時代門管的樣式到底為何？過去缺乏足夠的材料，但隨著近代考古發掘，春秋戰國時代的門管材料已可見到（詳見表四）。1984年當陽曹家崗 M5曾出有一件春秋時代的銅鎖（見表四），根據考古報告的描述：

> 凹字形有長桯，側面呈8字形。體鏤空，飾絢紋和三角雷紋。桯軸可抽動，但不能脫出，一端有圓環。桯長21.5，體長4.5，寬4.2釐米。[59]

當陽這一件文物屬楚國的。然而不獨是楚國的樣式如此，春秋戰國其他國別的樣式基本上亦是如此。從表四所列的材料來看，考古所見的春秋管鎖基本上包括了二個部分：即鎖身和長軸型鎖鍵。值得注意的是，輝縣琉璃閣甲墓曾出有一件器物，《輝縣琉璃閣甲乙二墓》（圖集）稱之為「銅雙軸連環器」，[60]此圖錄當初命名時或許還未認識銅鎖形制。其實此器亦與表四所列的銅鎖形制是相同的，因此亦可視為「銅鎖」。有時這一類的銅鎖跟其他車馬器同出，如江蘇丹徒青龍山春秋墓出土一件銅鎖，其出土時跟車馬器放在一起，學者推測其為車馬器。[61]然而僅依此就斷定此為車馬器，證據上顯然還不夠。棗莊市嶧城徐樓東周墓葬 M2 亦出土銅鎖，墓葬中雖亦出有車馬器，值得留意的是墓葬中還出有器物箱，[62]不排除此銅鎖是用在器物箱上的鎖。但無論如何，這一類的銅鎖不僅可以施用在車馬器上，亦可施用器物箱上，基本上其樣式與一般的門鎖差異當不大。綜上所論，春秋時代的銅鎖可以分為兩個結構，即鎖身和長軸型鎖鍵，而鎖鍵柄皆

---

57 晉・杜預注，唐・孔穎達疏：《春秋左傳注疏》，卷17，頁288。

58 楊伯峻：《春秋左傳注》（修訂本），頁489。

59 湖北省宜昌地區博物館：〈當陽曹家崗5號楚墓〉，《考古學報》，1988年第4期（1988年5月），頁486。

60 河南博物院、臺北歷史博物館：《輝縣琉璃閣甲乙二墓》（鄭州：大象出版社，2011年），頁70。

61 楊正宏、肖夢龍主編：《鎮江出土吳國青銅器》（北京：文物出版社，2008年），頁113。

62 棗陽市博物館等編：〈棗莊市嶧城徐樓東周墓葬發掘報告〉，《海岱考古》（第七輯）（北京：科學出版社，2014年），頁87。

以一個橢圓環為頂。論者或許質疑說此銅鎖基本上是用於小型的器物箱上，未必用於門鎖，其樣式是否與城門的銅鎖相同？筆者收集的銅鎖中，有些用途也未必全用於器物箱上。再者，若以小見大，古代銅鎖樣式基本上應相去不遠，差別是有些用於器物箱，用些則用於城門或其他地方，僅施用的對象不同而已。

**表四　出土先秦銅鎖表**

曹家崗 M5 銅鎖
《宜昌博物館館藏文物圖錄》（銅器卷），
頁 164。

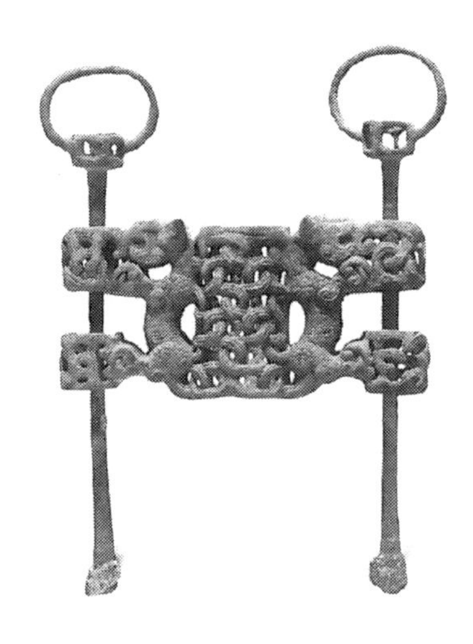

枝江姚家港高山廟 M14 銅鎖
《宜昌博物館館藏文物圖錄》（銅器卷），
頁 164。

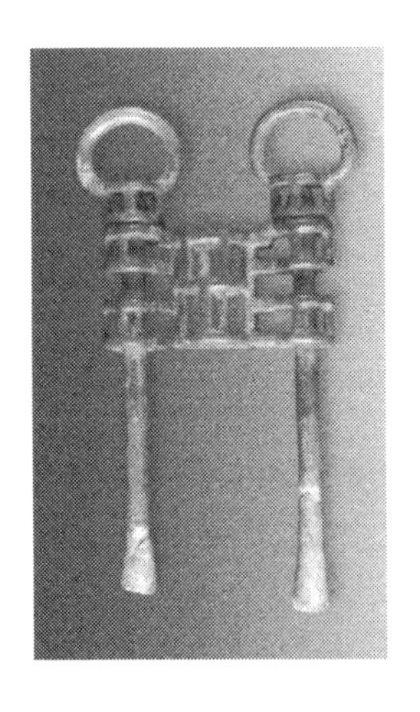

河南南陽春秋楚彭射墓銅鎖
〈河南南陽春秋楚彭射墓發掘簡報〉，
頁 18。

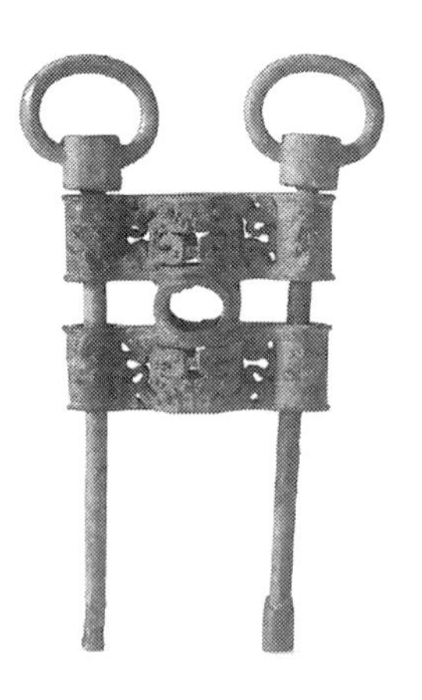

小邾國棗莊市徐樓 M2 銅鎖
《大君有命開國承家——小邾國歷史文化展》，頁 145。

〈山東棗莊徐樓東周墓發掘簡報〉，
頁 20。

《輝縣琉璃閣甲乙二墓》（圖集），
頁 128。

〈河南葉縣舊縣四號春秋墓發掘
簡報〉，頁 24。

江蘇丹徒諫壁新竹青龍山春秋墓鎖
《鎮江出土吳國青銅器》，頁 113。

應國墓地 M301 銅鎖
〈河南平頂山春秋晚期 M301 發掘簡報〉，頁 12。

應國墓地 M301 銅鎖
〈河南平頂山春秋晚期 M301 發掘簡報〉，頁 12。

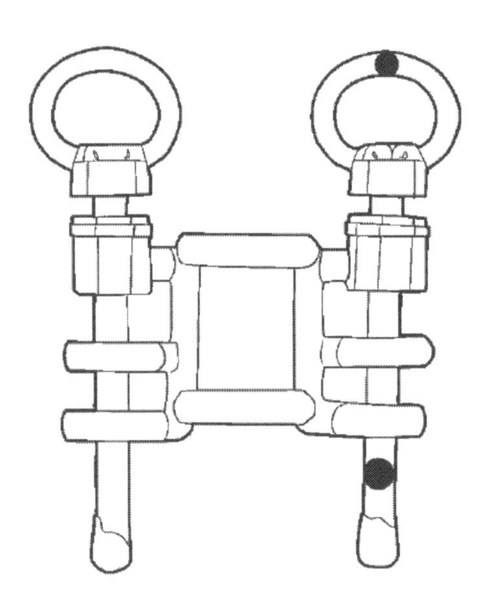

襄陽沈崗 M1022 銅鎖
〈湖北襄陽沈崗墓地 M1022 發掘簡報〉，頁 17。

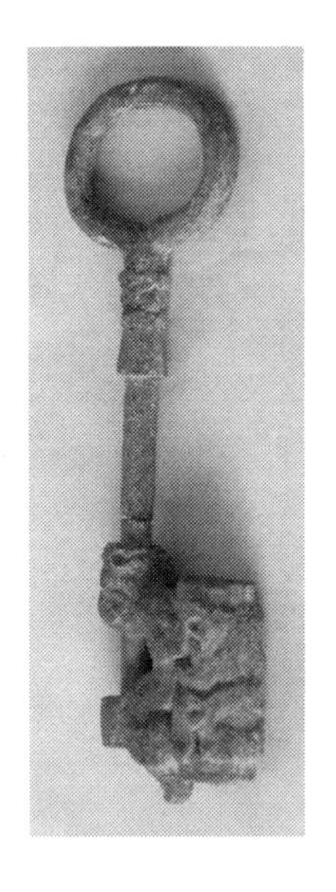

臨淄區範家墓地 M174P3 銅鎖
〈山東淄博市臨淄區范家墓地戰國墓〉，頁 43。

## 五　文公十一年「富父終甥摏其喉以戈」——兼論襄公二十八年「寢戈」問題

《左傳》文公十一年：「冬十月甲午，敗狄于鹹，獲長狄僑如。富父終甥椿其喉以戈，殺之。埋其首於子駒之門。」[63]楊伯峻說：「戈為勾兵或啄兵，非刺兵，用以撞擊非其所宜。不知戈雖非刺兵，然古人言戈戟不盡分別，戟為戈矛合體，刺、勾、啄三用之器，故戟有時亦謂之戈。襄二十八年傳云：『盧蒲癸、王何執寢戈，盧蒲癸自後刺子之，王何以戈擊之，解其左肩。』此寢戈蓋亦戟，不然，不能『自後刺』也。……此戈亦當是戟。若讀『摏其喉』句，『以戈殺之』句，則『殺之』始用『戈』，『摏其喉』者，不知其為何種兵器矣。」[64]不過此時長狄僑如已被捕獲，似不必局限說此處的戈必然就是戟。根據目前所出土的青銅戈來看，一件完整的戈包括了戈頭、柲、冒鐏四部分（圖8），若將柲冒換成矛頭就成了戟。

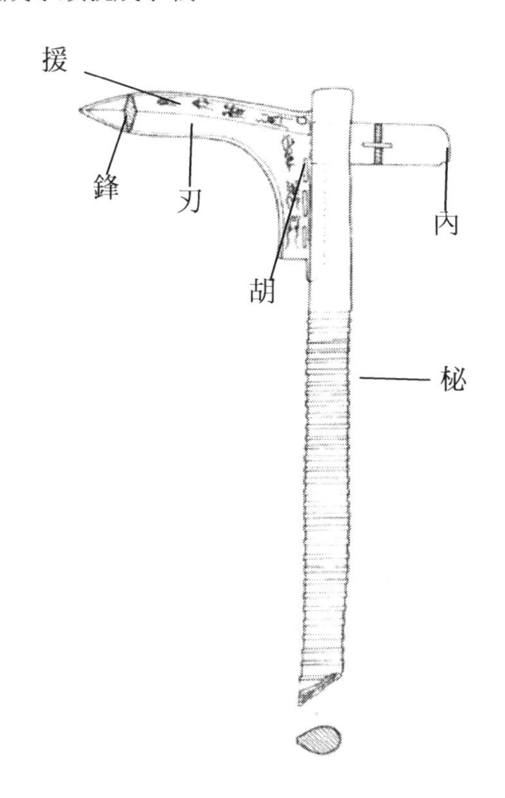


**圖 8　新蔡葛陵楚墓出土平安君成戈**
**修改自《中國出土青銅器全集》（河南下），頁 418。**

63 晉・杜預注，唐・孔穎達疏：《春秋左傳注疏》，卷19，頁328。
64 楊伯峻：《春秋左傳注》（修訂本），頁582。

且在實際戰爭時，部分士兵或手持著戟，但也有僅持著戈的，像山彪鎮上的水路攻戰圖中（圖9），即同時見到持戟與持戈的士兵。因此筆者認為此處的戈其實就是像9-3的持戈圖，其位置剛好可以至敵方的脖子處，不必非得將戈解為戟。學者指出戈具有啄刺、劈砍、勾割與推擔四項基本功能，[65]尤其是東周時代為了加強鈎劇的功能，或將戈援上刃上折延長成矛形。再者，有些國家的戟與戈其實未必相關，如新秦周家莊東周墓地 M5曾出有二種銅戟，一件是戈矛組合，另一件則是鉅刺的組合，如下圖10。故在這種情況下，戈未必與戟可以完全畫上等號，《左傳》此處就解作戈即可。

9-1 持戟之士兵

9-2 持戈之士兵

9-3 持戈之士兵

圖9　水路攻戰圖
《山彪鎮與琉璃閣》，頁20-21。

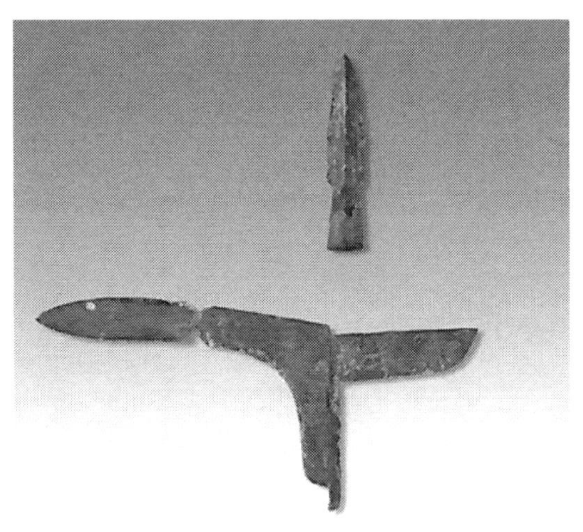

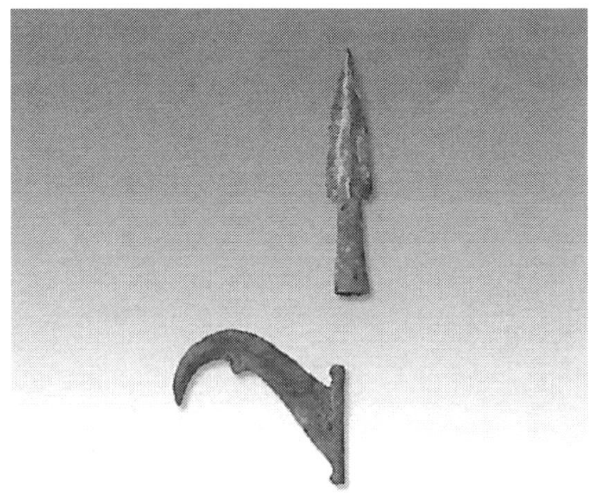

圖10　新泰周家莊東周墓M5銅戟圖
《新泰周家莊東周墓地》，彩版23

65 井中偉：《早期中國青銅戈戟研究》（北京：科學出版社，2011年），頁331。

## （二）寢戈考

《左傳》襄公二十八年：「癸言王何而反之，二人皆嬖，使執寢戈而先後之。」杜預注：「寢戈，親近兵杖。」[66]竹添光鴻《左氏會箋》：「寢室所護，故稱寢戈。我邦所謂枕旁刀一意。至其所用，則廟朝所在皆隨。」[67]楊伯峻《春秋左傳詞典》：「親近的兵仗。」[68]陳克炯認為寢戈為「貼身武器。」[69]基本上楊伯峻和陳克炯的說法皆本於杜預注。不過，「寢戈」的形制為何？楊伯峻在他處又指出「寢戈蓋亦戟」，[70]筆者認為此說過於籠統。其實「寢戈」一詞已見於青銅器，且光曾國的銅器就出有二件戈涉及「寢戈」的器物，如下表五所示。若以考古學的觀點來看，寢戈和戟在性質上未必相同，這可從曾侯乙墓出土的位置來說明。曾侯乙墓寢戈主要是出土於槨室之東室，考古發掘報告描述說：「形體特小，均出土在東室中部墓主棺之東。」[71]東室在墓室的性質等於墓主人的寢宮，學者說：「東室代表了曾侯乙的寢宮，陪葬者皆為女性，可能是曾侯乙的姬妾，同時也負責在寢宮祭祀時演奏『房中樂』。」[72]曾侯乙墓中也出有30件戟，其樣式包括了三戈帶刺，或三戈無刺，或雙戈無刺，雖然樣式相當多種，但卻全部放置在北室中。[73]北室主要是放置車馬器、兵器和竹簡，學者認為北室代表了曾侯乙的武器。[74]比較值得注意的是，放置在曾侯乙墓主人棺內的貼身戈，其戈援較短，而放置在槨室的戈戟，其戈援反而較窄長，兩者還是有所不同。郭德維指出：「戈與戟的主要區別之一就是戟頭較戈頭窄而瘦長。」[75]在齊地我們亦可以看到這種情況，如新泰周家莊墓地戈和戟有個細微的差異，即戈之援較短，而戟之戈援往往較窄長，如M70所出的戈和戟即是如此（圖11）。又如春秋彭氏家族墓地M1所出的銅戈和銅戟，戟組成物件的戈顯然就較瘦長（詳見圖12），這是兩者的些微差異。因此寢戈解為親近兵杖是可信的，但不必將寢戈解成戟。

---

66 晉．杜預注，唐．孔穎達疏：《春秋左傳注疏》，卷38，頁654。

67 竹添光鴻：《左氏會箋》（成都：巴蜀書社，2008年），頁1505。

68 楊伯峻、徐提編：《春秋左傳詞典》，頁800。

69 陳克炯：《左傳詳解詞典》，頁325。

70 楊伯峻：《春秋左傳注》（修訂本），頁582。

71 湖北省博物館編：《曾侯乙墓》（北京：文物出版社，2000年），頁260。

72 湖北省博物館編：《曾侯乙》（北京：文物出版社，2018年），頁183。

73 湖北省博物館編：《曾侯乙墓》，頁260。

74 湖北省博物館編：《曾侯乙》，頁299。

75 郭德維：〈戈戟之再辨〉，《楚史．楚文化研究》（武漢：湖北人民出版社，2013年），頁359；汪少華：《《考工記》名物匯證》（上海：上海教育出版社，2019年），頁316。

## 表五　出土寢戈一覽表

| 器名 | 器型 | |
| --- | --- | --- |
| 皿師寢戈 | 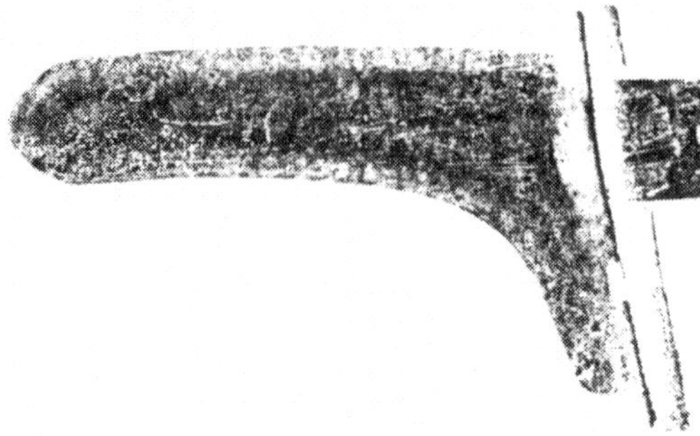 | 集成11012<br>西周早期 |
| 寢戈[76] |  | 新收1204<br>春秋早期 |
| 王子反戈 |  | 《中國出土青銅器全集》（山東下），頁367 |

76 釋文參考韓宇嬌：《曾國銅器銘文整理與研究》（北京：清華大學歷史研究所博士論文，2014年），頁71-72。

| | | |
|---|---|---|
| 曾侯乙寢戈 | 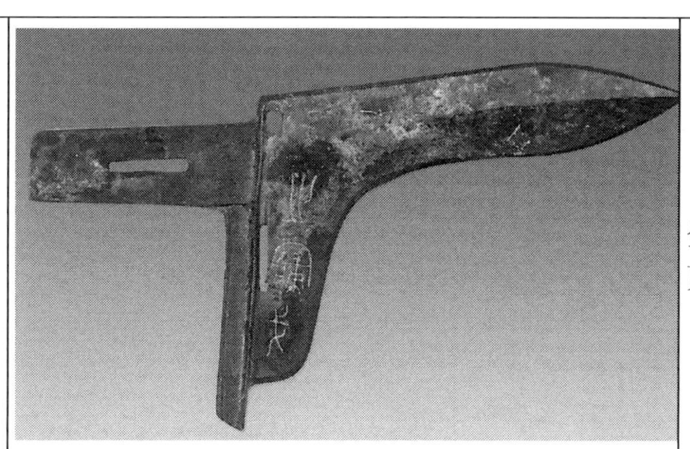 | 《中國出土青銅器全集》（湖北下），頁660 |

圖 11　新泰周家莊東周墓 M70 銅戟和銅戈圖
《新泰周家莊東周墓地》，彩版 130

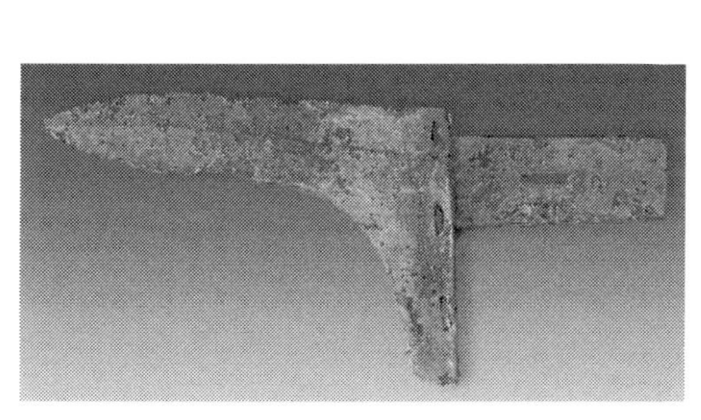

圖 12　春秋彭氏家族墓地 M1 出土銅戟和銅戈圖
〈河南南陽春秋楚彭氏家族墓地 M1、M2 及陪葬坑發掘簡報〉，頁 16。

## 六 昭公十七年「若我用瓘斝玉瓚，鄭必不火」之「玉瓚」探究

《左傳》昭公十七年：「鄭裨竈言於子產曰：『宋、衛、陳、鄭將同日火。若我用瓘斝玉瓚，鄭必不火。』」杜注：「瓚，勺也。欲以禳火。」[77]楊伯峻基本上亦承杜注：「瓚，杓也。玉瓚即圭瓚。」[78]陳克炯說：「祭祀時用以灌酒的玉勺子。」[79]過往的學者大都將瓚視為勺子看待。然而將瓚視為勺子其實是有疑點的。因漢代之後祼禮已不太施行，僅王莽擔任安漢公時有圭瓚之賜，[80]也因此，漢代以後的經師對於祼玉是什麼，有諸多猜測，這其中就包括了對玉瓚的想像。首先來看禮書中對於瓚之形制描述，《禮記・明堂位》：「灌用玉瓚大圭」，鄭玄《注》：「瓚形如槃，容五升，以大圭為柄，是謂圭瓚。」孔穎達《疏》：

> 灌，謂酌鬱鬯獻尸求神也。酌之所用玉瓚，以玉飾瓚，故曰玉瓚也。以大圭為瓚柄，故曰大圭也。[81]

《白虎通・考黜》：

> 玉瓚者，器名也，所以灌鬯之器也。以圭飾其柄，灌鬯貴玉器也。[82]

又《毛詩・大雅・旱麓》：「瑟彼玉瓚，黃流在中」，毛《傳》：「玉瓚，圭瓚也。黃金所以飾流鬯也。」鄭《箋》：「瑟，絜鮮貌。黃流，秬鬯也。圭瓚之狀，以圭為柄，黃金為勺，青金為外，朱中央矣。」[83]鄭《箋》與毛《傳》說法不同，鄭《箋》認為「黃流」當即秬鬯也，而毛《傳》卻解釋為用以「釋流鬯的黃金」，正因為毛《傳》如此解釋，鄭玄只好又對圭瓚的形制多加「黃金為勺，青金為外，朱中央矣。」而後孔穎達巧妙的調和二者之說：

> 瓚者，盛鬯酒之器，以黃金為勺，而有鼻口，鬯酒從中流出，故云黃金所以流鬯。以器是黃金，照酒亦黃，故謂之黃流也。[84]

---

77 晉・杜預注，唐・孔穎達疏：《春秋左傳注疏》卷48，頁839。

78 楊伯峻：《春秋左傳注》（修訂本），頁1391。

79 陳克炯：《左傳詳解詞典》，頁826。

80 漢・班固撰，清・王先謙補注，《漢書補注》（上海：上海古籍出版社，2008年），卷99，頁6077。

81 漢・鄭玄注，唐・孔穎達疏：《禮記注疏》（臺北：藝文印書館，2013年），卷31，頁578。

82 清・陳立：《白虎通疏證》（北京：中華書局，2007年），卷7，頁309。

83 漢・毛亨注，鄭玄箋，唐・孔穎達疏：《毛詩注疏》，卷16之3，頁559。

84 漢・毛亨注，鄭玄箋，唐・孔穎達疏：《毛詩注疏》，卷16之3，頁559。

不過馬瑞辰認為：「《正義》合傳、箋為一，失之。」[85]事實上，毛《傳》對於「黃流」的解釋是錯誤的，方玉潤說：「秬鬯者，釀秬為酒，以鬱金之草和之。草名鬱金，則黃如金色。酒在器流動，故謂之黃流。」[86]此說可信。依經師對瓚之描述，大致可知瓚包括了「黃金為勺」、「大圭為柄」的特點，若此，瓚器基本上是一件銅玉合體的勺器。由於勺說影響甚深，經師在注瓚時基本上就認為瓚器為勺之形，如朱熹《詩集注》對於圭瓚的解釋即完全採用鄭《箋》之說法，[87]宋人聶崇義的《三禮圖》亦本於瓚為勺形而繪出所謂的「瓚」（詳見下表六）。[88]清人孫詒讓說：「瓚勺以金為之，不用玉，因其以圭璋為柄，故通謂之祼玉。」[89]

**表六　《三禮圖》瓚器圖**

| 器名 | 器形 |
| --- | --- |
| 大璋瓚 |  |
| 中璋瓚 | 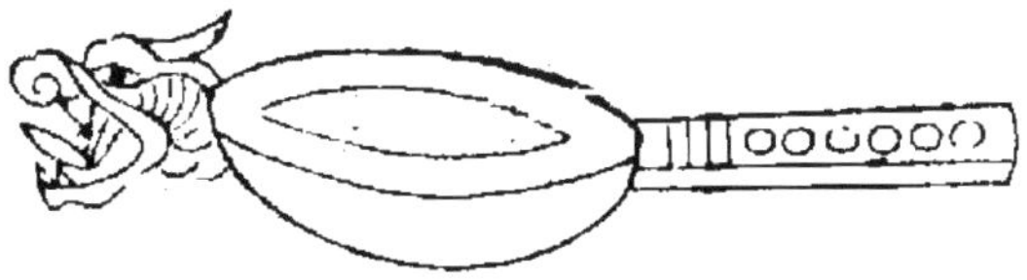 |
| 邊璋瓚 | 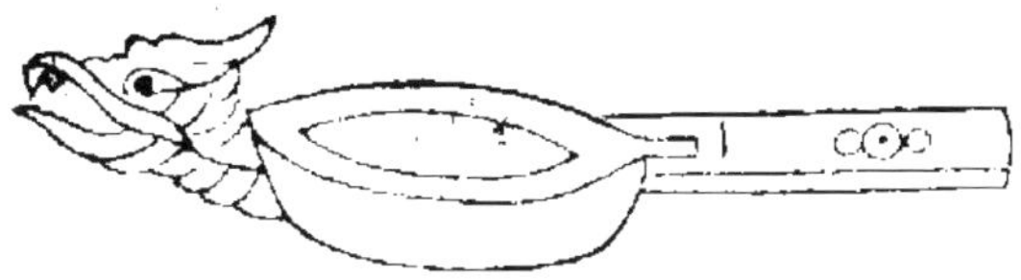 |

近代學者很多亦本於瓚即勺子之說，如黃金貴即言：「祭祀時，用瓚從盛酒器中酌取用於享神的郁鬯酒，灌入尸（活人代祭者）食的酒器中，以其也是挹酒器，故注家或謂之『勺』。其實非一般之勺，而是專用於祭祀、容量較大、形制別致的玉勺。」[90]惟

85 清・馬瑞辰：《毛詩傳箋通釋》（北京：中華書局，2004年），卷24，頁830。

86 清・方玉潤：《詩經原始》（北京：中華書局，2006年），卷13，頁487。

87 宋・朱熹，《詩集傳》（南京：鳳凰出版社，2007年），卷16，頁212。

88 引自丁鼎校，《新定三禮圖》（北京：清華大學出版社，2006年），頁359-362。

89 清・孫詒讓撰，汪少華整理：《周禮正義》（北京：中華書局，2015年），卷37，頁1798。

90 黃金貴：《古代文化詞義集類辨考》（上海：上海教育，1995年），頁1392。

將漢人的金勺改為玉勺。又如孫慶偉在震旦博物館找到二件玉制的斗勺（如圖12），因此他斷定：

> 西周時期確實有玉瓚的存在，而震旦藝術博物館新藏的兩件玉器，使得這一爭訟兩千餘年的難題終於煥然冰釋。[91]

**圖 12　玉勺圖（原書著錄稱之為玉瓚）**
**《戰國玉器》，頁 41**

李學勤亦認為：「用作瓚柄的圭、璋等，要專門洗淨陳放，稱為祼玉。」[92]但實際上，將瓚器視為勺並非沒有問題。就經師的注解中，亦可看出其矛盾之處，如《周禮・春官・典瑞》：「祼圭有瓚，以肆先王」，鄭眾云：「於圭頭為器，可以挹鬯祼祭，謂之瓚。」[93]《禮記・王制》：「未賜圭瓚，則資鬯於天子」，鄭玄注：「圭瓚，鬯爵也。」[94]究竟瓚是用於挹注的勺子，抑或盛鬯之爵器？孫詒讓說：「凡酒皆盛於尊，以勺挹之，而注於爵。」同時他進一步說：

> 實則瓚雖為勺制，而祼祭則以當爵，其挹之仍用蒲勺，不用瓚，故後鄭〈王制〉注直釋為鬯爵，明不得如杜及先鄭說。[95]

但瓚既然是勺形，卻不作勺使用，而是用來當爵器用，那麼何以不直接稱作爵器就好。因此臧振即言：「一旦有了『玉瓚』這種『勺』形器物，許多文獻的詮釋都遇到了困難。」[96]可見，古代經師對於瓚之形制其實仍存在矛盾。

---

91 孫慶偉：〈周代祼禮的新證據——介紹震旦藝術博物館新藏的兩件戰國玉瓚〉，《中原文物》，2005年第1期，頁73。

92 李學勤：〈說祼玉〉，《重寫學術史》（石家莊：河北教育出版社，2002年），頁57。

93 漢・鄭玄注，唐・賈公彥疏：《周禮注疏》（臺北：藝文印書館，2013年），卷20，頁314。

94 漢・鄭玄注，唐・孔穎達疏：《禮記注疏》，卷12，頁235。

95 清・孫詒讓撰，汪少華整理：《周禮正義》，卷80，頁4030。

96 臧振：〈玉瓚考辨〉，《西雝集——古史考論》（北京：商務印書館，2016年），頁399。

姑且不論此矛盾之處，就以玉為銅勺把柄，「從力學上說也令人難以置信」。臧振指出：「在青銅冶鑄技術已經高度發達的殷周時期，怎麼會用寶貴的玉去作為易折部位的材料呢？」[97]其次，照孫慶偉的說法，若〈伯公父勺〉（圖13）是文獻的瓚，試想這樣形制的勺從酒尊舀酒出來後，又要注入爵中，不禁讓人懷疑這樣的挹注器是否過大？〈伯公父勺〉的口徑是8.4×9.4公分，而西周時代的爵一般流尾間距長16公分，在挹注的過程中，鬯酒也很容易溢出爵外。據學者考察，舀酒用的斗其柄部都相當長，一般而言，柄部與口徑的比例大約呈現5:1的現象，如此才能達到挹取的作用。[98]而考古出土的青銅酒器組亦可看出其比例，像美國大都會博物收藏的一組成套的酒器組（圖14），這一套酒器組中，舀酒用的斗之口徑與爵之流尾間距，在比例上就有很大的懸殊。又如安陽殷墟劉家莊北1046號墓出土一件斗和五件爵，斗的口徑是2.4公分，而爵的流尾長大約介於16-17公分，[99]惟有這樣的比例才能確實達到將酒挹注入爵之功用。

**圖 13　伯公父勺**

**《陝西金文集成》5（寶雞卷），頁 40。**

97 臧振：〈玉瓚考辨〉，頁393。

98 王帥：〈略論考古發現中的青銅斗形器——兼說伯公父爵與『用獻用酌』之禮〉，《古代文明》，第2卷4期（2008年10月），頁42。

99 中國社會科學院考古研究所安陽工作隊：〈安陽殷墟劉家莊北1046號墓〉，《考古學集刊》（第15集）（北京：文物出版社，2004年），頁373-374。

**圖 14　大都會博物會銅禁器組**

**《周野鹿鳴——寶雞石鼓山西周貴族墓出土青銅器》，頁 49。**

除此，出土的考古圖像亦可證明此特點，如故宮博物院所收藏的〈燕樂漁獵攻戰圖壺〉（圖15），其中觚形器中插著一件長長的柄，推測應即挹酒的斗杓。但像伯公父勺這種斗形器，其通長19.3公分，口徑約9.4公分。換言之，其柄長約9.9cm，與口徑長度大約呈現1：1的情況。這樣的柄部顯然不夠長，相當不便於深入酒器中挹取液體，反而只適合持拿。除了不便挹取液體外，有些斗形爵甚至還有鳥飾，如薛國的鳥形銅勺（圖16），因此筆者認為這種爵器與祼玉之瓚無關，可能也是祼器而已，嚴志斌稱此類為鳥形銅爵。[100]

100 關於鳥形銅爵的定名依嚴志斌：〈薛國故城出土鳥形杯小議〉，《考古》，2018年第2期（2018年2月），頁99-106。

圖 15　〈燕樂漁獵攻戰圖壺〉
《故宮青銅器圖典》，頁 196。

圖 16　鳥形銅爵
《惟薛有序，於斯千年：古薛國歷史文化展》，頁 155。

那麼瓚究竟是什麼形制？從禮書上似乎不易找到切確的答案，要解決此問題，應從考古材料出發，尤其有自名的器物更明確。其實所謂的瓚應是考古常見的玉柄形器。[101]出土的殷墟文物中，亦可見一件自名為瓚的玉柄形器，如天津博物館所藏的一件「乙亥銘玉柄形器」(《天津博物館藏玉》047，圖17)，其中賞賜物為「」，此字李學勤釋為「瓚」字，[102]寫法與〈子黃尊〉的瓚字作「」形相似。「」字的基本結構就是上端从玉（），[103]玉的下部是由玉片所組成的複合形玉器，類似的複合形玉器組在考古發掘中亦可見到，如安陽小屯M41出土一件玉柄形器，在柄形飾的下側還出土了4件條形玉飾，考古學家研判這像是同一組合的飾品。[104]此外，為了使這樣的玉柄形器安置於酒器中，其下或加一些蚌飾條，使之可以穩固於觚的容器中，這樣的器皿組合亦見於考古材料中，如洛陽北窰西周墓中出有一件器物（考古編號M155:17，見圖18），據考古報告的描述：

> 標本 M155:17出於墓的東北角，緊貼東壁，若懸掛在墓壁上。Ⅲ式柄形器柄部向上，下端部由七個長條形玉片等距圍繞，間距內填以四片橢圓形綠松石小片，它們粘附在端部。在玉片粘附物下面，托以長梯形蚌飾，中有圓穿孔。再下有一漆

101 李小燕、井中偉：〈玉柄形器名「瓚」說──輔證內史亳同與《尚書·顧命》「同瑁」問題〉，《考古與文物》，2012年第3期（2012年6月），頁34-53。

102 李學勤：〈說祼玉〉，《重寫學術史》，頁54。

103 方稚松：〈釋殷墟花園莊東地甲骨中的瓚、祼及相關諸字〉，《中原文物》，2007年第1期（2007年2月），頁84。

104 中國社會科學院考古研究所編，《安陽小屯》（北京：世界圖書出版公司，2004年），頁157。

> 器痕。漆器痕呈喇叭形，上部已殘下部保存較好，從這組器物的相互關係看，柄形器與下端的玉片粘附物以及下插的玉棒，原是緊緊粘固在一起的，構成一件完整件。下面現存的漆器痕，原可能是承受玉柄形器的套。[105]

之所以要在玉柄形器的下端加上一些玉片組，目的是為了使之像一個有座的器一樣，讓玉柄形器可以透過下方的長梯形蚌飾條固定於酒器入口處。尤其是細的玉柄形器，若沒有底下的玉片組來作支撐，在灌鬯的過程中，整隻玉柄形器就會滑落底部，直接浸到酒中，這也會造成後續舀酒的不便。因此祼祭流程，其實就是將瓚的底部加上一些玉飾件，使之可以緊緊套固在酒器（祼器）上，其圖示可以《殷周金文集成》05444「」作代表。之後用酒由上往下灌，使酒沾染上玉器的靈性，然後再用這種沾染玉之靈性的鬯酒來灌地降神或祼神。若是獻尸時，也方便人們先取出玉柄形器，以便進行後續的舀酒獻尸儀式。

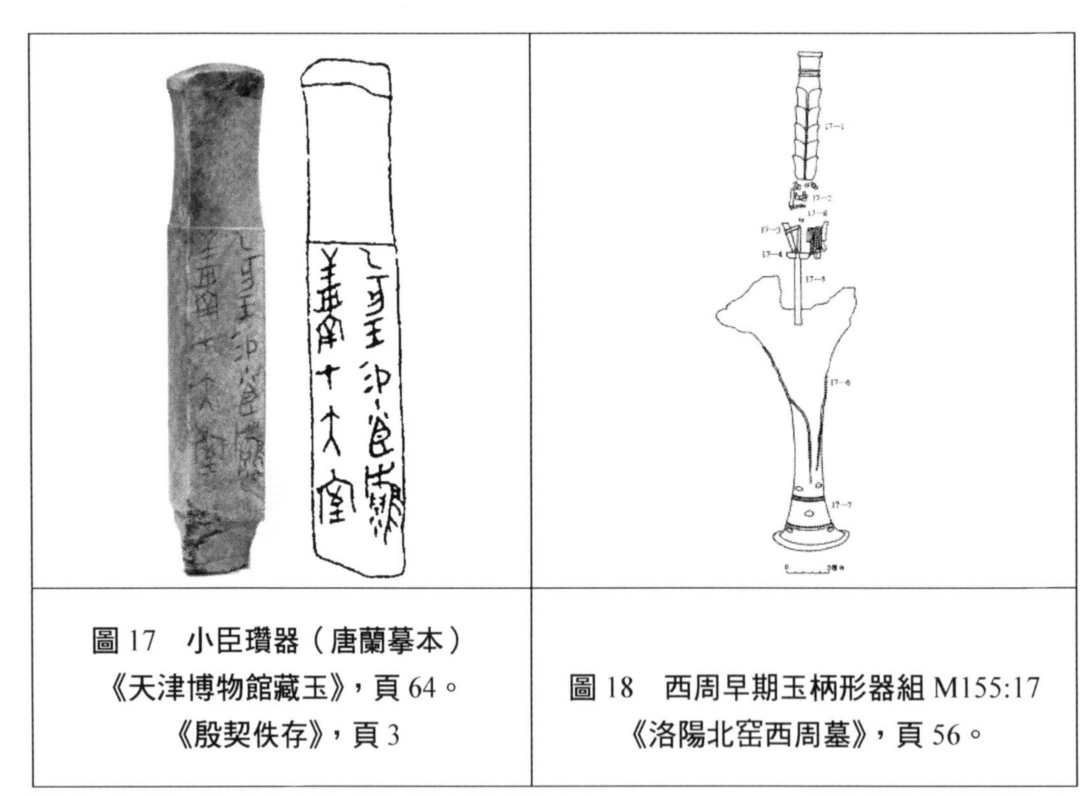

圖 17　小臣瓚器（唐蘭摹本）
《天津博物館藏玉》，頁 64。
《殷契佚存》，頁 3

圖 18　西周早期玉柄形器組 M155:17
《洛陽北窑西周墓》，頁 56。

值得注意的是，在山西霸國 M1中出有一件銅木觚（M1:268+M1:277，圖19），根據考古報告描述：

> 外為青銅質，壁較薄。內為木質空腔。出土時木質空腔殘缺不全。木胎系整塊木

105 洛陽市文物工作隊，《洛陽北窑西周墓》（北京：文物出版社，1999年），頁51-52。

> 頭刳挖而成，喇叭口，平沿，尖唇，底殘缺。木腔套在銅觚內。銅觚為大喇叭口，弧形束腰，喇叭形圈足。圈足上有四個方形穿。木腔套於銅觚上部，下部接一筒形管，直口，底中部有一圓孔。銅管周圍與銅觚有較寬縫隙，其間有泥土，銅觚下部有一圓臺狀木塞，頂面下凹，底面外凸。[106]

圈足內壁鑄有銘文「匽（燕）侯作贊」（圖20）。其中所謂的「贊」字作「」，此字亦見於葉家山。此器既然稱「贊」，那是否會與前文討論的觀點有所出入？嚴志斌在研究良渚文化的玉錐形器時指出：

> 良渚文化的玉錐形器與夏商周時期的玉柄形器形態上存在遞變關係，在功能上存在同一性（良渚文化中玉錐形器還被用作冠飾，這是其獨特的一個功能），使用方式上都是榫接於木棒上置於觚中以祼酒。這種玉柄形器是為瓚，與觚組合在祼禮中使用。[107]

而此銅觚內部正好有木腔套，且其底中部有一圓孔，正好可用作安置玉柄形器（瓚）使用。至於此觚何以稱「瓚」，其實單獨的玉柄形器可稱瓚，但整組玉柄形器插在觚中，亦可通稱「瓚」，李春桃指出：「從古文字形體來看，『瓚』所指的是由同（按：一般通稱為觚）、玉柄形器及相關飾件所組成的一套瓚器。」[108]故此器稱「瓚」即是如此情況。但無論如何，瓚器絕非過去經師所理解的勺形器，楊伯峻的說法當根據新出土的材料加以修正。

---

106 山西省考古研究所等編：〈山西翼城大河口西周墓地一號墓發掘〉，《考古學報》，2020年第2期，頁220。

107 嚴志斌：〈漆觚、圓陶片與柄形器〉，《中國國家博物館館刊》，2020年第1期，頁21。

108 李春桃：〈從斗形爵的稱謂談到三足爵的命名〉，《中央研究院歷史語言研究所集刊》第89本第1分（2018年3月），頁56。

圖 19　M1 出土銅木觚
《呦呦鹿鳴——燕國公主眼裡的霸國》，頁 139。

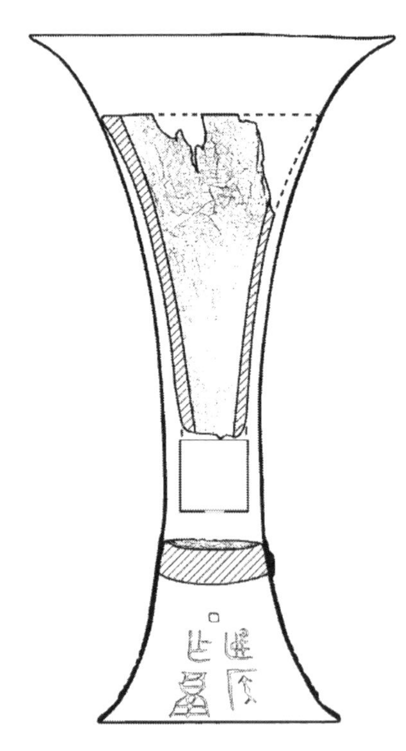

圖 20　燕侯觚
〈山西翼城大河口西周墓地一號墓發掘〉，頁 222-223。

# 七　結語

楊伯峻《春秋左傳注》材料豐富，也適時使用當時所能看到的考古材料。惟今日出土材料愈來愈多，許多新的材料可以對楊說進行補充或斠正。筆者利用新出土材料對《春秋左傳注》五處進行討論，茲將全文的主要論點總結於下：

（一）「公與石祁子玦」及太子申生所佩的「金玦」，並非「如環而缺」之玦，而是考古材料中常見的韘，為輔助射箭的工具。玦不僅是輔助射箭的工具，亦可作為佩飾使用。先秦時代的玦原指射箭用的扳指，韘是扳指內的襯墊，後來文獻直接以襯墊代指整個扳指，即以「韘」代指整個扳指，而「玦」作為扳指義卻逐漸消失。

（二）僖公六年「許男面縛」，學者或認為即考古材料所見的「綴玉覆面」，惟「綴玉覆面」嘴部通常會有銜玉，因此若許僖公真的使用這種葬玉制度出降，基本上是無法做到「銜璧」這個動作。筆者認為楊伯峻將「面縛」解為「自後縛之」之說是合理的，惟實際執行時，其手勢未必如楊伯峻所說的「手反縛背」，亦有手縛於身前的情況。

（三）僖公三十二年「北門之管」，楊伯峻引馬衡的說法來解釋。然漢代的鎖鑰和春秋時代的銅鑰型制上是否相同，仍是一個問題。根據考古出土的春秋戰國銅鎖情況，當時的銅鎖大致是由鎖身和長軸型鎖鍵組成，而鎖鍵柄皆以一個橢圓環為頂，與漢代的銅鎖樣式其實不相同。

（四）文公十一年「富父終甥摏其喉以戈」及襄公二十八年「使執寢戈而先後之」，楊伯峻認為戈或寢戈的形制皆是戟。筆者認為富父終甥所持的戈未必得解為戟，解成戈即可。戈具有啄刺、劈砍、勾割與推摏四項基本功能，因此富父終甥以戈椿長狄僑如之喉是可行的。至於寢戈，根據曾侯乙墓墓葬位置來看，寢戈與戟出土在不同的位置，因此亦不可將寢戈視同戟看待。

（五）昭公十七年「若我用瓘斝玉瓚，鄭必不火」，過去學者解釋「玉瓚」，基本上皆用勺形器來解釋，楊伯峻亦採此說。然而以勺形器來解釋瓚，在許多文獻的解讀上皆會出現窒礙難行之處。以出土材料來看，玉瓚其實就是裸祭時插在觚中的玉柄形器，且一般會在玉柄形器下安裝玉飾件，使之可以緊緊套固在酒器中，以便於鬯酒從上端進行裸祭。

# 徵引文獻

## 一　原典文獻

戰國・荀　況著，王天海校釋：《荀子校釋》（修訂本），上海：上海古籍出版社，2016年。
漢・毛　亨注，鄭玄箋，唐・孔穎達疏：《毛詩注疏》，臺北：藝文印書館，2013年。
漢・司馬遷撰，瀧川資言考證：《史記會注考證》，上海：上海古籍出版社，2015年。
漢・許　慎撰，清・段玉裁注：《說文解字注》，南京：鳳凰出版社，2015年。
漢・鄭　玄注，唐・孔穎達疏：《禮記注疏》，臺北：藝文印書館，2013年。
漢・鄭　玄注，唐・賈公彥疏：《周禮注疏》，臺北：藝文印書館，2013年。
漢・班　固撰，清・王先謙補注，《漢書補注》，上海：上海古籍出版社，2008年。
晉・杜　預注，唐・孔穎達疏：《春秋左傳注疏》，臺北：藝文印書館，2013年。
晉・陳　壽撰、南朝宋・裴松之注：《三國志集解》，上海：上海古籍出版社，2009年。
宋・朱　熹，《詩集傳》，南京：鳳凰出版社，2007年。
清・王念孫撰，張靖偉等校點：《廣雅疏證》，上海：上海古籍出版社，2016年。
清・方玉潤：《詩經原始》，北京：中華書局，2006年。
清・馬瑞辰：《毛詩傳箋通釋》，北京：中華書局，2004年。
清・孫詒讓撰，汪少華整理：《周禮正義》，北京：中華書局，2015年。
清・郭慶藩撰，王孝魚點校：《莊子集釋》，北京：中華書局，2008年。
清・董增齡著：《國語正義》，成都：巴蜀書社，1985年。

## 二　近人著作

丁　鼎校，《新定三禮圖》，北京：清華大學出版社，2006年。
中國社會科學院考古研究所安陽工作隊：〈安陽殷墟劉家莊北1046號墓〉，《考古學集刊》（第15集），北京：文物出版社，2004年。
中國社會科學院考古研究所編，《安陽小屯》，北京：世界圖書出版公司，2004年。
井中偉：《早期中國青銅戈戟研究》，北京：科學出版社，2011年。
方　勇、陸永品撰：《莊子詮評》（增訂新版），成都：巴蜀書社，2007年。
王先福主編：《老河口安岡楚墓》，北京：科學出版社，2018年。
王叔岷：《莊子校詮》，臺北：中央研究院歷史語言研究所，1994年。
王　和：《左傳探源》，北京：社會科學文獻出版社，2019年。

北京大學考古學系商周組、山西省考古研究所：《天馬－曲村：1980-1989》，北京：文物出版社，2000年。

安徽省文物考古研究所、蚌埠市博物館編：《鐘離君柏墓》，北京：文物出版社，2013年。

何琳儀：〈仰天湖竹簡選釋〉，《安徽大學漢語言文字研究叢書》，何琳儀卷），合肥：安徽大學出版社，2013年。

吳愛琴：《先秦服飾制度形成研究》，北京：科學出版社，2015年。

李永迪編：《殷墟出土器物選粹》，臺北：中央研究院歷史語言研究所，2009年。

李學勤：〈說裸玉〉，《重寫學術史》，石家莊：河北教育出版社，2002年。

汪少華：《《考工記》名物匯證》，上海：上海教育出版社，2019年。

邢義田：〈漢代畫像胡漢戰爭的構成、類型與意義〉，《畫為心聲——畫像石、畫像磚與壁畫》，北京：中華書局，2011年。

河南省文物考古研究所、武漢大學歷史學院考古系編：《登封雙廟戰國秦漢墓地》，北京：科學出版社，2019年。

河南省文物考古研究所編：《新蔡葛陵楚墓》，鄭州：大象出版社，2003年。

河南博物院、臺北歷史博物館：《輝縣琉璃閣甲乙二墓》，鄭州：大象出版社，2011年。

洛陽市文物工作隊，《洛陽北窑西周墓》，北京：文物出版社，1999年。

徐元誥：《國語集解》（修訂本），北京：中華書局，2017年。

郭德維：〈戈戟之再辨〉，《楚史・楚文化研究》，武漢：湖北人民出版社，2013年。

陳克炯：《左傳詳解詞典》，鄭州：中州古籍出版社，2004年。

陳　偉等著：《楚地出土戰國簡冊〔十四種〕》，武漢：武漢大學出版社，2016年。

傅亞庶撰：《孔叢子校釋》，北京：中華書局，2011年。

彭　浩：《楚人的紡織與服飾》，武漢：湖北教育出版社，1996年。

棗陽市博物館等編：〈棗莊市嶧城徐樓東周墓葬發掘報告〉，《海岱考古》（第七輯，北京：科學出版社，2014年。

湖北省博物館編：《曾侯乙》，北京：文物出版社，2018年。

湖北省博物館編：《曾侯乙墓》，北京：文物出版社，2000年。

黃金貴：《古代文化詞義集類辨考》，上海：上海教育，1995年。

黃懷信、張懋鎔、田旭東：《逸周書彙校集注》（修訂本），上海：上海古籍出版社，2007年。

楊正宏、肖夢龍主編：《鎮江出土吳國青銅器》，北京：文物出版社，2008年。

楊伯峻、徐提：《春秋左傳詞典》，北京：中華書局，2013年。

楊伯峻：《春秋左傳注》（修訂本），北京：中華書局，2012年。

臧　振：〈玉瓚考辨〉，《西雝集－古史考論》，北京：商務印書館，2016年。

趙平安：〈夬的形義和它在楚簡中的用法——兼釋其他古文字資料中的夬字〉，《新出簡帛與古文字古文獻研究》，北京：商務印書館，2009年。

日・竹添光鴻：《左氏會箋》，成都：巴蜀書社，2008年。

## 三　單篇論文

山西大學北方考古研究中心等編：〈山西翼城大河口 M5010、M6043實驗室考古簡報〉，《江漢考古》總161期，2019年2月。
山西省考古研究所等：〈山西襄汾陶寺北墓地2014年 I 區 M7發掘簡報〉，《文物》第9期，2018年9月。
山西省考古研究所等編：〈山西翼城大河口西周墓地一號墓發掘〉，《考古學報》2020年第2期。
山西省考古研究院：〈山西黎城西關墓地 M7、M8發掘簡報〉，《江漢考古》總169期，2020年4月。
方稚松：〈釋殷墟花園莊東地甲骨中的瓚、祼及相關諸字〉，《中原文物》2007年第1期，2007年2月。
王　帥：〈略論考古發現中的青銅斗形器——兼說伯公父爵與『用獻用酌』之禮〉，《古代文明》第2卷4期，2008年10月。
平頂山市文物管理局、葉縣文化局：〈河南葉縣舊縣四號春秋墓發掘簡報〉，《文物》2007年第9期，2007年9月。
李小燕、井中偉：〈玉柄形器名「瓚」說——輔證內史亳同與《尚書・顧命》「同瑁」問題〉，《考古與文物》2012年第3期。
李春桃：〈從斗形爵的稱謂談到三足爵的命名〉，《中央研究院歷史語言研究所集刊》第89本第1分，2018年3月。
李春桃：〈說「夬」「韘」——從「夬」字考釋談到文物中扳指的命名〉，《吉林大學社會科學學報》第57卷第1期，2017年1月。
俞筱堯：〈古文獻學家楊伯峻的學術道路〉，《文獻》1993年第4期。
姚　爛：〈楊伯峻《春秋左傳注》對二重證據法的幾處誤用〉，《古籍整理研究學刊》2018年第6期。
孫慶偉：〈周代祼禮的新證據——介紹震旦藝術博物館新藏的兩件戰國玉瓚〉，《中原文物》2005年第1期。
徐汝聰：〈夬與韘〉，《紀念馬王堆漢墓發掘四十週年國際學術研討會論文集》，長沙：嶽麓書社，2016年。
陝西省考古研究院等編：〈寶雞郭家崖秦國墓地（南區）發掘簡報〉，《文博》2019年第4期。
湖北省宜昌地區博物館：〈當陽曹家崗5號楚墓〉，《考古學報》1988年第4期。

雲南省文物考古研究所：〈雲南瀘西縣大逸圃秦漢墓地發掘簡報〉,《四川文物》2009年第3期。

鄧　聰：〈從《新干古玉》談商時期的玦飾〉,《南方文物》2004年第2期。

謝　肅：〈「面縛」新釋〉,《中原文物》2013年第3期。

嚴志斌：〈漆觚、圓陶片與柄形器〉,《中國國家博物館館刊》2020年第1期。

嚴志斌：〈薛國故城出土鳥形杯小議〉,《考古》2018年第2期，2018年2月。

## 四　學位論文

韓宇嬌：《曾國銅器銘文整理與研究》，北京：清華大學歷史學博士學位論文，2014年。

# 南宋永嘉學派《春秋》學研究

## ——以薛季宣、陳傅良、葉適為中心

李衛軍

（河南）商丘師範學院教授

### 摘要

南宋永嘉學派以薛季宣、陳傅良、葉適為前茅、中權與後勁，在學術上兼重道德與事功，以《春秋》等儒家經典為依託，進行經制之學的建設。季宣《春秋》學將褒貶義例一掃而空之，摒棄三《傳》，認為孔子不過直書其事，使善惡自見，其義當以屬辭比事求之。傅良則承認《春秋》有微言大義，其以孔子言論為指導，綜合三《傳》，以左氏事實合公、穀大義，構建了自己的《春秋》學解釋體系。葉適則認為《春秋》之道在於止惡而進善，必徵諸實事而後其義可見，故揚棄公、穀，獨尊《左傳》。三人代表了《春秋》解釋學的三種路徑，都作出了有益嘗試，價值甚高，在《春秋》學史上均應有其一席之地。

**關鍵詞：**永嘉學派、《春秋》學

# An research on *the Spring and Autumn Annals* doctrine which founded by the Yongjia School of Southern Song Dynasty

## ——Which focused on Xue Jixuan,Chen FUliang and Ye Shi

LI Weijun

Professor, Shangqiu Normal University

### Abstract

Xue Jixuan、Chen Fuliang and Ye Shi were important scholars of the Yongjia School of Southern Song Dynasty which respectively represent the earlier stage , middle stage and later stage. Their research give consideration to morality and achievements, and they concerned on the idea of practicality which based on Confucian Classics such as *the Spring and Autumn Annals, etc.* Xue Jixuan focused on *the Spring and Autumn annals* itself, and abandoned the doctrine of three Commentaries on the Spring and Autumn annals. He thought that Confucius only recorded the facts, and the true intention of Confucius could be got by compare the relative records. Chen FUliang acknowledged that there are sublime words with deep meaning in *the Spring and Autumn Annals*. With the guidance of Confucius's speech, and through the integration of the facts from Tso Chuan and the explain rules from the other Commentaries on *the Spring and Autumn Annals*, he founded his own explain system of *the Spring and Autumn Annals* doctrine. Ye Shi thought that the aims of *the Spring and Autumn Annals* was encourage the good behavior and prevent the bad behavior, and it could be reached only through the record of historical event. Therefore, he praised *Tso Chuan* highly, and depreciated the valus of the other two Commentaries on *the Spring and Autumn Annals*. Each of them represented one way to the explain system of *the Spring and Autumn Annals* doctrine, and should occupy one seat in the history of *the Spring and Autumn Annals* research.

**Keywords:** Yongjia School, *the Spring and Autumn Annals* doctrine,

# 一　前言

南宋永嘉學派學統可以遠溯北宋程門，但其開宗立派，在學術界別樹一幟，則自薛季宣始，誠如全祖望所云：「永嘉之學統遠矣，其以程門袁氏之傳為別派者，自艮齋薛文憲公始。」[1]季宣道德與事功並重，其說經陳傅良推闡，至葉適遂與朱熹、陸九淵二派鼎立為三。[2]永嘉學派重視經制之學，「以經制言事功」[3]，全祖望認為「當時之為經制者，無若永嘉諸子」[4]。他們以儒家經典為根據，重視禮樂制度建設，以求見之事功。而《春秋》作為五經之一，與現實政治關係最為密切，是其建立制度新學的重要依託。薛季宣等三人皆有《春秋》學著作，以古律今，實現其政治主張。但到目前為止，學界尚未有專文對其學說進行探討，這對於永嘉學派及《春秋》學的研究都是一大缺憾。故筆者不揣淺陋，對南宋永嘉學派《春秋》學進行發覆，以就正於方家。

# 二　薛季宣之《春秋》學

薛季宣（1134-1173）字士龍，或作士隆，號艮齋，曾師事袁溉，「於古封建、井田、鄉遂、司馬法之制，靡不研究講畫，皆可行於時」。[5]季宣為學修身與事功並重，既反對空談性命者之「言道而不及物」[6]，也批評執著功利者之不知義命。[7]其本人則經明行修，頗有治世之才，歷官所至，皆有政聲。在對金策略上，他審知形勢，主張先取守策，自強政治以待時，既批評主和派之屈膝賣國，也反對主戰派之僥倖功利，最為有識。無怪乎黃百家贊其「考訂千載，凡夫禮樂兵農莫不該通委曲，真可施之實用」[8]，而黃宗羲亦贊其所開永嘉學派「教人就事上理會，步步著實，言之必使可行，足以開物成務」。[9]而季宣能有如此學問，與其一貫對經史之學的重視密不可分，據《宋史》本傳：

---

1 清・黃宗羲：《宋元學案》卷52《艮齋學案》（北京：中華書局，1986年），頁1690。

2 清・黃宗羲：《宋元學案》卷54《水心學案・上》：「乾、淳諸老既歿，學術之會，總為朱、陸二派，而水心齗齗其間，遂稱鼎足。」頁1738。

3 清・黃宗羲：《宋元學案》卷56《龍川學案》，頁1830。

4 清・黃宗羲：《宋元學案》卷60《說齋學案・永嘉同調》，頁1954。

5 元・脫脫等：《宋史・薛季宣傳》，（北京：中華書局，1977年），頁12883。

6 宋・薛季宣：《抵沈叔晦》，收入《薛季宣集》卷25（上海：上海社會科學院出版社，2002年），頁330。

7 按：《宋史》本傳載薛季宣對王炎之語謂：「主上天資英特，群臣無將順緝熙之具，幸得遭時，不能格心正始，以建中興之業，徒僥倖功利，誇言以眩俗，雖複中夏，猶無益也。為今之計，莫若以仁義紀綱為本。至於用兵，請俟十年之後可也。」頁12884。

8 按：可參《薛季宣集》卷21《再上湯相》、卷22《與汪參政明元》等文。

9 清・黃宗羲《宋元學案》卷52《艮齋學案》，頁1696。

「季宣於《詩》、《書》、《春秋》、《中庸》、《大學》、《論語》皆有訓義，藏於家。」[10]具體到《春秋》學，其父薛徽言曾師事胡安國，安國為《春秋》大儒，其《春秋傳》影響深遠。季宣六歲時父親即已去世，其《春秋》學是否有家學淵源尚難斷言，但其本人精於《春秋》則確鑿無疑。

據《文獻通考》，季宣有《春秋經解》與《春秋旨要》共十四卷，陳傅良《薛季宣行狀》說《旨要》為一卷，則《經解》應為十三卷。季宣自述二書之作：「《經解》之造，經用釋經，而歸正於經者也。《旨要》之謂，辭達而已。君子苟《春秋》之為好，不以棄傳為過，而反求之《春秋》之義也。專門墨守，則非下走之所敢知。」摒棄三《傳》，以經釋經，追求義理通達，這是典型的宋儒解經路徑。虞集說：「永嘉之學，……至於六經之傳注，得以脫略凡近，直造精微。如薛常州《春秋》等書，實傳注之所不可及，而足以發明於遺經者也。」[11]對季宣《春秋》學評價甚高，但所謂「直造精微」，已道出其不重訓詁、直尋義理的特點。季宣《春秋》二書久已亡佚，但元、明學者徵引甚多，鉤沉索隱，尚能略窺其貌。

## （一）屬辭比事，直書見義

《春秋》三傳釋經，皆承認微言大義，而以褒貶為說，是以有種種凡例，易陷穿鑿之病。季宣則認為「褒貶非仲尼之意」，《春秋》乃以「事辭為教」，即「直筆以書其事，因事而致其離，善則善，惡則惡，不為褒貶抑揚，而亂是非之正也。」而欲觀春秋之義，則須「屬辭比事」，所謂「直書以明得失謂之辭，正辭以別是非謂之事，屬辭比事，莫善於《春秋》」。[12]這種見解，把《春秋》作為史書來讀，有助於廓清附著在《春秋》上的種種不實之論，頗有見地。

胡安國《春秋傳》提出「夏時冠周月」之說，認為孔子修《春秋》，以冬為春，變易四時之序，乃假天時以立義，有褒貶之義在內。季宣也認同《春秋》紀事乃夏時冠周月，不符合天道之常，但反對是孔子有意為之。他說：「周正建子，以建寅為正歲，夏時得天，猶用夏也。春秋之序，魯變之也。然則魯變四時之序何？史始官也。加春於建子而為王正月，建卯之月而為夏四月，魯史之作也。故凡《春秋》之序，皆舍周之舊也。」[13]指出周朝猶用夏時，魯國作為諸侯始設史官，並且改變了周朝史官的紀事方式，這是一種僭越，也標誌著周朝的衰落。孔子不過「因魯之史，記其《春秋》」，使人即事而知魯《春秋》紀錄不正，因其不正，所以要反歸於正，所以季宣稱《春秋》為

10 元・脫脫等：《宋史・薛季宣傳》，頁12885。

11 元・虞集：《道園學古錄》卷34《送李敬心之永嘉學官序》，影印文淵閣四庫全書本。

12 宋・薛季宣：《薛季宣集》卷30《經解春秋旨要序》。

13 同上注。

「反正之經」。《春秋》是否「夏時冠周月」，諸侯有史官是否自魯國始，這都在可以商討之列。但季宣能擺脫褒貶義例等成說，而單就史事立論，不能不說是一種進步。

《春秋》紀事簡略，有許多事件單從敘事本身很難看出善惡，但通過「屬辭比事」，則是非立見。如「莊公三十二年春，城小穀」，修城以加強守衛，本是國家常事，從紀事本身看並無不妥。但季宣說：「莊公六年後，無麥苗，大無麥禾，螟蠶蜮蜚相繼而有，大水者三，中君尚當少警，而公之軍旅盟會未嘗休息。至於侈心一起，因娶而觀社、丹楹、刻桷，告糴之時築郿，次年新廄，城諸、防，去年三築臺而不雨，今又城小穀。平歲猶不可，況洊饑而輕用民力乎？」[14]莊公城小穀時，國家並無外敵威脅，而前此數年國家連遇災荒，正是百姓應當休養生息之時，莊公卻連年修臺築城，不知愛惜民力。比事以觀，則城非其時，其誤可知，而莊公虐使百姓之情亦見。

## （二）即事明理，主於世用

季宣之釋《春秋》，較少章句訓詁，而多即事明理，以期有用於當世。魯桓公二年，宋華督弒其君，並殺其大夫孔父。《公羊傳》認為孔父為君而死，可謂賢臣，程子、劉敞等皆然其說。季宣曰：「相國而不能弭亂，至於君弒身死，雖賢乎孔父，猶非輔相之道也。」[15]提出人臣，特別是宰相標準，品德固然重要，才能亦不可少，若孔父者，雖能以身殉難，何補於事？其《再上張魏公書》也說：「某聞國之安危存乎相，相之失得存乎謀。有一定之謀，故天下無（不）可為之事。謀不素定，而事能克濟，道能有行，功業著於一時，聲名流於百世者，唐虞而下，未之前聞。」[16]充分顯示出其對於謀略事功的重視。

季宣生值宋金對峙之際，而《春秋》又多載戰爭之事，故其釋《春秋》頗重兵謀。僖公二十二年秋，魯國與邾國戰於升陘，魯強於邾，卑之而不設備，反為邾所敗。季宣云：「以魯而為邾敗，大不足恃、兵不可窮也如此。」[17]指出用兵不可恃強，要謀定而後動。僖公十年夏，齊侯帥許男伐北戎，此時楚國強大，許國近楚，有亡國之虞。季宣說：「許方患楚，而毆以伐戎，非用人之道也。」[18]認為用人貴得其心，若勉強從使則難以成事。僖公十五年春，楚國伐徐，七月，齊師、曹師伐厲以救徐。季宣說：「厲，楚漢東之與國也。楚師東出而伐其與國，固用兵之道也。不役諸侯，而專曹師之用，求救微矣，無救於徐之敗，理也。」[19]首先肯定了攻敵所必救策略的正確，又指出其只使

14 元・吳澄：《春秋纂言》卷3，影印文淵閣四庫全書本，頁237。

15 元・鄭玉：《春秋闕疑》卷3，影印文淵閣四庫全書本，頁43。

16 宋・薛季宣：《薛季宣集》卷20《再上張魏公書》，頁259。

17 元・鄭玉：《春秋闕疑》卷16，頁204。

18 元・程端學：《春秋本義》卷11，影印文淵閣四庫全書本，頁188。

19 元・鄭玉：《春秋闕疑》卷15，頁183。

用曹國軍隊，出兵過少，不能對楚國構成威脅，所以最終難以達到目的。成公九年，秦人、白狄伐晉，季宣云：「結援外寇，未有不自戕也。」[20]僖公十八年，邢人、狄人伐衛，季宣說：「狄，邢、衛之寇讎也，邢、衛嘗同患難者也，幸乎方伯之死，交寇讎以伐同患，取亡之道也。」[21]均強調要謹慎選擇盟友，不然會反受其害的道理。在用兵方略上，季宣強調要抓主要矛盾。哀公十三年，吳王夫差與晉爭勝於黃池，而勾踐入吳。季宣就說：「吳子忘不共戴天之恥，而求諸侯於外，此越人所以霸諸侯乎？」[22]吳越乃世仇，中原則非夫差所急，因夫差決策失誤，導致吳國被滅，越國稱霸。

季宣釋《春秋》還強調仁德對於事功之重要性。襄公十九年夏，晉士匄伐齊，聞齊侯之喪而還。二十年，齊國遂與晉國等盟於澶淵。季宣云：「齊之無道，諸侯圍之而不服，以晉之士匄不伐喪也，遂會於澶淵。修文來遠，不誣也哉！」[23]於莊公城小穀，季宣已批評了統治者之不愛惜民力。襄公二十四年，魯國大饑，季宣又說：「民有殍為大饑，國無凶荒之備，一大水而民有殍，無政也。」[24]表達了對國無仁政的不滿。

## （三）析制明禮，著眼當下

葉適曾說：「諸儒方為制度新學，抄記《周官》、《左氏》、漢唐官民兵財所以沿革不同者，……實能附之世用，古人之制可以坐致也。」[25]指出永嘉學派重視制度沿革，以為當世之用。季宣《春秋》學亦重視講明禮制，希望有用於當下。

定公八年，魯國「從祀先公」，季宣說：「從祀者何？順祀也。魯之祭也，躋僖公，外昭公。從祀之始，正其禮也。」[26]指出嚴明禮制才能有益於國家穩定。宣公二年秋，晉趙盾弒其君，季宣曰：「君將殺盾，而穿行弒君之事，則主弒者盾也，穿受命而加刃者也。在律，家人共犯，止坐尊長。威力使令，被使為從，此《春秋》之義也。」[27]強調律法應嚴明首從，才能使陰謀者無所僥倖。宣公十五年，魯國「初稅畝」，季宣云：「方里而井八家，皆私百畝，中為公田而同治之，所謂什一也。履畝而稅，稅私田之什一，是什二之初稅也。」[28]指出「初稅畝」實際是稅制改革，由什一增加至什二，加重了人民的負擔。文公十二年春，「叔姬卒」，季宣曰：「其卒何？公主其喪也。國君喪未

20 元・鄭玉：《春秋闕疑》卷26，頁364。
21 元・鄭玉：《春秋闕疑》卷15，頁194。
22 元・汪克寬：《春秋胡傳附錄纂疏》卷30，影印文淵閣四庫全書本，頁747。
23 元・鄭玉：《春秋闕疑》卷31，頁448。
24 元・汪克寬：《春秋胡傳附錄纂疏》卷22，頁577。
25 宋・葉適：《葉適集》卷14《陳彥群墓誌銘》（北京：中華書局，1961年），頁258。
26 元・汪克寬：《春秋胡傳附錄纂疏》卷27，頁703。
27 元・汪克寬：《春秋胡傳附錄纂疏》卷16，頁422。
28 元・鄭玉：《春秋闕疑》卷24，頁329。

昏之女，非禮也。」[29]指出此事所以會被《春秋》記載，就是因為魯文公違背禮制，主持自己未嫁女兒的喪禮，使後世之違背禮制者能引以為戒。僖公十一年夏，「公及夫人姜氏會齊侯於陽穀」，季宣說：「夫人，齊侯之女也，歸寧可也。為會而從夫於外，非歸寧之禮也。」[30]指出出嫁女子只有回家省親才得與家人相見，而姜氏與僖公同會齊侯，顯然違背禮制。

綜上述可知，季宣《春秋》學不主故常，輕訓詁，重義理。而其義理之發掘，又不是通過所謂微言大義，而是屬辭比事，即事明理，較少穿鑿之病。其論《春秋》，雖以仁德為先，但重制度、講謀略，處處顯示出對於事功的重視。

## 三　陳傅良之《春秋》學

陳傅良（1137-1203）字君舉，號止齋，溫州里安人。其為學「尤長於《春秋》、《周禮》」[31]，樓鑰言傅良「博極群書，而於《春秋》、《左氏》尤究極聖人製作之本意、左氏翼經之深旨，著《春秋後傳》、《左氏章旨[32]》二書」[33]。傅良師事薛季宣，「遊從最久，造詣最深，以之研精經史，貫穿百氏，以斯文為己任。綜理當世之務，考核舊聞，於治道可以興滯補敝，復古至道，條畫本末粲如也」[34]，繼承了季宣的經制實學。但在《春秋》學上，對季宣卻有因有革。二人所同者，都認為「常事不書」、「夏時冠周月」始於魯《春秋》、諸侯有史始於周之東遷。但在對《春秋》大義的認識上，二人截然不同：季宣認為《春秋》據事直書，「褒貶非仲尼之意」；傅良則認為「《春秋》以一字為褒貶」[35]，並且說：「或曰：『夫子何以進退天下之君大夫？褒貶非《春秋》意也。』且書杞伯屢矣，獨來盟稱杞子；書公子友屢矣，獨來歸書季子。一人之身而進退稱焉，以是為非《春秋》之意，則《春秋》徒異同而已矣！」[36]以杞伯、公子友前後書法不同為證，認為其中有微言大義在焉，這說明傅良《春秋》學著眼點乃在所謂書法褒貶。

傅良有《春秋後傳》十二卷，今存。其書以魯國十二公為斷，每公各一卷。又有《左氏章指》三十卷，已亡佚。[37]趙汸《春秋左氏傳補注》徵引頗多，略存梗概。趙汸

29 元・鄭玉：《春秋闕疑》卷20，頁277。

30 元・汪克寬：《春秋胡傳附錄纂疏》卷11，頁29。

31 宋・葉紹翁：《四朝聞見錄・甲集・止齋陳氏》（北京：中華書局，1997年），頁145。

32 按：「旨」，薛季宣《浪語集・經解春秋旨要序》同，他處皆作「指」。

33 宋・樓鑰：《攻媿集》卷59《寶謨閣待制贈通議大夫陳公神道碑》，影印文淵閣四庫全書本，頁472。

34 同上注。

35 宋・陳傅良：《春秋後傳》，通志堂經解本第9冊（江蘇：廣陵古籍出版社，1996年），頁261。

36 宋・陳傅良：《春秋後傳》，頁254。

37 按：晁公武《郡齋讀書志》卷5上，作17卷。陳傅良弟子曹叔遠為《止齋集》所作之序、蔡幼學為陳傅良所作《行狀》、陳振孫《直齋書錄解題》卷3、馬端臨《文獻通考》卷183，皆作30卷，《宋史・藝文志》、四庫館臣皆從之，當以作30卷為是。

對傅良評價極高，認為：「三《傳》而後，說《春秋》者惟杜元凱、陳君舉為有據依。」並指出：「陳氏通二《傳》於《左氏》，以其所書證其所不書，庶幾善求筆削之旨。」[38]自唐啖助、趙匡倡棄傳從經之說，說《春秋》者易陷鑿空之病。傅良則兼采三《傳》，取左氏事實，合公、穀大義，其說頗為圓融，能自成一家之言。

## （一）陳傅良解經之進路

傅良認為孔子筆削魯史而成《春秋》，寓褒貶於書法，以寄託其政治理想。解釋《春秋》者三家，而《左傳》最為有功，「能存其所不書以實其所書，故作《章指》以明筆削之義。」[39]不過，孔子怎樣通過選擇性紀事來寄寓褒貶，左氏並未有發揮，故又取公羊、穀梁諸義例以合左氏。但「先儒以例言《春秋》者，切切然以為一言不差，有不同者，則曰變例」[40]，很容易陷入穿鑿之病。為免陷入一偏，所以傅良即以孔子言論為指導，融合三《傳》，兼采諸儒，構建自己的《春秋》解釋學體系。

孔子曾以禮樂征伐是自天子出，還是自諸侯、大夫、陪臣出，來判斷天下之有道與否。傅良以此為據，力圖解決義例說之自相矛盾。他將《春秋》分為三段，「有所謂隱桓莊閔之春秋，有所謂僖文宣成之春秋，有所謂襄昭定哀之春秋」，[41]認為不同時期有不同書法。他說：「夫子之作《春秋》，於隱桓莊之際唯鄭多特筆焉，於襄昭定哀之際唯齊多特筆焉。」這是因為「天下之無王，鄭為之也；天下之無伯，齊為之也」。[42]又說：「《春秋》自隱而下君恒稱君，貶人之，故諸侯多貶辭焉。自文而下大夫恒稱大夫，貶人之，故大夫多貶辭焉。諸侯不勝貶，則政在大夫矣。大夫不勝貶，則陪臣執國命矣。」[43]不同時期，褒貶對象不同，書法也因之而異。這種把書法有效性限定在特定階段的做法，無疑比用書法規範全書更容易化解自身的矛盾。

孔子論為政，必先「正名」。傅良說：「廢立之際足以亂名實，則《春秋》不可以弗辨。苟無亂於名實，則《春秋》不辨也，《春秋》之作別嫌明微而已。」[44]指出《春秋》書寫的重要原則是辨「名實」，只有舊史書寫妨礙名義時，孔子才會進行筆削。至於其義例，傅良認為：「《春秋》之達例三：有同號者焉，有同辭者焉，有同文者焉。號不足以盡意而後見於辭，辭不足以盡意而後見於文，以同文為猶未也，而至於變文，則

38 元・趙汸：《春秋左氏傳補注》，通志堂經解本，第11冊，頁215。

39 宋・陳傅良：《止齋集》附錄蔡幼學《行狀》，影印文淵閣四庫全書本。

40 宋・陳傅良：《春秋後傳》，卷首樓鑰《〈春秋後傳〉〈左氏章指〉序》，頁244。

41 同上注。

42 宋・陳傅良：《春秋後傳》，頁246。

43 宋・陳傅良：《春秋後傳》，頁267。

44 宋・陳傅良：《春秋後傳》，頁265。

特書也。」[45]指出隨褒貶程度不同，而有達例、有特書。如果用「辭」見意，則「號」可以從其恒稱，「文」與「變文」皆然。如桓公十一年九月，鄭國祭仲受宋國脅迫而廢忽立突，按照常例，應書其名「祭仲足」以示貶，但《春秋》卻書曰「宋人執鄭祭仲，突歸於鄭，鄭忽出奔衛」，傅良認為祭仲以大夫而廢置國君，僅稱名已不足以見其惡，故詳敘其事，以使其罪顯曝於天下，所謂「名號不足以盡意則見於辭」，「斯其為辭也詳矣，則從其恒稱不名可也」。[46]這種原則也解釋了許多與常例相矛盾的書寫，使其解釋更為周嚴。

孔子言論為傅良用及者尚多，如「齊一變至於魯，魯一變至於道」、「如有用我者，吾其為東周」等等，因不涉及通例，此不詳述。三《傳》而外，如《禮記．經解》之「屬辭比事」、《太史公自序》之「撥亂世反之正」等，也是傅良解釋《春秋》的重要原則，因用法與前人並無太大分別，亦不細論。

## （二）傅良解經之內容

傅良解釋《春秋》，一方面繼續發揮尊王、攘夷等核心理念，認為：「《春秋》之大義，夷夏之辨、君臣之分而已。」[47]同時又突出了義利關係的討論，指出「《春秋》嚴義利之辨」，[48]茲對其說略作分疏。

### 1 明君臣之分

傅良認為「《春秋》無二尊」[49]，又說「國無二尊，《春秋》之法也」[50]，所以在書寫上，「《春秋》之法，有天子在則其諸侯稱人，有諸侯在則其大夫稱人」[51]，以示君臣之別。因君尊臣卑，不論是天下，還是一國、一家，應當君令臣行，為臣者不得專恣，因為「諸侯專征，而後千乘之國有弒其君者矣；大夫專將，而後百乘之家有弒其君者矣」[52]。防微杜漸，《春秋》貶責亂臣賊子特甚。傅良說「春秋之初，罪莫甚於鄭莊」，因為鄭莊公首抗王命，是君臣名分毀壞的罪魁，所以隱桓莊閔之《春秋》於鄭多特筆。抗命已然難容，若有臣弒君、子弒父者，其罪尤不可逭。傅良說：「討賊，天下之大義

45 宋．陳傅良：《春秋後傳》，頁246。
46 宋．陳傅良：《春秋後傳》，頁249。
47 宋．陳傅良：《春秋後傳》，頁274。
48 宋．陳傅良：《春秋後傳》，頁247、頁248、頁260。
49 宋．陳傅良：《春秋後傳》，頁250。
50 宋．陳傅良：《春秋後傳》，頁275。
51 宋．陳傅良：《春秋後傳》，頁248。
52 宋．陳傅良：《春秋後傳》，頁246。

也，苟能討，雖微者得書，異邦人得書，夷狄得書。」[53]又說：「《春秋》之法，惟討賊不以內外貴賤恒稱人。是故殺大夫恒稱國，或稱人，殺他國之大夫恒稱人，或稱君，惟討賊訖《春秋》稱人，以是為國人殺之也。」[54]《春秋》本重夷夏之辨，但若能討賊，連夷狄也可以書「人」，足見亂臣賊子為天下所共惡，人人得而誅之。傅良認為《春秋》「嚴佚賊之責」，若君父被弒而討賊無人，則為《春秋》所惡。齊崔杼弒君，後因家禍被殺，齊人因其弒君而屍之於市，《春秋》卻不予齊以討賊之義。傅良說：「崔杼弒君，偃然猶在位也，而以家禍亡其宗，如是而得書，則臣子之不誠於君父者可以盜名矣。」[55]亂臣賊子應討，則死節之士可嘉。傅良說：「死節，人臣之極致也。《春秋》貴死節，雖太子不書，必大臣也然後書，大臣誼與其君存亡者也。」[56]

臣有臣職，君亦有君責。傅良認為君主違禮而紊亂君臣之分，亦在貶責之列。莊公元年「王使榮叔來錫桓公命」，文公五年「王使召伯來會葬」，《春秋》皆不書「天王」，傅良用何休之說，認為「桓以少篡長，成風以庶亂嫡，王道熄矣。而莊、襄不能正，又從而褒賞之，是以天命施之天討也，是故皆不稱天」[57]。諸侯違禮，天子不治而又獎賞之，加劇了禮制的崩潰，所以「王不書天，貶必於其重者，莫重於追錫命，故於是焉貶也」[58]。僖公五年「晉侯殺其世子申生」、僖公二十六年「宋公殺其世子痤」，傅良說：「《春秋》之法，苟有讒而不見，則其君之罪也。是故申生以驪姬之譖自殺，宋世子痤以伊戾之譖自殺，直稱君殺而已矣。」[59]指出君主若不能明察是非而致臣子枉死，雖自殺亦蔽罪其君。

總之，在傅良看來，君臣之分是禮制的基石，只有上下各守其分，社會才能穩定，《春秋》通過褒貶君大夫以寓「王法」，使後世君臣知所取捨。

## 2 謹夷夏之防

夷夏之防是《春秋》一大關目，傅良也特重夷夏、內外之辨，認為：「《春秋》為夷夏而作也。」[60]襄公二十七年宋之盟，傅良認為晉楚爭先，實先楚國，而《春秋》卻書晉於楚前，乃因「《春秋》不以夷狄先中國也」[61]。襄公十九年魯與陳、蔡、楚、鄭盟於齊，傅良認為此會實以楚為主，但《春秋》卻書陳、蔡於楚前，亦因「《春秋》不以

53 宋．陳傅良：《春秋後傳》，頁246。
54 宋．陳傅良：《春秋後傳》，頁267。
55 宋．陳傅良：《春秋後傳》，頁275。
56 宋．陳傅良：《春秋後傳》，頁248。
57 宋．陳傅良：《春秋後傳》，頁263。
58 宋．陳傅良：《春秋後傳》，頁251。
59 宋．陳傅良：《春秋後傳》，頁257。
60 宋．陳傅良：《春秋後傳》，頁253。
61 宋．陳傅良：《春秋後傳》，頁275。

夷狄會中國，則推而屬之陳也」[62]。他如與吳、越等盟會，在傅良看來無不顯示出尊華夏、貶夷狄之書法。

夷夏區分，或以地域血統為限，中原為夏，四裔為夷；或以禮制為分，行禮為夏，違禮為夷。主區域者，則為夷為夏，始終不變。主禮制者，則夷狄通過修養提高文化，可進之為夏，反之夏亦可降而為夷。而傅良似糅合二者，而特別突出了「志」的作用：諸侯有憂中國之志者則褒之為夏，反則外之為夷。僖公五年，齊桓公為首止之盟以定王世子之位，鄭文公逃歸不盟；據《左傳》宣公十一年，厲之役，鄭襄公逃楚不盟，不見於《春秋》。傅良說：「國君而曰逃，賤之也。何賤乎鄭伯？以其背夏盟也。厥貉之會，麇子逃歸不書；厲之役，鄭伯逃歸不書，蓋逃楚也。必若鄭文公逃齊、陳哀公逃晉而後書，所以示夷夏之辨嚴矣。」[63]書不書、貶不貶，在其人志之從夷還是從夏。文公十年秦伐晉，傅良說：「狄秦也，歸成風之襚，使術來聘，秦習於禮矣，則其狄之何？楚之伯，秦之力也。」[64]指出秦本來習於禮，卻被貶為狄，是因其有志於從楚，危及了諸夏安危。同樣，成公三年鄭伐許，傅良說：「狄鄭也，其狄之何？楚之伯，鄭人為之也。……是故狄秦而後狄鄭，微秦、鄭，中國無左衽矣。」[65]因為鄭國叛晉從楚，造成楚國稱霸，故外之為狄。昭公十二年，晉伐鮮虞，傅良說：「狄晉也。晉主諸夏之盟，《春秋》之狄秦，以晉故也。狄鄭，亦以晉故也。則其狄晉何？晉之君卿無中國之志也。」[66]晉為盟主，不抗楚以助華夏，卻攻打鮮虞以自利，無志於中國，故貶而外之。

應該說，以志區分夷夏，在理論上能自圓其說，成一家言。而在宋金對峙之際，其說能充分調動主體的積極性，使不同派別團結一致以抗金，也具有一定的現實意義。

### 3 嚴義利之辨

義利之辨是儒家重要論題，永嘉學派被冠以「事功」之名，講求功利成為其標籤。傅良認為《春秋》嚴義利之辨，鮮明地表達了自己重義輕利的理念。

隱公十年《春秋》書「辛未，取郜；辛巳，取防」，似乎魯國奪取二邑。據《左傳》，取郜、取防者為鄭，因魯國出師助鄭，所以將二邑贈與魯國以示感謝。傅良說：「曷為以內取書之？蔽罪於魯也。《春秋》嚴義利之辨，苟以為利，書吾取而已。」[67]桓公二年「取郜大鼎於宋」，僖公二十二年「公伐邾，取須句」，昭公九年「取鄫」，據

62 宋・陳傅良：《春秋後傳》，頁260。
63 宋・陳傅良：《春秋後傳》，頁258。
64 宋・陳傅良：《春秋後傳》，頁264。
65 宋・陳傅良：《春秋後傳》，頁269。
66 宋・陳傅良：《春秋後傳》，頁278。
67 宋・陳傅良：《春秋後傳》，頁247。

《左傳》，鼎是宋人賄賂魯國，須句是為邾所滅而求助於魯，鄫是因莒著丘公殘暴而叛之歸魯，都不是魯主動奪取，但魯都因之得利，所以傅良說：「《春秋》嚴義利之辨，苟以為利，一以取書之。」[68]莊公八年「齊無知弒其君諸兒」，據《左傳》，弒君者實為連稱、管至父，但襄公被弒，得國者為無知，所以傅良說：「《春秋》誅利心，是故連稱、管至父實弒齊襄，無知與聞故者也，而無知受之，則無知為逆首。公子棄疾實弒楚靈，比與聞故者也，而比受之，則比為逆首。苟以為利，則萬乘之國弒其君者必千乘之國，千乘之國弒其君者必百乘之家，此孟子所以深探其本而遏亂原也。」[69]指出利為禍亂本原，須遏之於未萌。故於宋襄公之伐齊立孝公、秦康公之伐晉送公子雍，皆強調：「《春秋》貴誼不貴惠，尚治不尚功。」[70]於吳公子光之弒王僚，則謂：「父子兄弟苟焉以其位為利，至於相戕賊也，天理絕矣。是故賊不書主名，以是為有國者大戒。」[71]一再表示其重義輕利之取向。

綜上所述，傅良以孔子言論為指導，融通三《傳》，取左氏事實，合公、穀大義，形成了自己的解經路徑。其於季宣之說雖有繼承，但在解釋《春秋》的方式上還是形成了自己的特色。

## 四　葉適之《春秋》學

葉適（1150-1223）字正則，號水心，溫州永嘉人。其治學從季宣、傅良遊，與傅良交遊達四十年，自言「教余勤矣」，受二人影響至深。葉適「志意慷慨，雅以經濟自負」，[72]頗有濟世之才。其自述永嘉學統，認為既重「兢省以禦物欲」，又擅「彌綸以通世變」[73]，其本人也強調欲成聖賢須「內外交相成」，力圖為永嘉學派事功思想提供理論支援，使之容納於儒家的道德理想，遂使永嘉學派得與朱學、陸學相頡頏。

具體到《春秋》學，薛季宣倡直書、陳傅良重褒貶，二人主張雖有異同，但皆主於釋經。與二人不同，葉適無意於構建系統的《春秋》學解釋體系，而是側重於即事明義，以為當下之借鑒。所以他沒有專書，其論述主要體現在《習學記言》卷九《春秋》，卷十、卷十一《左傳》，以及他篇在言及孟子、董仲舒等《春秋》學重要人物時的相關內容。另外，《水心別集》卷五有《春秋》一篇，卷六有《左氏春秋》一篇。所有這些論述雖缺乏系統性，但觀點明確，內容豐富，亦自有其價值。

---

68 宋・陳傅良：《春秋後傳》，頁248。

69 宋・陳傅良：《春秋後傳》，頁252。

70 宋・陳傅良：《春秋後傳》，頁259、頁264。

71 宋・陳傅良：《春秋後傳》，頁281。

72 元・脫脫等：《宋史・葉適傳》，頁12894。

73 宋・葉適：《葉適集》卷10《溫州新修學記》，頁178。

## （一）《春秋》之性質

今文經學與古文經學同尊《春秋》為經，認可尊王、攘夷等大義，但在釋義方式上，今文經學講褒貶，以書法為孔子所創；古文經學重直書，以書法為因於舊史。葉適認為「孔子於《春秋》蓋修而不作」，有重史傾向，更接近於古文立場。

孟子認為「世衰道微，邪說暴行有作，臣弒其君者有之，子弒其父者有之」，孔子懼，因代行天子之事而作《春秋》，書成而「亂臣賊子懼」（《孟子．滕文公下》）；司馬遷亦言孔子「作《春秋》，垂空文以斷禮義，當一王之法」，故「撥亂世反之正，莫近於《春秋》」（《史記．太史公自序》）；胡安國也說孔子「作《春秋》以寓王法」。葉適頗不以其說為然，認為「《春秋》者實孔子之事，非天子之事也」，因為「以功罪為賞罰者，人主也；以善惡為是非者，史官也」，二者並行不悖。因歷代史官各有書法，其是非不一，不盡合乎道義，所以孔子「修而正之，所以示法戒、垂統紀、存舊章、錄世變也」[74]，也就是說，孔子所行乃史官之事，意在以史為鑒，主於止惡而進善，所以並未侵人主之權而代之。

既然孔子未行天子之權，那麼今文經學據以發揮的種種大義便失去根據，且《春秋》之價值何在呢？葉適說：「所貴於孔子者，貴其存古，非貴其作古也。於其義有所不盡者發之，理有所害者更之，則亦不得已而然，不以此為功也。」[75]也就是說，孔子對舊史書法之不當者雖有更正，但意不在此。其以孔子之言為證，認為：「所謂其事則齊桓、晉文者，此《春秋》之楨幹也。」[76]亦即《春秋》主體乃是對歷史事實之敘述。又因孔子以政令自天子、諸侯、大夫還是陪臣出，斷天下之有道與否，葉適說：「《春秋》書法備此數者，因其出也見其失也，反其在下，遏其橫議，此《春秋》之繩墨也。至於凡例條章，或常或變，區區乎眾人之所爭者，乃史家之常，《春秋》之細耳，學者不可不知也。」[77]在葉適看來，以書法義例見義多虛辭妄說，不足採信，《春秋》的重要價值還是保存了東周史實，所謂「自有文字以來，凡不經孔氏者，皆息滅矣，雖堯舜猶賴之，而況衰周之煎焉？今將家至而日見之，豈非孔氏之力歟！」[78]

既然《春秋》只是保存舊史，又如何能止惡而進善呢？葉適云：「《春秋》者，道之極也，聖人之終事也。天地之大義，在於君臣、父子、兄弟、夫婦、朋友賓主之交。其尤精者，上通於陰陽，旁達於無間。古之聖人其必有以合是而出者矣。其於治人也，止惡而進善，有不同焉。」[79]指出從古至今，聖人治人皆欲「止惡而進善」，而其法有四：

---

74 宋．葉適：《習學記言序目》，1977年，頁117。

75 宋．葉適：《習學記言序目》，頁120。

76 宋．葉適：《習學記言序目》，頁119。

77 同上注。

78 宋．葉適：《習學記言序目》，頁163。

79 宋．葉適：《葉適集》，頁701。

最上者使人「止之於心而不行之於事」；其次則以「仁義禮樂」約束之；再次則以是非之名誘導之；又次則以賞罰警懾之。但此四者，在葉適看來，都還不是《春秋》所治之對象。他認為若「不幸當王道之衰，是非不公而賞罰不行」，或者有人「不惟無所喜懼而欲自為是非，不惟無所畏慕而欲自為賞罰」，這些都是當世所不能治，只能「揭而示之於無窮」，因為人會「慕無窮之名而為善，畏無窮之名而不為惡」，故：「《春秋》之所為作者，所以治夫仁義禮樂、是非、賞罰之所不能治者也。」[80]既然要示之無窮，則空言浮說難以取信，當然要見之行事而後可。而其所謂「道之極」，也不是宇宙本源之道，而是仁義禮樂、是非、賞罰不能奏效所採取的不得已之道，所以稱為「聖人之終事」。

## （二）三《傳》之優劣

葉適崇實抑虛，所以在三《傳》中最重左氏，對公、穀則貶斥不遺餘力。他認為《春秋》之義所以至今不明者，「小則以公、穀浮妄之說，而大則以孟子卓越之論故也。」[81]這是因為「公、穀按漢人以為末世口說流行之學……，口授指畫，以淺傳淺。而《春秋》必欲因事明義，故其浮妄尤甚，害實最大。然則所謂口說流行者，乃是書之蠹也」[82]，而「孟子雖曰『天子之事』，司馬遷聞之董生雖曰『禮義之大宗』，然本末未究而設義以行，吾懼褒貶之濫及也」[83]，也就是說，《春秋》需要「因事明義」，孟子及董仲舒、司馬遷等雖把《春秋》置於極高地位，但因不講求事件本末，其褒貶就可能任心而行，夾帶私義。所以他批評說：「若夫托孔孟以駕浮說，倚聖經以售私義，窮思極慮而無當於道，使孔氏之所以教者猶鬱而未伸，則余所甚懼也。」[84]《公羊傳》能在漢代取得一統地位，並在此後牢牢掌握《春秋》解釋的話語權，董仲舒功不可沒，而葉適對董仲舒也批判最切。一則說：「自漢以來，仲舒首為推明孔氏，後世咸從之，宜若修其業者。然而以《春秋》為宗，以《公羊》為師，以刻薄為義，以操切為法，顛錯倫紀，迷惑統緒，學者莫之或正，是則亂孔氏之書亦不無也。嗟夫！尊聖人而不足以知其道，若之何可哉？」[85]再則云：「以類例為義，始於《公羊》，董仲舒師之，於是經生空言主斷，而古史法沒不見矣。」[86]甚至說：「《春秋》弗脫稿，遽為陋儒迷執不置，孔子既死，又駕說以誣之，雖孟子不能辨也，故漢興最先行，而董仲舒自任以推明孔氏，尊

80 同上注。

81 宋・葉適：《習學記言序目》，頁117。

82 宋・葉適：《習學記言序目》，頁118。

83 同上注。

84 宋・葉適：《習學記言序目》，頁163。

85 宋・葉適：《習學記言序目》，頁338。

86 宋・葉適：《習學記言序目》，頁559。

奉一經，盡抹諸書，故學者慣用最深，而其道蒙蔽最甚。」[87]認為董仲舒名為推尊孔子，實際並不瞭解孔子之道，所講者特其私義，故《春秋》之大義不明，董仲舒之過最大。

對於《左傳》，葉適則大加揄揚，認為：「既有左氏，始有本末，而簡書具存，實事不沒，雖學者或未之從，而大義有歸矣。故讀《春秋》不可以無左氏，二百四十二年明若畫一，無訛缺者，舍而他求，焦心苦思，多見其好異也。」指出《左傳》使《春秋》所涉史實皆有所徵，「始卒無舛，先後有據，而義在其中，如影響之不遠也」[88]。針對公、穀學者批評左氏不傳《春秋》，葉適力為辨白，他說：「以其書考之，以理揆之，史文與國終始者也，今傳獨起惠公元妃，以為書之始。自孔子卒後，畢哀公以為書之終。其始終不以史文而以《春秋》，則此書固為《春秋》而作耳。」[89]只不過與公、穀解經之事事解釋不同，《左傳》「取義廣，敘事實，兼新舊，通簡策，雖名曰傳，其實史也」。他還進一步說左氏「作傳雖因於孔氏，而為義不主於釋經」[90]，所以《左傳》中諸如「書」、「不書」、「先書」、「故書」、「不言」、「不稱」之類，皆出於魯史之舊，並非孔子之意。而孔子對舊史之修訂，如「天王狩於河陽」之類，在葉適看來不過三四處，皆保存於《左傳》。所以，《左傳》最大價值就是「足以質傳聞之謬，訂轉易之訛，循本以知末，因事以明意而已」[91]。

通過對三《傳》的分析，葉適提出解讀《春秋》的正確原則，那就是「以道為書」，而不是「以書為道」。他說：「學者所患，因書而為道，書異而道異，故書雖精於道，猶離也。以道為書，書異而道同，折衷其然與不然，而後道可合也。然則世之言《春秋》者，因書而為道者也。」[92]因書為道則謹守師說，抱殘守缺，其道即精亦非至道。只有以道為指導，參合異同，才能終至於道。就《春秋》而言，「舍惡反善，《春秋》之道一而已矣」[93]，其方法則棄空言、求實事而已。

總之，葉適重「實政」，講「實德」，故其《春秋》學表現出鮮明的重史傾向，認為孔子意在「止惡進善」，多即事明義，所以於三《傳》獨推左氏，斥公、穀為浮說害道。除對《春秋》性質及三《傳》優劣之論述外，葉適還即事明義，亦多精論。如周任「除惡務盡」之說，葉適認為古人本就修身言，要將「自心與作事罪過處，當力鋤治斷絕，使善道增長。後世反施之於人，豈惟不能去惡，又助惡矣」[94]；又如義利關係，葉適說：「古人之稱曰『利，義之和』，其次曰『義，利之本』，其後曰『何必曰利』。然則

87 宋・葉適：《習學記言序目》，頁316。

88 宋・葉適：《習學記言序目》，頁118。

89 宋・葉適：《習學記言序目》，頁162。

90 同上注。

91 宋・葉適：《習學記言序目》，頁163。

92 宋・葉適：《習學記言序目》，頁124。

93 宋・葉適：《習學記言序目》，頁123。

94 宋・葉適：《習學記言序目》，頁130。

雖和義，猶不害其為純義也。雖廢利，猶不害其為專利也。此古今之分也。」[95]認為義利之辨不在如何講，而看如何做，對後世假道學之羞言功利者下一針砭。

# 五　結論

以薛季宣、陳傅良、葉適為代表之永嘉學派被後世冠以事功之名，或褒或貶，均突出該學派的功利色彩。但無論薛季宣、陳傅良還是葉適，都講求內外兼修，雖重事功，尤講道義。此可於三人之《春秋》學證之，季宣強調直書善惡，以別是非，同時又重視制度建設，著眼當下，鮮明表現出事功與道義並重之傾向。傅良特別引入義利之辨，重義輕利，是對批評永嘉學派者一種反駁。葉適批評假道學之諱言功利，肯定因和義而得之利，表現出義利並重之觀念。

季宣三人關係在「師友之間」，但在學術上和而不同。季宣強調直書，運用屬辭比事之法，以經釋經，貶棄三《傳》，否認有書法褒貶。傅良則兼取三《傳》，以左氏事實合公、穀大義，並以孔子之說統攝之，形成自己的《春秋》學解釋體系。葉適否認褒貶與季宣同，認為《春秋》之道在於止惡而進善，故必徵諸實事而後其義可見，故揚棄公、穀，獨尊《左傳》。三人代表了《春秋》解釋學的三種路徑，均作出了有益嘗試，價值甚高，在《春秋》學史上均應有其一席之地。

95 宋・葉適：《習學記言序目》，頁155。

# 徵引文獻

## 一　原典文獻


宋・陳傅良：《止齋集》，影印文淵閣四庫全書本。

宋・陳傅良：《春秋後傳》，通志堂經解本，江蘇：廣陵古籍出版社，1996年。

宋・葉　適：《習學記言序目》，北京：中華書局，1977年。

宋・葉　適：《葉適集》，北京：中華書局，1961年。

宋・樓　鑰：《攻媿集》，影印文淵閣四庫全書本。

宋・薛季宣：《薛季宣集》，上海：上海社會科學院出版社，2002年。

元・吳　澄：《春秋纂言》，影印文淵閣四庫全書本。

元・汪克寬：《春秋胡傳附錄纂疏》，影印文淵閣四庫全書本。

元・脫　脫等：《宋史》，北京：中華書局，1977年。

元・程端學：《春秋本義》，影印文淵閣四庫全書本。

元・鄭　玉：《春秋闕疑》，影印文淵閣四庫全書本。

清・黃宗羲：《宋元學案》，北京：中華書局，1986年。

# 從幾則「大事紀年」思索《左傳》之取材與編纂問題*

蔡瑩瑩

中研院史語所博士後研究員

## 摘要

學者論《左傳》之敘事，具優柔饜飫之美；推左氏之成書，則有廣記備言之功。然而，《左傳》實際上究竟運用了何種性質、文體、地域的「史料」？廣覽諸國載籍之後，對各種材料又如何加工編纂？在缺乏參照資料的情形下，向來是難以具體討論的課題。本文嘗試從出土文書簡所見「大事紀年」法切入，考察《左傳》中少數幾則具備「大事紀年」的特殊紀年個案，雖無法解決上述問題，唯求能稍加深入思索其涉及的史料來源與編纂問題。

本文第一部分先回顧傳統與現代學者對於《左傳》之材料來源、編纂方式的論述，並綜述出土文書發掘後引起的相關討論。第二部分討論《左傳》載錄涉及「大事紀年」的個案，分別就：《左傳》大事紀年的特性，《左傳》編／撰者對於「大事紀年法」可能具備的認識或使用方法等方面進行論析。第三部分，則就出土文獻「大事紀年法」的年份相差爭議，援引《左傳》的敘事為例，進行討論辨析。

**關鍵詞：**出土文書、大事紀年、《左傳》、歷史編纂

* 本文發表於成功大學中國文學系主辦：「第二屆《群書治要》國際學術研討會——《左傳》學之多元詮釋」，2020年9月11-12日；後經多處修改、增刪後收入會議論文集。感謝會議評論人高佑仁教授以及《會議論文集》兩位不具名審查人的悉心審閱，諸多卓識與建議都讓本文論述更為完整，謹申謝忱。

# On the materials and compilation of the *ZuoZhuan*: a comparative study of the "historic event annals" in excavated and transmitted texts.

Tsai Ying Ying

Post-Doctoral Fellow, Institute of History and Philology, Academia Sinica

**Abstract**

Focusing on the materials and compilation of the *ZuoZhuan*, this article conducts comparative research between the excavated Chu bamboo strip manuscripts and the transmitted classic *ZuoZhuan*. Observing the special annual system that using the significant historic event to represent a certain year, this article proposes reflective thinking of early Chinese historiography.

By reviewing the former research, the first part of this article points out that the special annals and calendars discovered in the excavated texts aroused a question about how different annual systems were used and unified in the early Chinese historical writing.

Secondly, this article analyzes seven "historic event annals" cases that are similar to what was discovered in the excavated texts in *ZuoZhuan*. These cases were dividing into two groups, which are: the incidents with low probability to be the real name of year but contain high narrative utility; and incidents which are more possible to be the original materials of chronology from multiple states and then adopted by *ZuoZhuan*. The later cases aroused inquiries about the *ZuoZhuan* author's proficiency to use and compile multiple annual systems.

Thirdly, this article argues that although there is only a tiny minority of the "historic event annals" in *ZuoZhuan*, the diversity of its origin and the variation of its narrative function still make it distinguished from the one in excavated texts.

In sum, the comparative study of "historic event annals" brings the complexity of the early Chinese historical writing into view.

**Keywords:** *ZuoZhuan*, "historic event annals", historiography, excavated bamboo strip

# 一　前言：《左傳》「文本史」的想像

《左傳》之經學、史學、文學價值，向為學界所公認，不待贅論；然而，此一長達十九萬餘言的巨著，究竟如何編纂而成，運用了哪些材料，卻因年代悠遠、文獻闕如而難以具體討論。歷代學者對於「左丘明」如何「作傳」，有種種推論，其中或許想像成分居多、外部證據不足，但亦有頗合事理的說法，值得深思。近世以來出土文獻／文書大量發掘，雖至今仍無質、量堪與《左傳》比擬的文本，但不少「史書」類文獻與官府文書，仍能帶來不少啟發，有助我們思考《左傳》如何形成、可能採用何種材料，並經歷何種程度的編纂與整合。本文即以「大事紀年」為例，比較《左傳》與出土文獻之相關個案，嘗試稍做討論。以下先簡述相關前賢研究，並說明本文的研究主題與方法。

## （一）傳統經史論著對《左傳》取材與編纂的論述

關於《左傳》包含哪些史料，亦即其作者曾閱讀、應用過哪些材料，歷來有豐富的說法。

司馬遷《史記・十二諸侯年表序》認為左氏在孔子《春秋》成書之後，「因孔子史記，具論其語，成《左氏春秋》」，[1]所謂「孔子史記」者，據〈年表序〉言「西觀周室，論史記舊文」，推知即孔子所觀史書或檔案。那麼我們首先可以問：《左傳》作者與孔子，有哪些「共同讀物」？

關於這個問題，周、魯之史大概是最常見的答案。「周史」如《左傳正義》引嚴彭祖曰：

> 孔子將脩《春秋》，與左丘明乘如周，觀書於周史。[2]

「魯史」則《漢書・藝文志》曰：

> 仲尼……以魯周公之國，禮文備物，史官有法，故與左丘明觀其史記。[3]

《春秋》、《左傳》行文中稱魯為「我」、至魯曰「來」、魯國國君單稱「公」等文例，都說明二書以魯史為基礎，蓋無疑義。《左傳》載昭二年韓宣子聘魯「觀書於大史氏，見易象與魯春秋」，又曰「周禮盡在魯矣」，[4]這說明魯國對周之舊章典制多有繼承保存，

1　漢・司馬遷著，日・瀧川資言考證：《史記會注考證》（臺北：藝文印書館，1972年），卷14，頁6。

2　晉・杜預注，唐・孔穎達疏：《左傳正義》（臺北：藝文印書館影印清・嘉慶20年（1815）阮元江西南昌府學開雕之《十三經注疏》本，1976年），卷1，頁11。

3　漢・班固著，王先謙補注：《漢書補注》（臺北：新文豐出版公司，1988年），卷30，頁18-19。

4　《左傳正義》，卷42，頁1。

則不論是魯史或周史，我們或可推想二者的特質或內容是較為相似的。

周、魯史冊以外，徐彥《疏》曾引閔因敘云：

> 昔孔子受端門之命，制《春秋》之義，使子夏等十四人求周史記，**得百二十國寶書**。[5]

《公羊》家詮釋《春秋》之作，自與左氏不同，此暫不論。但參考此條材料，或許可說所謂「觀書於周史」者，也可能包含觀覽周王朝所留存各國之史文。

學者也提出晉、楚、鄭、宋之史，皆為《左傳》所採納。唐・劉知幾《史通・採撰》謂：

> 觀夫丘明，授經立傳，廣包諸國，蓋當時有周志、晉乘、鄭書、楚杌等篇，遂乃聚而編之，混成一錄。向使專憑魯策，獨詢孔氏，何以能殫見洽聞，若斯之博也？[6]

啖助則舉記事細節為證：

> 予觀《左氏傳》，自周、晉、齊、宋、楚、鄭等國之事最詳，**晉則每一出師，具列將佐；宋則每因興廢，備舉六卿，故知史策之文，每國各異**。左氏得此數國之史，以授門人，義則口傳，未形竹帛。後代學者，乃演而通之，總而合之，編次年月以為傳記；**又廣采當時文籍，故兼與子產、晏子及諸國卿佐家傳，并卜書及雜占書、縱橫家、小說、諷諫等，雜在其中**。故敘事雖多，釋意殊少，是非交錯，混然難證，其大略皆是左氏舊意，故比餘傳，其功最高。[7]

如軍事部署、六卿興廢此類諸侯內政，當以各國史策為據，否則難以詳備。又提出「國史」以外，復採卜書、雜占書、縱橫、小說、諷諫、卿佐之家傳等。

不過，《左傳》既博采諸家，則我們也會設想，是否有某些史料已超過孔子所見，非二人所共？顧炎武（1613-1682）《日知錄・春秋闕疑之書》即提出《左傳》所見材料應多於孔子：

> **《左氏》之書，成之者非一人，錄之者非一世……《左氏》出於獲麟之後，網羅浩博，實夫子之所未見。……《春秋》因魯史而脩者也，《左氏傳》采列國之史**

5 漢・何休注，唐・徐彥疏：《春秋公羊傳注疏》（臺北：藝文印書館影印清・嘉慶二十年（1815）江西南昌府學刻本，1976年）卷1，頁1。

6 唐・劉知幾著，清・浦起龍釋：《史通通釋》（臺北：里仁書局，1980年），卷5，頁115。

7 唐・陸淳：《春秋集傳纂例・三傳得失議第二》，收入《文淵閣四庫全書》經部春秋類，第146冊（臺北：臺灣商務印書館，1983年），卷1，頁4-5。

> 而作者也。故所書晉事，自文公主夏盟，政交於中國，則以列國之史參之，而一從周正；自惠公以前，則閒用夏正。其不出於一人明矣。[8]

《左氏》非成於一人一世，則既有時代與孔子相距較遠之人，其所見材料，也就很可能與夫子不同了。另外，顧氏以《左傳》中夏正、周正間用現象，論證「不出一人」，實際上，這也隱含《左傳》採用不同國家的史料，故其中有夏正與周正之別，宋劉敞《春秋權衡》謂：

> 《左傳》日月與《經》不同者，多或丘明作書**雜取當時諸侯史策，有用夏正者，有用周正者**，錯雜文外，往往而迷。故《經》所云冬，《傳》謂之秋也。[9]

顧炎武在《日知錄》「三正」條曾引及劉說，[10]可證二人見解相同。

相對的，趙翼（1727-1814）《陔餘叢考．左傳所本》則認為《左傳》所本的史料當與孔子同，只是沒有受到「史不書於策，故夫子不書於經」的限制，是以能更豐富、完整：

> 《左傳》所本，採擇甚多。……其本國之事，凡政之大者及君所命，則書於策，非此，則但別為記載……杜預所謂「史不書於策，故夫子不書於經」是也。**然夫子雖不書於經，而記載自在，故左氏得據以推聖人不書之本意**。至他國之事，凡來赴告者則書於策，不告則不書。……**然雖不書於策，而列國自有記載，魯國亦有得之傳聞而別記之者，故左氏得以補聖人之所未修，而詳其始末**。[11]

值得注意的是，趙氏認為《左傳》不僅採擇多國史文，並且不管是魯國或他國「史書」，都不止一種，乃有「別為記載」者。錢綺（1798-？）《左傳札記．總札上》亦指出：

> 《左傳》一書，博采各國史冊合成之，其所載各國事皆有蹤跡可循。如**晉之軍制、宋之六官、鄭之辭令，在所獨詳。王言似周書，秦官合秦制，皆本史如此**，左氏次其歲月，連而屬之，事雖遠隔，無不相應，洵後來史家所不及也。[12]

除了前文提及的晉、宋、鄭之外，又舉「王言似周書，秦官合秦制」，指出在內容方

---

8 顧炎武著，陳垣校注：《日知錄校注》，收入《陳垣全集》（合肥：安徽大學出版社，2007年），頁160-162。

9 宋．劉敞：《春秋權衡》，收入《文津閣四庫全書》，經部春秋類第143冊（北京：商務印書館，2006年），卷1，頁20。

10 《日知錄校注》，頁164-165。

11 趙翼著，曹光甫點校：《陔餘叢考》（上海：上海古籍出版社，2011年），上冊，頁38-39。

12 錢綺：《左傳札記》，影印中國科學院圖書館藏清咸豐八年錢氏鈍研廬刻本，收入《續修四庫全書》，經部春秋128冊（上海：上海古籍出版社，2014年），卷1，頁19。

面，《左傳》應採納諸國之「本史」而加以聯屬合成。

上引顧、趙、錢之論，同時指向了《左傳》所採擇的史料，除國別不同外，還有「性質」或「文體」之差異。劉師培（1884-1919）《讀左札記》列舉《左傳》中各類長篇言辭，認為：

> 特左氏於孔子所講演者，復參考群書，傳示來世。今觀《左傳》所記載，若臧哀伯諫君之語；王子朝赴告之文。僖伯諫君觀魚；富辰諫王納狄。王孫勞楚，備詳九鼎；季札觀樂，綜論《國風》。郯子聘魯，言少昊以鳥紀官；魏絳合戎，言夷羿以田覆國。子革諷楚靈王，則上溯分封之禮；祝陀對周萇叔，則詳徵盟會之文。推之，呂相絕秦，述兩國世隙；聲子班荊，稱楚材晉用。**語詞浩博，多或千言。當仲尼講授之時，不過僅詳大旨，必非引誦全文，蓋左氏復據百二十國寶書以補之耳。**[13]

劉氏認為這些長篇素材「多或千言」，就算是孔子「口授弟子」之時，也很難「引誦全文」，故推論其必本於其他書面文獻；而觀劉氏所舉例，多屬「語詞浩博」的「諫語」或「文辭」，較前人重視的軍制、職官、曆法不同，可說點出了另一種《左傳》取材的來源或體裁。[14]

綜上所述，歸納傳統學說對《左傳》採取過哪些史料、又如何編纂的論述，分為幾個方面：就史料之國別言，學者認為《左傳》之取材，基底為周、魯史官所記之史策，此類材料應是左氏與孔子所共見；另採晉、楚、宋、鄭、秦諸國之史，可能也是官方史書居多，並或有超過孔子之時、空所能見者。就史料之性質言，除了上述的官方史記外，《左氏》又採納諸子、策士立說之內容，權卿、大夫之家傳，乃至「語詞浩博」的長篇言辭，這些材料增添了《左傳》記事之豐富多元，但也可能隱含了虛實混雜，是非難辨的問題。就史料之編纂方法言，則學者似普遍認為《左傳》主要將眾多史料「編次年月」、「連而屬之」，即按時間次序編排，對於內容則沒有巨大的改動，乃「本史如此」。

爰此，本文提出的第一個思考是：如學者指出，春秋各國很可能使用不同的曆法，甚至不同的紀年方式。那麼《左傳》博采各國史冊，也必然面臨各國時間紀錄的不一致，則其「聚而編之，混成一錄」的「編次」之功，實也不容小覷，甚至會比想像中更具難度。而目前透過出土文獻的對照，也看到《左傳》疑似保留了極少數、特殊的時間

---

13 劉師培著，萬仕國點校：《劉申叔遺書》（揚州：廣陵書社，2014年）第二冊，頁838-839

14 此議同時關涉《左傳》文字與戰國縱橫之風的關係，張高評《左傳之文學價值》（臺北：文史哲出版社，1982年），第十一章〈為戰國縱橫之筆端〉已有詳盡討論，其指出雖部分個案如「呂相絕秦」、「聲子說楚」，確實會令人感到「雄辯詛詐，真遊說之士、捭闔之辭」，但整體而言《左傳》不論在文風、思想層面，仍與戰國策士有別。「蓋左氏據百國史書以為傳，雖有討論潤色，而質者徵其質，文者見其文，時中而已，直書而已。」（頁188）

紀錄方式，則仔細分析這些少數個案，嘗試回推《左傳》曾經採納的部分「史料」性質、特徵，是本文的第一個目標。

## （二）現代學者對《左傳》取材與編纂的論述

在前人基礎上，現代學者對《左傳》取材、編纂的議題，有更多理論性的假設，也有更具體的個案討論。必須說明的是，二十世紀初出現的「《左傳》為劉歆偽造」、「《左傳》《國語》為一書分化」等議，其中部分討論也涉及「取材、編纂」之推想，但此議牽涉過廣，又基本上已為學界所淘汰，故相關論述均暫省略。由於現代研究成果相當豐富，以下分別就中文學界、西方漢學界之研究撮述其要，出土文獻與此議相關者例證不多，歸入後一項討論。

### 1 承先啟後與議題深化

現代學者對於《左傳》之取材內容的討論，很大程度繼承傳統論述的優點，然因研究取向改變，仍有不同開展：一方面，對於《左傳》取材的分類方式與性質認識，有新的見解或分類方式；另方面，對於《左傳》作者如何主導、統整材料，也有更多關注和理論假說。

楊向奎〈論《左傳》之性質及其與《國語》之關係〉一文談及《左傳》之「凡例」問題時，同意前引啖助之說，認為《左傳》來源非一，並主張其中「書法、凡例」乃是：

> **《左傳》編者同時流行之禮論也**，當時雖有其論，而未必有人本之實行，尤未必有人本之修史。[15]
>
> ……然書法、凡例與《左傳》記事，固非同一來源。蓋《左傳》記事本與各國策書舊文，《左氏》作者取而編裁，**再加入當時之禮俗禁忌等以成其所謂書法、凡例者**。[16]

則《左傳》之取材，除了前述的諸侯國史、文籍家傳外，又增添了當時之「禮俗禁忌」。

趙光賢〈《左傳》編纂考〉[17]亦主張《左傳》之內容來源可以分為「記事」與「解經」兩類，後者乃較晚才加入《左傳》之中。此一論斷稍有武斷之嫌，[18]但其提出《左

---

15 楊向奎：〈論《左傳》之性質及其與《國語》之關係〉，《繹史齋學術文集》（上海：上海人民出版社，1983年），頁191。

16 同上，頁189。

17 趙光賢：《左傳編纂考》（上）、（下），《中國史文獻研究集刊》第1、2集（長沙：岳麓書社，1980年、1981年），頁135-153、45-58。

18 所謂《左傳》有「記事」、「解經」二類文字，劉逢祿已有此說，不過劉氏乃因此主張「解經」文字乃劉歆所偽纂，趙光賢則主要在闡明《左傳》的史書性質，沒有劉氏那麼激烈的主張。相關述評可

傳》具有文本層次上的不一致性，則仍值得重視。另外，趙氏也指出《左傳》記事包含不同「文體／體裁」：

> 《左傳》記事中往往有這種情況，在一大段記事中全無日月，**中間突然有一段日月非常分明，文體迥然不同**。……這類記事的特點是：文句簡短，月日明確，沒有鋪敘描寫。這是當時史官記事的體裁，是原始紀錄，時間最早，也最可信。[19]

王和〈《左傳》材料來源考〉就趙說進一步發揮，認為《左傳》中除了正式國史——如《春秋》經文一類簡要的記事——外，還採取「各國史官的私人記事筆記」與「流行於戰國前期的、關於春秋史事的各種傳聞傳說」，[20]並加以匯編成書。王和的分類實與上引啖助說相似，差異在於王氏所謂「史書」再加細分，特標「史官的私人筆記」一目，認為其與國家典藏的「國史」有時限、書法上的不同。又，王氏在〈《左傳》的成書年代與編纂過程〉進一步以「月日紀錄詳細」為標準，考察鄭、晉、魯、齊、周、楚、宋、衛諸國史事在《左傳》的記錄情形，指出鄭、晉、魯可能是《左傳》採取官方史書材料者最多的國家。[21]過常寶〈《左傳》源于史官「傳聞」制度考〉[22]則融合上述趙、王所論，以及部分「瞽史口傳」說，[23]將所謂「史官筆記」分為官方正式赴告，內容為片段式的「承告」與史官內部口頭流傳，情節較完整的「傳聞」。

上述諸說以「日期紀錄特詳者」為史官所書的原始／一手材料，可謂合理的推論。就常理而論，此種細微、瑣碎的紀錄，遭到蓄意且大量偽造的可能性較低，且流傳口耳之間的「傳聞」也不會專意於日期的細節，而會比較重視歷史人物之言行、功過等面向，故《左傳》中保留的日期，確實可能是當初取材「本史如此」。但筆者也必須補充兩點考慮：第一、此一論述無法反推為「凡無詳細月日者，均非來自官方史冊」，王和

---

參陳銘煌：《春秋三傳性質之研究及其義例方法之商榷》（臺北：國立臺灣大學中國文學研究所碩士論文，張以仁教授指導，1991年6月）。沈玉成、劉寧：《春秋左傳學史稿》（南京：江蘇古籍，1992年）從學術史的角度切入，指此類說法為「《左氏》不傳《春秋》」說的延伸發展，批評其假立一難以驗證存在與否的「歷史雜著」，只為了強調《左氏》敘事獨立，非《春秋》之傳（頁373-382）。此一批評相當中肯，本文關注的則是這些學者就《左傳》的「編纂」議題，提出過哪些可能成立的假說或素材。

19 趙光賢：《左傳編纂考》（下），頁53-54。

20 王和：〈《左傳》材料來源考〉，《中國史研究》，1993年第2期，頁16-25。

21 王和：〈《左傳》的成書年代與編纂過程〉，《中國史研究》，2003年第4期，頁33-48。

22 過常寶：〈《左傳》源于史官「傳聞」制度考〉，《北京師範大學學報》，2004年第4期，頁32-37。

23 所謂「瞽史口傳」，指學者主張《左傳》有部分內容取材自當時「瞽史」的口頭傳誦，較為著名的論述有楊寬：《戰國史》（上海：上海人民出版社，1998年）、徐中舒：《左傳選．後序．左傳的作者及其成書年代》（北京：中華書局，1964年）、閻步克：《樂師與史官——傳統政治文化與政治制度論集》，北京：三聯書店，2001年），另外《春秋左傳學史稿》也傾向贊成此說（第十二章第三節〈左傳的編定問題〉，頁394-397）。

傾向將《左傳》中沒有明確日期的敘述，歸類為非官方的「傳聞傳說」，筆者不能同意。第二、即使具備詳細的日期，某些特定材料也仍有後世附加，或者並非實錄／第一手材料之可能，如新城新藏、張培瑜等學者都曾討論《左傳》的日食紀錄，其同樣年、月、日俱全，但仍有無法與現今科學技術測定的日食資訊重合者，[24]這些很可能是戰國時人以當代知識反推春秋日食而加入的錯誤資訊；《傳》文所記干支，也有少部分出現難以圓滿解釋的錯誤。[25]

## 2 新觀點與新材料：西方漢學與出土文獻研究

西方漢學界對《左傳》的分析，一方面略帶「解構式」的眼光，強調其中具有「拼湊」或「異質」特性的內容；另方面則認為《左傳》作者有意識地整合、建構不同素材，以傳達自身的理念。

孫康宜、宇文所安主編《劍橋中國文學史》第一章〈早期中國文學：開端至西漢〉由柯馬丁撰寫，其認為：

> 《左傳》敘事的建構性與拼湊性，在很多嵌入的說教段落、典型場景的簡短片段中表現得特別明顯；**這些簡短的段落，在最終被植入《左傳》的語境之前一定曾獨立存在過**。這些簡短段落或許代表了更早時期的軼事體風格。[26]

其明確指出《左傳》包含了各種「獨立存在過」的軼事。李惠儀《左傳的書寫與解讀》與〈宏旨與細節：從左傳與先秦兩漢幾個相關故事談起〉等書、文，亦重視《左傳》的「異質性」與「文本層積」，試圖從看似完整的敘事中，揭露各種不同的「教訓」（lesson）與不協調的細節。[27]鮑則岳（William G. Boltz）的研究則更為極端，其提出「文本構件」（textual building blocks）的概念，認為不論傳世、出土文獻，都可以拆解為最小以「一簡」為單位的單元或構件，其研究以思想類文獻為主，但鮑氏也曾以《左

---

24 張培瑜：〈試論《左傳》《國語》天象紀事的史料價值〉，《史學月刊》2009年第1期，頁68-78。案：關於《左傳》之天象載錄，牽涉議題甚廣，尤以日食、歲星為最，考量篇幅，不展開討論。

25 如宣十二年《春秋》經書「六月乙卯」，《左傳》記六月有「丙辰」日，根據目前學者推算（張培瑜：《中國先秦史曆表》（濟南：齊魯書社，1987年），該年六月朔為癸酉日，不可能有乙卯、丙辰兩個日期。楊伯峻《春秋左傳注》（北京：中華書局，1995年）認為當是七月的日期（頁717、743）。

26 孫康宜、宇文所安主編，劉倩等譯：《劍橋中國文學史》（北京：生活・讀書・新知三聯書店，2013年），頁80。

27 李惠儀：*The Readability of the Past in Early Chinese Historiography*, Cambridge: Harvard University Press, 2007. 中文本由文韜、許明德翻譯：《左傳的書寫與解讀》（南京：江蘇人民出版社，2016年）。李惠儀：〈宏旨與細節：從左傳與先秦兩漢幾個相關故事談起〉，國立政治大學主辦「2019王夢鷗教授學術講座」，2019年3月11日，網址：https://chinese.nccu.edu.tw/adplay/adplay.php?Sn=77。

傳》為對象，認為其在「神降於莘」的敘事上，取用過某種一簡24字的文本素材，[28]可惜的是此一研究當然沒有實質證據，只能視為從出土文獻研究延伸而擴及傳本文獻的假說。

隨著出土文獻發掘，現代研究者，比起以往又多了一些可資參考、討論的新材料：在睡虎地秦簡《日書》的〈秦楚月名對照表〉出土以後，學者發現楚國的月名自有一套系統，並且其中稱呼寅月的「刑夷」（又作「㓝 𡰣」）很可能就是《左傳》莊公四年、宣公十二年兩見，皆與楚有關的「楚武王荊尸」、「荊尸而舉」。[29]《左傳》「荊尸」二字，杜《注》、孔《疏》皆以為是楚「軍陣」的專有名詞，[30]而出土文獻「月名」說一出，立即引發學界正反論駁（詳下文），[31]也有試圖調和者，以為「荊尸」確實原如杜預所言，在春秋時期指某種軍陣，但在後世（亦即雲夢簡的時代）演變為月份名稱。[32]不論如何，論者的最大共識，乃承認傳世、出土文獻的「荊尸／刑夷」為楚地用語，並與戰爭軍事或直接、或間接相關，此一發現仍可說是為歷代「《左傳》採納周、魯以外諸國史冊」的說法，帶來了實質的考古證據。

本文於此並非試圖解決「荊尸」究竟該解為「月名」或「軍陣」的問題，但藉著此一討論的正、反雙方論點為例，正可看到出土材料的發掘，如何激發我們思考有關《左傳》的「編纂」問題。比如：擁護「軍陣」說而質疑「月名」者，討論魯莊四年《傳》「春，王三月，楚武王荊尸」的紀錄，指出該年正月實建丑而非建子，故所謂「王三月」為「卯月」，與「荊尸」所對應的「寅月」並不合。但筆者以為，要質疑「月名」，或不必討論該年如何建正，我們只要從更根本的紀錄內容上質疑：若說莊四年此處兩句講的都是月份，一為周曆，一為楚曆，那為何《左傳》要重複記錄兩次月份名稱（暫不

---

28 Boltz, William G. "The Composite Nature of Early Chinese Texts," in Martin Kern, ed., Text and Ritual in Early China. Seattle: University of Washington Press, 2007, pp. 50-78.

29 《左傳正義》，卷8，頁9；卷23，頁5。

30 莊四年杜《注》：「尸，陳也；荊，亦楚也。更為楚陳兵之法。」孔《疏》：「今始言荊尸，則武王初為此楚國陳兵之法，名曰『荊尸』。」《左傳正義》，卷8，頁9。

31 湯志彪、芮趙凱：〈也談《左傳》中的「荊尸」〉（《東北師大學報》，2017年第6期，頁137-142）對歷代「荊尸」的解讀，有相當清楚的綜述。對新出土證據的接受方面，提倡以「月名」解釋《左傳》者，如曾憲通：〈楚月名初探——兼談昭固墓竹簡的年代問題〉，《中山大學學報》，1980年第1期，頁97-107。于豪亮：〈秦簡〈日書〉記時記月諸問題〉，中華書局編：《雲夢秦簡研究》，北京：中華書局，1981年，頁351-357。楊伯峻《春秋左傳注》亦介紹此說，唯態度保留，理由是按文意觀之，《左傳》「荊尸」當為軍事相關的動詞。明確反對「月名」而支持舊說者，如陳恩林：〈《春秋左傳注》注文商榷五則〉，《吉林大學社會科學學報》2000年第4期，頁77-81。王紅亮：〈《左傳》之「荊尸」再辨證〉，《古代文明》第四卷第四期（2010年10月），頁58-67。

32 李學勤：〈《左傳》「荊尸」與楚月名〉，《文獻》2004年第2期，頁17-19。此外也有少數自創新解者，則與出土材料未必有關，如李宗侗：《春秋左傳今注今譯》（臺北：臺灣商務印書館，1971年）解釋宣十二年「荊尸而舉」認為「荊尸是楚王所做的政法」（頁577）。張君提出「祭祀說」（〈「荊尸」新探〉，《華中師院學報》（哲學社會科學版）1984年第5期，頁41-47）。

論其能否對應)，而不是在「編次年月」的過程中，直接統合為常用的序數月份？

又比如：擁護「月名」者對「軍陣」說的常見質疑，則是認為如此一來，「楚武王荊尸」的動詞不明，於文法不合。但是，就筆者所見目前楚地文書的年月紀錄文例，就算將「荊尸」視為「月名」，也不合於出土文書「某某之月、某某之日」的格式。則吾人可能必須承認這句話在文法、文字上，已經無法獲得圓滿的解釋，[33]不論採「月名」或「軍陣」，都很可能指向此句有所缺漏或誤倒，而這些缺漏或誤倒究竟在何時產生，更是難以釐清，甚至我們還要考慮：是否在《左傳》的成書過程中，其編撰者也有可能不完全清楚所謂「荊尸」的意思或用法？

綜上所述，現代學者對《左傳》所採用史料的研究，承繼前人者不少，並著重分析《左傳》的文本組成，釐清其中不同性質的文本層次；但研究目的則多已不同於傳統學者論述左氏如何觀書作《傳》，而轉為論證《左傳》的具體成書時代及其編／作者的可能背景，並連帶論及《左傳》與《春秋》、《國語》乃至其他戰國文獻的關係。而與傳統學者更加不同的研究條件是，現在我們有了出土材料帶來的思考激盪，加以不同學術背景的研究者對先秦古書的形成也提出更多可能性或假說，帶來了更寬廣的想像。本文的第二個思考是，若我們承認《左傳》對各種史料的彙整與編纂，那麼是否可以更深入的追問：在編纂與流傳的時程中，其編／作者（們），是否都熟習每一不同區域、不同文化的史料內容，在文本形成過程中的取捨或辨識，有無產生偏誤的可能？透過出土材料的對照，我們是否能夠觀察到更多編纂的遺跡或線索？

出土文獻大量發掘以後，對於《左傳》所載錄的歷史內容，諸如事件、人物、地點、名物等，確實增添不少清晰、堅實的「二重證據」。但是，關於《左傳》的「文本」本身的物質證據，卻始終進展有限。換言之，學者總是盼望有朝一日能夠目睹漢代以前的《左傳》寫本出土，讓我們更加清楚這部經典的身世與具體成書環節。但此一盼望至今仍是奢望，也導致關於《左傳》「文本史」的研究難以展開。[34]本文嘗試討論

---

33 案：相對而言，宣十二年的「荊尸而舉」，似乎從「月名」較能講通，該段為隋會論說為何晉不敵楚，其分別由「德、刑、政、事、典、禮」六方面論楚之用師，此六項又兩兩一組形成論述。其中「昔歲入陳，今茲入鄭，民不罷勞，君無怨讟，政有經矣。荊尸而舉，商農工賈，不敗其業，而卒乘輯睦，事不奸矣。」兩小段分別對應「政」與「事」，而主旨可說都與「時間」有關。前項「昔歲入陳，今茲入鄭」指楚發動戰爭頻率之密集，而「民不罷勞」；後項所謂「荊尸而舉」，則應指從「荊尸之月」舉兵至今，歷時長久，而竟未影響「商農工賈」等民生產業，兵士亦「卒乘輯睦」，沒有怨言。最後又謂「德立、刑行，政成、事時，典從、禮順」，「荊尸而舉」云云對應的結果正是「事時」，則此句往「時間」方面進行解釋的可能性似乎很大。（文長不具引，見《左傳正義》，卷23，頁4-7）

34 尤其在帛書本《老子》、《戰國縱橫家書》，竹簡本《詩》、《書》、《易》相繼問世之後，為早期中國文本的抄寫本文化特質、傳本與寫本比較研究等方面，開啟了新的可能。但至今仍沒有關於《春秋》、《左傳》、《國語》的完整發現，也使得我們對於漢代以前這類長篇史著的實際樣貌，難有更細節的了解，更無從透過傳本與寫本之比較，理解經典文本從形成到定型的階段與轉變過程。

《左傳》可能採納的「史料」性質、特徵，並尋找其中的編纂痕跡，甚至可能發生的錯誤，就是試著思考《左傳》「文本史」研究的微小可能性，這當然是難有定論且牽涉廣泛的課題，非一人一文可以解決。本文謹就上述前賢研究所帶來的啟發與問題意識，先嘗試從「編次年月」的方向切入討論，而《左傳》中，確實有少數與「編年」、「紀年」相關的特殊紀錄，可與出土材料相呼應。以下就出土文書中發現的「大事紀年」法與《左傳》近似「大事紀年」的敘述方式加以比較，期能拋磚引玉。

## 二　《左傳》「大事紀年」的取材與編纂思考

本節先略述「大事紀年」的文例與基本特徵，統計並概述《左傳》的「大事紀年」個案。接著針對《左傳》之「大事紀年」，分別有二項討論：先排除其中筆者認為具有「敘事效用」的部分案例；次則討論其餘「大事紀年」對於《左傳》「如何編纂」所能提供的思考。

### （一）《左傳》「大事紀年」的基本特徵：兼與出土文書比較

所謂「大事紀年」，又稱「以事紀年」、「大事繫年」等，係指以「某事件＋之歲（之年）」的形式，代指某一年份的紀年用詞。最早在西周時期，已有不少個案見於銅器銘文，不稱「歲」而稱「年」，如：

> 《小克鼎》：唯王廿又三年九月，王在宗周，王命膳夫克舍于成周遹正八師之年。（《集成》02796）
>
> 《子鼓𩰫簋》：眔子鼓𩰫鑄旅簋，唯巢來伐，王令東宮追以六師之年。（《集成》04047）
>
> 《爰尊》：唯十又三月既生霸丁卯，臤從師雍父戍于𠭯𠂤之年。（《集成》06008）[35]
>
> 《㪔甗》：唯十又〈二〉月，王〈令〉南宮〈伐〉〈虎〉方之年，〈唯〉正〈月〉既死霸庚申。[36]

上述幾則資料，或序數紀年與大事紀年並行，或先言月份後言紀年，或有兩個月份，似

---

35 以上銘文資料根據中央研究院歷史語言研究所金文工作室：「殷周金文暨青銅器資料庫」，網址：http://www.ihp.sinica.edu.tw/~bronze。

36 銘文引自孫慶偉：〈從新出㪔甗看昭王南征與晉侯燮父〉，《文物》2007年第1期，頁65。

乎各有不同的書寫規則；不過在對年份的命名選擇上，可以看出皆挑選重要軍事行動作為「大事紀年」的名稱，這與戰國時期的歲名訂定原則仍有呼應之處。因西周時期非本文探討時段，暫不詳論。[37]

春秋以後，則楚地出土文書、文物更多見此種紀年法，且其應用原則也較清楚、一致，如著名的《鄂君啟節》(《集成》12110）開頭稱「大司馬昭陽敗晉師於襄陵之歲」，據目前研究考訂，事在楚懷王七年，西元前322年，相同紀年名稱又出現於《包山楚簡》，推知此時期「大事紀年」的應用，在楚國內部已趨規整、統一。學者對此類紀年法已有非常豐富的研究，[38]筆者在〈論《左傳》與出土文獻的「大事紀年」形式與敘事特色〉[39]與博士論文的部分章節也已簡單討論、歸納大事紀年法的命名原則與使用特色如下：

一、以什麼事件作為一年的代稱／歲名，[40]由官方決定並通行，原則是本國重大事件如朝聘、軍事。歲名的稱呼穩定且不相混淆，唯在一定範圍內偶見簡省情形。用來當作「歲名」的事件，純粹用作年份的代稱，與繫於該年份下的紀錄事件沒有關係。

二、作為歲名的事件，屬重大事件，其年代多數可考知，但與其代指的實際年份是否一致或可能相差一年，[41]學界尚有爭議。

---

37 相關研究可參考王暉：〈論西周金文記時語詞及大事系「年」的史學意義——史書編年體探源〉，《古文字與中國早期文化論集》（北京：科學出版社，2015年），頁302-328。

38 相關研究有王紅星：〈包山簡牘所反映的楚國曆法問題——兼論楚曆沿革〉，收入湖北省京沙鐵路考古隊編：《包山楚墓》（北京：文物出版社，1991年）〈附錄二十〉，頁521-532。王勝利：〈包山楚簡曆法芻議〉，《江漢論壇》，1997年第2期，頁58-61。劉彬徽：〈從包山楚簡紀時材料論及楚國的紀年及楚曆〉，收入湖北省京沙鐵路考古隊編：《包山楚墓》〈附錄二一〉，頁533-547。武家璧：〈包山楚簡曆法新證〉，《自然科學史研究》，第16卷第1期（1997年），頁28-34。林素清：〈從包山楚簡紀年材料論楚曆〉，《中國考古學與歷史學之整合研究》（臺北：中央研究院歷史語言研究所會議論文集之四，1997年），頁1099-1121。邴尚白：〈楚曆問題綜論〉，《古文字與古文獻》試刊號，1999年，頁146-187；邴尚白：《葛陵楚簡研究》（臺北：臺大出版中心《國立台灣大學文史叢刊137》，2009年）。商艷濤：〈略論先秦古文字材料中的大事紀年〉，《中國歷史文物》，2008年第1期，頁83-88。劉彬徽：〈楚國紀年法簡論〉，《江漢考古》1988年第2期，頁60-62。吳良寶：《戰國楚簡地名輯證》第一章〈楚簡紀年資料所見國名〉（武漢：武漢大學出版社，2010年），頁1-36。夏含夷：〈原史：紀年形式與史書之起源〉，收入陳致主編：《簡帛・經典・古史》，頁39-46。朱曉雪：《包山楚簡綜述》之統整（福州：福建人民出版社，2013年），頁73-741。

39 蔡瑩瑩：〈論《左傳》與出土文獻的「大事紀年」形式與敘事特色〉，陳躍紅主編：《越界與整合：第二屆兩岸四校中文學術營論文集》（成都：四川人民出版社，2018年），頁14-31。

40 案：「歲星紀年」法，以歲星位置稱呼年代，也稱「歲名」。本文取意較寬泛，即所有年份的「代稱」都可以叫「歲名」，這是因為佔總體數量最多的楚文書大事紀年均稱「某某之歲」。由於本文不討論歲星紀年法，不致混淆，祈讀者諒察。

41 即：依常理而言，我們不可能在一年之初就「預知」本年度會發生哪些「大事」作為今年的歲名，

三、目前所出春秋戰國時期的「大事紀年」法，主要見於楚地所出文物、文書，其他地區的出土材料尚未見到。[42]

《左傳》中稱引「大事紀年」的紀錄有以下七則：

| 稱引時間 | 歲名事件：紀錄事件 | 歲名年份 | 歲名事件性質 | 歲名／紀錄事件所屬國家 | 稱引或說話者 | 歲名事件載於《春秋》 |
|---|---|---|---|---|---|---|
| 1.襄九年，前564 | 會于沙隨之歲：寡君以生 | 成十六年，前575 | 盟會 | 魯晉齊衛宋邾／魯 | 魯季武子，晉侯 | 是 |
| 2.襄廿五年，前548 | 會于夷儀之歲，齊人城郟，其五月：秦晉為成 | 襄廿四年，前549 | 盟會、築城 | 盟會：魯晉宋衛鄭等國；城：齊周／秦晉 | 作者敘述 | 是 |
| 3.襄廿六年，前547 | 齊人城郟之歲，其夏：齊烏餘以廩丘奔晉 | 襄廿四年，前549 | 築城 | 周齊／齊晉（魯衛宋） | 作者敘述 | 否 |
| 4.襄卅年，前543 | 魯叔仲惠伯會郤成子于承匡之歲也：是歲也，狄伐魯 | 文十一年，前616 | 盟會 | 晉魯／狄魯 | 晉卿、師曠 | 是 |
| 5.昭七年，前535 | 鑄刑書之歲，二月：或夢伯有介而行 | 昭六年，前536 | 鑄刑書 | 鄭／鄭 | 作者敘述 | 否 |
| 6.昭七年，前535 | 晉韓宣子為政聘于諸侯之歲：婤姶生子，名之曰元 | 昭二年，前540 | 聘問 | 晉魯齊衛／衛 | 作者敘述 | 是 |
| 7.昭十一年，前531 | 蔡侯般弒其君之歲也：歲在豕韋，弗過此矣，楚將有之。 | 襄卅年，前543 | 弒君 | 蔡／預言楚將有蔡 | 周天子、萇弘 | 是 |

故有學者主張可能是以「前一年」的重要事件為「今年」命名，故實際記載會相差一年。下文〈三〉會就此點加以討論。

42 改寫自拙文：〈論《左傳》與出土文獻的「大事紀年」形式與敘事特色〉，頁16-17。案：此處引文與下列表格，為更清楚表達，皆有些微修改，祈讀者諒察。

先對本表欄目稍加說明：本表第一欄，是《左傳》作者或人物言談實際稱引「大事紀年」的時間點，稱為「稱引時間」，使用魯十二公之年份，並標明西元年。第二欄中，用來代稱年份的事件，亦即所謂「大事紀年」之「大事」，如「鑄刑書」、「齊人城郟」等，稱為「歲名事件」；而繫於大事紀年之下，也就是稱說者真正要講述的事件，如「秦晉為成」、「婤姶生子」等，則稱為「紀錄事件」，二者以「：」區隔。第三欄為「歲名事件」之絕對年份，亦即「鑄刑書」、「韓宣子為政聘于諸侯」等「大事」真實發生的時間點，稱為「歲名年份」，亦使用魯十二公與西元年輔助標示。

《左傳》大事紀年的重要特徵是：其並未真正用「大事紀年」來紀錄「當年」之事，蓋因魯國十二公的序數紀年系統穩固，沒必要插入另一套系統。故《左傳》涉及「大事紀年」者，都用於「追述前事」：或於相關人物言談中回顧過去，或由作者敘述某事件之前因，亦即：《左傳》的「稱引時間」（表格第一欄）與「歲名年份」（第三欄）有一至七十餘年不等的時間差。相對的，目前所見出土文書，則直接使用「大事紀年」取代序數記年，亦即其稱引時間就是歲名年份。《左傳》「大事紀年」用於「追述前事」的特色，一定程度上會影響我們對其來源史料的考察，下文（二）會就此繼續討論。

另外還有幾個特色是：《左傳》中不論「歲名事件」或是稱說此事之人，幾乎都與楚國無涉，不同於目前所見出土材料皆出楚地；《左傳》「歲名事件」的性質，與出土文書略有不同，如鑄刑書、弒君。下文即針對這些特色嘗試討論。

## （二）《左傳》疑非原始「大事紀年」的案例

本文研究目的，既是討論透過「大事紀年」的例子，能否見出《左傳》所採擇的「史冊」可能是何種面貌，那麼我們當先排除其中幾個可能已不屬於原始「大事紀年」之史冊紀錄，或指出其中可能已經過改動、修飾的例子，即上表套灰底的第1、4、7例。筆者在前期研究中，已經針對第4、第7二例，[43]論其「敘事特色」，以下論此二例會較為減省，而尚未詳論的第1例則會加強分析。

先看最簡單的第7例，「蔡侯般弒其君之歲」雖屬大事，但事涉弒君，顯然不可能是蔡國的紀年名稱，其他國家也不應以別國凶事紀年。又，說話者萇弘乃預告楚將有蔡，很顯然「歲名事件」（弒君）與話說者的「預言」（蔡將有禍）有某種因果連結或呼應。相反的，出土文書所見歲名僅用於代稱年份，沒有蘊含言說者勸諫論說之深意，亦不象徵或預示將來事件。兩者之敘述應用，顯極為不同。

第1例看似正規「大事紀年」，其情境是晉侯詢問魯襄公的年紀，季武子答以「會于

43 蔡瑩瑩：〈論《左傳》與出土文獻的「大事紀年」形式與敘事特色〉，第二節〈《左傳》「之歲」紀年的敘事特色〉，頁22-25。

沙隨之歲，寡君以生」，晉侯則應曰：「十二年矣，是謂一終，一星終也」。[44]所謂「星終」，即歲星一終，這讓我們注意到第1例與第7例的共同特性，即追述者所稱「歲名」與當下的時間，正好相距十二年。此十二年之差，與另一種紀年方式「歲星紀年」相同，筆者認為此種跨度長遠的「大事紀年」與「歲星紀年」的敘事特質，乃強調某種「循環終始」：

> 在《左傳》人物的言談中，都呈現出一種對「歷史」的深刻回顧與對「天道」的敬慎反省，其跨越的年代也自然是以長遠為佳。[45]

進一步言，「會於沙隨」此一歲名事件，與季武子應答晉侯的時空有何呼應呢？在魯襄公出生的成十六年，《左傳》載沙隨之會：

> 秋，會于沙隨，謀伐鄭也。宣伯使告郤犨曰：「魯侯待于壞隤，以待勝者。」郤犨將新軍，且為公族大夫，以主東諸侯。**取貨于宣伯，而訴公于晉侯。晉侯不見公。**[46]

此年正是著名的晉楚鄢陵之戰，戰後晉國召集諸侯討伐「叛晉」的鄭國，即沙隨之會。但當時晉之郤犨「取貨于宣伯」並聽其讒言，晉侯在會盟時遂「不見公」。換言之，沙隨之會實際上代表晉、魯不睦；再對照季武子稱引此事的魯襄九年，《左傳》載：

> 晉人不得志於鄭，以諸侯復伐之。……公送晉侯，晉侯以公宴于河上，問公年。季武子對曰：「會于沙隨之歲，寡君以生。」晉侯曰：「十二年矣，是謂一終，一星終也。國君十五而生子，冠而生子，禮也。君可以冠矣。大夫盍為冠具？」
>
> 武子對曰：「君冠，必以祼享之禮行之，以金石之樂節之，以先君之祧處之。今寡君在行，未可具也，請及兄弟之國而假備焉。」晉侯曰：「諾。」公還，及衛，冠于成公之廟，假鍾磬焉，禮也。[47]

此年晉再次召集諸侯伐鄭，情境與成十六年相似；又，魯襄明明未至冠齡，晉侯卻有催促之意，論者或謂此事非禮。[48]且最終《左傳》敘「冠于成公之廟」也似有深意，如王符會《左傳咀華》評：

---

44 《左傳正義》，卷30，頁31。

45 蔡瑩瑩：〈論《左傳》與出土文獻的「大事紀年」形式與敘事特色〉，頁28。

46 《左傳正義》，卷28，頁15。

47 《左傳正義》，卷30，頁31-32。

48 王系《左傳說》謂：「冠，嘉禮之大者。以國君之尊。而苟奉強令，草草如此，當時禮崩樂壞可知。左氏詳敘此篇，蓋傷之也。」李衛軍：《左傳集評》（北京：北京大學出版社，2016年），引中國國家圖書館藏清稿本，頁1144。

> 生於沙隨之歲，冠於成公之廟，亦前後映照成章處。十二年，去冠遠矣。即曰十五生子，猶待三年也。而晉侯有命，連返國亦等不迭，純以君國典禮為周旋世故之具，作者隱隱有微辭焉。[49]

魯襄公出生之年，晉侯召諸侯為會而不見成公，此為不睦；魯襄公八年如晉，九年返國，晉侯又莫名催促其行冠禮，或有不禮之嫌。季武子在應答時，刻意提及沙隨之會，很可能藉以暗諷晉國：當年晉聽信讒言，對魯並不待見，但十二年後，仍要號召諸侯伐鄭，是以魯國國君再次與會。此一「星終」前後，魯國兩次聽從晉之號召，十二年前，晉魯已有嫌隙，十二年後，難道還要重蹈覆轍嗎？換言之，季武子稱引「會於沙隨」之年份，聯繫了魯成、襄兩代國君與晉國的往來交流乃至矛盾齟齬，可能藉此事件的對照，隱微表達對晉的不滿或諷刺。

第4例是晉悼夫人問絳縣長者年紀的軼事，老人自言「臣生之歲，正月甲子朔，四百有四十五甲子矣，其季於今三之一也」。對於此一形同數學題的陳述，師曠、史趙、士文伯都做出正確的解答。師曠的解答是：

> 魯叔仲惠伯會郤成子于承匡之歲也，是歲也，狄伐魯，叔孫莊叔於是乎敗狄于鹹，獲長狄僑如及虺也、豹也，而皆以名其子。七十三年矣。[50]

「魯叔仲惠伯會郤成子于承匡」一事遠及七十三年以前，屬晉、魯外交事件。身為晉人的師曠，能夠清楚回憶魯國使臣，進一步又述及同年「狄伐魯」與叔孫莊叔名其子的相關細節，不僅表現其博聞多識、諳於掌故的形象，更代表晉國人才濟濟，霸業未墜。是以最終《左傳》「魯使者在晉」而將此事傳語季武子，武子遂感嘆晉多君子，當「勉事之而後可」。[51]由此敘述更見《左氏》前後交映的行文巧思與敘事意圖：師曠能夠清楚記憶魯國相關史事，而此事最後又被魯季武子聽聞且評論。上文已談及，魯成、襄年間，晉魯或有不睦，而在襄公晚年，則再次由季武子定調「晉未可媮」，可說別具意義。

綜之，上述三例，都屬於《左傳》中的人物言談，這其中至少第7例絕不會是應用於史書的「紀年法」，而明顯屬於史官結合對「歲星」運行之觀察所做出的預言之辭。另外第1、4二例的大事紀年名稱，是否曾為某種史書所錄，則已難考證，但我們可看出其「歲名事件」，或與被稱引當下的時空情境相互映照，或能夠凸顯稱說年份之人的博學形象。換言之，這三例中所稱說的「歲名」，都有一定的「意義」:「會於沙隨」、「魯叔仲惠伯會郤成子于承匡」、「蔡侯般弒其君」並不是與稱引當下沒有因果關係的客觀年份代稱，而乃具有回顧史事、襯托人物、預告情節的「敘事效用」。此種以「歲名」發

---

49 《左傳集評》引，頁1143。

50 《左傳正義》，卷40，頁3。

51 《左傳正義》，卷40，頁5。

揮敘事意義或勸說效用的現象，我們可認為是說話者季武子、師曠、萇弘都具有外交使節或博聞君子的身份，其於徵引歷史、追述前事來應答、勸諫時，出於論述策略、外交修辭等考量，刻意提及「某個事件」來稱呼年份，委婉傳達某些深意；或者我們也可認為其中有《左傳》作者敘事時的修飾增色。不論是哪一種情況，這三例「大事紀年」都不再只是年份的「代稱」而已，其中頗有作者／說話者的論述考量參雜其中，並且由於情境都是「追述往事」，且《左傳》魯十二公的序數紀年系統穩固，此時說話者所稱「歲名」的首要功能，已經是發揮敘事或論說的效用，而非準確紀年，那麼是否真的曾有史策以之為「大事紀年」，也就難以考證、頗有疑慮了。

## （三）《左傳》「大事紀年」與「史書編纂」有關的思考

排除上述三例，餘下第2、3、5、6例，則與我們在出土文書中認識的「大事紀年」更相似，這四例都是《左傳》作者的敘述語，主要是作者對某個事件的前因加以追述、補充，引及某年某事時，使用了「大事紀年」來稱說某年份，並不涉及歷史人物博雅多識的形象塑造，也沒有神秘的「預言」鋪陳，而皆屬對史事背景的平實補充。又，這些例子中，「歲名年份」，距離《傳》文的「記錄年份」，多數只有一、二年之差。若我們觀察《左傳》稱說「前一年」所用的時間詞，其實還有「往歲」、[52]「昔歲」[53]等簡單的用法；也有綜合使用不同國君在位之「序數紀年」的例子。[54]而上述四例大事紀年，不但記錄了相對冗長的「歲名」，且「歲名事件」又與其「紀錄事件」沒有因果關係。本文認為，既然已有精簡方式可供選擇，《左傳》卻仍使用此種比較「沒有效率」的記年用詞，較可能的解釋，就是其根據的材料「原本如此」。

就史料編纂的方向進行思考的話，我們或可假設《左傳》作者先搜羅了相關的史料，其中或有少數「大事紀年」的紀錄形式，而在需要的時機，便應用這些材料對某些事件進行補充。若此假設成立，我們就可以看出，《左傳》作者對史料的編排，並不只是順時地編次年月而已，而是根據敘述所需，靈活安排。否則第6例的「婤姶生子，名之曰元」就應該歸入昭二年《傳》文，而非在昭七年追述以「晉韓宣子為政聘于諸侯之

52 隱六年《左傳》:「往歲，鄭伯請成于陳，陳侯不許。」(《左傳正義》，卷4，頁11）哀廿四年《左傳》載萊章之語：「君卑政暴，往歲克敵，今又勝都，天奉多矣。」(《左傳正義》，卷60，頁18-19）。

53 宣十二年《左傳》載隨會、孫叔敖皆言「昔歲入陳，今茲入鄭」(《左傳正義》，卷23，頁5)。哀九年《傳》載吳王夫差答齊侯語：「昔歲寡人聞命，今又革之」(《左傳正義》，卷58，頁16)。

54 如閔二年《左傳》:「僖之元年，齊桓公遷邢于夷儀。二年，封衛于楚丘」(《左傳正義》，卷11，頁15)，乃預敘魯僖公元年、二年事。襄七年《左傳》:「鄭僖公之為大子也，於成之十六年，與子罕適晉……及其元年……。」(《左傳正義》，卷30，頁12）文中「成之十六年」是魯成公十六年（西元前575)，「其元年」則是鄭僖公元年（西元前570)。

歲」的形式。就此來說，這些「大事紀年」的線索，讓吾人對於《左傳》之編纂有了更細緻而靈活的想像。

進一步問，如果《左傳》採取了帶有「大事紀年」特質的史料，那麼這些材料可激發我們思考有關《左傳》編纂過程中對「年份」如何處理的有趣問題，分別是：哪些國家會使用「大事紀年」？《左傳》作者是否熟悉「大事紀年」的運用方法？其可能的編輯情況如何？以下分別討論之：

有關第一個問題：哪些國家會使用「大事紀年」？出土「大事紀年」材料，年代多數在春秋以後，並幾乎皆見於楚文物、文書。相對的，《左傳》之「大事紀年」，不論是「歲名事件」或是稱說此事之人，幾乎都與楚國沒有明顯關連，而以中原諸國的「國際事件」為多，尤與周、晉、齊、魯最為相關，鄭、衛、蔡次之。對此可能的推斷是：中原諸國原本的歷史載錄，可能也存在零星的「大事紀年」一類紀錄形式，唯不如序數紀年普及，或者只限於少數官僚群體使用，故未被《春秋》採取，但《左傳》編／作者仍運用了少部分材料。換言之，我們似乎可以假設春秋時期的諸侯國史書或相關行政文書，不只內容上，乃在紀錄格式上，可能也有多種樣貌。

當然，上述推論只是筆者認為較合理的一種，我們也可以反過來進行另一種假設：中原諸國原本的史書，都沒有採用「大事紀年」之法，但《左傳》編／作者自己卻熟悉「大事紀年」，故在行文敘述時，便運用此法來稱呼年分。但這個假設，就會進一步引出本文的第二個問題：《左傳》作者究竟對於「大事紀年」法的運用是否熟練？

要回答上面的問題，或許可從《左傳》對歲名的稱呼方式切入考察。上述有可能運用「大事紀年」的四例中，有二例的歲名發生特殊的重複，即第2與第3例：前者出現在襄廿五年，《左傳》編／作者以「會于夷儀之歲，齊人城郟」為歲名，講述「秦晉為成」一事；後者則在襄廿六年，同為編／作者的敘述語，而稱「齊人城郟之歲」。乍看之下，似乎第3例是由第2例減省而來，但實際上，以第2例的歲名與目前所見的文書簡相比較，便可發現其結構形式的不合理之處。

首先，不論出土或傳世材料，大事紀年的習見稱呼形式都是「歲名事件＋之歲，月日：紀錄事件」，如：

> 王徙鄩郢之歲，八月丁巳之日：鹽壽君以吳夏【之】……。[55]
>
> 齊客陳豫賀王之歲，八月乙酉之日：王廷於藍郢之遊宮……。
>
> 大司馬昭陽敗晉師於襄陵之歲，亯月：子司馬以王命……。[56]

---

55 武漢大學簡帛研究中心，河南省文物考古研究所編：《楚地出土戰國簡冊合集（二）：葛陵楚墓竹簡、長臺關楚墓竹簡》（北京：文物出版社，2013年），頁30。

56 湖北省京沙鐵路考古隊編：《包山楚簡》（北京：文物出版社，1991年），〈包山二號楚墓簡牘釋文與考釋〉，頁17、24。

方框標示為筆者所加，都是「歲名事件」。而《左傳》第2例的紀錄形式則是：

> 會于夷儀之歲，齊人城郟，其五月：秦晉為成。

在「會于夷儀＋之歲」此一標準／習見歲名稱呼格式與「五月」中間，插入了另一事件「齊人城郟」，亦即變成：

> 歲名事件＋之歲，事件，某月：紀錄事件。

換言之，第2例有兩個「歲名事件」，然後才是其真正的「紀錄事件」。這種形態目前僅有《左傳》此例。如果按照目前見到的大事紀年體例，綴於「之歲」前的歲名事件實可詳寫，如「大司馬悼愲徉楚邦之師徒以救郙之歲」，[57]歲名就長達十四字，那麼本則應該可寫成「（諸侯）會于夷儀齊人城郟之歲」，也並不算長，偏偏《左傳》卻將兩事分割，形成了較為罕見的形態。

我們接著探問，為何「會于夷儀之歲」後，要加上「齊人城郟」四字呢？最可能的原因就是「會于夷儀」在《春秋》經、傳記載中，皆有兩次，分別發生在襄廿四、廿五年，相距太近，不容易辨別，故加上只有在襄廿四年發生的「齊人城郟」一事，才能確定歲名事件的絕對年代。但是，當我們再參看第3例直接稱「齊人城郟之歲」的方式，就不禁好奇：為何第2例不直接比照第3例稱呼呢？如果《左傳》的編／作者熟悉「大事紀年」的形式，那麼稱引此二「歲名」的時間相距極近，為何連歲名格式的整合都做不到？尤其是「會于夷儀」此一「歲名事件」乃中原諸國共謀伐齊，其「紀錄事件」則是秦晉間的往來，在此期間，秦與中原頗為隔閡，唯與晉時有衝突，二事分屬不同敘事主線，彼此沒有因果關係，似乎編／作者也無深意，很明顯沒必要非稱「會于夷儀之歲」不可。故筆者認為，這種現象可能說明了「會于夷儀之歲」與「齊人城郟之歲」原本都是獨立的「大事紀年」歲名，來自不同系統／國家，但都記錄了同一年份的材料。二條歲名在其原系統中通行使用，自然不會有難以辨識的問題；但在某一整合編纂的過程中，編者本欲採用「會于夷儀」之稱，卻因其事兩見，故又參考另一歲名「齊人城郟」來確定年份。此一行為，說明了編者對原有的歲名沒有大幅度修改，而是加入其他事件來區別，同時也沒有整體性的安排。同時這也能夠讓我們一窺第三個問題：《左傳》在整編不同史料時，可能遭遇哪些編次之難題，又其過程可能為何？

筆者之所以認為第2例的歲名之「大事」可能經過添加或合併，除了體例不合於常見歲名外，還有一個原因是，「會于夷儀」與「齊人城郟」二事件雖發生在同一年，但二事件仍相隔月餘，因果關係似不明確，試看襄廿四年《經》、《傳》的載錄：

---

57 湖北省京沙鐵路考古隊編：《包山楚簡》，頁35。

經：秋……大水。八月……公會晉侯、宋公、衛侯、鄭伯、曹伯、莒子、邾子、滕子、薛伯、杞伯、小邾子于夷儀。

傳：秋……會于夷儀，將以伐齊。水，不克。

經：叔孫豹如京師。

傳：冬……齊人城郟。穆叔如周聘，且賀城。王嘉其有禮也，賜之大路。(《左傳正義》，卷35，頁26、28)

由上可見，「會于夷儀」在秋，「齊人城郟」在冬，《左傳》於此二事之間，也還有不少其他紀錄，則此二事能夠合併為一個歲名的邏輯為何？可能的推測是：「會于夷儀」與「齊人城郟」二事件的共同核心，是晉、齊二國的角力，且魯國均參與其中，「會于夷儀」乃晉聯合魯、宋、衛、鄭等國共同伐齊，卻因大水而不克；「齊人城郟」據杜《注》，乃是齊意識到自己被其他諸侯國孤立，才作出「欲求媚於天子，故為王城之」的反制行動，魯國則遣叔孫穆叔賀城。[58]然而，所謂「求媚天子」終究是杜預的解釋，三傳中也唯《左傳》敘「齊人城郟」事，故此二「歲名事件」的因果關係仍不必然存在。換言之，將「會于夷儀」、「齊人城郟」聯結為一事，或許代表了編纂者自身對這段歷史的理解或詮釋，但我們可說他仍未很好地整合前後兩次「齊人城郟」的歲名紀錄形式；再者，就算是以魯國為本位，將此二事件聯繫起來，那麼「齊人城郟」也應該改成與《春秋經》文更加呼應的歲名名稱。反過來說，如果「會于夷儀」與「齊人城郟」兩個歲名事件彼此不必然有因果關係，那麼我們就很有理由懷疑第2、3例很可能是綜合了不同的編輯素材：「會于夷儀之歲，齊人城郟」原本是一條獨立的材料，「會于夷儀」是歲名事件，「齊人城郟」則是紀錄事件。同時「齊人城郟」也在某個史冊中作為歲名，如第3例「齊人城郟之歲，其夏：齊烏餘以廩丘奔晉」。而在《左傳》第2例的資料整併過程中，兩句一起被用作「歲名事件」並在後面加上了月份，也就是：

58 《左傳正義》，卷35，頁28。

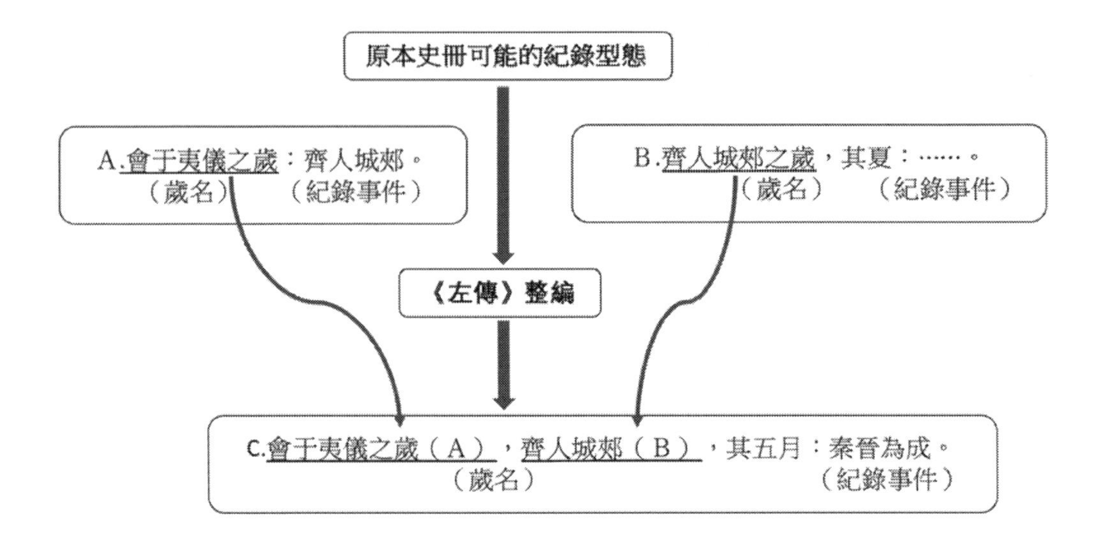


這呈現出《左傳》編纂者嘗試整合兩條資料，但似乎對「大事紀年」的格式並不非常熟悉，才產生了揉和兩個歲名事件為一則，但又不符常見格式的情形。

綜上所述，例證雖不多，但是透過上文的比較分析，有關《左傳》編纂過程中，對「年份」如何處理，我們可暫做如下推斷：有不只一個國家的歷史素材可能使用「大事紀年」的形式，《左傳》作者有意對其加以整併，但對「大事紀年」的運用方法似不熟練；或者至少可說，與目前所見楚系文書相比，《左傳》中的「大事紀年」，暫時看不出固定的成法或格式。

## 三　出土文書「大事紀年」實指年代爭議與《左傳》提供的證據

上節透過出土文獻的「大事紀年」文例比對，嘗試討論《左傳》編次不同資料時可能遭遇的問題。本節則從另一面思考，分析《左傳》對「大事紀年」的使用方式，對於我們理解出土文書，又有可能有什麼助益？

學者對出土文書中「大事紀年」的討論，向有一個難以解決的爭執點，即：由於每年將發生什麼「大事」難以預知，故學者或認為歲名的訂定，可能是歲末年終時，回顧並選取過去這一年中最具代表性的事件作為「下一年」之名。這麼一來，歲名事件「實際發生」的絕對年份，就會與其下繫「紀錄事件」的絕對年份相差一年，也就是若「歲名事件」發生在A年，則該件「大事」用來紀年時，其下繫紀錄的事件年份會是A+1年。主張此說者有王紅星、劉斌徽、朱曉雪，並且提出以「相差一年」為推算依據，楚簡的曆日與曆表才能吻合，以及少數個案可見跨年度時間而次年歲名尚未頒行的現象，能佐證應在年末才以本年大事決定下年歲名。

不認為相差一年，而主張歲名後加者，則有林素清、李學勤、邴尚白、吳良寶、李零、薛夢瀟、晏昌貴，其主張相差一年容易造成混淆，不符一般常識認知，並且重要事件如朝聘，戰爭受降、獻捷等，較常在春天舉行，在序數紀年並行不廢的體制下，在一年之初即可將年初重要事件定為當年歲名，甚或事後整理文書檔案時再追記，都是可行的作法。[59]

就出土文書簡的狀況言，由於曆日吻合，「相差一年」的論斷似乎較為正確，並且可以補充的是，目前所見出土「大事紀年」都是官僚系統長期使用的正規文書檔案，既有其專業與固定格式，就算相差一年，也應能克服使用上時間混淆的問題，就如同今日之學年度、會計年度都有不同的起訖，只要注意並稍加熟悉，亦不致混淆。

不過，從另一方面來說，其實主張歲名事件之發生年與其下繫紀錄事件並未「相差一年」者，也有一定的道理。筆者以為，除了戰爭以外，多數重要的內政、外交事宜，都有一定的籌備期，其實多數仍是可以預料的，尤其是使節之往來聘問，考量古代交通不便，若在年初舉行，應在前一年就要出發並知會相關國家，故而行政官僚能「預知」本國有重要的外交事件，乃至「預定」一年的歲名，並不奇怪。再退一步言，春秋戰國時期，各國制度不一，就算楚地文書是採用「相差一年」之制，其他國家在訂定、頒行歲名時，又何必與楚相同？何嘗不能採用「當年之事」為歲名？

《左傳》「大事紀年」的第5則，可作為「歲名事件」與所記年份「沒有落差」的用例，昭七年《左傳》敘述伯有鬼魂作亂：

> 鄭人相驚以伯有，曰：「伯有至矣！」則皆走，不知所往。
>
> 鑄刑書之歲，二月，或夢伯有介而行，曰：「壬子，余將殺帶也。明年壬寅，余又將殺段也。」
>
> 及壬子，駟帶卒，國人益懼。
> **齊、燕平之月，壬寅**，公孫段卒，國人愈懼。（《左傳正義》，卷44，頁11-12）

59 前四位學者的說法可參朱曉雪：《包山楚簡綜述》，頁741-742。李零、晏昌貴、薛夢瀟主張「事後追記」。李零《中國方術正考》（北京：中華書局，2006年）認為歲名乃「後來清抄時補加」（頁221）。晏昌貴《巫鬼與淫祀：楚簡所見方術宗教考》（武漢：武漢大學出版社，2003年）指出「包山卜筮簡的文本結構具有某種「合成」性質，並非卜筮之時的原初型態。文本的「合成」當由「史」——職業抄手——完成」，則紀年歲名自然也有「事後補寫補錄」的可能（頁38-39）。薛夢瀟《早期中國的月令與「政治時間」》（上海：上海古籍出版社，2018年）則懷疑此類「大事紀年」並未應用在實際生活之中，而是帶有「紀念碑性質」的追記，甚至文書簡本身就是紀念墓主職業生涯，是一種「貌而不用」的「文本明器」（〈附錄：早期中國的紀時法與時間大一統〉，頁232-238）。案：薛說可能較適合詮釋西周金文的大事紀年案例，就春秋戰國時期出土文書言，一概將其視為「明器」略嫌太過，也不符現今學界的認識。

這段載錄出現在昭七年由夏入秋之時，而「鑄刑書之歲」以下都是追述前此之事。由上可見，伯有的鬼魂預言了兩個時間點，一為當年「或夢」以後的「壬子」日，一為「明年壬寅」。「明年壬寅」即《左傳》作者敘述語的「齊、燕平之月，壬寅」，齊、燕平之月為昭七年正月，該月朔日丙子，壬寅為二十七日；而「壬子」在伯有鬼魂預言中，先於「壬寅」發生，以此反推二者相距當有一個（六十日的）週期以上，必在昭六年無疑，由於是二月之「夢」，壬子當為昭六年的三月二日。既然「或夢伯有」的當年與「明年」明顯有別，而「鑄刑書」正發生在昭六年，可知《左傳》編／作者所稱「鑄刑書」的「歲名年份」與「實指年份」並沒有相差一年的現象。

當然，並非所有《左傳》的「大事紀年」都能透過日期、上下文的證據確定相關年代跟時間差，如第6例關於衛靈公的出生年，就沒有其他旁證。並且，上節已指出，《左傳》的編／作者對於「大事紀年」法——尤其面對各個不同國家、不同系統的複雜材料——未必有穩定的運用原則。就如學者曾經設想過種種複雜的狀況：

> 一般來說，各諸侯若朝覲會同，則用周王朝的正朔；其于本國，自用其先王之正朔也。但寫入《經》、《傳》之事，**有關其他諸侯國的紀事，或牽扯幾個諸侯國的外交事件，用什麼曆法來記述，這並沒有具體的規定**。現在是信息社會，信息交流十分通暢。在那個時代，有些事情發生後可能要向魯國通報，有些事情則不一定通報。那麼這種情報是怎麼得來的，靠魯國人獲得後向魯國匯報呢，還是有其他途徑？有些消息可能是輾轉相傳後才獲得的，以誰的曆法為準呢，沒有一定規定的標準，所以分析起來就特別的困難。[60]

正朔如是，紀年法也很可能有類似的情形，我們可以想像，當某一事件有跨國、跨年度的特質時，記錄方式與精確度就會更難達成，也就會產生一定程度的爭議。上節表列第2、3例，亦即襄廿五追述「秦晉為成」事、襄廿六年追述「齊烏餘以廩丘奔晉」事，則屬筆者認為有爭議的例子：

> 襄廿五年《左傳》：
>
> **會于夷儀之歲，齊人城郟**。其五月，**秦、晉為成**，晉韓起如秦涖盟。秦伯車如晉涖盟，**成而不結**。(《左傳正義》，卷36，頁18)

> 襄廿六年《左傳》：
>
> **齊人城郟之歲，其夏，齊烏餘以廩丘奔晉**，襲衛羊角，取之；遂襲我高魚。有大雨，自其竇入，介于其庫，以登其城，克而取之。又取邑于宋。**於是范宣子卒**，諸侯弗能治也，**及趙文子為政**，乃卒治之。(《左傳正義》，卷37，頁19)

---

60 關立行、關立言著：《春秋時期魯國曆法研究》(北京：電子工業出版社，2007年)，頁56-66。

此二例使用類似的歲名「齊人城郟」，已見上節討論。由於「城郟」一事確定發生在襄廿四年冬天，則其下繫「其五月」、「其夏」只有兩個可能：第一、歲名和下繫事件未相差一年，歲名屬於「事後追記」；第二、歲名和下繫事件相差一年，「城郟」為發生在襄廿四年冬天的大事，在隔年春天被採用為襄廿五年之稱呼，下繫事件均發生在襄廿五年夏季。

想確定上述兩種可能何者為真，就要考察兩例的紀錄事件實際上發生於何時。可惜的是，目前並沒有堅實的證據可以證明兩事件具體發生的時間點。以「其五月，秦、晉為成」一事言，傳統上，當然都認為其與襄廿四年「齊人城郟」同年，即兩者沒有相差一年。然而，《史記》則提供了不同的紀錄，〈秦本紀〉載秦景公背晉盟：

> （秦景公）二十七年，景公如晉，與平公盟，已而背之。[61]

《史記》所載與《左傳》當為同一事，[62]唯秦景公廿七年當魯襄公廿三年，似與《傳》文不符；同一事件，〈十二諸侯年表〉則繫於秦景公廿九年：

> （秦景）公如晉盟，不結。[63]

此處用語與《左傳》「成而不結」極似，足證二者應為一事。而秦景公廿九年，正是魯襄公廿五年。換言之，同一事在《左傳》、《史記》分別有三個連續年份的時間點：

| | 魯襄廿三年／秦景廿七年 | 魯襄廿四年／秦景廿八年 | 魯襄廿五年／秦景廿九年 |
|---|---|---|---|
| 《左傳》 | | ＊「齊人城郟」實際發生年 | 追述「齊人城郟」之歲，秦、晉「成而不結」事。 |
| 《史記・秦本紀》 | 景公如晉，與平公盟，已而背之 | | |
| 《史記・十二諸侯年表》 | | | 公如晉盟，不結 |

61 《史記會注考證》，卷5，頁40。

62 二書除年份落差外，「如晉結盟者」身份亦不同，《左傳》言「伯車」，為「秦伯之弟鍼」，《史記》則言秦伯親自如晉。蒙審查人指出，兩書記載既有出入，似乎不必然是同一事。謹案：春秋中期，秦晉關係並不好，如襄廿六年《左傳》載此次結盟，叔向即言「秦晉不和久矣」（《左傳正義》，卷37，頁1）。就晉平公在位期間言，兩國談及「脩成、結盟」者，唯此一事；即使是襄廿七年召集眾多諸侯的「晉楚弭兵之會」，秦國都僅表達贊同而未實際遣使與會，遑論有公族親至晉國（《左傳正義》，卷38，頁6）。至於《公羊》、《穀梁》，則因《春秋》經文未記此事，故也連帶未見相關載錄。綜合考量上述背景，筆者認為，除非我們從根源上認為此事《春秋》經未載而不存在，否則據《左傳》載錄而言，其與《史記》紀錄為同事件的機率仍相對高，當實有其事而細節有所出入。

63 《史記會注考證》，卷14，頁124。

梁玉繩《史記志疑》認為〈秦本紀〉與〈十二諸侯年表〉皆誤。[64]但若考慮「大事紀年」有年份與紀錄事件「相差一年」的可能性，則〈年表〉記「秦景公廿九年」很可能是正確的。換言之，若「會于夷儀之歲，齊人城郟」（襄廿四）與下繫「秦、晉為成」的紀錄事件相差一年的話，秦、晉為成正是魯襄廿五年、秦景廿九年。

至於「烏餘奔晉」一事，該段《傳》文中其他明確的時間線索為「於是范宣子卒」、「及趙文子為政」。關於范宣子與趙文子之輪替，范宣子最後出現的時間在襄廿四年春，《左傳》首見「趙文子為政」則在襄廿五年秋七月左右。竹添光鴻《左氏會箋》即認為「烏餘以二十四年奔晉，二十五年范宣子卒，明年始討之。」[65]由於烏餘作亂並非單一事件，而有連串作為：襲衛羊角、襲魯高魚、取邑于宋，儘管三地位置相近，但我們很難想像一奔亡之臣能在短時間之內連下三城，而應推斷這連串侵略行為當歷時較長，屬於跨年度的敘述，這增加了我們判斷事件年代的困難。若勉強從齊國內部在此兩至三年間的國際關係來推斷，筆者認為「烏餘奔晉」也仍有發生在襄廿五的可能性。該年夏季，齊國發生崔杼弒齊莊的大事，齊莊公見弒之外，其從臣「賈舉、州綽、邴師、公孫敖、封具、鐸父、襄伊、僂堙皆死」；逃亡外國之臣，則有盧蒲癸、王何、閭丘嬰、申鮮虞分別奔晉、莒、魯等國。[66]則「烏餘奔晉」會不會是在同一背景發生之事？相較之下，襄廿四年《傳》夏季與齊國相關的載錄是：

> 齊侯既伐晉而懼，將欲見楚子。楚子使薳啟彊如齊聘，且請期。齊社，蒐軍實，使客觀之。（《左傳正義》，卷35，頁26）

此時齊方結盟於楚，而與以晉為首的中原諸國處於緊張局勢，入秋旋即發生戰爭，此時的齊人烏餘如何可能率領私人武力奔晉？且一路掠奪衛、魯、宋之邑而未引發諸國討伐？比較可能的情形是，齊國內部以崔杼為首的一派勢力，向來反對齊莊與中原諸國對立的政策，最終在廿五年「弒公以說于晉」，晉齊兩國雖仍對立，但情勢趨緩，且中原諸國方經過廿四年的戰爭，混亂中使烏餘有機可乘。

綜上所論，《左傳》「大事紀年」的案例，有歲名事件發生時間與下繫事件明確屬於同一年的例子，同時也仍可能「相差一年」的例子。這樣的情形可做兩種推論：一、如前述，先秦時期「大事紀年」的運用方式可能不只一種，畢竟《左傳》中涉及「大事紀年」者均非楚事，其與楚文書的用法不同，並非不可能。二、《左傳》作者對「大事紀年」之運用規則，可能並不非常熟習，或者可能因為用於「追述前事」而非「當下紀年」，故而不拘泥於特定用法或年份細節。上節討論可能不屬於原初史料的第1、4、7時，筆者已指出當「大事紀年」作為「追述前事」的用途時，說話者的意圖可能影響其

64 清．梁玉繩：《史記志疑》（北京：中華書局，2006年），卷4，頁135。

65 竹添光鴻：《左氏會箋》（四川：巴蜀書社，2008年），第三冊，頁1468。

66 《左傳正義》，卷36，頁5-7。

稱說紀年的名稱；此處的例子，則是當《左傳》敘事者在既有序數紀年架構下，使用其他紀年方式追述事件前因時，因原有系統本極穩固，遂使其就算不特別講究「大事紀年」的時間精確度、甚至也沒有很穩定的使用方法時，仍無礙我們理解文意、追索史事。此一現象再次指向了《左傳》「大事紀年」與出土文獻的最重大差異：追述用途。劉知幾曾謂「書事記言，出自當時之簡；勒成刪定，歸於後來之筆」，[67]上述這些差異，或許正表現了「當時之簡」與「後來之筆」的文本層次不同，也有助我們更具體設想、思考關於《左傳》編纂時的可能細節。

# 四　小結

《左傳》中的「大事紀年」數量並不多，從事出土文獻或古代記時觀念之研究論著，都或多或少引用過這些材料。然而多數學者僅是以《左傳》為論據，以證出土材料「大事紀年」之法其來有自，對《左傳》這七條材料本身，可說未及進行詳細的辨明或探究。然而，從「文本史」的角度來說，《左傳》「大事紀年」的材料，或代表了不同的史料來源、不同的史書體裁，乃至不同的紀錄視角，這都是值得深入思索之處。

本文第一節先概述前賢對於《左傳》取材與編纂的論述，並論及出土文獻所帶來關於先秦古書「文本史」的思考。第二節統整《左傳》七則「大事紀年」案例。先辨析其中三則歲名之稱呼，乃具有配合敘事／說話者之意圖而發揮回顧史事、襯托人物、預告情節等敘事效用，這也讓我們對其原初紀錄是否「本史如此」感到疑慮，當然從另一面來說，這樣的現象可見出《左傳》作者對史料的編纂與整合。次則探討另四則較可能看出《左傳》採取不同來源的「大事紀年」案例，釐清其基本性質與特色。藉此指出《左傳》「大事紀年」與出土文書「大事紀年」的根本差異：前者為追述之詞，後者為記時之詞；前者之「大事」廣包中原諸國而未見楚事，後者出於楚地而多屬楚國本位的「大事」；前者看不出穩定的使用方式，後者則至少可以確定在楚地官僚系統內部作為穩定的文書紀錄而通行無礙。

另一方面來說，本文以《左傳》的「大事紀年」為主，希望能呈現的概念是：並不只有出土文獻能為傳世古書的解讀帶來新觀點，傳世文獻的文例，同樣能對出土材料所涉及的學術議題，提供不一樣的思考與認識。以本文第三節討論的「歲名實指年代」問題而言，若僅考慮楚地出土文書，則諸家之說針鋒相對，其必有對錯之判。但若將《左傳》的「大事紀年」納入考量，則其顯然提供了比出土文獻更複雜且來源不一的例證，而我們的研究視野也會擴展到楚國以外的國家，對各種論點自然也就不必要分出絕對的是非，而應可視為不同國家或系統，即使採用同一種紀年法，其運用規則容有些微差異。

---

67 《史通通釋》〈史官建置〉，卷11，頁325。

綜合上述，《左傳》「大事紀年」紀錄數量極少，由於此一限制，本文的研究當然無法完整重現《左傳》所錄各種史書對不同紀年法的使用狀況，甚至對於此一紀年法有無不同的運用細節，也只能稍作推論。然而以傳世、出土「大事紀年」紀錄的參照、比較為端，仍能使我們對於春秋戰國時期的歷史書寫，有更寬廣的思考。而當我們試著想像更多元、多文化的歷史書寫，以及揣摩當時的史家所可能面臨的種種複雜史書／文書系統、不同文化淵源、立場、乃至不同書寫習慣的歷史紀錄，再回顧《春秋》、《左傳》周密綿長的歷史書寫，才更令人深刻認識孔子「因史文次《春秋》，紀元年，正時日月」之舉，[68]可能比想像中更為不易，而左氏「廣記備言」，「博采各國史冊」，更堪稱任務艱鉅。透過這些案例，我們嘗試遙想古代文獻在編纂、傳播的不同階段所可能經歷的資料彙整、二次書寫等問題，也能更清晰地認識到傳世文獻所具有的多層次與複雜性。

68 《史記・三代世表序》，卷13，頁3。

# 徵引文獻

## 一　原典文獻

漢・司馬遷著，日・瀧川資言考證：《史記會注考證》，臺北：藝文印書館，1972年。

漢・何　休注，唐・徐彥疏：《春秋公羊傳注疏》，臺北：藝文印書館影印清・嘉慶20年（1815）阮元江西南昌府學開雕之《十三經注疏》本，1976年。

漢・班　固著，王先謙補注：《漢書補注》，臺北：新文豐出版公司，1988年。

晉・杜　預注，唐・孔穎達疏：《左傳正義》，臺北：藝文印書館影印清・嘉慶20年（1815）阮元江西南昌府學開雕之《十三經注疏》本，1976年。

唐・劉知幾著，清・浦起龍釋：《史通通釋》，臺北：里仁書局，1980年。

唐・陸　淳：《春秋集傳纂例・三傳得失議第二》，收入《文淵閣四庫全書》經部春秋類，第146冊，臺北：臺灣商務印書館，1983年。

宋・劉　敞：《春秋權衡》，收入《文津閣四庫全書》，經部春秋類第143冊，北京：商務印書館，2006年。

清・顧炎武著，陳垣校注：《日知錄校注》，合肥：安徽大學出版社，2007年。

清・趙　翼著，曹光甫點校：《陔餘叢考》，上海：上海古籍出版社，2011年。

清・錢　綺：《左傳札記》，影印中國科學院圖書館藏清咸豐八年錢氏鈍研廬刻本，收入《續修四庫全書》，經部春秋128冊，上海：上海古籍出版社，2014年。

清・梁玉繩：《史記志疑》，北京：中華書局，2006年。

清・劉師培者，萬仕國點校：《劉申叔遺書》，揚州：廣陵書社，2014年。

日・竹添光鴻：《左氏會箋》，四川：巴蜀書社，2008年。

## 二　近人著作

王　暉：《古文字與中國早期文化論集》，北京：科學出版社，2015年。

朱曉雪：《包山楚簡綜述》，福州：福建人民出版社，2013年。

吳良寶：《戰國楚簡地名輯證》，武漢：武漢大學出版社，2010年。

李宗侗：《春秋左傳今注今譯》，臺北：臺灣商務印書館，1971年。

李　零：《中國方術正考》，北京：中華書局，2006年。

李衛軍：《左傳集評》，北京：北京大學出版社，2016年。

沈玉成、劉寧：《春秋左傳學史稿》，南京：江蘇古籍，1992年。

沈玉成、劉寧：《春秋左傳學史稿》，南京：江蘇古籍，1992年。

武漢大學簡帛研究中心，河南省文物考古研究所編：《楚地出土戰國簡冊合集（二）：葛陵楚墓竹簡、長臺關楚墓竹簡》，北京：文物出版社，2013年。

邴尚白：《葛陵楚簡研究》，臺北：臺大出版中心《國立台灣大學文史叢刊137》，2009年。

徐中舒：《左傳選》，北京：中華書局，1964年。

晏昌貴：《巫鬼與淫祀：楚簡所見方術宗教考》，武漢：武漢大學出版社，2003年。

張高評：《左傳之文學價值》，臺北：文史哲出版社，1982年。

張培瑜：《中國先秦史曆表》，濟南：齊魯書社，1987年

陳銘煌：《春秋三傳性質之研究及其義例方法之商榷》，國立臺灣大學中國文學研究所碩士論文，張以仁教授指導，1991年6月。

湖北省京沙鐵路考古隊編：《包山楚簡》，北京：文物出版社，1991年。

楊向奎：《繹史齋學術文集》，上海：上海人民出版社，1983年。

楊伯峻：《春秋左傳注》，北京：中華書局，1995年。

楊　寬：《戰國史》，上海：上海人民出版社，1998年。

閻步克：《樂師與史官——傳統政治文化與政治制度論集》，北京：生活・讀書・新知三聯書店，2001年。

薛夢瀟《早期中國的月令與「政治時間」》，上海：上海古籍出版社，2018年。

關立行、關立言著：《春秋時期魯國曆法研究》，北京：電子工業出版社，2007年。

美・孫康宜、宇文所安主編，劉倩等譯：《劍橋中國文學史》，北京：生活・讀書・新知三聯書店，2013年。

美・李惠儀：*The Readability of the Past in Early Chinese Historiography*, Cambridge: Harvard University Press, 2007. 中文本由文韜、許明德翻譯：《左傳的書寫與解讀》，南京：江蘇人民出版社，2016年。

## 三　單篇論文

于豪亮：〈秦簡〈日書〉記時記月諸問題〉，收入中華書局編：《雲夢秦簡研究》，北京：中華書局，1981年，頁351-357。

王　和：〈《左傳》材料來源考〉，《中國史研究》，1993年第2期，頁16-25。

王　和：〈《左傳》的成書年代與編纂過程〉，《中國史研究》，2003年第4期，頁33-48。

王紅亮:〈《左傳》之「荊尸」再辨證〉，《古代文明》第四卷第四期（2010年10月），頁58-67。

王紅星：〈包山簡牘所反映的楚國曆法問題——兼論楚曆沿革〉，收入湖北省京沙鐵路考古隊編：《包山楚墓》（北京：文物出版社，1991年）〈附錄二十〉，頁521-532。

王勝利：〈包山楚簡曆法芻議〉，《江漢論壇》，1997年第2期，頁58-61。

李惠儀：〈宏旨與細節：從左傳與先秦兩漢幾個相關故事談起〉，國立政治大學主辦「2019王夢鷗教授學術講座」，2019年3月11日，網址：https://chinese.nccu.edu.tw/adplay/adplay.php?Sn=77。

李學勤：〈《左傳》「荊尸」與楚月名〉，《文獻》2004年第2期，頁17-19。

林素清：〈從包山楚簡紀年材料論楚曆〉，《中國考古學與歷史學之整合研究》（臺北：中央研究院歷史語言研究所會議論文集之四，1997年），頁1099-1121。

武家璧：〈包山楚簡曆法新證〉，《自然科學史研究》，第16卷第1期，1997年，頁28-34。

邴尚白：〈楚曆問題綜論〉，《古文字與古文獻》試刊號，1999年，頁146-187。

夏含夷：〈原史：紀年形式與史書之起源〉，收入陳致主編：《簡帛．經典．古史》，頁39-46。

孫慶偉：〈從新出𩵦甗看昭王南征與晉侯燮父〉，《文物》2007年第1期，頁64-68。

孫慶偉：〈從新出𩵦甗看昭王南征與晉侯燮父〉，《文物》2007年第1期，頁65。

商艷濤：〈略論先秦古文字材料中的大事紀年〉，《中國歷史文物》，2008年第1期，頁83-88。

張　君：〈「荊尸」新探〉，《華中師院學報》（哲學社會科學版）1984年第5期，頁41-47。

張培瑜：〈試論《左傳》《國語》天象紀事的史料價值〉，《史學月刊》2009年第1期，頁68-78。

陳恩林：〈《春秋左傳注》注文商榷五則〉，《吉林大學社會科學學報》2000年第4期，頁77-81。

曾憲通：〈楚月名初探——兼談昭固墓竹簡的年代問題〉，《中山大學學報》，1980年第1期，頁97-107。

湯志彪、芮趙凱：〈也談《左傳》中的「荊尸」〉（《東北師大學報》，2017年第6期，頁137-142。

過常寶：〈《左傳》源于史官「傳聞」制度考〉，《北京師範大學學報》，2004年第4期，頁32-37。

趙光賢：〈左傳編纂考〉（上）、（下），《中國史文獻研究集刊》第1、2集，長沙：岳麓書社，1980年、1981年。頁135-153、45-58。

劉彬徽：〈從包山楚簡紀時材料論及楚國的紀年及楚曆〉，收入湖北省京沙鐵路考古隊編：《包山楚墓》〈附錄二十一〉，頁533-547。

劉彬徽：〈楚國紀年法簡論〉，《江漢考古》1988年第2期，頁60-62。

蔡瑩瑩：〈論《左傳》與出土文獻的「大事紀年」形式與敘事特色〉，陳躍紅主編：《越界與整合：第二屆兩岸四校中文學術營論文集》，成都：四川人民出版社，2018年。頁14-31。

Boltz, William G. "The Composite Nature of Early Chinese Texts," in Martin Kern, ed., *Text and Ritual in Early China*. Seattle: University of Washington Press, 2007, pp. 50-78.

## 四　網路資料

中央研究院歷史語言研究所金文工作室：「殷周金文暨青銅器資料庫」，網址：http://www.ihp.sinica.edu.tw/～bronze。

# 《春秋》經傳所見郳國及其周邊交通路線考論

黃聖松

成功大學中國文學系教授

## 摘要

本文以《春秋經》與《左傳》記載為核心，結合傳世文獻所載地望與考古成果、衛星地圖，嘗試勾勒春秋郳國國內與周邊交通路線。首先討論郳國初都與遷都後地望，知其初都今址為曲阜市東南尼山鎮，待郳國徙都至繹都後，此地乃入魯國版圖，即孔子之父叔梁紇治所。郳文公時遷都於繹，繹都位於今鄒城市東南約10公里嶧山鎮嶧山南麓紀王城村周圍，終春秋之世郳都皆在此。郳國交通路線分為郳都繹東北向、北向、西向、南向、東南向、東向六條交通路線，其地望大致在分布於今日山東省西南部。

**關鍵詞：**《春秋經》、《左傳》、春秋時代、郳國、交通路線

# The Discussion of Traffic Routes in Zhū State and Its Surrounding Area in *Spring and Autumn Annals*

Huang, Sheng-sung

Professor, Department of Chinese Literature, National Cheng Kung University

## Abstract

This article takes the *Spring and Autumn Classics* and *Zuo Zhuan* as the core, combined with surrounding areas which referred to the handed down literatures, the archaeological achievements and the satellite maps, trying to outline the traffic routes of Zhū State and its surrounding areas in Spring and Autumn Period. First of all, it compares the initial capital with Yì City (new capital) by their surrounding areas. Nowadays, the initial capital is located at Ní-shān Town (the southeastern town of Qūfù City). After the Zhū State moved the capital to Yì City, the place of initial capital became the territory of Lǔ State which governed by Shū Liáng-hé (Confucius' father). Duke Wen of Zōu decided to move the capital to Yì City. Today, Yì City is located around Jì-wáng-chéng Village, Yì-shān Town, Zōu City (about 10 kilometers southeast from Zōu). Yì City was the capital of Zōu State till the end of Spring and Autumn Period. The traffic routes of Zōu State were divided into six, and they are the northbound, the northward, the westward, the southward, the southeastward and the eastward. The surrounding areas are roughly distributed in the southwestern part of Shāndōng Province today.

**Keywords:** *Spring and Autumn Classics, Zuo Zhuan*, Spring and Autumn Period, Zhū State, Traffic Routes

# 一 前言

王子今〈中國交通史研究一百年〉:「整個中國古代的知識體系中，交通始終沒有獨立地位。」[1]正如王氏所言，古史對交通大抵缺乏重視，晉人司馬彪（？-306）《續漢書》始有〈輿服志〉涉及車輛名目，[2]至《清史稿》初見〈交通志〉論述交通形式。[3]中國古代交通研究起步較晚且文獻匱乏，近年學者不遺餘力，將出土資料與傳世文獻結合，始有近人嚴耕望（1916-1996）《唐代交通圖考》、[4]王子今《秦漢交通史稿》[5]等一系列突出研究成果。然因文獻不足徵與出土資料性質之侷限，秦漢以降交通研究雖有重大突破，然先秦交通卻未見研究專著。《左傳》是研究中國上古史與春秋史重要典籍，蘊涵豐富史料與資訊，提供後世了解春秋歷史與地理，實可藉此建構春秋時代交通網絡。

《周禮》成書於戰國，[6]所載關於掌理地圖之職官複雜而詳盡。如〈天官冢宰・司書〉「掌邦之六典、八法、八則、九職、九正、九事，邦中之版，土地之圖，以周知入出百物，以敘其財；受其幣，使入于職幣。」又〈地官・大司徒〉:「大司徒之職，掌建邦之土地之圖，與其人民之數，以佐王安擾邦國。以天下土地之圖，周知九州之地域廣輪之數，辨其山林、川澤、丘陵、墳衍、原隰之名物；而辨其邦國都鄙之數，制其畿疆而溝封之，設其社稷之壝而樹之田主。各以其野之所宜木，遂以名其社與其野。」又〈司徒・遂人〉:「掌邦之野。以土地之圖經田野，造縣鄙形體之法。」又〈地官・土訓〉:「掌道地圖，以詔地事。道地慝，以辨地物而原其生，以詔地求。王巡守，則夾王車。誦訓：掌道方志，以詔觀事。掌道方慝，以詔辟忌，以知地俗。王巡守，則夾王車。」又〈夏官・職方氏〉:「掌天下之圖，以掌天下之地。辨其邦國、都鄙、四夷、八蠻、七閩、九貉、五戎、六狄之人民，與其財用、九穀、六畜之數要，周知其利害。」[7]春秋之世雖未必如《周禮》所載內容細密，然由此亦可知地圖之重要。地名古今對應雖可透過地圖知其地望，然涉及空間移動時，讀者往往茫然不知其行進路線與動向。嚴耕望〈我撰「唐代交通圖考」的動機與經驗〉:

---

1 王子今:〈中國交通史研究一百年〉,《歷史研究》,2002年第2期，頁164-179。

2 晉・司馬彪著，梁・劉昭注補:《後漢書志・輿服志》(北京：中華書局，1965年)，頁3639-3684。

3 清・趙爾巽等:《清史稿》，收入《續修四庫全書》編纂委員會:《續修四庫全書》第297冊（上海：上海古籍出版社，2002年，據民國十七年（1928）清史館鉛印本（關內本）影印)，卷155-158，頁70-87。

4 嚴耕望:《唐代交通圖考》，臺北：中央研究院歷史語言研究所，1985年。

5 王子今:《秦漢交通史稿》，北京：中共中央黨校出版社，1994年。

6 參見聞人軍:〈《考工記》齊尺考辨〉,《考古》,1983年第1期，頁61-65。聞人軍:〈《考工記》成書年代新考〉,《文史》第23輯。宣兆琦:〈《考工記》的國別與成書年代〉,《自然科學史研究》,1993年第4期，頁297-303。

7 漢・鄭玄注，唐・賈公彥疏:《周禮注疏》(臺北：藝文印書館，1993年，據清嘉慶二十年(1815)江西南昌府學版影印)，頁99、146、230、246、497。

> 各種專史，在中國這樣大國中，各個地區也不一樣，必須注意各地區實際情況形及其相互間的交流與影響，這種交流與影響，也藉交通而發生作用。所以交通對於各方面都有聯繫的作用，交通可說是歷史研究的樞紐問題之一。此一問題不解決，講其他任何方面的問題，都不方便。所以我研究歷史地理，特別注意交通問題，很想在這一方面下些功夫，使歷史各方面的研究工作者都有一套經過仔細研究繪製出來的較詳確的古代交通地圖可以利用。[8]

嚴氏所論雖是唐代交通，然其所敘交通道路對歷史、地理研究之重要實不分時代。誠如嚴氏所揭示，中國幅員遼闊，各地區發展情況不一，各面向交流定然不可或缺。尤其春秋諸侯林立，各國戰爭、盟會、出奔、商業、文化等接觸益發頻繁，交通建設必然日趨重要。《周禮．夏官．司險》：「掌九州之圖，以周知其山林、川澤之阻，而達其道路。」又〈夏官．合方氏〉：「掌達天下之道路，通其財利，同其數器，壹其度量，除其怨惡，同其好善。」又〈秋官．野廬氏〉：「掌達國道路，至于四畿；比國郊及野之道路、宿息、井、樹。……凡道路之舟車轚互者，敘而行之。……凡國之大事，比修除道路者。掌凡道禁。」[9]顯然已將道路視為國家基本建設，專立職官負責維護。《左傳》亦見道路維護之記載，如成公十二年《左傳》：「宋華元克合晉、楚之成，……曰：『凡晉、楚無相加戎，好惡同之，同恤菑危，備救凶患。若有害楚，則晉伐之；在晉，楚亦如之。交贄往來，道路無壅。』」又襄公三十一年《左傳》：「僑聞文公之為盟主也，……司空以時平易道路。」[10]「道路無壅」為盟誓內容，司空專掌「平易道路」之責，足見春秋時對道路維護之重視。既然春秋交通道路如此重要，這些道路絕非「為間不用，則茅塞之矣」[11]之羊腸小徑，必是開闊足以通行車馬之常用道路。道路肩負交通諸侯之任務，且文獻已載有專人負責維護，足知其重要性不容忽視。可惜歷來治上古史與春秋史學者雖博學多聞，然對交通道路研究關注較少。

唐人劉知幾（661-721）《史通》「援經入史」觀念對後世影響甚深，[12]至清朝錢謙益（1582-1664）已具「六經皆史」觀念。[13]錢氏於《牧齋有學集》卷三十八〈再荅蒼

---

8 嚴耕望：〈我撰「唐代交通圖考」的動機與經驗〉，《興大歷史學報》（臺中：國立中興大學歷史學系，1993年），頁1-9。

9 漢．鄭玄注，唐．賈公彥疏：《周禮注疏》，頁458、503、547。

10 晉．杜預集解，唐．孔穎達正義：《春秋左傳注疏》（臺北：藝文印書館，1993年，據清嘉慶二十年（1815）江西南昌府學版影印），頁457、686。

11 漢．趙岐注，宋．孫奭疏：《孟子注疏》（臺北：藝文印書館，1993年，據清嘉慶二十年（1815）江西南昌府學版影印），頁252。

12 陳磊：〈論《史通》在宋代的沉寂〉，《湖北社會科學》，2014年第7期，頁120-122。

13 張永貴、黎建軍：〈錢謙益史學思想評述〉，《史學月刊》，2000年第2期，頁19-24。靳寶：〈論錢謙益的史學觀〉，《遼寧大學學報（哲學社會科學版）》，2006年3月，頁75-80。王博：〈論錢謙益的史學思想〉，《西安文理學院學報（社會科學版）》，第12卷第6期（2009年12月），頁47-50。

略書〉：「六經，史之宗統也。六經之中皆有史，不獨《春秋》三《傳》也。」[14]清人章學誠（1738-1801）《文史通義・易教上》於全書卷首即開宗明義云：「六經皆史也。古人不著書，古人未嘗離事而言理，六經皆先王之政典也。」[15]章氏認為「六經」皆可視為史料，是吾人研究先秦史重要素材。《左傳》雖於傳統雖歸諸經部，實是研究先秦及春秋史不可或缺之史料。近人王國維（1877-1927）《古史新證》：

> 吾輩生於今日，幸於紙上之材料外，更得地下之新材料。由此種材料，我輩固得據以補證紙上之材料，亦得證明古書之某部分全為實例，即百家不雅訓之言，亦不無表示一面之事實。此二重證據法，惟在今日始得為之。[16]

王氏提出「二重證據法」，呼籲學者結合紙上及出土材料研究國故，至今仍為學者奉為圭臬。

本文於傳世文獻採用「文獻分析法」，[17]整理分析與本研究相關典籍。許凌云〈經史關係略論〉認為「在中國古代思想形成的過程中，經學與史學有著共同的歷史與思想淵源，而且在歷史的發展中，經史又相輔相成，關係至密。」[18]故本文又秉持章氏「六經皆史」觀念，希冀藉此廓清春秋交通路線之梗概。本文以《左傳》為主要討論材料，擴及地理與方志等著作，亦採用歷代關於歷史、地理、交通等文獻，並在前賢研究成果基礎上增益研究心得，使春秋交通路線研究得以向前開展。本文爬梳《春秋經》、《左傳》與戰爭、盟會、巡狩、遣使、出奔、遷徙、婚姻、喪祭等空間移動之記載，結合相關文獻材料與二維地圖，分析邾國國內與國際交通路線，並結合近人譚其驤（1911-1992）《中國歷史地圖集》（以下簡稱《地圖集》）繪製地圖。[19]「交通」二字於先秦古籍或為交和會通，或有交往之意，而今人所謂「交通」則有廣狹之分。狹義「交通」指有意識地完成人或物空間位置之轉移，廣義「交通」則上述狹義內容外，又包括通信等信息傳遞方式之運用。本文對「交通」則取狹義解釋，並於「交通」後補充「路線」二字，以限制討論範圍，「路線」指提供人員或車馬等交通運輸工具所通行路徑動線。上文已述及春秋諸國均將道路構築與維修列為國家重要建設，主要目的之一即軍事用途。《左傳》記戰爭數以百計，其間常見軍事行動所經都邑或地區，為本文提供主要資料。此外，部分外交事務亦記錄行人移動路線，可為本文補充材料。由於古史渺遠，道路曲

14 清・錢謙益著，清・錢曾箋注，錢仲聯標點：《牧齋有學集》（上海：上海古籍出版社，2010年），頁1310。

15 清・章學誠著，葉瑛校注：《文史通義校注》（北京：中華書局，1985年），頁1。

16 王國維：《古史新證》（北京：清華大學出版社，1994年），頁2。

17 葉至誠、葉立誠：〈談三重證據法——十干與立主〉，收入氏著：《研究方法與論文寫作》（臺北：商鼎文化出版公司，2003年），頁136。

18 許凌云：〈經史關係略論〉，收入氏著：《經史因緣》（濟南：齊魯書社，2002年），頁1-25。

19 譚其驤：《中國歷史地圖集》，臺北：曉園出版社，1991年，冊1。

折回繞難以詳細考定，故本文標定交通路線與地圖繪製線條往往僅標以直線，證實都邑間確有道路貫連，然難以詳細描繪當時路徑實況。

交通路線定有起迄，本文以國都為核心為起點，再自國都依不同方向分列若干路線論述。陳代光《中國歷史地理》：

> 先秦時代，我國的政治、經濟中心在黃河流域的關中平原、伊洛盆地和黃淮平原，很自然，這些地區就成為我國古代陸路交通的樞紐地帶，主要陸路交通線正是由這些樞紐向四面八方輻射的。[20]

陳氏所言甚是，若更微觀述之，則主要陸路交通路線乃以所敘平原地區重要都邑為樞紐，再向四面八方輻射。鄒逸麟《中國歷史地理概述》：

> 商代幾次所遷的都城如亳、囂（隞）、相、邢、庇、奄、殷等，西周的豐、鎬以及各諸侯國的都城，都是當時各地的重要城市。為了政治控制和經濟交流的需要，各地區城市之間也有了相當發達的水陸交通路線。……《詩經》中所稱頌的「周道如砥，其直如矢」,「周道倭遲」，反映了周朝境內已有了坦直綿長的陸路大道。然而，中國城市經濟的進一步繁榮和交通路線的大規模開闢則始於春秋戰國時代。[21]

鄒氏之論筆者基本認同，唯春秋諸國是否已普遍存在水運交通路線則有待商榷。[22]鄒氏謂先秦交通路線串連重要都邑，筆者承其意見，亦可謂春秋諸國重要都邑亦是交通路線輻湊之地。近人王恢（？-？）《中國歷史地理》更言：「國都，是全國的政治重心，國家規模與精神所寄，民族休戚相關。必具有控制八方，長駕遠馭的氣概，領導全國政治、經濟、文化的發展，據有國防的優越形勢。」此外，王氏又言：「國都，通稱首都。蓋首都與國家民族的關係，猶人之神經中樞，五官四體，皆受其操縱指使。其所在地必妥穩而又靈通。」[23]春秋諸國國都地位與格局雖未能與王氏所言朝代之國都、首都相提並論，然於諸侯國內之意義與定位實可類比，亦是諸國核心與中樞。近人史念海（1912-2001）《中國古都和文化》分析中國古代都城建立地理因素，其一即「利用交通衝要的位置」以設置都城，[24]推知春秋諸國國都應是該國交通樞紐。

---

20 陳代光：《中國歷史地理》（廣州：廣東高等教育出版社，1997年），頁253。

21 鄒逸麟：《中國歷史地理概述》（福州：福建人民出版社，1993年），頁213。

22 僖公十三年（647 B.C.）《傳》：「秦於是乎輸粟于晉，自雍及絳相繼，命之曰『汎舟之役』。」由「汎舟之役」可見春秋河運交通已初具雛形。見晉．杜預集解，唐．孔穎達正義：《春秋左傳注疏》，頁224。史念海《中國的運河》概述春秋水道交通，辨析各運河開鑿時間與流經地點，讀者可以參考。見史念海：《中國的運河》，西安：陝西人民出版社，1988年。

23 王恢：《中國歷史地理》（臺北：臺灣學生書局，1984年），頁11-12。

24 史念海：《中國古都和文化》（北京：中華書局，1996年），頁216-219。

邾國之始封，依清人顧棟高（1679-1759）《春秋大事表・春秋列國爵姓及存滅表》（以下簡稱《大事表》）乃「顓頊苗裔挾」，是為曹姓。[25]據近人陳槃（1905-1999）《春秋列國爵姓及存滅表譔異》（以下簡稱《譔異》）整理，[26]傳世文獻記邾國之名頗異，除《左傳》之「邾」與《國語・鄭語》之「鄒」，[27]《史記・吳世家》與《漢書・地理志下》皆作「騶」，[28]《公羊傳》載《春秋經》與《禮記・檀弓上》作「邾婁」，[29]《漢書・古今人表》「下中」與《路史・後紀八・疏仡紀》、〈國名紀三〉作「朱」。[30]此外，〈邾公牼鐘〉與〈邾公華鐘〉銘文自稱「鼄」，〈邾公鐘〉銘文作「邾」。[31]《史紀・楚世家》：

> 楚之先祖，出自帝顓項高陽。……高陽生稱，稱生卷章，卷章生重黎。……帝乃以庚寅日誅重黎，而以其弟吳回為重黎後。……吳回生陸終，陸終生子六人，……五曰曹姓。[32]

25 清・顧棟高著，吳樹平、李解民點校：《春秋大事表》（北京：中華書局，1993年），頁569。

26 陳槃：《春秋大事表列國爵姓及存滅表譔異》（上海：上海古籍出版社，2009年），頁225。

27 《國語・鄭語》：「東有齊、魯、曹、宋、滕、薛、鄒、莒。」韋昭《注》：「鄒，曹姓。」見三國・韋昭：《國語韋昭註》（臺北：藝文印書館，1974年，影印天聖明道本・嘉慶庚申（1800）讀未見書齋重雕本），頁365。

28 《史記・吳世家》：「九年，為騶伐魯，至與魯盟乃去。」唐人・司馬貞（679-732）《史記索隱》：「《左傳》騶作邾，聲相近自亂耳。」見漢・司馬遷著，南朝宋・裴駰集解，唐・司馬貞索隱，唐・張守節正義，日本・瀧川龜太郎考證：《史記會注考證》（高雄：復文圖書出版社，1991年），頁532。《漢書・地理志下》「魯國」下轄「騶」縣，云：「騶，故邾國，曹姓，二十九世為楚所滅。」見漢・班固著，唐・顏師古注：《漢書》（臺北：宏業書局，1996年），頁1637。

29 《公羊傳》隱公元年（722 B.C.）《經》：「三月，公及邾婁儀父盟于眜。」見漢・公羊壽傳，漢・何休解詁，唐・徐彥疏：《春秋公羊傳注疏》（臺北：藝文印書館，1993年，據清嘉慶二十年（1815）江西南昌府學版影印），頁11。《禮記・檀弓上》：「邾婁復之以矢，蓋自戰於升陘始也。」見漢・鄭玄注，唐・孔穎達正義：《禮記注疏》（臺北：藝文印書館，1993年，據清嘉慶二十年（1815）江西南昌府學版影印），頁118。

30 《漢書・古今人表》「下中」有「朱庶其」，見漢・班固著，唐・顏師古注：《漢書》，頁921。《左傳》襄公二十一年（552 B.C.）《經》：「邾庶其以漆、閭丘來奔。」《傳》：「邾庶其以漆、閭丘來奔。」見晉・杜預集解，唐・孔穎達正義：《春秋左傳注疏》，頁589。知《漢書》之「朱庶其」即《左傳》之「邾庶其」。《路史・後紀八・疏仡紀》：「晏安封曹，為曹姓。朱、婁、騶、繹、倪、莒、小朱、根牟，皆曹分也。」見宋・羅泌：《路史》，收入任繼愈、傅璇琮總主編：《文津閣四庫全書》（北京：商務印書館，2005年），冊132，頁194。《路史・國名紀三》：「朱，曹姓，子，邾也。」見宋・羅泌：《路史》，收入任繼愈、傅璇琮總主編：《文津閣四庫全書》，冊132，頁240。

31 〈邾公牼鐘〉見中國社會科學院考古研究所編：《殷周金文集成》（北京：文物出版社，1984年），第1冊，編號1.149-1.152。〈邾公華鐘〉見中國社會科學院考古研究所編：《殷周金文集成》，第1冊，編號第1.245。〈邾公鐘〉見中國社會科學院考古研究所編：《殷周金文集成》，第1冊，編號第1.102。

32 漢・司馬遷著，南朝宋・裴駰集解，唐・司馬貞索隱，唐・張守節正義，日本・瀧川龜太郎考證：《史記會注考證》，頁630-631。

南朝宋人裴駰（？-？）《史記集解》：「曹姓者，邾是也。」[33]然依近世出土器物〈邾公鐘〉銘文與王國維《觀堂集林》所釋，則邾始祖乃陸終無疑。[34]此外，《國語・鄭語》：「曹姓鄒、莒。」三國吳人韋昭（204-273）《注》：「陸終第五子曰安，為曹姓，封於鄒。」[35]《譔異》謂〈鄭語〉之「鄒」即邾，故其言：「韋氏述邾氏所出，亦止上至陸終，不更數顓頊，適與邾器合。」[36]《譔異》所言「邾器」乃上引〈邾公鐘〉，知春秋邾國應是陸終後裔。至於邾之國都因曾遷徙，且關涉本文交通路線之起點，將於第二節說明舊都與新都位址。

## 二　邾初都與邾繹都之現址

邾國初都位址，《大事表》謂在清代「山東兗州府鄒縣，文公遷繹，今鄒縣東南二十六里有古邾城。」[37]邾文公遷繹見文公十三年《左傳》：「文公卜遷于繹。……遂遷于繹。」晉人杜預（西元222-285年）《春秋經傳集解》（以下簡稱《集解》）：「繹，邾邑，魯國鄒縣北有繹山。」唐人孔穎達（西元574-648年）《春秋正義》（以下簡稱《正義》）：

> 邾都本在鄒縣，鄒縣北有繹山，徙都於彼山旁。山旁當有舊邑，故曰「繹，邾邑」也。邾既遷都於此，竟內別有繹邑。宣十年「公孫歸父帥師伐邾，取繹。」取彼之別邑，不取邾之國都也。但邾是小國，彼繹邑亦取繹山為名，應近邾之都耳。[38]

清人王掞（1645-1728）等編《欽定春秋傳說彙纂》（以下簡稱《彙纂》）謂入春秋時邾都在清代「鄒縣，屬山東兗州府」；繹則在「山東兗州府鄒縣東南，山南有邾城。」清人江永（1681-1762）《春秋地理考實》（以下簡稱《考實》）承《彙纂》，另補充云：「今按：嶧山在鄒縣南二十二里。」[39]清人高士奇（1644-1703）《春秋地名考略》（以下簡

33 漢・司馬遷著，南朝宋・裴駰集解，唐・司馬貞索隱，唐・張守節正義，日本・瀧川龜太郎考證：《史記會注考證》，頁631。

34 中國社會科學院考古研究所編：《殷周金文集成》，第1冊，編號第1.102。王國維：《觀堂集林》（北京：中華書局，1999年），頁894。

35 三國・韋昭：《國語韋昭註》，頁369。

36 陳槃：《春秋大事表列國爵姓及存滅表譔異》，頁225、227。

37 清・顧棟高著，吳樹平、李解民點校：《春秋大事表》，頁569。

38 晉・杜預集解，唐・孔穎達正義：《春秋左傳注疏》，頁333。

39 清・王掞等：《欽定春秋傳說彙纂》，收入任繼愈、傅璇琮總主編：《文津閣四庫全書》（北京：商務印書館，2005年），冊59，頁415、602。清・江永：《春秋地理考實》，收入清・阮元編：《皇清經解春秋類彙編》（臺北：藝文印書館，1986年，據學海堂本影印），頁850。

稱《考略》）謂清代鄒縣「縣治為宋時所徙，古邾城在縣東南二十六里。」[40]至於繹之地望，《考略》言：

> 《疏》稱邾即鄒縣，嶧山在北，而今之嶧山在縣東南二十五里，蓋古時縣治在山南，而今則徙於山北也。又山之西南有故縣村，即鄒縣舊治，可知文公徙都，不過稍北數里耳。[41]

則《考略》認為繹僅在邾舊都稍北幾里處，《大事表》與日本人竹添光鴻（1842-1917）《左傳會箋》（以下簡稱《會箋》）同之。[42]清人沈欽韓（1775-1831）《春秋左氏傳地名補注》（以下簡稱《補注》）：

> 《水經注》：「嶧山在鄒縣北，繹邑之所依，以為名也。」[43]《山東通志》：「邾國，在兗州府鄒縣西南，周武王封祝融之裔挾于邾，即此也。」「邾城，在縣東南二十五里，邾文公所遷。城周二十餘里，在嶧山之陽。《寰宇記》所云：『上冠峯巒，下矚谿壑，窮制國之勝景者也。』[44]俗誤為紀王城。」[45]」[46]

若依《山東通志》，則邾都原在鄒縣西南，遷都之繹則在鄒縣東南；依地望言，兩地又稍有距離。近人錢穆（1895-1990）《史記地名考》謂邾文公卜遷之繹在今鄒縣東南二十里；[47]近人程發軔（1894-1975）《春秋要領》（以下簡稱《要領》）與近人潘英（？-？）

40 清・高士奇：《春秋地名考略》，收入清・永瑢、紀昀等編：《景印文淵閣四庫全書》（臺北：臺灣商務印書館，1983年，據文淵閣四庫全書影印），冊176，卷12，頁9。

41 清・高士奇：《春秋地名考略》，收入清・永瑢、紀昀等編：《景印文淵閣四庫全書》，冊176，卷12，頁9-10。

42 清・顧棟高著，吳樹平、李解民點校：《春秋大事表》，頁790。日・竹添光鴻：《左傳會箋》（臺北：天工書局，1998年），頁639-640。

43 原句見《水經注・泗水》：「京相璠曰：《地理志》，嶧山在鄒縣北，繹邑之所依以為名也。」見漢・桑欽著，北魏・酈道元注：《水經注》（長春：時代文藝出版社，2001年，據清人王先謙《合校水經注》為底本排印），頁195。

44 原句見《太平寰宇記》卷二十一：「故國城在今縣東南，周迴四里，上冠山峰，下矚巖壑，窮邾國之勝景。」見宋・樂史著，王文楚等點校：《太平寰宇記》（北京：中華書局，2007年，據清光緒八年（1882）金陵書局為底本校定排印），頁441。

45 原句見《山東通志・古蹟志》：「邾國，在（鄒）縣西南平陽城內，周武王封祝融之裔挾于邾，即此也。」「邾城，在（鄒）縣東南二十五里，《左傳》文公十三年：『邾文公遷于繹。』城周二十餘里，在嶧山之陽。《寰宇記》所云：『上冠峯巒，下矚谿壑，窮制國之勝景者也。』俗誤為紀王城。」」見清・岳濬等監修，清・杜詔等編纂：《山東通志》，收入清・永瑢、紀昀等編：《景印文淵閣四庫全書》（臺北：臺灣商務印書館，1983年，據文淵閣四庫全書影印），冊539，卷9，頁21。

46 清・沈欽韓：《春秋左氏傳補注》，收入清・王先謙：《續經解春秋類彙編》（臺北：藝文印書館，1986年，據學海堂本影印），頁2641-2642。

47 錢穆：《史記地名考》（北京：商務印書館，2001年），頁477。

《中國上古國名地名辭匯及索引》（以下簡稱《索引》）皆謂邾都原在山東鄒縣，遷都之繹為山名，在山東鄒縣東南二十二里。[48]近人楊伯峻（1909-1992）《春秋左傳注》（以下簡稱《左傳注》）謂邾「初都今曲阜縣東稍南，蓋魯之附庸，後都今鄒縣東南，春秋後八世滅之。」[49]《左傳注》又言：

> 今山東省鄒縣東南有嶧山，嶧、繹字通。邾文公所遷當在嶧山之陽與郭山之北夾谷地帶。……邾遷都後，境內又另有繹邑，宣十年公孫歸父帥師伐邾取繹，乃取其別邑，非取其國都。[50]

《左傳注》又另舉一說，謂邾都初在今曲阜縣東南，後遷於繹在今鄒縣東南嶧山之陽。《地圖集》冊1「齊、魯」地圖、[51]戴均良等編《中國古今地名大詞典》（以下簡稱《古今地名》）皆同《左傳注》之說；《古今地名》謂邾初都曲阜市東南之南郰村，繹在鄒城市東南。[52]今日曲阜市下轄尼山鎮，原名為南辛鎮，2011年改為今名。此地為孔子出生地，即春秋時代魯國郰邑。[53]實則上說本於《水經注・泗水》：「故邾婁之國，曹姓也，叔梁紇之邑也，孔子生于此。後乃縣之，因鄒山之名以氏縣也。」[54]近人王獻唐（1896-1960）《三邾疆域圖考》（以下簡稱《圖考》）以聲韻學論證，「鄒山之義，原出邾婁，邾婁即鄒，更可知訾婁歸魯以後，曾為叔梁食邑也。」[55]知《圖考》亦主張邾初都於爾後魯之郰邑，《古今地名》謂郰今址在曲阜市東南，又謂該地是邾國前期國都。[56]

中國科學院考古研究所山東考古隊〈山東鄒縣滕縣古城址調查〉確定邾都於繹，現地在山東鄒縣南約10.5公里處鄒峰山下，[57]山東大學歷史文化學院考古系、鄒城市文物局〈山東鄒城市邾國故城遺址2015年發掘簡報〉與山東大學歷史文化學院、山東大學文化遺產研究所、鄒城市文化局〈山東鄒城市邾國故城遺址2017年J3發掘簡報〉亦指出繹

---

48 程發軔：《春秋要領》（臺北：東大圖書公司，1989年），頁127、173。潘英：《中國上古國名地名辭匯及索引》（臺北：明文書局，1986年），頁37、233。

49 楊伯峻：《春秋左傳注》（北京：中華書局，2000年），頁7。

50 楊伯峻：《春秋左傳注》，頁597。

51 譚其驤：《中國歷史地圖集》，冊1，頁26-27。

52 戴均良等：《中國古今地名大詞典》（上海：上海辭書出版社，2005年），頁1523。

53 百度百科搜尋「尼山鎮」，搜尋日期：2019年3月29日，網址：https://baike.baidu.com/item/%E5%B0%BC%E5%B1%B1%E9%95%87。

54 漢・桑欽著，北魏・酈道元注：《水經注》，頁195。

55 王獻唐：《三邾疆域圖考》（濟南：齊魯書社，1982年），頁41。

56 戴均良等：《中國古今地名大詞典》，頁2369。

57 中國科學院考古研究所山東考古隊：〈山東鄒縣滕縣古城址調查〉，《考古》，1965年第12期，頁622-635。張長壽、殷瑋璋主編，中國社會科學院考古研究所編：《中國考古學・兩周卷》（北京：中國社會科學出版社，2004年），頁263-264。

今址在鄒城市東南約10公里嶧山鎮嶧山南麓紀王城村周圍，[58]繹之位址當無疑慮。今截取〈山東鄒城市邾國故城遺址2017年J3發掘簡報〉所附「遺址平面及2017年度考古發掘區位置圖」為「圖1、邾都繹遺址發掘位置圖」，敬請讀者參看。至於邾初都位址，若依《大事表》、《考略》、《會箋》等意見，則位於繹現址稍北處，約在今鄒城市東南；若依《水經注》、《圖考》、《左傳注》、《地圖集》，則位於今曲阜市東南——即爾後魯國郰邑。馬媛援〈邾國地理考證〉謂二說自有其理，唯若是前說則如《考略》所言：「可知文公徙都，不過稍北數里耳」；馬氏認為「如此近的距離邾文公為何要遷都？」[59]因後說本於《水經注》，故本文從後說之見，謂邾初都於今曲阜市東南。

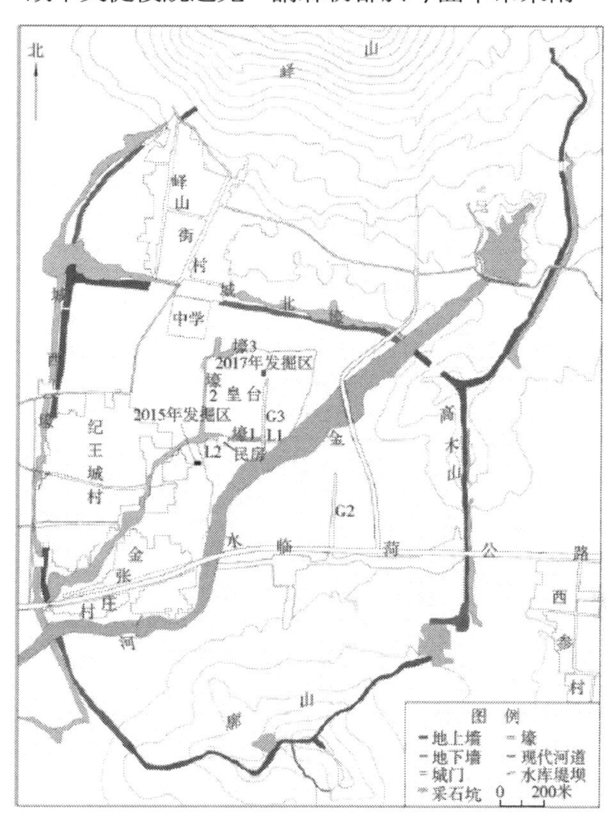


圖 1　邾都繹遺址發掘位置圖

至於宣公十年《春秋經》「公孫歸父帥師伐邾，取繹」之記載，此繹乃邾另一繹邑而非邾都繹。上揭宣公十年《春秋經》之《集解》謂「繹，邾邑，魯國鄒縣北有繹山。」《正義》:「文十三年《傳》稱邾遷于繹，則繹為邾之都矣。東別有繹邑，今魯伐取之，

58 山東大學歷史文化學院考古系、鄒城市文物局：〈山東鄒城市邾國故城遺址2015年發掘簡報〉，《考古》2018年第3期，頁44-67。山東大學歷史文化學院、山東大學文化遺產研究所、鄒城市文化局：〈山東鄒城市邾國故城遺址2017年J3發掘簡報〉，《考古》2018年第8期，頁3-24。

59 馬媛援：〈邾國地理考證〉，《聊城大學學報（社會科學版）》，2010年第1期，頁21-24。

非取邾之都也。亦因繹山為名，蓋近在邾都之旁耳。」[60]《彙纂》謂「今嶧山在鄒縣東南二十里，蓋縣治徙山北也。嶧與繹通」;《考實》全引其文。[61]《大事表》從《正義》，認為「宣十年公孫歸父帥師伐邾取繹，必非取其國都，當是取其別邑。」[62]《會箋》:

> 《經》下《注》:「繹，邾邑，魯國鄒縣北有繹山」，與文十三年《傳》「邾文公卜遷於繹」《注》無異詞，是一繹矣。既為邾國都，何得為魯師取而邾尚未滅？故《正義》言更別有繹邑，今魯取之，非取邾都也。亦因繹山為名，蓋近在邾都之旁耳。補救甚好。……及宣公時，又取其旁邑之同名繹者，所謂「魯擊柝聞於邾」矣。[63]

《會箋》亦謂魯所取繹乃邾之別邑而同名者，且謂哀公七年《左傳》邾大夫茅成子所言「魯擊柝聞於邾」,《集解》僅謂「言以近。」[64]《會箋》於哀公七年《左傳》亦言：「邊境擊柝之聲，常聞于邾都也。」[65]此魯之邊境，《會箋》認為即魯宣公十年（599 B.C.）所取邾之別邑繹，因緊臨邾都之繹，故茅成子乃謂此語。《要領》、《索引》皆言邾另有繹邑，在今鄒縣境。[66]《圖考》、《左傳注》皆主張另有繹邑，《左傳注》已見上文所引。[67]《古今地名》謂此繹為邾邑，位於今鄒城縣東南。[68]然清人顧炎武（1613-1682）《左傳杜解補正》卷中言:「按：十三年《傳》曰『邾文公遷于繹』，然則此之取繹，豈取其國都乎？蓋文公雖遷，後復還其故都耳。」[69]《譔異》謂「案顧說似較長。」[70]然哀公七年《左傳》:「秋，(吳）伐邾，及范門，猶聞鐘聲。大夫諫，不聽。茅成子請告於吳，不許。……成子以茅叛，師遂入邾，處其公宮。眾師晝掠，邾眾保于繹。」《集解》謂「范門」為「邾郭門」;「成子，邾大夫茅夷鴻」;「繹，邾山也，在鄒縣北。」[71]知吳師已至邾都范門而邾君不禦備，故茅成子叛邾而率師入邾都，於是邾眾

---

60 晉・杜預集解，唐・孔穎達正義:《春秋左傳注疏》，頁381。

61 清・王掞等:《欽定春秋傳說彙纂》，收入任繼愈、傅璇琮總主編:《文津閣四庫全書》，冊59，頁630。清・江永:《春秋地理考實》，收入清・阮元編:《皇清經解春秋類彙編》，頁852。

62 清・顧棟高著，吳樹平、李解民點校:《春秋大事表》，頁789。

63 日・竹添光鴻:《左傳會箋》，頁727-728。

64 晉・杜預集解，唐・孔穎達正義:《春秋左傳注疏》，頁1010。

65 日・竹添光鴻:《左傳會箋》，頁1920。

66 程發軔:《春秋要領》，頁173。潘英:《中國上古國名地名辭匯及索引》，頁233。

67 王獻唐:《三邾疆域圖考》，頁28。楊伯峻:《春秋左傳注》，頁597。

68 戴均良等:《中國古今地名大詞典》，頁2007。

69 清・顧炎武著，華東師範大學古籍研究所整理:《左傳杜解補正》，收入《顧炎武全集》(上海：上海古籍出版社，2011年)，冊1，頁50。

70 陳槃:《春秋大事表列國爵姓及存滅表譔異》，頁230。

71 晉・杜預集解，唐・孔穎達正義:《春秋左傳注疏》，頁1010。

乃保於繹山。此繹山實邾都繹城北之嶧山，可證春秋晚期邾仍都繹都。故本文仍從舊說，宣公十年《春秋經》所載魯所取繹乃邾別邑而非邾都繹。

綜上所述，為區別邾國遷都前後都城，逕稱未遷都前都城為「邾初都」，遷都後則稱「邾繹都」。邾初都今址為曲阜市東南尼山鎮，邾徙都至繹後，此地乃入魯國版圖，即孔子之父叔梁紇治所。邾繹都位於今鄒城市東南約10公里嶧山鎮嶧山南麓紀王城村周圍，終春秋之世，邾都皆在此地。

## 三　邾都繹東北向、北向、西向交通路線

本節討論邾都繹東北向、北向、西向交通路線，下分三小節依敘說明。第一小節論邾都繹東北向交通路線，主要連結邾都繹與邾初都，中經漆、閭丘。第二小節述北向交通路線，此為邾都繹與魯都曲阜之大道，中經繹邑、平陽。第三小節敘西向交通路線，先至邾都繹西方之訾婁，由此再分北、南二路；北路可達蟲，南路則經任、郚而至茅。

### （一）東北向交通路線：邾都繹—漆—閭丘—邾初都（郰）

襄公二十一年《春秋經》：「邾庶其以漆、閭丘來奔。」《左傳》：「邾庶其以漆、閭丘來奔。」《集解》：「二邑在高平南平陽縣，東北有漆鄉，西北有顯閭亭。……庶其，邾大夫。」又定公十五年《春秋經》：「冬，城漆。」《集解》：「邾庶其邑。」[72]知漆、閭丘本邾國二邑，魯襄公二十一年（552 B.C.）邾大夫庶其攜二邑奔魯，乃入魯國版圖，如是則邾都繹至漆、閭丘當有道路可達。《彙纂》：「今鄒縣北有漆城，即漆鄉也。顯閭亭即閭丘。」[73]《考略》：「今鄒縣北有漆城，一名漆鄉。……漆鄉西北有顯閭亭，即閭丘。或云在縣南。」[74]《大事表》謂漆在清代鄒縣北，閭丘在鄒縣南，[75]知閭丘有鄒縣北與縣南二說。《考實》：「今按：漢置南平陽縣，後省入鄒縣。又按：《水經注》引《從征記》曰：『今漆鄉東北十里見有閭邱鄉』，[76]顯閭非也。」[77]《補注》：[78]

---

72 晉．杜預集解，唐．孔穎達正義：《春秋左傳注疏》，頁589、985。

73 清．王掞等：《欽定春秋傳說彙纂》，收入任繼愈、傅璇琮總主編：《文津閣四庫全書》，冊59，頁701。

74 清．高士奇：《春秋地名考略》，收入清．永瑢、紀昀等編：《景印文淵閣四庫全書》，冊176，卷12，頁11。

75 清．顧棟高著，吳樹平、李解民點校：《春秋大事表》，頁789。

76 原句見《水經注．洙水》：「《從征記》曰：杜謂顯閭，閭丘也。今按漆鄉在縣東北，漆鄉東北十里，見有閭丘鄉，顯閭非也。」見漢．桑欽著，北魏．酈道元注：《水經注》，頁201。

77 清．江永：《春秋地理考實》，收入清．阮元編：《皇清經解春秋類彙編》，頁860。

78 清．沈欽韓：《春秋左氏傳補注》，收入清．王先謙：《續經解春秋類彙編》，2654。

> 《續志》：「南平陽有漆亭、閭丘亭。」[79]《水經注》：「今按：漆鄉在縣東北，漆鄉東北十里見有閭丘鄉。杜云顯閭，非也，顯閭自是別亭。」[80]《山東通志》：「漆城，在兗州府鄒縣西境」；「閭丘城，在縣北境」；「南平陽城，在縣西十三里。」[81]

則又有漆在鄒縣西、閭丘在鄒縣北之說。《會箋》謂清代「兗州府鄒縣北有漆城，即漆鄉也。閭丘在鄒縣南。」[82]《圖考》：「今案鄒縣有兩漆城，一在城東北十里，一在城西十餘里，俗稱七女城。光緒鄒志據杜注在南平陽一語，定為城西之漆城。」[83]則漆又有鄒縣東北與西境二處。《要領》、《索引》皆言漆在今鄒縣北，《要領》謂閭丘在鄒縣東北，《索引》言在鄒縣東北十里。[84]《左傳注》亦云：「漆在今山東鄒縣東北，閭丘又在漆東北十里。」[85]唐敏、尹敬梅、于英華、劉軍等編《山東省古地名辭典》（以下簡稱《山東地名》）推測漆應在鄒縣西南郭里鄉境內，閭丘可能在鄒縣北部。[86]《古今地名》亦言漆、閭丘皆在今鄒城市東北，[87]凡此皆承《水經注》，本文亦從此見，認為二邑在今鄒城市東北。考諸《地圖集》冊1「齊、魯」地圖，[88]邾都繹北臨繹山，今日又作嶧山。依地望言，邾都繹東北向道路當先向北通過嶧（繹）山，再轉東北至漆、閭丘。

第一節已述邾初都在今曲阜市東南尼山鎮，即舊稱之南辛鎮。文公十三年《左傳》載邾文公遷都於繹，則二地間必有交通貫通。以地望推之，則邾都繹至邾初都當行東北向交通路線，先經漆、閭丘而至邾初都，即爾後魯之郰邑。以下援引《地圖集》冊1「齊、魯」地圖，[89]截取為「圖2、邾都繹東北向、北向、西向交通路線圖」。透過

79 原句見《後漢書・郡國志三》：「南平陽，侯國，有漆亭、閭丘亭。」見劉宋・范曄著，唐・李賢等注：《後漢書》（臺北：宏業書局，1984年），頁3455。

80 原句見《水經注・洙水》：「《從征記》曰：杜謂顯閭，閭丘也。今按漆鄉在縣東北，漆鄉東北十里，見有閭丘鄉，顯閭非也，然則顯閭自是別亭，未知孰是。」見漢・桑欽著，北魏・酈道元注：《水經注》，頁201。

81 原句見《山東通志・古蹟志》：「漆城，在（鄒）縣西境」；「閭丘城，在縣北境，即顯閭亭」；「南平陽城，在縣西十三里，即故邾國。」見清・岳濬等監修，清・杜詔等編纂：《山東通志》，收入清・永瑢、紀昀等編：《景印文淵閣四庫全書》，冊539，卷9，頁21。

82 日・竹添光鴻：《左傳會箋》，頁1133。

83 王獻唐：《三邾疆域圖考》，頁33。

84 程發軔：《春秋要領》，頁333、335。潘英：《中國上古國名地名辭彙及索引》，頁205、217。

85 楊伯峻：《春秋左傳注》，頁1055。

86 唐敏、尹敬梅、于英華、劉軍等：《山東省古地名辭典》（濟南：山東文藝出版社，1993年），頁162、。

87 戴均良等：《中國古今地名大詞典》，頁3162、2250。

88 譚其驤：《中國歷史地圖集》，冊1，頁26-27。

89 譚其驤：《中國歷史地圖集》，冊1，頁26-27。

Google Map截取為「圖3、山東省曲阜市、鄒城市周邊衛星圖」，[90]將二圖參看可知漆、閭丘位於「圖2」以紅線所繪東北向交通路線之上。

## （二）北向交通路線：郳都繹—繹邑—平陽—曲阜

上文已引宣公十年《春秋經》：「公孫歸父帥師伐郳，取繹。」於彼處已說明此繹乃郳另一繹邑，雖非郳都繹，然與國都極近。以地望推之，則北向交通路線應首經繹邑。

哀公二十七年《左傳》：「二十七年春，越子使舌庸來聘，且言郳田，封于駘上。二月，盟于平陽，三子皆從。」《集解》謂此「平陽」為「西平陽」。《正義》：「此年『平陽』，『西平陽』也，高平南有平陽縣。」[91]《大事表》謂「魯有兩平陽，……西平陽在兗州府鄒縣西三十里，本郳邑，為魯所取。」[92]《會箋》亦謂此平陽在清代「兗州府鄒縣西，本郳邑，為魯所取。」[93]則平陽原是郳邑，爾後為魯所奪。《彙纂》：「案：高平，漢侯國，故城在今山東兗州府鄒縣西南，其西有平陽城，漢所置南平陽縣也」；《考實》全引《彙纂》。[94]《大事表》謂「魯有兩平陽，……西平陽在兗州府鄒縣西三十里，本郳邑，為魯所取。」[95]《補注》：「《一統志》：『南平陽故城，今兗州府鄒縣治。』[96]《通志》則云：『南平陽城，在縣西三十里。』[97]」[98]則平陽在清代位址有鄒縣治與鄒縣西三十里二說。《會箋》謂此平陽在清代「兗州府鄒縣西，本郳邑，為魯所取。」[99]《要領》亦謂在鄒縣西，《索引》則言在鄒縣西三十里。[100]《左傳注》言「即今山東鄒縣城」，[101]

---

90 GoogleMap衛星圖，搜尋日期2019年3月29日，網址：https://www.google.com.tw/maps/place/%E4%B8%AD%E5%9C%8B%E5%B1%B1%E6%9D%B1%E7%9C%81%E6%BF%9F%E5%AF%A7%E5%B8%82%E6%9B%B2%E9%98%9C%E5%B8%82%E5%B0%BC%E5%B1%B1%E9%8E%AE/@35.460177,117.0842109,32485m/data=!3m1!1e3!4m5!3m4!1s0x35c3fe78a4ebff15:0xfa5b45e8de38be3a!8m2!3d35.523335!4d117.133347?hl=zh-TW。

91 晉．杜預集解，唐．孔穎達正義：《春秋左傳注疏》，頁1053。

92 清．顧棟高著，吳樹平、李解民點校：《春秋大事表》，頁725。

93 日．竹添光鴻：《左傳會箋》，頁719。

94 清．王掞等：《欽定春秋傳說彙纂》，收入任繼愈、傅璇琮總主編：《文津閣四庫全書》，冊59，頁817。清．江永：《春秋地理考實》，收入清．阮元編：《皇清經解春秋類彙編》，頁876。

95 清．顧棟高著，吳樹平、李解民點校：《春秋大事表》，頁725。

96 原句見《嘉慶重修一統志．兗州府二》：「南平陽故城，今鄒縣治。」見清．穆彰阿等：《嘉慶重修一統志》（上海：商務印書館，1934，據上海涵芬樓景印清史館藏進呈寫本），卷166，頁2。

97 原句見《山東通志．古蹟志》：「南平陽城，在縣西三十里。」見清．岳濬等監修，清．杜詔等編纂：《山東通志》，收入清．永瑢、紀昀等編：《景印文淵閣四庫全書》，冊539，卷9，頁21。

98 清．沈欽韓：《春秋左氏傳補注》，收入清．王先謙：《續經解春秋類彙編》，2678。

99 日．竹添光鴻：《左傳會箋》，頁719。

100 程發軔：《春秋要領》，頁282。潘英：《中國上古國名地名辭彙及索引》，頁112。

101 楊伯峻：《春秋左傳注》，頁1733。

《山東地名》云在鄒縣縣治，[102]《古今地名》亦言即今鄒城市。[103]先賢本有平陽在鄒縣治之說，且《左傳注》、《古今地名》乃依今日行政區劃標記位址，故從位於今日鄒城市之見。平陽原屬邾，則邾都繹至此當有道路可至，列為北向交通路線據點。又因平陽後歸魯，則可自此至曲阜。

魯始建於西周初年，定公四年《左傳》：

> 分魯公以大路、大旂，夏后氏之璜，封父之繁弱，殷民六族，條氏、徐氏、蕭氏、索氏、長勺氏、尾勺氏，使帥其宗氏，輯其分族，將其類醜，以法則周公。……因商奄之民，命以伯禽而封於少皞之虛。[104]

此「魯公」《集解》：「魯公，伯禽也」；又釋「少皞之虛」言：「少皞虛，曲阜也，在魯城內。」《正義》：「曲阜在魯城內，與魯之所都正在此少皞虛矣。」[105]《史記．魯周公世家》亦云：「封周公旦於少昊之虛曲阜，是為魯公。」[106]唐人張守節（？-？）《史記正義》：「《括地志》云：『兗州曲阜縣外城，即魯公伯禽所築也。』[107]」[108]《史記地名考》謂魯都曲阜今址即在山東省曲阜縣治。[109]中國大陸於1977於至1978年曾對曲阜進行探掘，張學海〈淺談曲阜魯城的年代和基本格局〉：

> 在魯城的西北部、西部、西南部和孔林林道西側，都發現了西周初年和早期的遺址和墓葬，分布範圍足足占了魯城西部的三分之一。如果把魯城北部的盛果寺西遺址也計算在內，其範圍幾乎占魯城的一半。這些遺址和墓地的分布雖廣都又相當集中，足以說明當時這裡曾是一座城市。[110]

張氏更言：

> 根據魯城的探勘資料，結合西周早期今黃淮地區的軍事、政治形勢和周初諸侯國的疆域等進行考察，我們認為曲阜魯城很可能就是伯禽封魯後所建的都城。從伯

102 唐敏、尹敬梅、于英華、劉軍等：《山東省古地名辭典》，頁159。

103 戴均良等：《中國古今地名大詞典》，頁1046。

104 晉．杜預集解，唐．孔穎達正義：《春秋左傳注疏》，頁947-948。

105 晉．杜預集解，唐．孔穎達正義：《春秋左傳注疏》，頁-948。

106 漢．司馬遷著，南朝宋．裴駰集解，唐．司馬貞索隱，唐．張守節正義，日．瀧川龜太郎考證：《史記會注考證》，頁551。

107 原句見《括地志．兗州．曲阜縣》：「兗州曲阜縣外城，即周公旦子伯禽所築，古魯城也。」見唐．李泰等著，賀次君輯校：《括地志輯校》（北京：中華書局，1980年），頁118。

108 漢．司馬遷著，南朝宋．裴駰集解，唐．司馬貞索隱，唐．張守節正義，日．瀧川龜太郎考證：《史記會注考證》，頁551。

109 錢穆：《史記地名考》，頁467。

110 張學海：〈淺談曲阜魯城的年代和基本格局〉，《文物》，1982年第12期，頁13-16。

禽開始，至魯傾公被楚所滅為止，魯城位置並沒有變化。[111]

陳東〈魯城「曲阜」說考辨〉又細論周代曲阜方位，[112]總而言之，魯都曲阜終春秋之世皆在今山東省曲阜縣北三里之古城村。[113]

總上所述，邾都繹北向交通路縣所經據點為：邾都繹—繹邑—平陽—曲阜，春秋邾、魯交流頻繁，皆取此道溝通二國都城，北向交通路線相關據點位址可參見「圖2」、「圖3」。

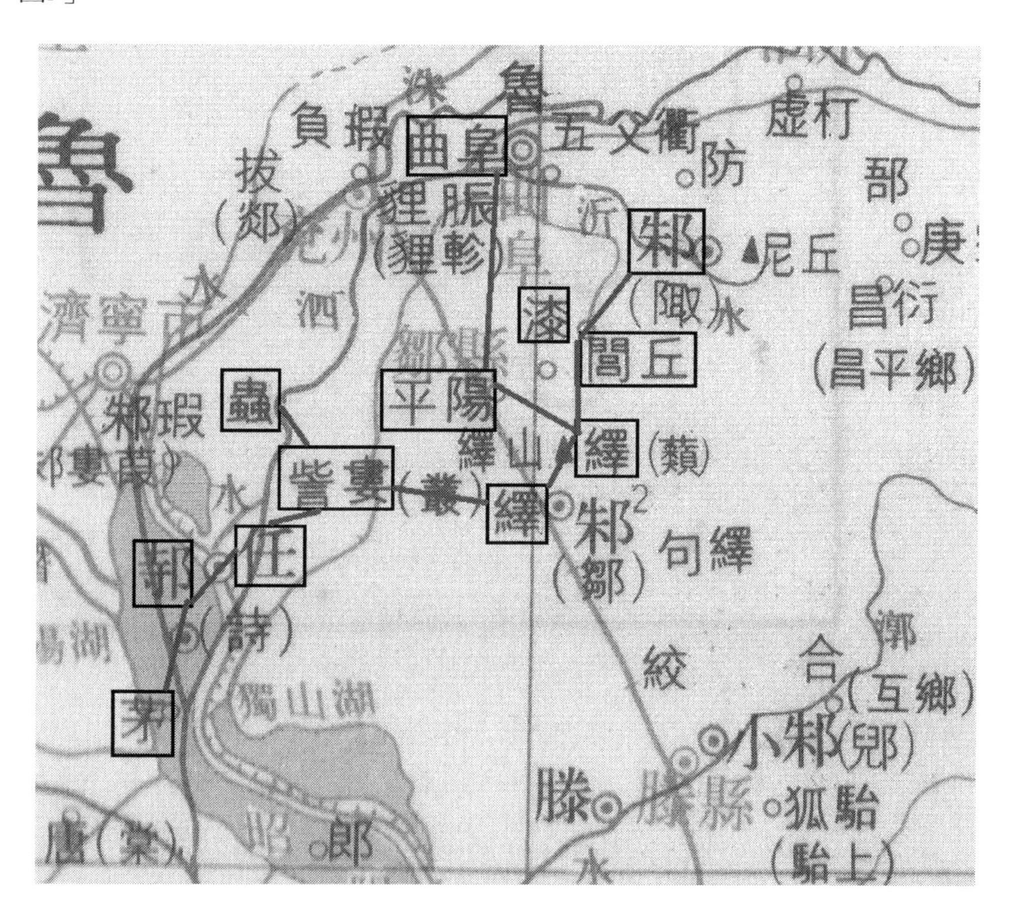


圖2　邾都繹東北向、北向、西向交通路線圖

111 張學海：〈淺談曲阜魯城的年代和基本格局〉，《文物》，1982年第12期，頁13-16。

112 陳東：〈魯城「曲阜」說考辨〉，《孔子研究》，2017年第5期，頁145-151。

113 楊伯峻：《春秋左傳注》，頁1。

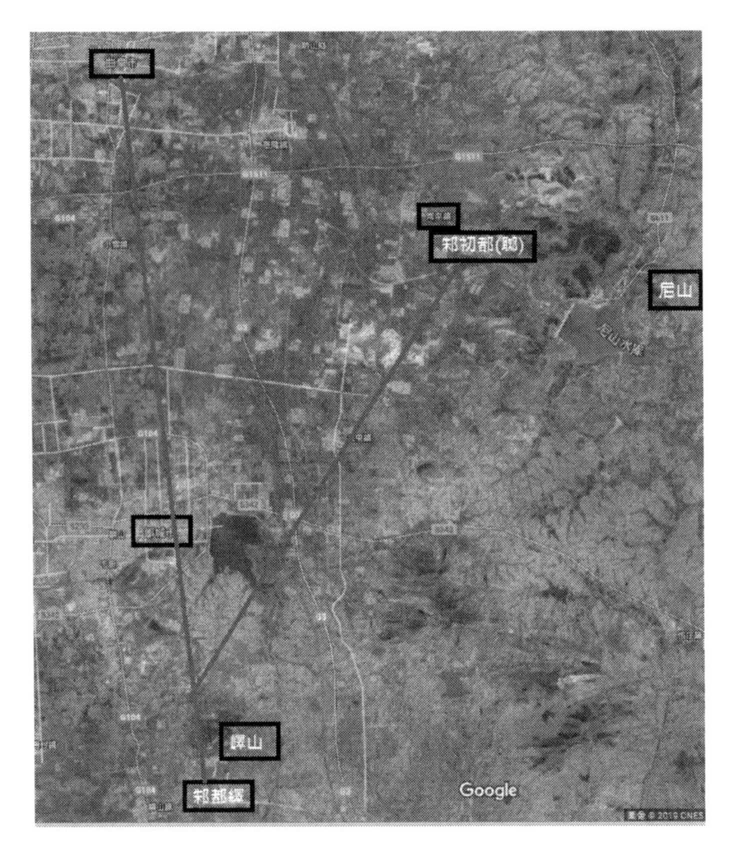


圖 3　山東省曲阜市、鄒城市周邊衛星圖

## （三）西向交通路線

西向交通路線由邾都繹先至訾婁，於訾婁分為北、南二路，故於本小節分設三小項分述。第1小項先敘邾都繹至訾婁，第2小項再論訾婁至蟲之北路，第3小項申言訾婁至任、郚、茅之路線。

### 1 邾都繹—訾婁

僖公三十三年《春秋經》：「公伐邾，取訾婁。」[114]其地望《集解》、《正義》無說。《彙纂》謂「邾地，當在濟寧州界」；《考實》援用《彙纂》。[115]此外，《考略》亦言「或曰在濟寧州界」；[116]《大事表》又云「在兗州濟寧州界」；《會箋》亦如是言。[117]

114 晉．杜預集解，唐．孔穎達正義：《春秋左傳注疏》，頁288。

115 清．王掞等：《欽定春秋傳說彙纂》，收入任繼愈、傅璇琮總主編：《文津閣四庫全書》，冊59，頁578。清．江永：《春秋地理考實》，收入清．阮元編：《皇清經解春秋類彙編》，頁848。

116 清．高士奇：《春秋地名考略》，收入清．永瑢、紀昀等編：《景印文淵閣四庫全書》，冊176，卷12，頁10。

《要領》、《索引》皆謂訾婁在濟寧東，[118]《左傳注》僅言「當是邾地」而未指明地望，[119]《古今地名》則云訾婁在今鄒城市西南。[120]《古今地名》因據目前行政區劃標記位址，故以此為確。考諸「圖2」知邾都繹在今鄒城市東南，訾婁既在鄒城市西南，且邾都繹為邾之國都，理應有道路可至訾婁。

## 2 北路：訾婁—蟲

昭公十九年《左傳》：「郳夫人，宋向戌之女也，故向寧請師。二月，宋公伐邾，圍蟲。三月，取之，乃盡歸郳俘。」同年《左傳》：「邾人、郳人、徐人會宋公。乙亥，同盟于蟲。」《集解》：「蟲，邾邑。」[121]《彙纂》、《考略》、《考實》皆言蟲「當在濟寧州東境」；[122]《大事表》謂當在清代「兗州府濟寧州境」，《會箋》亦如是言。[123]《要領》、《索引》皆云蟲在今濟寧東，[124]《左傳注》則概言在濟寧縣境。[125]《古今地名》亦指在今濟寧市東，[126]今從其說。昭公十九年《左傳》既載邾人、倪人、徐人會宋公於蟲，則邾都繹至蟲當有道路可至。考諸地望，蟲位於訾婁西北，推測邾都繹至蟲應先經訾婁再轉西北行，此為西向交通路線北路。

## 3 南路：訾婁—任—郚—茅

僖公二十四年《左傳》：「凡、蔣、邢、茅、胙、祭，周公之胤也。」《集解》：「高平昌邑縣西有茅鄉。」又哀公七年《左傳》：「茅成子請告於吳，不許，……成子以茅叛，師遂入邾，處其公宮。」《集解》：「成子，邾大夫茅夷鴻。……高平西南有茅鄉亭。」[127]《彙纂》於僖公二十四年《左傳》言：「今山東兗州府金鄉縣西北四十里有昌邑城，其西有茅鄉，古茅國也」；於哀公七年《左傳》又謂茅在清代「山東兗州府金鄉

---

117 清．顧棟高著，吳樹平、李解民點校：《春秋大事表》，頁789。日．竹添光鴻：《左傳會箋》，頁543。

118 程發軔：《春秋要領》，頁149。潘英：《中國上古國名地名辭匯及索引》，頁201。

119 楊伯峻：《春秋左傳注》，頁493。

120 戴均良等：《中國古今地名大詞典》，頁3014。

121 晉．杜預集解，唐．孔穎達正義：《春秋左傳注疏》，頁844。

122 清．王掞等：《欽定春秋傳說彙纂》，收入任繼愈、傅璇琮總主編：《文津閣四庫全書》，冊59，頁752。清．高士奇：《春秋地名考略》，收入清．永瑢、紀昀等編：《景印文淵閣四庫全書》，冊176，卷12，頁11。清．江永：《春秋地理考實》，收入清．阮元編：《皇清經解春秋類彙編》，頁867。

123 清．顧棟高著，吳樹平、李解民點校：《春秋大事表》，頁789。日．竹添光鴻：《左傳會箋》，頁1604。

124 程發軔：《春秋要領》，頁171。潘英：《中國上古國名地名辭匯及索引》，頁230。

125 楊伯峻：《春秋左傳注》，頁1402。

126 戴均良等：《中國古今地名大詞典》，頁1151。

127 晉．杜預集解，唐．孔穎達正義：《春秋左傳注疏》，頁255、1010。

縣西北四十里」;《考實》全引《彙纂》,[128]知《彙纂》視《左傳》二處之茅為一地。《考略》謂邾國之茅為茅國,謂茅「後為邾邑」;清代「金鄉縣西北四十里有昌邑城,又有茅鄉城,即古茅國也。」[129]《大事表》亦言茅在清代「兗州府金鄉縣西北四十里」;又指茅地望在清代「山東兗州府金鄉縣西北有茅鄉,後為邾邑」;顯然亦將二地視為一處。[130]《補注》於僖公二十四年《左傳》處謂「《一統志》:『茅鄉城,在兗州府金鄉縣西南』[131]」;於哀公七年《左傳》又言「《山東通志》:『茅鄉城,兗州府金鄉縣西境。』[132]《彙纂》云:『在金鄉縣西北四十里。』」[133]《補注》所引茅之今地雖略有差異,然大致皆在金鄉縣西境或西南境,知《補注》亦主張《左傳》所載之茅為一地。《會箋》於僖公二十四年《左傳》言:「茅國,茅伯所封,後為邾邑,哀七年『茅成子以茅叛』是也。今山東兗州府金鄉縣西北有昌邑城,其西有茅鄉,古茅國也。」[134]《左傳注》亦謂茅「故城當在今山東省金鄉縣茅鄉,後屬邾,哀七年《傳》『成子以茅叛』者是也」;[135]《山東地名》言在今金鄉縣西南,[136]《古今地名》在今金鄉縣西北。[137]《要領》、《索引》皆謂上引《左傳》二處之茅有別,前者在金鄉西北四十里,後者在鄒縣西南;[138]《地圖集》冊1「齊、魯」地圖亦標記二處茅之今地。[139]《圖志》認為:

> 《水經注》:「泗水南經高平縣故城西,洸水從西北來注之。」[140]是高平故城,在泗、洸二水合流處之東,今鄒縣王曲、薄梁一帶。《水經》又云:「洸水合洙水,又南至高平縣南,入於泗水。」[141]《注》云:「西有茅鄉城,東去高平三十

---

128 清·王掞等:《欽定春秋傳說彙纂》,收入任繼愈、傅璇琮總主編:《文津閣四庫全書》,冊59,頁559、804。清·江永:《春秋地理考實》,收入清·阮元編:《皇清經解春秋類彙編》,頁846、874。

129 清·高士奇:《春秋地名考略》,收入清·永瑢、紀昀等編:《景印文淵閣四庫全書》,冊176,卷12,頁12;卷14,頁8。

130 清·顧棟高著,吳樹平、李解民點校:《春秋大事表》,頁790-791、589。

131 原句見《嘉慶重修一統志·濟寧州》:「茅鄉城,在金鄉縣西南,古茅國。」見清·穆彰阿等:《嘉慶重修一統志》,卷183,頁10。

132 原句見《山東通志·古蹟志》:「茅鄉城,在(金鄉)縣西境。」見清·岳濬等監修,清·杜詔等編纂:《山東通志》,收入清·永瑢、紀昀等編:《景印文淵閣四庫全書》,冊539,卷9,頁25。

133 清·沈欽韓:《春秋左氏傳補注》,收入清·王先謙:《續經解春秋類彙編》,頁2636、2674。

134 日·竹添光鴻:《左傳會箋》,頁463。

135 楊伯峻:《春秋左傳注》,頁423。

136 唐敏、尹敬梅、于英華、劉軍等:《山東省古地名辭典》,頁143。

137 戴均良等:《中國古今地名大詞典》,頁1739。

138 程發軔:《春秋要領》,頁128。潘英:《中國上古國名地名辭匯及索引》,頁36、153。

139 譚其驤:《中國歷史地圖集》,冊1,頁26-27。

140 原句見《水經注·泗水》:「(泗水)又南過高平縣西,洸水從西北來流注之。」見漢·桑欽著,北魏·酈道元注:《水經注》,頁196。

141 原句見《水經注·洙水》:「洸水又東南流注於洙,洙水又南至高平縣南,入於泗水。」見漢·桑欽著,北魏·酈道元注:《水經注》,頁201。

> 里」，[142]前後正相吻合，又證以《漢志》、杜《注》。知茅鄉亭，在高平城西而偏南，其當為今魚臺縣東北境，獨山湖北岸一帶，即古之茅國，邾之茅邑。秦漢而下之茅鄉，地與邾郛邑毗連，[143]西境伸出之疆域也。《山東通志》、《濟寧州志》，類以茅在金鄉，相距甚遠，邾域尚不至是。[144]

《圖志》援引《水經注》等資料申論，認為茅當在今魚臺縣東北、獨山湖北岸，與邾都繹相距不遠。若依舊說謂茅在金鄉縣境，則遠離邾域遼遠，頗不合情理。今從《圖志》之見，謂邾之茅邑當在今魚臺縣東北、獨山湖北岸。依上引哀公七年《左傳》，知茅成子自茅率師攻入邾都繹，兩地當有道路連通。依地望推理，訾婁約在邾都繹正西而茅在訾婁西南。合理推測茅至邾都繹亦循此大道而行，先至訾婁後再轉東至邾都繹。知邾都繹西向交通路線至訾婁後分為北、南二路，南路途經任、郛而至茅。

總上所述，以為本節結束。第一小節說明邾都繹東北向交通路線，所經據點為邾都繹—漆—閭丘—邾初都（郰）。第二小節申論北向交通路線，起迄地點為邾都繹—繹邑—平陽—曲阜。第三小節討論西向交通路線，由邾都繹先西行至訾婁，爾後分為北、南二路；北路為訾婁——蟲，南路取道訾婁—任—郛—茅。

# 四　邾都繹南向、東南向、東向交通路線

本節說明邾都繹南向、東南向與東向交通路線，分設三小節說明。第一小節申言邾都繹南向交通路線，可途經滕國抵達薛國。此路線雖不屬邾國國內交通，唯因滕、薛國境褊狹，故附於邾國述其相關道路。第二小節論東南向交通路線，由邾都繹先至絞、狐駘（駘上），此設第1小項說明。由狐駘（駘上）再分東、南二路，第2小項述東路至郳（小邾），第3小項敘南路至濫。郳（小邾）與濫為小國，因道路簡略，故附於第二小節敘之。第三小節敘東向交通路線，由邾都繹至句繹後，依山勢轉向東南行，約在今棗莊市山亭區分為北、南二路。第1小項述明北路據點，經魯邑武城轉向東南行，可至離姑、翼、偃與虛丘。第2小項論南路據點，由今棗莊市山亭區轉向南行，可至郳（小邾）都城。

---

142 原句見《水經注．洙水》：「西有茅鄉城，東去高平三十里。」見漢．桑欽著，北魏．酈道元注：《水經注》，頁201。

143 筆者按：《圖考》認為郛為曾為邾國之邑，故如是云。見王獻唐：《三邾疆域圖考》，頁31-32。然襄公十三年（560 B.C.）《經》：「夏，取郛。」《傳》：「夏，郛亂，分為三。師救郛，遂取之。」《集解》：「郛，小國也，任城亢父縣有郛亭。……國分為三部，志力各異。」見晉．杜預集解，唐．孔穎達正義：《春秋左傳注疏》，頁554。由《經》、《傳》可知魯逕取郛為己邑，今以此為本，不從《圖考》之見。

144 王獻唐：《三邾疆域圖考》，頁34-35。

## （一）南向交通路線：郕都繹—滕—薛—偪陽—柤—邳

滕國首見隱公七年《春秋經》：「滕侯卒。」《集解》：「滕國在沛國公丘縣東南。」[145]爾後常見滕、魯往返交流，如隱公十一年《春秋經》：「十有一年春，滕侯、薛侯來朝」；又桓公二年《春秋經》：「滕子來朝」；又襄公六年《春秋經》：「滕子來朝」；又襄公三十一年《春秋經》：「冬十月，滕子來會葬」；又昭公三年《春秋經》：「夏，叔弓如滕。……五月，葬滕成公」；又定公十五年《春秋經》：「九月，滕子來會葬」；又哀公二年《春秋經》：「滕子來朝。」[146]知終春秋之世，滕、魯來往頗為密切。關於滕之地望，《彙纂》：「山東兗州府滕縣西南十五里有古滕城，即滕國也」；《考實》、《會箋》同之。[147]《考略》亦言「古滕城在（滕）縣西南十四里」，《大事表》又云「今山東兗州府滕縣西南十四里有古滕城。」[148]《補注》概言滕在清代「兗州府滕縣」，[149]《要領》、《索引》、《左傳注》皆謂在今滕縣西南十四里。[150]《山東地名》云滕國故城在今滕州市西南七公里，[151]《古今地名》依現今行政區劃，謂滕在今滕州市西南之滕城村。[152]《中國文物地圖集・山東分冊》（以下簡稱《文物地圖》）亦載「滕國故城」在今滕城市姜屯鎮東滕城村，[153]本文以此為據。考諸《地圖集》冊1「齊、魯」地圖，[154]滕在魯都曲阜南方，二國交通理當途經郕都繹，由是推理郕都繹當有道路可至滕，滕應是郕都繹南向交通路線據點。

薛首見隱公十一年《春秋經》：「十有一年春，滕侯、薛侯來朝。」《集解》：「薛，魯國薛縣。」[155]《彙纂》：「今薛城在山東兗州府滕縣南四十里」，《考略》亦同之，《考

145 晉・杜預集解，唐・孔穎達正義：《春秋左傳注疏》，頁71。

146 晉・杜預集解，唐・孔穎達正義：《春秋左傳注疏》，頁78、89、516、684、720、985、993。

147 清・王掞等：《欽定春秋傳說彙纂》，收入任繼愈、傅璇琮總主編：《文津閣四庫全書》，冊59，頁431。清・江永：《春秋地理考實》，收入清・阮元編：《皇清經解春秋類彙編》，頁834。日・竹添光鴻：《左傳會箋》，頁72。

148 清・高士奇：《春秋地名考略》，收入清・永瑢、紀昀等編：《景印文淵閣四庫全書》，冊176，卷12，頁23。清・顧棟高著，吳樹平、李解民點校：《春秋大事表》，頁564。

149 清・沈欽韓：《春秋左氏傳補注》，收入清・王先謙：《續經解春秋類彙編》，頁2618。

150 程發軔：《春秋要領》，頁163。潘英：《中國上古國名地名辭匯及索引》，頁75。楊伯峻：《春秋左傳注》，頁52。

151 唐敏、尹敬梅、于英華、劉軍等：《山東省古地名辭典》，頁198。

152 戴均良等：《中國古今地名大詞典》，頁3224。Google搜尋「百度百科」「滕國故城」，搜尋日期2019年5月16日，網址：https://baike.baidu.com/item/%E6%BB%95%E5%9B%BD%E6%95%85%E5%9F%8E。

153 國家文物局：《中國文物地圖集・山東分冊》（北京：中國地圖出版社，2007年），頁190。

154 譚其驤：《中國歷史地圖集》，冊1，頁26-27。

155 晉・杜預集解，唐・孔穎達正義：《春秋左傳注疏》，頁78-79。

實》亦全引《彙纂》；[156]《大事表》亦言清代「山東兗州府滕縣南四十里有薛城。」[157]《補注》則謂「《一統志》:『薛縣故城，在兗州府滕縣南四十四里』[158]」;《會箋》、《史記地名考》、《要領》同之。[159]此見雖與舊說稍異，然仍相去不遠。《左傳注》謂薛在今滕縣南四十里，[160]《山東地名》云薛國故城在今滕州市南二十公里，[161]《古今地名》謂其地在今滕州市東南，[162]《文物地圖》載「薛城遺址」在今滕州市南方偏東之官橋鎮與張汪鎮境間。[163]薛既曾朝魯，則兩地當有道路相連。考諸《地圖集》冊1「齊、魯」地圖，[164]薛在滕東南偏南不遠處。則薛朝魯當先經滕與郳都繹，爾後循北向交通路線抵魯都曲阜，郳都繹南向交通路線當可延伸至薛。

定公元年《左傳》:「薛宰曰:『薛之皇祖奚仲居薛，以為夏車正，奚仲遷于邳，仲虺居薛，以為湯左相。』」《集解》:「邳，下邳。」又昭公元年《左傳》:「於是乎虞有三苗，夏有觀、扈，商有姺、邳，周有徐、奄。」《集解》:「二國，商諸侯。邳，今下邳縣。」[165]《大事表》謂邳在清代「江南徐州府邳州」,《考實》、《會箋》同之。[166]《補注》:「《方輿紀要》:『下邳城，在邳州治東，古邳國。』[167]《山東通志》:『仲虺城，在兗州府滕縣西南境，奚仲封薛，遷于邳，又曰上邳城。』[168]」[169]《史記地名考》謂邳

---

156 清・王掞等:《欽定春秋傳說彙纂》，收入任繼愈、傅璇琮總主編:《文津閣四庫全書》，冊59，頁438。清・高士奇:《春秋地名考略》，收入清・永瑢、紀昀等編:《景印文淵閣四庫全書》，冊176，卷12，頁24。清・江永:《春秋地理考實》，收入清・阮元編:《皇清經解春秋類彙編》，頁835。

157 清・顧棟高著，吳樹平、李解民點校:《春秋大事表》，頁569。

158 原句見《嘉慶重修一統志・兗州府二》:「薛縣故城，在滕縣東南四十四里。」見清・穆彰阿等:《嘉慶重修一統志》，卷166，頁3。

159 清・沈欽韓:《春秋左氏傳補注》，收入清・王先謙:《續經解春秋類彙編》，頁2619。日・竹添光鴻:《左傳會箋》，頁90。錢穆:《史記地名考》，頁446。程發軔:《春秋要領》，頁169。

160 楊伯峻:《春秋左傳注》，頁70。

161 唐敏、尹敬梅、于英華、劉軍等:《山東省古地名辭典》，頁227。

162 戴均良等:《中國古今地名大詞典》，頁3252。

163 國家文物局:《中國文物地圖集・山東分冊》，頁191-192。Google 搜尋「百度百科」「薛國故城」，搜尋日期2019年5月16日，網址：https://baike.baidu.com/item/%E8%96%9B%E5%9B%BD%E6%95%85%E5%9F%8E。

164 譚其驤:《中國歷史地圖集》，冊1，頁26-27。

165 晉・杜預集解，唐・孔穎達正義:《春秋左傳注疏》，頁941、700。

166 清・顧棟高著，吳樹平、李解民點校:《春秋大事表》，頁606。清・江永:《春秋地理考實》，收入清・阮元編:《皇清經解春秋類彙編》，頁862。日・竹添光鴻:《左傳會箋》，頁1346。

167 原句見《讀史方輿紀要・南直四》:「下邳城，(邳)州治東，古邳國也。」見清・顧祖禹著，賀君次、施和金點校:《讀史方輿紀要》(北京：中華書局，2005年，據北京圖書館藏清代商丘宋氏緯蕭草堂寫本為底本排印)，頁1101。

168 原句見《山東通志・古蹟志》:「仲虺城，在(滕)縣西南境，奚仲封薛，遷于邳。……又曰上邳城。」見清・岳濬等監修，清・杜詔等編纂:《山東通志》，收入清・永瑢、紀昀等編:《景印文淵閣四庫全書》，冊539，卷9，頁22。

169 清・沈欽韓:《春秋左氏傳補注》，收入清・王先謙:《續經解春秋類彙編》，頁2658。

在今江蘇邳縣東三里，[170]《要領》、《索引》皆言邳在今江蘇省邳縣；[171]《左傳注》謂其今址在今邳縣東北邳城鎮，即邳縣舊治。[172]《古今地名》則謂邳在今山東省微山縣西北，[173]此說與先賢有異，不從其見。依定公元年《左傳》知薛曾都於邳，則薛都至邳當有道路可行，可為南向交通路線延伸。

襄公十年《春秋經》：「十年春，公會晉侯、宋公、衛侯、曹伯、莒子、邾子、滕子、薛伯、杞伯、小邾子、齊世子光會吳于柤。夏五月甲午，遂滅偪陽。」《集解》：「吳子在柤，晉以諸侯往會之，故曰『會吳』。……柤，楚地。偪陽，妘姓國，今彭城傅陽縣也。因柤會而滅之，故曰『遂』。」[174]《穀梁傳》襄公十年《春秋經》：「夏五月甲午，遂滅傅陽。」晉人范甯（339？-401）《春秋穀梁傳集解》：「傅陽，《左氏》作偪陽。」[175]今仍從《左傳》之《春秋經》作偪陽。《彙纂》謂柤在清代山東兗州府嶧縣泇口，又言偪陽在兗州府嶧縣南五十里。[176]《考略》言清代「山東兗州府嶧縣東南有渣口戍，柤與渣俱音側加反，即今泇河入承水之泇口云」；又謂偪陽在清代「兗州府嶧縣南五十里，今城西有柤水，古承縣亦在嶧境。」[177]《大事表》亦云清代「山東兗州府嶧縣東南有渣口戍，即今泇河入承水之泇口。又汪氏克寬曰：『偪陽國及柤地皆在沛縣』，蓋地相接云」；[178]又言清代「山東兗州府嶧縣南五十里有偪陽城。」[179]《考實》認為「柤非楚地，《水經注》引『京相璠曰：柤，宋地，今傅陽縣西北有柤水溝，去傅陽八十里』，[180]此說是。柤水即泇水，傅陽即偪陽，在嶧縣。」至於偪陽地望，《考實》、《會箋》全引《彙纂》。[181]《補注》除引《水經注》晉人京相璠（？-？）之文，又

170 錢穆：《史記地名考》，頁836。

171 程發軔：《春秋要領》，頁296。潘英：《中國上古國名地名辭匯及索引》，頁32。

172 楊伯峻：《春秋左傳注》，頁1524。

173 戴均良等：《中國古今地名大詞典》，頁1462。

174 晉・杜預集解，唐・孔穎達正義：《春秋左傳注疏》，頁537。

175 晉・范甯集解，唐・楊士勛疏：《春秋穀梁傳注疏》（臺北：藝文印書館，1993年，據清嘉慶二十年（1815）江西南昌府學版影印），頁151。

176 清・王掞等：《欽定春秋傳說彙纂》，收入任繼愈、傅璇琮總主編：《文津閣四庫全書》，冊59，頁686-687。

177 清・高士奇：《春秋地名考略》，收入清・永瑢、紀昀等編：《景印文淵閣四庫全書》，冊176，卷9，頁6；卷14，頁26。

178 原句見《春秋胡傳附錄纂疏》：「偪陽國及柤地皆在今沛縣。」見元・汪克寬：《春秋胡傳附錄纂疏》，收入王雲五：《四庫全書珍本》第四集（臺北：商務印書館，1973年，據文淵閣四庫全書影印），冊242，卷21，頁36。

179 清・顧棟高著，吳樹平、李解民點校：《春秋大事表》，頁849、594。

180 原句見《水經注・沭水》：「京相璠曰：柤，宋地，今彭城偪陽縣西北有柤水溝，去偪陽八十里。」見漢・桑欽著，北魏・酈道元注：《水經注》，頁203。

181 清・江永：《春秋地理考實》，收入清・阮元編：《皇清經解春秋類彙編》，頁858。日・竹添光鴻：《左傳會箋》，頁1029。

云：「《山東通志》：『偪陽城，在兗州府嶧縣西南五十里。柤，即今泇口。』[182]《一統志》：『西泇水，在嶧縣北六十里，即古柤水。』[183]《方輿紀要》：『泇口鎮，在邳州西北九十里。』[184]」[185]《要領》、《索引》皆謂柤為宋地，在今山東嶧縣東南；偪陽在今嶧縣南五十里。[186]《左傳注》則言柤在「今江蘇邳縣北而稍西之泇口」；「偪陽今邳縣西北，即山東嶧城（嶧縣廢治）南五十里，東南距柤約五十里。」[187]《古今地名》謂柤在今邳州市西北泇口，言偪陽在今棗莊市嶧城區南。[188]諸家之說略同，因《左傳注》、《古今地名》係以今日行政區劃標記位置，故以二書之說為確。則柤在今邳州市西北之邳城鎮泇口村；偪陽在今棗莊市嶧城區南五十里處，即今棗莊市台兒莊區；[189]《文物地圖》載「偪陽故城」在今台兒莊區張山子鎮侯塘村東南鄰。[190]依上引襄公十年《春秋經》知邾、滕、薛三國之君皆參與柤之會，又與諸侯之師滅偪陽，則邾、滕、薛必有道路至柤、偪陽，當從此交通路線延伸而至。考諸地望，柤之今地與邳極近，略在邳之西方十餘公里處，則偪陽、柤是此道路據點。

## （二）東南向交通路線

東南向交通路線較為複雜，分為三小項說明。第1小項討論邾都繹至絞與狐駘（駘上）；由狐駘（駘上）又分東路至郳（小邾），此在第2小項申言；第3小項敘述狐駘（駘上）續向南行至濫，此為東南向交通路線之南路。

### 1 邾都繹—絞—狐駘（駘上）

哀公二年《春秋經》：「二年春王二月，季孫斯、叔孫州仇、仲孫何忌帥師伐邾，取漷東田及沂西田。癸巳，叔孫州仇、仲孫何忌及邾子盟于句繹。」同年《左傳》：「二年

---

182 原句見《山東通志・古蹟志》：「偪陽，在（嶧）縣西南五十里。……柤，即今泇口。」見清・岳濬等監修，清・杜詔等編纂：《山東通志》，收入清・永瑢、紀昀等編：《景印文淵閣四庫全書》，冊539，卷9，頁24。

183 原句見《嘉慶重修一統志・兗州府一》：「西泇水，在嶧縣北六十里，亦名泇河，即古柤水也。」見清・穆彰阿等：《嘉慶重修一統志》，卷165，頁18。

184 原句見《讀史方輿紀要・南直四》：「泇口鎮，在（邳）州西北九十里。」見清・顧祖禹著，賀君次、施和金點校：《讀史方輿紀要》，頁1105。

185 清・沈欽韓：《春秋左氏傳補注》，收入清・王先謙：《續經解春秋類彙編》，頁2651。

186 程發軔：《春秋要領》，頁303、315。潘英：《中國上古國名地名辭匯及索引》，頁149、46。

187 楊伯峻：《春秋左傳注》，頁973。

188 戴均良等：《中國古今地名大詞典》，頁2030、2705。

189 Google 搜尋「百度百科」「偪陽故城」，搜尋日期2019年6月17日，網址：https://baike.baidu.com/item/%E9%80%BC%E9%98%B3%E6%95%85%E5%9F%8E。

190 國家文物局：《中國文物地圖集・山東分冊》，頁177。

春，伐邾，將伐絞。邾人愛其土，故賂以漷、沂之田而受盟。」《集解》：「絞，邾邑。」[191]《彙纂》謂絞「當在兗州府滕縣境」，《大事表》、《考實》同之。[192]《考略》言「在今滕縣北」，《會箋》同之。[193]《圖考》則言：「絞在滕縣境內，故書雖未徵實，度其地勢，當居東鄙，與魯接壤。」[194]《要領》、《索引》則概言絞在今滕縣，[195]《左傳注》謂在今滕縣北，[196]《山東地名》云在今滕州市境內，[197]《古今地名》認為在今滕州市北。[198]今綜合前賢之見，知絞地望約在今滕州市北境。上引哀公二年《左傳》既載魯師原訂南下伐絞，其間必經邾都繹，則邾都繹當有道路至絞，知絞為東南向交通路線據點。且依該年《左傳》所述，邾人愛絞土而願以漷水東與沂水西之田賂魯，推測絞當有其重要性，故邾人不願為魯所奪。由地望推之，東南向交通路線至絞又分東、南二路，極可能因該地為道路樞紐，故邾人「愛其土」而不願落入魯人之手。

襄公四年《左傳》：「冬十月，邾人、莒人伐鄫，臧紇救鄫，侵邾，敗於狐駘。」《集解》：「臧紇，武仲也。鄫屬魯，故救之。狐駘，邾也，魯國番縣東南有目台亭。」又哀公二十七年《左傳》：「二十七年春，越子使舌庸來聘，且言邾田，封于駘上。二月，盟于平陽，三子皆從。」《集解》：「欲使魯還邾田，封竟至駘上」；又於「平陽」處言「西平陽。」[199]《彙纂》：「今狐台山在山東兗州府滕縣東南二十里」，《考實》全引其文。[200]《考略》亦言「兗州府（滕）縣東南二十里有狐駘山。」[201]《大事表》：「哀二十七年越子使后庸來聘，言邾田，封於駘上，即此。今狐駘山在兗州府滕縣東南二十里」；《會箋》全引其文。[202]知狐駘、駘上為一地，《考實》亦謂駘上「疑是狐駘山之

191 晉・杜預集解，唐・孔穎達正義：《春秋左傳注疏》，頁993。

192 清・王掞等：《欽定春秋傳說彙纂》，收入任繼愈、傅璇琮總主編：《文津閣四庫全書》，冊59，頁798。清・顧棟高著，吳樹平、李解民點校：《春秋大事表》，頁790。清・江永：《春秋地理考實》，收入清・阮元編：《皇清經解春秋類彙編》，頁873。

193 清・高士奇：《春秋地名考略》，收入清・永瑢、紀昀等編：《景印文淵閣四庫全書》，冊176，卷12，頁12。日・竹添光鴻：《左傳會箋》，頁1885。

194 王獻唐：《三邾疆域圖考》，頁47。

195 程發軔：《春秋要領》，頁147。潘英：《中國上古國名地名辭匯及索引》，頁189。

196 楊伯峻：《春秋左傳注》，頁1611。

197 唐敏、尹敬梅、于英華、劉軍等：《山東省古地名辭典》，頁101。

198 戴均良等：《中國古今地名大詞典》，頁2326。

199 晉・杜預集解，唐・孔穎達正義：《春秋左傳注疏》，頁508、1053。

200 清・王掞等：《欽定春秋傳說彙纂》，收入任繼愈、傅璇琮總主編：《文津閣四庫全書》，冊59，頁680。清・江永：《春秋地理考實》，收入清・阮元編：《皇清經解春秋類彙編》，頁857。

201 清・高士奇：《春秋地名考略》，收入清・永瑢、紀昀等編：《景印文淵閣四庫全書》，冊176，卷12，頁11。

202 清・顧棟高著，吳樹平、李解民點校：《春秋大事表》，頁790。日・竹添光鴻：《左傳會箋》，頁985。

駘。」[203]《補注》謂「《一統志》:『狐駘山，在兗州府滕縣東南二十里。』[204]《通志》:『目台亭，在縣東南十五里。』[205]」[206]狐駘山、目台亭位址雖稍有出入，然仍相距不遠。《要領》、《索引》、《左傳注》皆謂狐駘在今滕縣東南二十里，[207]《山東地名》云在今滕州市南沙河鎮內，[208]《古今地名》謂在今滕州市東南。[209]今日滕州市東南確有狐山，且依《道光滕縣志・山川志》:「(滕縣)城東南十五里曰狐台山，一名目台山，山戴石如灰堆狀，興雲即雨。俗呼省台字，遂訛為湖山，又曰壺山者，皆非也。」[210]知當地省狐駘山、狐台山之駘、台而逕稱狐山。透過 Google Map 截取為「圖4、山東省滕州市周邊衛星圖」,[211]知今日狐山在滕州市東南方，與古籍記載相符，春秋之狐臺(駘上)即在此地。《圖考》謂「狐駘所在，今為邾城鄉，測其形勢，當在邾、濫交界之地」;[212]則狐駘今址當在邾都繹與濫之間。且依上引襄公四年《左傳》，邾、魯之師曾於狐駘交戰；且據哀公二十七年《左傳》，越大夫舌庸先封於狐駘(駘上)，又與魯盟於平陽。平陽既處邾都繹北向交通路線，知邾都繹當有道路至狐駘(駘上)。依地望推之，則狐駘(駘上)當在東南向交通路線上。以下援引《地圖集》冊1「齊、魯」地圖，[213]截取為「圖5、邾都繹南向、東南向、東向交通路線圖」，提供讀者參閱。

---

203 清・江永:《春秋地理考實》，收入清・阮元編:《皇清經解春秋類彙編》，頁876。

204 原句見《嘉慶重修一統志・兗州府一》:「狐駘山，在滕縣東南二十里。」見清・穆彰阿等:《嘉慶重修一統志》，卷165，頁11。

205 原句見《山東通志・古蹟志》:「目台亭，在(霆)縣東南十五里，即春秋之狐台也。」見清・岳濬等監修，清・杜詔等編纂:《山東通志》，收入清・永瑢、紀昀等編:《景印文淵閣四庫全書》，冊539，卷9，頁23。

206 清・沈欽韓:《春秋左氏傳補注》，收入清・王先謙:《續經解春秋類彙編》，頁2650。

207 程發軔:《春秋要領》，頁121。潘英:《中國上古國名地名辭匯及索引》，頁142。楊伯峻:《春秋左傳注》，頁940、1732。

208 唐敏、尹敬梅、于英華、劉軍等:《山東省古地名辭典》，頁85。

209 戴均良等:《中國古今地名大詞典》，頁2004。

210 清・王政修，清・王庸立、黃來麟纂:《道光滕縣志》，收入《中國地方志集成》(南京：鳳凰出版社，2004年，據清道光二十六(1846)刻本影印)，卷3，頁5。

211 Google Map 衛星圖，搜尋日期2019年4月16日，網址：https://www.google.com.tw/maps/place/%E4%B8%AD%E5%9C%8B%E5%B1%B1%E6%9D%B1%E7%9C%81%E6%A3%97%E8%8E%8A%E5%B8%82%E5%B1%B1%E4%BA%AD%E5%8D%80%E6%9D%B1%E6%B1%9F%E6%9D%91/@35.0224654,117.2589454,22541m/data=!3m1!1e3!4m13!1m7!3m6!1s0x35c6913a3ba14565:0x25524bc5a92bfd1f!2z5Lit5ZyL5bGx5p2x55yB5qOX6I6K5biC5bGx5Lqt5Y2A6KW_6ZuG6Y6uIOmCruaUv-e8luegg TogMjc3MjIz!3b1!8m2!3d34.94392!4d117.436235!3m4!1s0x35c6964902afdbf9:0x23db275dbe5a8d98!8m2!3d35.024632!4d117.417416?hl=zh-TW。

212 王獻唐:《三邾疆域圖考》，頁36。

213 譚其驤:《中國歷史地圖集》，冊1，頁26-27。

圖 4　山東省滕州市周邊衛星圖

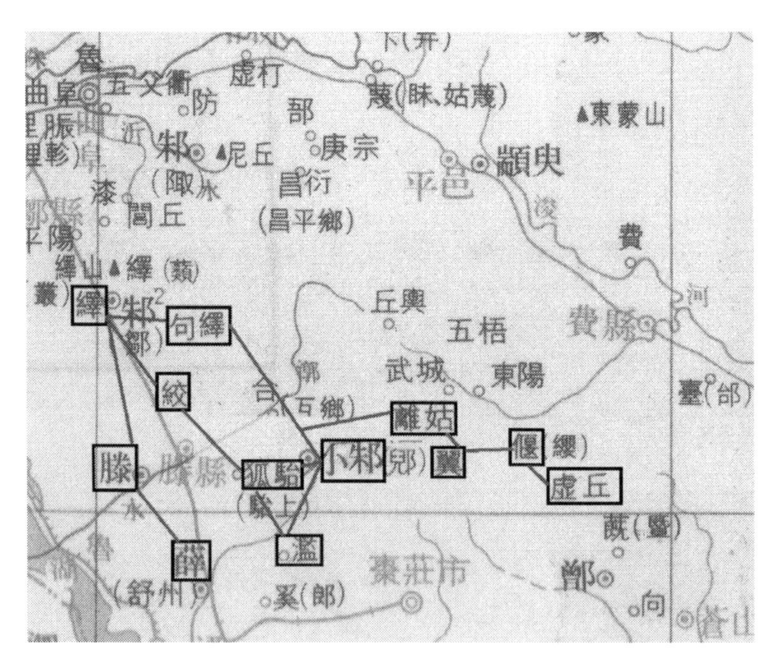


圖 5　邾都繹南向、東南向、東向交通路線圖

## 2 東路：狐駘（駘上）—郳（小邾）

郳首見莊公五年《春秋經》:「秋，郳犁來來朝。」同年《左傳》:「五年秋，郳犁來來朝。名，未王命也。」《集解》:「附庸國也，東海昌慮縣東北有郳城。犁來，名。……未受爵命為諸侯，……其後數從齊桓以尊周室，王命以為小邾子。」[214]又莊公十五年

214 晉・杜預集解，唐・孔穎達正義:《春秋左傳注疏》，頁140。

《春秋經》:「秋，宋人、齊人、邾人伐郳」；[215]知邾曾發兵伐郳。《春秋經》稱小邾則首見僖公七年《春秋經》:「夏，小邾子來朝。」《集解》:「郳犁來始得王命而來朝也，邾之別封，故曰小邾。」[216]爾後如襄公七年《春秋經》:「小邾子來朝」；又昭公三年《春秋經》:「秋，小邾子來朝」；又昭公十七年《春秋經》:「十有七年春，小邾子來朝」；[217]知郳（小邾）與魯頗有來往。《彙纂》於莊公五年《春秋經》:「今昌慮城在兗州府滕縣東南六十里，郳城在縣東六里。」《彙纂》又於僖公七年《春秋經》:「宋忠曰：『邾顏別封小子肥於郳，為小邾子。』[218]今山東兗州府滕縣、嶧縣竝有郳城。樂史云：『郳城在丞縣。』[219]《文獻通考》云：『郳城，今沂州。』[220]嶧即古丞地，屬沂州。據此二說，則在嶧者為近。」《考實》全引《彙纂》莊公五年《春秋經》文。[221]《考略》謂清代「滕縣東六里有郳城」，《大事表》亦如是言。[222]《會箋》則謂清代「山東兗州府嶧縣東六里有郳城」，[223]此即《彙纂》於僖公七年《春秋經》言「山東兗州府滕縣、嶧縣竝有郳城」之意。《補注》:「于欽《齊乘》:『郳城在繒城南，土人云小灰城，即小邾之譌也。』[224]《兗州府志》:『郳城在滕縣東一里，梁水之東，周八里。』[225]」[226]《圖考》認為「郳之疆域，約居滕之東南，逼東一部，嶧縣逼西一部。」[227]《要領》、《索引》皆謂郳（小邾）位於今滕縣東南六里。[228]然《左傳注》據《大事表》則在今滕縣東六

215 晉・杜預集解，唐・孔穎達正義：《春秋左傳注疏》，頁156。

216 晉・杜預集解，唐・孔穎達正義：《春秋左傳注疏》，頁214。

217 晉・杜預集解，唐・孔穎達正義：《春秋左傳注疏》，頁517、720、834。

218 原句見《世本》:「宋仲子云：『邾顏別封小子肥于郳，為小邾子。』」見漢・宋衷著，清・張澍稡輯補：《世本》，收入《世本八種》（北京：北京圖書館出版社，2008年，據二酉堂叢書排印），頁589。

219 原句見《太平寰宇記・沂州》:「承縣，……郳城，魯莊公五年，『郳犁來來朝』，附庸國也。」見宋・樂史著，王文楚等點校：《太平寰宇記》，頁485。

220 原句見《文獻通考・封建三・小邾》:「郳城，今沂州。」見元・馬端臨：《文獻通考》（杭州：浙江古籍出版社，2000年，據萬有文庫本《十通》影印），頁2077。

221 清・王掞等：《欽定春秋傳說彙纂》，收入任繼愈、傅璇琮總主編：《文津閣四庫全書》，冊59，頁481、536。清・江永：《春秋地理考實》，收入清・阮元編：《皇清經解春秋類彙編》，頁839。

222 清・高士奇：《春秋地名考略》，收入清・永瑢、紀昀等編：《景印文淵閣四庫全書》，冊176，卷12，頁26。清・顧棟高著，吳樹平、李解民點校：《春秋大事表》，頁570。

223 日・竹添光鴻：《左傳會箋》，頁205。

224 原句見《齊乘》卷之四：「郳城，鄫城南。……土人曰小灰城，小邾之訛也。」見元・于欽著，劉敦愿等校釋：《齊乘校釋》（北京：中華書局，2012年，據山東省博物館藏乾隆四十六年（1781）胡德琳刻本為底本校釋），頁340。

225 原句見《兗州府志・古蹟志》:「郳犁來城，在（滕）縣東一里，梁水之東，周回八里。」見清・覺羅普爾泰修，清・陳顧𤀹纂：《乾陵兗州府志》，收入《中國地方志集成》（南京：鳳凰出版社，2004年，據清乾隆二十五（1770）刻本影印），卷19，頁7。

226 清・沈欽韓：《春秋左氏傳補注》，收入清・王先謙：《續經解春秋類彙編》，頁2625。

227 王獻唐：《三邾疆域圖考》，頁6。

228 程發軔：《春秋要領》，頁105。潘英：《中國上古國名地名辭匯及索引》，頁4。

里，若依《太平寰宇記》則在今嶧城鎮西北一里；「兩者相距百餘里，未詳孰是。」[229]《山東地名》云郳（小邾）故城在今滕州市東二公里處，[230]《古今地名》認為郳（小邾）在今滕州市東，[231]二書主張前說。《文物地圖》載「倪國故城」，其址在今滕州市西集鎮東集河北村西約100米處。[232]林光雨、張云〈山東棗莊春秋時期小邾國墓地的發掘〉揭露2002年於棗莊市山亭區東江村發現春秋小邾國貴族墓，[233]慈平〈小邾國及國都位置探微〉則透過田野訪談方式推論郳（小邾）之都城在今棗莊市山亭區東江村。[234]石敬東、劉愛民〈東江小邾國都城、疆域及相關問題初探〉認為依考古發現，今棗莊市山亭區西集鎮西一公里發現城基夯土結構，應是郳（小邾）之都城。[235]李錦山〈郳國公室墓葬及其相關問題〉認為東江村是郳（小邾）早期都城，約在魯莊公十五年（679 B.C.）左右廢棄。棄城之由乃因上引莊公十五年《春秋經》「秋，宋人、齊人、邾人伐郳」，故南遷十公里至西集鎮。[236]徐加軍、苗永春、楊晶〈小邾國都城及相關問題〉亦主張東江村是郳（小邾）國早期都城。[237]實則東江村位於西集鎮北方約十公里處，二地相距不遠，大約郳（小邾）國都城皆在此一帶。依「圖4」可知，無論東江村或西集鎮皆在狐駘山東方與東南方不遠處。上引《春秋經》已見郳（小邾）君往返曲阜之事，知兩地當有道路聯通。依地望推理，郳（小邾）君赴魯應朝西北偏北行最為直截，合理推測當先西行至狐駘（駘上），再向西北行至絞而達邾都繹，循北向交通路線可抵曲阜。郳（小邾）國都雖有前後二處，二地必有南北走向道路相通。且依「圖4」可知，狐駘山乃南北走向而在郳（小邾）前後期都城西側，即使國都遷徙至西集鎮，若欲前往曲阜，理應先向北至現今東江村舊都城，再轉向西北行。且本文之旨乃申論交通路線，未能具體辨析確切道路，故在此姑將郳（小邾）之二都視為同一據點。

## 3 南路：狐駘（駘上）—濫

昭公三十一年《春秋經》：「冬，黑肱以濫來奔。」《集解》：「黑肱，邾大夫。濫，東海昌慮縣。」[238]《彙纂》：「今昌慮故城在山東兗州府滕縣東南」，《考實》與《會箋》

---

229 楊伯峻：《春秋左傳注》，頁166。

230 唐敏、尹敬梅、于英華、劉軍等：《山東省古地名辭典》，頁151。

231 戴均良等：《中國古今地名大詞典》，頁2449。

232 國家文物局：《中國文物地圖集．山東分冊》，頁180。

233 林光雨、張云：〈山東棗莊春秋時期小邾國墓地的發掘〉，《中國歷史文物》，2003年第5期，頁65-67。

234 慈平：〈小邾國及國都位置探微〉，《三門峽職業技術學院學報》，2010年第1期，頁42-46。

235 石敬東、劉愛民：〈東江小邾國都城、疆域及相關問題初探〉，《海岱考古》第4輯（2011年），頁433-438。

236 李錦山：〈郳國公室墓葬及其相關問題〉，《棗莊學院學報》，2005年第1期，頁24-34。

237 徐加軍、苗永春、楊晶：〈小邾國都城及相關問題〉，收入山東省棗莊市政協：《小邾國文化》（北京：中國文史出版社，2006年），頁296-311。

238 晉．杜預集解，唐．孔穎達正義：《春秋左傳注疏》，頁929。

全引其文。[239]《考略》、《大事表》皆謂「今昌慮城在滕縣東南六十里。」[240]《補注》：「《一統志》：『昌慮故城，在兗州府滕縣東南六十里邾濫邑。』[241]」[242]王獻唐《春秋邾分三國考》謂「濫城在今滕縣東南六十里，陶山北，周十里許，有子城。」[243]《要領》、《索引》皆言濫之今地在滕縣東南六十里，[244]《左傳注》則概言在滕縣東南。[245]《山東地名》、《古今地名》依今日行政區劃標記濫之現址為滕州市東南，[246]今從其見。若依先賢所述，狐駘（駘上）位處滕縣東南二十里而濫在滕縣東南六十里，且《圖考》言狐駘（駘上）在邾、濫之間，則濫當在狐駘（駘上）東南。依上引昭公三十一年《春秋經》可知濫本邾邑，則邾都繹當有道路至此。據地望推測，東南向交通路線至狐駘（駘上）應分為東、南二路，東路可至郳（小邾），南路則由狐駘（駘上）至濫。

## （三）東向交通路線

邾都繹東向交通路線至句繹後，依山勢轉向東南行，約在今棗莊市山亭區分為北、南二路，以下分第1與第2小項說明。第1小項述明北路據點，由今棗莊市山亭區向東北翻越山區，經魯國武城至兩山間谷地，轉向東南至離姑、翼、偃、虛丘。第2小項續論南路據點，由今棗莊市山亭區轉向南行可至郳（小邾）都城。

### 1 北路：邾都驛—句繹—武城—離姑—翼—偃—虛丘

上引哀公二年《春秋經》：「二年春王二月，季孫斯、叔孫州仇、仲孫何忌帥師伐邾，取漷東田及沂西田。癸巳，叔孫州仇、仲孫何忌及邾子盟于句繹。」《集解》：「句繹，邾地。」《正義》：「案：十四年『小邾射以句繹來奔』，則句繹，小邾地也。……邾與小邾竟相近，句繹所屬亦無定準，猶齊、魯汶陽之田，莒、魯爭鄆之事。一彼一此，

239 清．王掞等：《欽定春秋傳說彙纂》，收入任繼愈、傅璇琮總主編：《文津閣四庫全書》，冊59，頁772。清．江永：《春秋地理考實》，收入清．阮元編：《皇清經解春秋類彙編》，頁870。日．竹添光鴻：《左傳會箋》，頁1752。

240 清．高士奇：《春秋地名考略》，收入清．永瑢、紀昀等編：《景印文淵閣四庫全書》，冊176，卷12，頁11。清．顧棟高著，吳樹平、李解民點校：《春秋大事表》，頁790。

241 原句見《嘉慶重修一統志．兗州府二》：「昌慮故城，在滕縣東南六十里，春秋邾濫邑。」見清．穆彰阿等：《嘉慶重修一統志》，卷166，頁4。

242 清．沈欽韓：《春秋左氏傳補注》，收入清．王先謙：《續經解春秋類彙編》，頁2669。

243 王獻唐：《春秋邾分三國考》（濟南：齊魯書社，1982年），頁15。

244 程發軔：《春秋要領》，頁170。潘英：《中國上古國名地名辭匯及索引》，頁226。

245 楊伯峻：《春秋左傳注》，頁1510。

246 唐敏、尹敬梅、于英華、劉軍等：《山東省古地名辭典》，頁114-115。戴均良等：《中國古今地名大詞典》，頁3106。

豈有常乎？」[247]《正義》所述「十四年」之事係哀公十四年《春秋經》:「小邾射以句繹來奔。」《集解》:「射，小邾大夫。句繹，地名。」[248]句繹地望《彙纂》謂「應在今山東兗州府鄒縣境」,《考實》引其說；[249]《考略》則言「或曰在鄒縣東南境」,《大事表》同之；[250]此為一說。《補注》:「《方輿紀要》:『葛嶧山，在兗州府嶧縣東南十五里。』[251]句、葛聲同而誤。」[252]《會箋》亦謂：

> 繹，一作嶧。繹，今之嶧縣。劉薈《騶山記》云:「邾城北有嶧山。」宣十年魯伐邾取之，後邾復取之，此即邾之邑也。若句繹，則小邾地也，非繹也。《漢志》東海下邳縣《注》云:「嶧山在西」,[253]《續漢·郡國志》謂之「葛嶧山」,云:「本嶧陽山」,《注》云:「山出名桐」,[254]《書》所謂「嶧陽孤桐」是也。[255]句、葛音相近，句繹蓋即葛嶧。下邳，今淮安邳州。小邾在邾南，葛嶧亦在嶧山之南，明此為小邾地。[256]

《補注》、《會箋》主張在嶧縣東南，《要領》、《索引》亦同此見，[257]此為第二說。然《圖考》主張句繹「其地當在小邾之東北境，與邾、魯交界處，今滕縣東北武城鄉一帶也」；[258]是為第三說。《左傳注》承《考略》、《大事表》，認為在今鄒縣東南嶧山之東南。[259]《山東地名》云句繹在鄒縣境內，[260]《古今地名》則言在今鄒城市東南。[261]清代

247 晉·杜預集解，唐·孔穎達正義：《春秋左傳注疏》，頁993。

248 晉·杜預集解，唐·孔穎達正義：《春秋左傳注疏》，頁1030。

249 清·王掞等：《欽定春秋傳說彙纂》，收入任繼愈、傅璇琮總主編：《文津閣四庫全書》，冊59，頁798。清·江永：《春秋地理考實》，收入清·阮元編：《皇清經解春秋類彙編》，頁873。

250 清·高士奇：《春秋地名考略》，收入清·永瑢、紀昀等編：《景印文淵閣四庫全書》，冊176，卷12，頁27。清·顧棟高著，吳樹平、李解民點校：《春秋大事表》，頁790。

251 原句見《讀史方輿紀要·山東三》:「葛嶧山，在（嶧）縣東南十五里，承水環其下。曰葛嶧者，以山川絡繹，如葛之有蔓也。亦名桂子山。」見清·顧祖禹著，賀君次、施和金點校：《讀史方輿紀要》，頁1532。

252 清·沈欽韓：《春秋左氏傳補注》，收入清·王先謙：《續經解春秋類彙編》，頁2673。

253 原句見《漢書·地理志上》:「下邳，嶧山在西。」見漢·班固著，唐·顏師古注：《漢書》，頁1588。

254 原句見《後漢書·郡國志三》:「下邳本屬東海。葛嶧山，本嶧陽山。」《注》:「山出名桐。」見劉宋·范曄著，唐·李賢等注：《後漢書》，頁3462。

255 原句見《尚書·禹貢》:「厥貢惟土五色，羽畎夏翟，嶧陽孤桐，泗濱浮磬，淮夷蠙珠暨魚。」見題漢·孔安國傳，唐·孔穎達正義：《尚書注疏》（臺北：藝文印書館，1993年，據清嘉慶二十年（1815）江西南昌府學版影印），頁82。

256 日·竹添光鴻：《左傳會箋》，頁1884。

257 程發軔：《春秋要領》，頁110。潘英：《中國上古國名地名辭匯及索引》，頁111。

258 王獻唐：《三邾疆域圖考》，頁47。

259 楊伯峻：《春秋左傳注》，頁1610。

260 唐敏、尹敬梅、于英華、劉軍等：《山東省古地名辭典》，頁72。

261 戴均良等：《中國古今地名大詞典》，頁935。

嶧縣現已併入棗莊市，屬該市南境之嶧城鎮，今又改為嶧城區。[262]考諸「圖5」，若句驛在今棗莊市南境，實離郳（小邾）都城甚遠，是時郳（小邾）地域恐未如此遼闊。故本文從第一說，訂句繹位於今鄒城市東南，地在邾都繹東南方。上引哀公二年《春秋經》既謂邾君與魯卿盟於句繹，則邾都繹當有道路至此，此為東向交通路線第一處據點。

昭公二十三年《左傳》：

> 邾人城翼，還，將自離姑。公孫鉏曰：「魯將御我。」欲自武城還，循山而南。徐鉏、丘弱、茅地曰：「道下，遇雨，將不出，是不歸也。」遂自離姑。武城人塞其前，斷其後之木而弗殊，邾師過之，乃推而蹶之，遂取邾師，獲鉏、弱、地。[263]

《集解》：「翼，邾邑。離姑，邾邑。從離姑則道徑魯之武城。至武城而還，依山南行，不欲過武城。」《正義》：「邾、魯接連，竟界相錯。邾人從翼邑還邾，先經魯之武城，然後始至離姑而後至邾，故舉離姑為道次。」[264]邾之翼又見隱公元年《左傳》：「鄭人以王師、虢師伐衛南鄙。請師于邾，邾子使私于公子豫。豫請往，公弗許，遂行，及邾人、鄭人盟于翼。」《集解》：「翼，邾邑。」[265]《彙纂》謂翼在清「山東兗州府費縣西南」，離姑在「費縣故武城之南」；《考實》同《彙纂》，唯補充云：「費縣今屬沂州府。」[266]《考略》謂「翼在沂州費縣西南九十里，故武城之南」；言離姑亦「在費縣故武城之南」；《大事表》同之。[267]《補注》：「《山東通志》：『翼城，在兗州府鄒縣東北費縣界。』[268]」[269]《會箋》謂翼在清「山東沂州府費縣西南九十里」，離姑在「山東沂州府費縣故武城之南。」[270]《圖考》：

> 顧亭林《山東考古錄》考「武城」一條，但知在今費縣。[271]《齊乘》謂：「古武

262 戴均良等：《中國古今地名大詞典》，頁1776。

263 晉・杜預集解，唐・孔穎達正義：《春秋左傳注疏》，頁876。

264 晉・杜預集解，唐・孔穎達正義：《春秋左傳注疏》，頁876。

265 晉・杜預集解，唐・孔穎達正義：《春秋左傳注疏》，頁40。

266 清・王掞等：《欽定春秋傳說彙纂》，收入任繼愈、傅璇琮總主編：《文津閣四庫全書》，冊59，頁418、798。清・江永：《春秋地理考實》，收入清・阮元編：《皇清經解春秋類彙編》，頁832、868。

267 清・高士奇：《春秋地名考略》，收入清・永瑢、紀昀等編：《景印文淵閣四庫全書》，冊176，卷12，頁10-11。清・顧棟高著，吳樹平、李解民點校：《春秋大事表》，頁788-790。

268 原句見《山東通志・古蹟志》：「翼城，在（鄒）縣東北費縣界。」見清・岳濬等監修，清・杜詔等編纂：《山東通志》，收入清・永瑢、紀昀等編：《景印文淵閣四庫全書》，冊539，卷9，頁21。

269 清・沈欽韓：《春秋左氏傳補注》，收入清・王先謙：《續經解春秋類彙編》，頁2666。

270 日・竹添光鴻：《左傳會箋》，頁32、1656。

271 清・顧炎武：《山東考古錄》，收入《明清筆紀史料叢刊》（北京：中國書店，2000年），冊46，卷1，頁22。

> 城，費西滕東，兩縣之間」，[272]是矣。翼與離姑皆武城附近，均為邾邑。測其地勢，乃邾南疆域之東角，伸入武城西部者，離姑當在翼西，從此還師，故武城人得從中要之。今滕縣東北與費交界處，名武城鄉，又有武城故址，在曾子山後麓。《齊乘》云：「費縣滕東，子游弦歌故邑。」[273]今曾子山與石門諸山相近，尤可證也。[274]

則《圖考》認為翼與離姑在滕縣東北與費縣交界處，《要領》、《索引》謂翼、離姑皆在今費縣西南九十里。[275]《左傳注》謂翼在今費縣西南九十里，離姑在翼之北，武城又在離姑之北。[276]《山東地名》云翼在今費縣西南四十五公里石井鄉城後村西南，未說明離姑今址。[277]《古今地名》僅概言翼在今費縣西南，[278]未說明離姑今址。今從《山東地名》，定翼之今址在費縣西南石井鄉城後村西南。

哀公八年《左傳》：

> 三月，吳伐我，子洩率，故道險，從武城。……及吳師至，拘者道之以伐武城，克之。……吳師克東陽而進，舍於五梧。明日，舍於蠶室。……明日，舍于庚宗，遂次於泗上。[279]

《集解》謂東陽、五梧、蠶室「三邑，魯地。」[280]武城又見襄公十九年《春秋經》：「城武城。」《集解》：「泰山南武城縣。」[281]《傳》：「齊及晉平，盟于大隧。故穆叔會范宣子于柯。……穆叔歸，曰：『齊猶未也，不可以不懼。』乃城武城。」[282]又昭公二十三年《左傳》：

> 邾人城翼，還，將自離姑。公孫鉏曰：「魯將御我。」欲自武城還，循山而南。徐鉏、丘弱、茅地曰：「道下，遇雨，將不出，是不歸也。」遂自離姑。武城人塞其

---

272 原句見《齊乘》卷之四：「古武城，費西滕東，兩縣之間。」見元．于欽著，劉敦愿等校釋：《齊乘校釋》，頁336。

273 原句見《齊乘》卷之四：「古武城，費西滕東，兩縣之間，子游絃歌舊邑。」見元．于欽著，劉敦愿等校釋：《齊乘校釋》，頁336。

274 王獻唐：《三邾疆域圖考》，頁37。

275 程發軔：《春秋要領》，頁171、173。潘英：《中國上古國名地名辭匯及索引》，頁227、233。

276 楊伯峻：《春秋左傳注》，頁1441。

277 唐敏、尹敬梅、于英華、劉軍等：《山東省古地名辭典》，頁237。

278 戴均良等：《中國古今地名大詞典》，頁3298。

279 晉．杜預集解，唐．孔穎達正義：《春秋左傳注疏》，頁1012。

280 晉．杜預集解，唐．孔穎達正義：《春秋左傳注疏》，頁1012。

281 晉．杜預集解，唐．孔穎達正義：《春秋左傳注疏》，頁584。

282 晉．杜預集解，唐．孔穎達正義：《春秋左傳注疏》，頁587。

前，斷其後之木而弗殊，邾師過之，乃推而蹷之，遂取邾師，獲鉏、弱、地。[283]

《彙纂》、《考略》皆謂武城「故城在費縣西南九十里」;《考實》援用此說，又補充云：「一云在費縣西南八十里石門山下。」[284]《大事表》則謂魯有兩武城：

襄十九年城武城，懼齊也。……程啟生以為在濟寧州嘉祥縣界。昭二十三年邾人城翼，還自離姑，武城人塞其前。哀八年吳伐我，道險從武城。程啟生以為此武城乃費縣之武城也，「費縣乃魯與邾、吳相接界，非所當備齊之處，襄十九年之武城宜在嘉祥。杜《註》併而為一，似誤。」[285]……然余嘗往來京師，至嘉祥縣有絃歌臺，此地與齊界相接，去費縣尚遠。啟生以為費縣非所當備齊之處，此說是也。[286]

《補注》:「《通志》:『武城，在沂州府費縣西南八十里。』[287]按：此南武城也」;《會箋》援用《補注》。[288]《要領》、《索引》謂武城今地在嘉祥南四十里，[289]《要領》又補充一說在費縣西南九十里。《左傳注》謂襄公十九年《春秋經》之武城在今嘉祥縣界，昭公二十三年、哀公八年《左傳》之武城「在今山東費縣西南，沂蒙山區之縣。」[290]《古今地名》僅記一處武城，謂其地在今費縣西南。[291]《山東地名》、《文物地圖》依考古發現而定武城今址在平邑縣西南三十六公里魏莊鄉之南武城村與北武城村，[292]實

283 晉・杜預集解，唐・孔穎達正義：《春秋左傳注疏》，頁876。

284 清・王掞等：《欽定春秋傳說彙纂》，收入任繼愈、傅璇琮總主編：《文津閣四庫全書》，冊59，頁700。清・高士奇：《春秋地名考略》，收入清・永瑢、紀昀等編：《景印文淵閣四庫全書》，冊176，卷2，頁20。清・江永：《春秋地理考實》，收入清・阮元編：《皇清經解春秋類彙編》，頁860。

285 原句見《春秋地名辨異》卷下：「按：費縣之武城乃魯與邾、吳相接界，非所當備齊之處，襄十九年所謂武城宜在嘉祥。杜俱以為南武城，似誤。」見清・程廷祚：《春秋地名辨異》，收入收入李勇先主編：《中國歷史地理文獻輯刊》(上海：上海交通大學出版社，2009年，據清嘉慶年刻藝海珠塵本影印)，冊18，頁447-448。

286 清・顧棟高著，吳樹平、李解民點校：《春秋大事表》，頁694-695。

287 原句見《山東通志・古蹟志》:「武城，在(費)縣西南八十里關陽川之旁。」見清・岳濬等監修，清・杜詔等編纂：《山東通志》，收入清・永瑢、紀昀等編：《景印文淵閣四庫全書》，冊539，卷9，頁67。

288 清・沈欽韓：《春秋左氏傳補注》，收入清・王先謙：《續經解春秋類彙編》，2654。日・竹添光鴻：《左傳會箋》，頁1120。

289 程發軔：《春秋要領》，頁298。潘英：《中國上古國名地名辭彙及索引》，頁138。

290 楊伯峻：《春秋左傳注》，頁1044、1648。

291 戴均良等：《中國古今地名大詞典》，頁1678。

292 唐敏、尹敬梅、于英華、劉軍等：《山東省古地名辭典》，頁212。國家文物局：《中國山東分冊集・山東分冊》，頁781。百度百科搜尋「南武城故城遺址」，搜尋日期2019年5月15日，網址：https://baike.baidu.com/item/%E5%8D%97%E6%AD%A6%E5%9F%8E%E6%95%85%E5%9F%8E%E9%81%97%E5%9D%80。

與今費縣西南境極近。依《大事表》所引清人程廷祚（1691-1767）《春秋地名辨異》之見，襄公十九年《春秋經》、《左傳》之武城乃為備齊而城，與位於今日費縣西南之武城不同，此說可從。則昭公二十三年、哀公八年《左傳》之武城地望當從《山東地名》之見，在今平邑縣西南魏莊鄉之南武城村與北武城村為確。至於襄公十九年《春秋經》、《左傳》之武城因僅知位於嘉祥縣，確切地望難以指實，故本文闕而不論以待來者。依上引昭公二十三年《左傳》所述，城翼之邾人回返邾都繹，須先經離姑與武城再「循山而南」。透過 Google Map 截取為「圖6、山東省滕州市、鄒城市周邊衛星圖」，[293]再配合「圖5」可知武城、離姑、翼附近山勢為西北往東南走向，則三地依谷地方位亦復如是。邾人由翼向西北行，經離姑而必經魯之武城。考諸「圖6」可知，武城今地南方亦有道路向西南穿越山區。若依地望推理，則邾人返回邾都繹路線應如「圖6」紅線標記，且符《左傳》「循山而南」之文。至今日棗莊市山亭區後，再沿山脈陽面西北行，即可途經句繹而抵達邾都繹，此為東向交通路線之北路。

**圖 6　山東省滕州市、鄒城市周邊衛星圖**

僖公元年《春秋經》:「九月，公敗邾師于偃。」《集解》:「偃，邾地。」同年《左傳》:「九月，公敗邾師于偃，虛丘之戍將歸者也。」《集解》:「虛丘，邾地。」[294]《彙纂》謂偃在清代費縣南，[295]謂虛丘在費縣界；《考略》、《大事表》、《考實》、《會箋》皆

293 Google Map 衛星圖，搜尋日期2019年4月17日，網址：https://www.google.com.tw/maps/@35.2580825,117.438097,51920m/data=!3m1!1e3?hl=zh-TW。

294 晉・杜預集解，唐・孔穎達正義：《春秋左傳注疏》，頁197-198。

295 筆者按：《彙纂》原句作「山東兗州府費南縣」，清代實無費南縣，且其他典籍皆謂在費縣南，知此當是「山東兗州府費縣南」之誤植。

如是言。[296]《補注》謂「《彙纂》以偃與虛丘在費縣內，亦無可攷。」[297]《圖考》：「就當時齊魯情勢測之，當在邾之東境，與魯接壤，伸入魯之疆域。偃在虛丘以西，虛丘戍還經偃，魯得從中要之，與離姑役同，揆其形勢，殆在鄒縣東鄙乎？」[298]如是推測偃、虛丘在鄒縣東境。《要領》、《索引》皆謂偃在費城縣南，虛丘在費縣與泗水縣間。[299]《左傳注》謂偃在今費縣南，虛丘在今費縣界。[300]《山東地名》云偃在今鄄城縣西北境內，虛丘在今泗水縣治。[301]《古今地名》謂偃在今費縣南，虛丘在今費縣西南。[302]然今日費縣、泗水縣間皆為魯國都邑，雖兼有顓臾為魯附庸，[303]邾邑深入魯境於此則應無可能，故不從《要領》、《索引》、《山東地名》。至於《圖考》謂偃與虛丘在鄒縣東鄙，然由「圖6」知今鄒城縣東境為西北往東南走向丘陵，魯師於此截擊邾國虛丘之戍衛部隊須翻越山區，就地形考慮頗為困難，故暫不從此見。且前賢多謂偃與虛丘在今費縣南境，而依《圖考》則虛丘當在偃西方不遠處，如是方符《左傳》所述地望。《左傳》既言魯師所敗乃「虛丘之戍將歸者」，知邾都繹、偃、虛丘間當有道路可通。透過 Google Map 截取為「圖7、山東省費縣周邊衛星圖」，[304]紅框處為今日費縣疆域。上文已述離姑、翼應位於西北往東南走向丘陵間谷地，今日亦見公路修築於此。偃、虛丘亦為邾邑，依地望推測則離姑、翼可再向東南延伸至偃、虛丘。

296 清・王掞等：《欽定春秋傳說彙纂》，收入任繼愈、傅璇琮總主編：《文津閣四庫全書》，冊59，頁525。清・高士奇：《春秋地名考略》，收入清・永瑢、紀昀等編：《景印文淵閣四庫全書》，冊176，卷12，頁10。清・顧棟高著，吳樹平、李解民點校：《春秋大事表》，頁789。清・江永：《春秋地理考實》，收入清・阮元編：《皇清經解春秋類彙編》，頁843。日・竹添光鴻：《左傳會箋》，頁324、326。

297 清・沈欽韓：《春秋左氏傳補注》，收入清・王先謙：《續經解春秋類彙編》，頁2631。

298 王獻唐：《三邾疆域圖考》，頁39。

299 程發軔：《春秋要領》，頁146、148。潘英：《中國上古國名地名辭匯及索引》，頁170、192。

300 楊伯峻：《春秋左傳注》，頁277-278。

301 唐敏、尹敬梅、于英華、劉軍等：《山東省古地名辭典》，頁228、224。

302 戴均良等：《中國古今地名大詞典》，頁2705、2669。

303 僖公二十一年（639 B.C.）《傳》：「任、宿、須句、顓臾，風姓也。」《集解》：「顓臾在泰山南武陽縣東北。」見晉・杜預集解，唐・孔穎達正義：《春秋左傳注疏》，頁242。《論語・季氏》：「季氏將伐顓臾。冉有、季路見於孔子曰：『季氏將有事於顓臾。』孔子曰：『求！無乃爾是過與？夫顓臾，昔者先王以為東蒙主，且在邦域之中矣，是社稷之臣也。何以伐為？』」三國魏人何晏（196-249）《論語集解》：「孔曰：顓臾，伏羲之後，風姓之國，本魯之附庸，當時臣屬魯。季氏貪其土地，欲滅而取之。」見魏・何晏注，宋・邢昺疏：《論語注疏》（臺北：藝文印書館，1993年，據清嘉慶二十年（1815）江西南昌府學版影印），頁146。

304 Google Map 衛星圖，搜尋日期2019年4月25日，網址：https://www.google.com.tw/maps/place/%E4%B8%AD%E5%9C%8B%E5%B1%B1%E6%9D%B1%E7%9C%81%E8%87%A8%E6%B2%82%E5%B8%82%E8%B2%BB%E7%B8%A3/@35.072889,117.7928059,57653m/data=!3m1!1e3!4m5!3m4!1s0x35c0d516dcb5822b:0xfc708b15b46ebd53!8m2!3d35.26596!4d117.977325?hl=zh-TW。

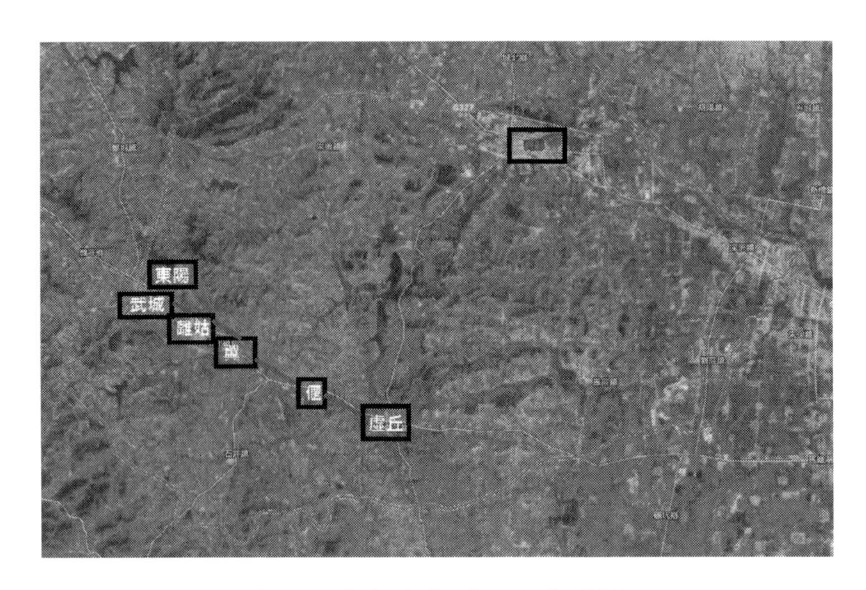


圖 7　山東省費縣周邊衛星圖

## 2 南路：邾都驛—句繹—郳（小邾）

上引哀公十四年《春秋經》謂「小邾射以句繹來奔」，知句繹曾為郳（小邾）屬邑。至於句繹究竟屬邾或郳（小邾）？筆者同意上引哀公二年《春秋經》之《正義》所釋，句繹因近於二國，疆埸之邑常互有隸屬，故邾與郳（小邾）皆曾有之。句繹既曾屬郳（小邾），理當有道路相連，此是邾都繹東向交通路線之南路。前節已述郳（小邾）前後期都城南北相距約十公里，若由郳（小邾）前往句繹原則是向西北行。因二處都城西側為狐駘（駘上）山區，合理推測乃先沿山勢向北，再轉西北至句繹。透過 Google Map 截取為「圖8、鄒城市、滕州市、棗莊市周邊衛星圖」，[305]再配合「圖5」、「圖6」方位，東向交通路線應先至句繹後沿山勢向東南行，至今棗莊市山亭區分北、南二路，南路可至郳（小邾）前後期都城。

305 Google Map 衛星圖，搜尋日期2019年4月17日，網址：https://www.google.com.tw/maps/place/%E4%B8%AD%E5%9C%8B%E5%B1%B1%E6%9D%B1%E7%9C%81%E6%A3%97%E8%8E%8A%E5%B8%82%E5%B1%B1%E4%BA%AD%E5%8D%80%E6%9D%B1%E6%B1%9F%E6%9D%91/@35.1686364,117.3294786,63812m/data=!3m1!1e3!4m5!3m4!1s0x35c6964902afdbf9:0x23db275dbe5a8d98!8m2!3d35.024632!4d117.417416?hl=zh-TW。

**圖 8　鄒城市、滕州市、棗莊市周邊衛星圖**

總上所述，以為本節結束。第一小節申言邾都繹南向交通路線，交通據點為：邾都繹—滕—薛。第二小節論東南向交通路線，又分東、南二路。東路所經都邑為：邾都繹—絞—狐駘（駘上）—郳（小邾），南路據點為：邾都繹—絞—狐駘（駘上）—濫。第三小節敘東向交通路線，由邾都繹至句繹後，依山勢轉東南行，約在今棗莊市山亭區分為北、南二路。北路據點為：邾都繹—句繹—武城—離姑—翼—偃—虛丘，南路據點為：邾都繹—句繹—郳（小邾）。

# 五　結語

本文以《春秋經》、《左傳》記載為核心，結合傳世文獻所載地望與考古成果、衛星地圖，嘗試勾勒春秋邾國國內與周邊交通路線，具體成果條列於下。（一）邾國初都與遷都後地望，知其初都今址為曲阜市東南尼山鎮，待邾徙都至繹都，此地乃入魯國版圖，即孔子之父叔梁紇治所。邾文公時邾遷都於繹，繹都位於今鄒城市東南約10公里嶧山鎮嶧山南麓紀王城村周圍，終春秋之世，邾都皆在此地。（二）邾國交通路線以邾都繹為核心，分為東北向、北向、西向、南向、東南向、東向六條交通路線，以下依各路線臚列所經據點。一、東北向交通路線據點為：邾都繹—漆—閭丘—邾初都（郰），二、北向交通路線據點為：邾都繹—繹邑—平陽—曲阜。三、西向交通路線由邾都繹先西行至訾婁，爾後分為北、南二路；北路據點為：訾婁—蟲，南路取道：訾婁—任—邿—茅。四、南向交通據點為：邾都繹—滕—薛。五、東南向交通路線分東、南二路，東路所經都邑為：邾都繹—絞—狐駘（駘上）—郳（小邾），南路據點為：邾都繹—

絞—狐駘（駘上）—濫。六、東向交通路線乃由邾都繹至句繹後，依山勢轉東南行，約在今棗莊市山亭區分為北、南二路。北路據點為：邾都繹—句繹—武城—離姑—翼—偃—虛丘，南路據點為：邾都繹—句繹—郳（小邾）。以下援引《地圖集》冊1「齊、魯」地圖，[306]截取為「圖9、邾國交通路線全圖」，呈現邾國六條交通路線標記據點。

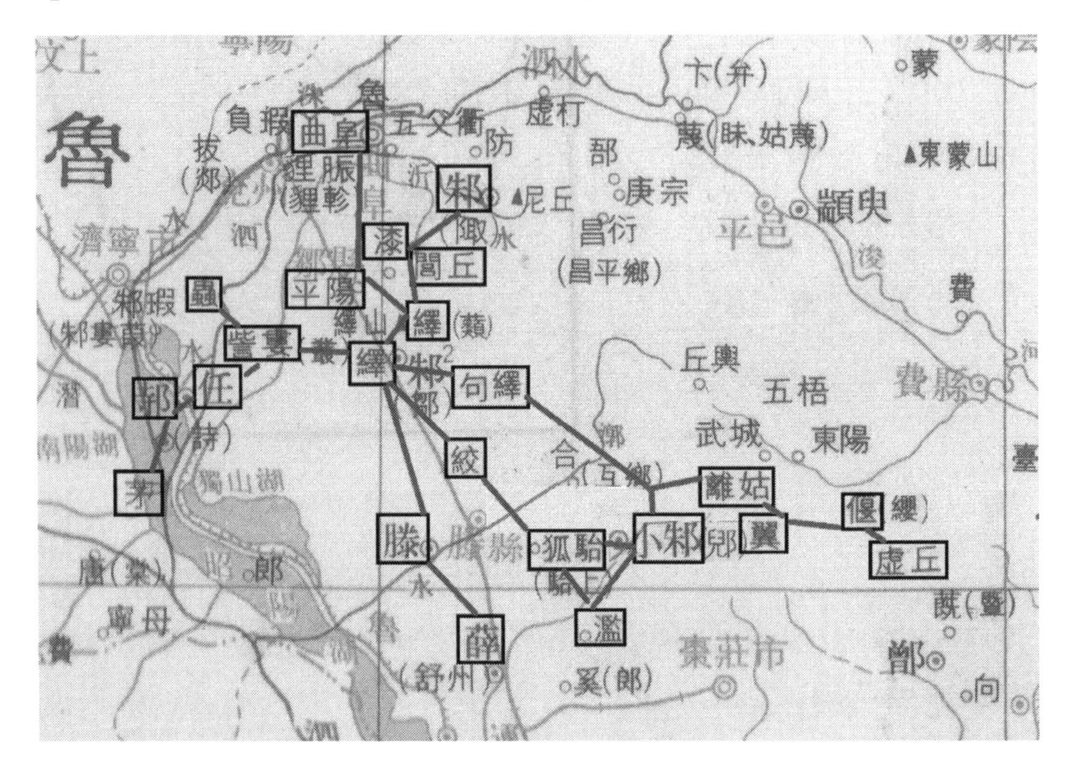


圖 9　邾國交通路線全圖

306 譚其驤：《中國歷史地圖集》，冊1，頁26-27。

# 徵引文獻

## 一　原典文獻


漢・公羊壽傳，漢・何休解詁，唐・徐彥疏：《春秋公羊傳注疏》，臺北：藝文印書館，1993年，據清嘉慶二十年（1815）江西南昌府學版影印。

題漢・孔安國傳，唐・孔穎達正義：《尚書注疏》，臺北：藝文印書館，1993年，據清嘉慶二十年（1815）江西南昌府學版影印。

漢・司馬遷著，南朝宋・裴駰集解，唐・司馬貞索隱，唐・張守節正義，日・瀧川龜太郎考證：《史記會注考證》，高雄：復文圖書出版社，1991年。

漢・宋　衷著，清・張澍粹輯補：《世本》，收入《世本八種》，北京：北京圖書館出版社，2008年，據二酉堂叢書排印。

漢・桑　欽著，北魏・酈道元注：《水經注》，長春：時代文藝出版社，2001年，據清人王先謙《合校水經注》為底本排印。

漢・班　固著，唐・顏師古注：《漢書》，臺北：宏業書局，1996年。

漢・趙　岐注，宋・孫奭疏：《孟子注疏》，臺北：藝文印書館，1993年，據清嘉慶二十年（1815）江西南昌府學版影印。

漢・鄭　玄注，唐・孔穎達正義：《禮記注疏》，臺北：藝文印書館，1993年，據清嘉慶二十年（1815）江西南昌府學版影印。

漢・鄭　玄注，唐・賈公彥疏：《周禮注疏》，臺北：藝文印書館，1993年，據清嘉慶二十年（1815）江西南昌府學版影印。

三國・韋　昭：《國語韋昭註》，臺北：藝文印書館，1974年，影印天聖明道本・嘉慶庚申（1800）讀未見書齋重雕本。

魏・何　晏注，宋・邢昺疏：《論語注疏》，臺北：藝文印書館，1993年，據清嘉慶二十年（1815）江西南昌府學版影印。

晉・司馬彪著，梁・劉昭注補：《後漢書志・輿服志》，北京：中華書局，1965年。

晉・杜　預集解，唐・孔穎達正義：《春秋左傳正義》，臺北：藝文印書館，1993年，據清嘉慶二十年（1815）江西南昌府學版影印。

晉・范　甯集解，唐・楊士勛疏：《春秋穀梁傳注疏》，臺北：藝文印書館，1993年，據清嘉慶二十年（1815）江西南昌府學版影印。

劉宋・范　曄著，唐・李賢等注：《後漢書》，臺北：宏業書局，1984年。

唐・李　泰等著，賀次君輯校：《括地志輯校》，北京：中華書局，1980年。

宋・樂　史著，王文楚等點校：《太平寰宇記》，北京：中華書局，2007年，據清光緒八年（1882）金陵書局為底本校定排印。

宋・羅　泌：《路史》，收入任繼愈、傅璇琮總主編：《文津閣四庫全書》，北京：商務印書館，2005年，冊132。

元・于　欽著，劉敦愿等校釋：《齊乘校釋》，北京：中華書局，2012年，據山東省博物館藏乾隆四十六年（1781）胡德琳刻本為底本校釋。

元・汪克寬：《春秋胡傳附錄纂疏》，收入王雲五：《四庫全書珍本》第四集，臺北：商務印書館，1973年，據文淵閣四庫全書影印，冊242。

元・馬端臨：《文獻通考》，杭州：浙江古籍出版社，2000年，據萬有文庫本《十通》影印。

清・王政修，清・王庸立、黃來麟纂：《道光滕縣志》，收入《中國地方志集成》，南京：鳳凰出版社，2004年，據清道光二十六（1846）刻本影印。

清・王　掞等：《欽定春秋傳說彙纂》，收入任繼愈、傅璇琮總主編：《文津閣四庫全書》，北京：商務印書館，2005年，冊59。

清・江　永：《春秋地理考實》，收入清・阮元編：《皇清經解春秋類彙編》，臺北：藝文印書館，1986年，據學海堂本影印。

清・沈欽韓：《春秋左氏傳補注》，收入清・王先謙：《續經解春秋類彙編》，臺北：藝文印書館，1986年，據學海堂本影印。

清・岳　濬等監修，清・杜詔等編纂：《山東通志》，收入清・永瑢、紀昀等編：《景印文淵閣四庫全書》，臺北：臺灣商務印書館，1983年，據文淵閣四庫全書影印，冊539。

清・高士奇：《春秋地名考略》，收入清・永瑢、紀昀等編：《景印文淵閣四庫全書》，臺北：臺灣商務印書館，1983年，據文淵閣四庫全書影印，冊176。

清・章學誠著，葉瑛校注：《文史通義校注》，北京：中華書局，1985年。

清・程廷祚：《春秋地名辨異》，收入收入李勇先主編：《中國歷史地理文獻輯刊》，上海：上海交通大學出版社，2009年，據清嘉慶年刻藝海珠塵本影印，冊18。

清・趙爾巽等：《清史稿》，收入《續修四庫全書》編纂委員會：《續修四庫全書》第297冊，上海：上海古籍出版社，2002年，據民國十七年（1928）清史館鉛印本（關內本）影印。

清・穆彰阿等：《嘉慶重修一統志》，上海：商務印書館，1934，據上海涵芬樓景印清史館藏進呈寫本。

清・錢謙益著，清・錢曾箋注，錢仲聯標點：《牧齋有學集》，上海：上海古籍出版社，2010年。

清・覺羅普爾泰修，清・陳顧㶚纂：《乾陵兗州府志》，收入《中國地方志集成》，南京：鳳凰出版社，2004年，據清乾隆二十五（1770）刻本影印。

清・顧炎武：《山東考古錄》，收入《明清筆紀史料叢刊》，北京：中國書店，2000年，冊46。

清・顧炎武著，華東師範大學古籍研究所整理：《左傳杜解補正》，收入《顧炎武全集》，上海：上海古籍出版社，2011年，冊1。
清・顧祖禹著，賀君次、施和金點校：《讀史方輿紀要》，北京：中華書局，2005年，據北京圖書館藏清代商丘宋氏緯蕭草堂寫本為底本排印。
清・顧棟高著，吳樹平、李解民點校：《春秋大事表》，北京：中華書局，1993年。

## 二　近人著作

中國社會科學院考古研究所編：《殷周金文集成》，北京：文物出版社，1984年，第1冊。
王子今：《秦漢交通史稿》，北京：中共中央黨校出版社，1994年。
王　恢：《中國歷史地理》，臺北：臺灣學生書局，1984年。
王國維：《古史新證》，北京：清華大學出版社，1994年。
王國維：《觀堂集林》，北京：中華書局，1999年。
王獻唐：《三郳疆域圖考》，濟南：齊魯書社，1982年。
史念海：《中國古都和文化》，北京：中華書局，1996年。
史念海：《中國的運河》，西安：陝西人民出版社，1988年。
唐　敏、尹敬梅、于英華、劉軍等：《山東省古地名辭典》，濟南：山東文藝出版社，1993年。
國家文物局：《中國文物地圖集・山東分冊》，北京：中國地圖出版社，2007年。
張長壽、殷瑋璋主編，中國社會科學院考古研究所編：《中國考古學・兩周卷》，北京：中國社會科學出版社，2004年。
許凌云：〈經史關係略論〉，收入氏著：《經史因緣》（濟南：齊魯書社，2002年），頁1-25。
陳代光：《中國歷史地理》，廣州：廣東高等教育出版社，1997年。
陳　槃：《春秋大事表列國爵姓及存滅表譔異》，上海：上海古籍出版社，2009年。
程發軔：《春秋要領》，臺北：東大圖書公司，1989年。
楊伯峻：《春秋左傳注》，北京：中華書局，2000年。
葉至誠、葉立誠：〈談三重證據法——十干與立主〉，收入氏著：《研究方法與論文寫作》，臺北：商鼎文化出版公司，2003年。
鄒逸麟：《中國歷史地理概述》，福州：福建人民出版社，1993年。
潘　英：《中國上古名地名辭匯及索引》，臺北：明文書局，1986年。
錢　穆：《史記地名考》，北京：商務印書館，2001年。
戴均良等：《中國古今地名大詞典》，上海：上海辭書出版社，2005年。
譚其驤：《中國歷史地圖集》，臺北：曉園出版社，1991年，冊1。

嚴耕望：《唐代交通圖考》，臺北：中央研究院歷史語言研究所，1985年。
日・竹添光鴻：《左傳會箋》，臺北：天工書局，1998年。

## 三　單篇論文

山東大學歷史文化學院、山東大學文化遺產研究所、鄒城市文化局：〈山東鄒城市邾國故城遺址2017年 J3發掘簡報〉，《考古》2018年第8期，頁3-24。
山東大學歷史文化學院考古系、鄒城市文物局：〈山東鄒城市邾國故城遺址2015年發掘簡報〉，《考古》2018年第3期，頁44-67。
中國科學院考古研究所山東考古隊：〈山東鄒縣滕縣古城址調查〉，《考古》1965年第12期，頁622-635。
王子今：〈中國交通史研究一百年〉，《歷史研究》2002年第2期，頁164-179。
王　博：〈論錢謙益的史學思想〉，《西安文理學院學報（社會科學版）》第12卷第6期（2009年12月），頁47-50。
石敬東、劉愛民：〈東江小邾國都城、疆域及相關問題初探〉，《海岱考古》第4輯（2011年），頁433-438。
李錦山：〈郳國公室墓葬及其相關問題〉，《棗莊學院學報》2005年第1期，頁24-34。
林光雨、張云：〈山東棗莊春秋時期小邾國墓地的發掘〉，《中國歷史文物》2003年第5期，頁65-67。
宣兆琦：〈《考工記》的國別與成書年代〉，《自然科學史研究》1993年第4期，頁297-303。
徐加軍、苗永春、楊晶：〈小邾國都城及相關問題〉，收入山東省棗莊市政協：《小邾國文化》（北京：中國文史出版社，2006年），頁296-311。
馬媛援：〈邾國地理考證〉，《聊城大學學報（社會科學版）》2010年第1期，頁21-24。
張永貴、黎建軍：〈錢謙益史學思想評述〉，《史學月刊》2000年第2期，頁19-24。
張學海：〈淺談曲阜魯城的年代和基本格局〉，《文物》1982年第12期，頁13-16。
陳　東：〈魯城「曲阜」說考辨〉，《孔子研究》2017年第5期，頁145-151。
陳　磊：〈論《史通》在宋代的沉寂〉，《湖北社會科學》2014年第7期，頁120-122。
慈　平：〈小邾國及國都位置探微〉，《三門峽職業技術學院學報》2010年第1期，頁42-46。
靳　寶：〈論錢謙益的史學觀〉，《遼寧大學學報（哲學社會科學版）》2006年3月，頁75-80。
聞人軍：〈《考工記》成書年代新考〉，《文史》第23輯。
聞人軍：〈《考工記》齊尺考辨〉，《考古》1983年第1期，頁61-65。

嚴耕望：〈我撰「唐代交通圖考」的動機與經驗〉，《興大歷史學報》（臺中：國立中興大學歷史學系，1993年），頁1-9。

## 四　網路資料

Google Map 衛星圖，搜尋日期2019年3月29日，網址：https://www.google.com.tw/maps/place/%E4%B8%AD%E5%9C%8B%E5%B1%B1%E6%9D%B1%E7%9C%81%E6%BF%9F%E5%AF%A7%E5%B8%82%E6%9B%B2%E9%98%9C%E5%B8%82%E5%B0%BC%E5%B1%B1%E9%8E%AE/@35.460177,117.0842109,32485m/data=!3m1!1e3!4m5!3m4!1s0x35c3fe78a4ebff15:0xfa5b45e8de38be3a!8m2!3d35.523335!4d117.133347?hl=zh-TW。

Google Map 衛星圖，搜尋日期2019年4月16日，網址：https://www.google.com.tw/maps/place/%E4%B8%AD%E5%9C%8B%E5%B1%B1%E6%9D%B1%E7%9C%81%E6%A3%97%E8%8E%8A%E5%B8%82%E5%B1%B1%E4%BA%AD%E5%8D%80%E6%9D%B1%E6%B1%9F%E6%9D%91/@35.0224654,117.2589454,22541m/data=!3m1!1e3!4m13!1m7!3m6!1s0x35c6913a3ba14565:0x25524bc5a92bfd1f!2z5Lit5ZyL5bGx5p2x55yB5qOX6I6K5biC5bGx5Lqt5Y2A6KW_6ZuG6Y6uIOmCruaUv-e8lueggTogMjc3MjIz!3b1!8m2!3d34.94392!4d117.436235!3m4!1s0x35c6964902afdbf9:0x23db275dbe5a8d98!8m2!3d35.024632!4d117.417416?hl=zh-TW。

Google Map 衛星圖，搜尋日期2019年4月17日，網址：https://www.google.com.tw/maps/@35.2580825,117.438097,51920m/data=!3m1!1e3?hl=zh-TW。

Google Map 衛星圖，搜尋日期2019年4月17日，網址：https://www.google.com.tw/maps/place/%E4%B8%AD%E5%9C%8B%E5%B1%B1%E6%9D%B1%E7%9C%81%E6%A3%97%E8%8E%8A%E5%B8%82%E5%B1%B1%E4%BA%AD%E5%8D%80%E6%9D%B1%E6%B1%9F%E6%9D%91/@35.1686364,117.3294786,63812m/data=!3m1!1e3!4m5!3m4!1s0x35c6964902afdbf9:0x23db275dbe5a8d98!8m2!3d35.024632!4d117.417416?hl=zh-TW。

Google Map 衛星圖，搜尋日期2019年4月25日，網址：https://www.google.com.tw/maps/place/%E4%B8%AD%E5%9C%8B%E5%B1%B1%E6%9D%B1%E7%9C%81%E8%87%A8%E6%B2%82%E5%B8%82%E8%B2%BB%E7%B8%A3/@35.072889,117.7928059,57653m/data=!3m1!1e3!4m5!3m4!1s0x35c0d516dcb5822b:0xfc708b15b46ebd53!8m2!3d35.26596!4d117.977325?hl=zh-TW。

Google 搜尋「百度百科」「偪陽故城」，搜尋日期2019年6月17日，網址：https://baike.baidu.com/item/%E9%80%BC%E9%98%B3%E6%95%85%E5%9F%8E。

Google 搜尋「百度百科」「滕國故城」，搜尋日期2019年5月16日，網址：https://baike.baidu.com/item/%E6%BB%95%E5%9B%BD%E6%95%85%E5%9F%8E。

Google 搜尋「百度百科」「薛國故城」，搜尋日期2019年5月16日，網址：https://baike.baidu.com/item/%E8%96%9B%E5%9B%BD%E6%95%85%E5%9F%8E。

百度百科搜尋「尼山鎮」，搜尋日期：2019年3月29日，網址：https://baike.baidu.com/item/%E5%B0%BC%E5%B1%B1%E9%95%87。

百度百科搜尋「南武城故城遺址」，搜尋日期2019年5月15日，網址：https://baike.baidu.com/item/%E5%8D%97%E6%AD%A6%E5%9F%8E%E6%95%85%E5%9F%8E%E9%81%97%E5%9D%80。

學術論文集叢書 1500019

# 第二屆《群書治要》國際學術研討會論文集

主　　編　黃聖松
責任編輯　張晏瑞、林以邠
主辦單位：國立成功大學中國文學系
合辦單位：香港中文大學中國語言及文學系、
財團法人台南市至善教育基金會

發 行 人　林慶彰
總 經 理　梁錦興
總 編 輯　張晏瑞
編 輯 所　萬卷樓圖書股份有限公司
地址　臺北市羅斯福路二段 41 號 6 樓之 3
電話　(02)23216565
傳真　(02)23218698

發　　行　萬卷樓圖書股份有限公司
地址　臺北市羅斯福路二段 41 號 6 樓之 3
電話　(02)23216565
傳真　(02)23218698
電郵　SERVICE@WANJUAN.COM.TW
香港經銷　香港聯合書刊物流有限公司
電話　(852)21502100
傳真　(852)23560735

ISBN 978-986-478-541-4
2021 年 10 月初版一刷
定價：新臺幣 620 元



國家圖書館出版品預行編目資料
第二屆《群書治要》國際學術研討會論文集. / 黃聖松主編. -- 初版. -- 臺北市 : 萬卷樓圖書股份有限公司, 2021.10
面；　公分. -- (學術論文集叢書 ; 1500019)
ISBN 978-986-478-541-4(平裝)
1.經書 2.研究考訂 3.文集
075.407　　110017192